Cours
de sociologie

Luc Van Campenhoudt et Nicolas Marquis

Cours
de sociologie

DUNOD

Illustration de couverture :
Franco Novati

© Dunod, Paris, 2014

5 rue Laromiguière, 75005 Paris

www.dunod.com

ISBN 978-2-10-071290-8

Table des matières

Introduction   1

PARTIE 1. L'ATTITUDE SOCIOLOGIQUE

CHAPITRE 1   CONNAÎTRE, C'EST D'ABORD SE CONNAÎTRE   11

1. Recherche de référence :
Richard Hoggart, *La culture du pauvre*   13

   1.1   Expérience vécue et démarche scientifique   13

   1.2   La culture populaire sous le regard bourgeois   16

   1.3   Saisir la structure des comportements   17

   1.4   La structure durable oriente les changements   20

   1.5   L'ethnocentrisme de classe   24

   1.6   Élucider le rapport du chercheur aux phénomènes étudiés   25

2. Complément : En quoi l'ethnocentrisme
est-il un obstacle à l'analyse ? (M. Sahlins)   27

CHAPITRE 2   CONSIDÉRER TOUTE MANIÈRE DE VIVRE COMME NORMALE ET SENSÉE   31

1.   Recherche de référence : Erving Goffman,
Asiles. Études sur la condition sociale des malades mentaux   33

   1.1   Même les « fous » !   34

   1.2   L'institution totale   35

   1.3   Les adaptations secondaires   39

   1.4   La carrière du malade mental   41

   1.5   Le concept pour construire un objet sociologique   44

   1.6   Une vie « signifiante, sensée et normale »   47

   1.7   Interaction et interactionnisme symbolique   50

2. Complément : Qu'est-ce qu'un bon usage
du relativisme ? (E. E. Evans-Pritchard)   53

   2.1   La pluralité des univers de sens   53

   2.2   Analyser un phénomène social dans l'univers où il prend sens   54

   2.3   Attitude de sens commun et attitude scientifique   55

   2.4   Le relativisme méthodologique   57

Chapitre 3   S'affranchir des catégories de pensée instituées   59

1. Recherche de référence :
Howard Becker, *Outsiders*   61

   1.1   La déviance est une interaction   62

   1.2   La carrière du fumeur de marijuana   66

   1.3   La théorie de l'étiquetage   68

   1.4   Décoller les étiquettes   71

   1.5   Poser l'équivalence morale des comportements   75

2. Complément : Comment vaincre
les résistances à l'analyse sociologique ?
(C. W. Mills, M. Douglas, B. Latour)   78

   2.1   La résistance des puissants   78

   2.2   Analyser le fonctionnement du pouvoir   79

   2.3   Décrypter la pensée des institutions   83

   2.4   La science est une institution   85

   2.5   La science comme construction sociale   87

Conclusion de la première partie : Le langage de la sociologie   91

Parti 2. Le socle de la sociologie

Chapitre 4   Mettre au jour les logiques objectives du social   99

1. Recherche de référence :
Émile Durkheim, *Le suicide*   101

   1.1   Le suicide : un acte individuel et des causes sociales   103

   1.2   Le fait social   106

   1.3   Le holisme méthodologique : expliquer le social par le social   110

   1.4   Le suicide, la cohésion sociale et les transformations normatives   112

   1.5   Solidarité mécanique et solidarité organique   117

   1.6   La sociologie comme science de la causalité sociale   122

   1.7   L'individualisme est un fait social   123

2. Complément : Quel est l'intérêt et quelles sont les limites du fonctionnalisme ? (R. K. Merton, T. Parsons)   126

    2.1   La fonction comme principe explicatif   126

    2.2   Du fonctionnalisme absolu au fonctionnalisme relatif   127

    2.3   Le structuro-fonctionnalisme   129

CHAPITRE 5   COMPRENDRE LE SENS DES ACTIONS SOCIALES   135

**1. Recherche de référence :
Max Weber, *L'Éthique protestante et l'esprit du capitalisme***   137

    1.1   La rationalisation, « destin de notre temps »   138

    1.2   Les sources religieuses de la rationalisation économique   140

    1.3   Le type idéal de l'esprit du capitalisme   143

    1.4   Le type idéal de l'éthique protestante   145

    1.5   Les affinités électives entre le protestantisme et le capitalisme   148

    1.6   La rationalisation de la domination politique   151

    1.7   Du type idéal à la typologie   153

    1.8   Comprendre l'action sociale   155

    1.9   Les déterminations de l'action sociale et la modernité   157

    1.10 La non-imposition des valeurs dans la science   160

2. Complément : Comment l'esprit du capitalisme a-t-il évolué jusqu'aujourd'hui ? (L. Boltanski, E. Chiapello)   163

    2.1   La critique sociale et la critique artiste   163

    2.2   La sociologie pragmatique   164

    2.3   La cité par projet   166

    2.4   La société en réseau et les nouvelles inégalités dans l'esprit du capitalisme   168

    2.5   L'affaiblissement de l'État et du monde du travail   170

CHAPITRE 6   DÉVOILER LA CONFLICTUALITÉ DES RAPPORTS SOCIAUX   173

**1. Recherche de référence :
Karl Marx, *Le Dix-huit Brumaire de Louis Bonaparte***   175

    1.1   Chercher une logique dans une succession d'événements   176

    1.2   La lutte des classes   177

    1.3   Les acteurs de la lutte des classes   178

    1.4   La lutte des classes dans la Seconde République   180

1.5   Le système capitalisme : propriété, salaire et plus-value   187

1.6   Réforme ou révolution ?   190

1.7   La conscience de classe : classe en soi et classe pour soi   192

1.8   L'idéologie dominante et l'aliénation   193

1.9   Le matérialisme historique et dialectique   195

2. Complément : Comment se forme une classe sociale ?
(E. P. Thompson, A. Touraine, D. McAdam,
J. D. McCarthy, M. N. Zald)   199

2.1   La formation de la classe ouvrière anglaise   199

2.2   Une classe ouvrière disparate   200

2.3   La classe sociale : un processus historique et relationnel   202

2.4   La conscience de classe : un ensemble complexe de représentations   204

2.5   Les contextes de micro-mobilisation :
au cœur de l'action collective   205

2.6   Une approche historique et émancipatrice du social   207

CONCLUSION DE LA DEUXIÈME PARTIE : Paradigmes et engagement   211

1. Le niveau de réalité du social   211

2. Les paradigmes sociologiques   213

3. Quatre actes du travail sociologique   214

PARTIE 3. LES DIMENSIONS DU SOCIAL

CHAPITRE 7   SAISIR LA CONSTITUTION SYMBOLIQUE DU SOCIAL   219

1. Recherche de référence :
Marcel Mauss, *Essai sur le don*   221

1.1   D'un phénomène banal à un analyseur sociologique   222

1.2   La kula et potlatch   223

1.3   Donner-recevoir-rendre : une structure unique   226

1.4   Le réel est symbolique   227

1.5   Symbolique et pouvoir   229

1.6   Le fait social total   231

1.7   Comparer pour mieux comprendre   234

1.8   L'actualité du don   236

2. Complément : Comment construisons-nous la réalité dans la vie de tous les jours ? (G. Simmel, A. Giddens, A. Schütz, P. Berger, T. Luckmann, H. Garfinkel)   240

2.1   La réalité est socialement construite   240

2.2   Action réciproque, typification et confiance   242

2.3   La confiance dans les systèmes-experts   245

2.4   La réciprocité des perspectives et l'attitude de sens pratique   246

2.5   La réalité de la vie quotidienne   249

2.6   Le processus de construction de la réalité   251

2.7   L'ethnométhodologie   253

CHAPITRE 8   HISTORICISER LES STRUCTURES SOCIALES   257

1. Recherche de référence : Norbert Elias, *Le processus de civilisation*   259

1.1   La formation des États modernes : monopolisation et interdépendance   260

1.2   La démocratie et le marché   263

1.3   L'autocontrôle des pulsions   265

1.4   Le tout concret   268

1.5   Lois structurelles et liberté des individus   270

1.6   Histoire, sociologie et psychologie   273

2. Complément : Qu'est-ce qui est pensable dans une société ? (M. Foucault)   274

2.1   La vérité est socio-historiquement située   275

2.2   La vérité comme exercice du pouvoir sur l'être humain   276

2.3   L'exercice du pouvoir dans les sociétés modernes et contemporaines   278

CHAPITRE 9   ÉTUDIER LES RELATIONS   281

1. Recherche de référence : Pierre Bourdieu, *La Distinction. Critique sociale du jugement*   283

1.1   Sociologie et sens commun   284

1.2   Structure des capitaux et position de classe   286

1.3   L'habitus   290

1.4   Un système d'écart   292

1.5   Le champ de la production et de la consommation culturelles   298

1.6   Une théorie de la pratique et de la domination symbolique   300

2. **Complément : Quelles formes prennent les relations ?**
   (M. Crozier, M. Granovetter) 302

   2.1 L'analyse stratégique des organisations 303

   2.2 La zone d'incertitude : clé du pouvoir 303

   2.3 La rationalité limitée de l'acteur 308

   2.4 Le système d'action concret 308

   2.5 L'analyse des réseaux d'acteurs sociaux 311

   2.6 La force du lien faible 311

   2.7 Le partage des rôles dans le couple en fonction du réseau social 313

   2.8 Le concept de réseau d'acteurs sociaux 314

   2.9 Champ, système d'action concret ou réseau ? 316

CONCLUSION GÉNÉRALE : Du bon usage de la sociologie 319

1. Du bon usage des principes actifs 319

2. Du bon usage des théories 321

3. Du bon usage des grandes œuvres 323

BIBLIOGRAPHIE 325

GLOSSAIRE 331

INDEX DES NOTIONS 345

INDEX DES AUTEURS 349

Introduction

1. Conception du livre

Ce livre a été conçu pour l'enseignement de la sociologie aux étudiants du premier cycle de l'enseignement supérieur. Pour les étudiants en sociologie, un cours de sociologie constitue une brique voire une fondation dans un édifice qui s'érigera au cours de leur formation. Cependant, dans leur grande majorité, les étudiants qui ont la sociologie à leur programme ne se destinent pas à cette discipline mais à d'autres comme l'économie, la gestion, la science politique, le droit, l'information et la communication, l'anthropologie, l'histoire, la philosophie ou encore le travail social. Pour eux, la sociologie fait seulement partie des matières de base d'un enseignement supérieur en sciences humaines. Elle est une dalle parmi d'autres vers un chemin qui les mènera ailleurs : peu d'heures y sont consacrées et ce premier cours de sociologie sera aussi, le plus souvent, leur dernier.

Pour ces étudiants, il faut aller directement à l'essentiel : leur fournir les clés de la compréhension sociologique de la société et des phénomènes sociaux. Découvrir une discipline de manière scolaire comme on visite une belle demeure et faire le tour du propriétaire, est une chose, dont le souvenir s'effacera rapidement ; en acquérir les clés et s'imprégner de son esprit en est une autre qui permet de se l'approprier durablement. Ces clés sont ici les « principes actifs » de l'analyse sociologique des phénomènes sociaux. Tenter de donner une définition *in abstracto* de la sociologie est une gageure qui donne rarement de bons résultats. Les étudiants et les enseignants qui sont confrontés à cette interrogation ne le savent que trop bien. L'une des convictions de cet ouvrage est que l'apprentissage par les principes actifs est la meilleure façon de rendre compréhensible ce que l'approche sociologique donne à voir, la meilleure façon de saisir la *différence* qu'elle fait et la *plus-value* qu'elle apporte.

Un cours conçu de la sorte doit permettre à des étudiants, futurs sociologues ou non, d'acquérir une réelle capacité de comprendre la réalité sociale mais aussi de conserver, voire de développer cette capacité bien après avoir suivi le cours et passé l'examen. Plus encore, il constitue une « invitation », pour reprendre l'expression du sociologue américain Peter Berger[1], qui donne l'envie d'en savoir plus.

La meilleure méthode pour saisir correctement ces principes actifs est de les découvrir à partir d'enquêtes ou de recherches concrètes où ils sont effectivement mis en œuvre et

---

1. Berger, 2006. Pour ne pas interrompre le texte, nous avons mis les références bibliographiques en notes de bas de page. Le premier chiffre représente l'année d'édition, le ou les seconds représentent la ou les pages du livre qui sont citées. Les références complètes se trouvent dans la bibliographie à la fin de cet ouvrage.

où leur sens exact et leur pertinence peuvent être correctement saisis. Ce principe pédago-gique est particulièrement important pour ce qui concerne la sociologie parce qu'elle n'est pas une discipline spéculative[1] mais bien une discipline de l'enquête, ce qui signifie que la compréhension qu'elle propose (c'est-à-dire la théorie) doit être nourrie et vérifiée par une observation des phénomènes sociaux et par des informations concrètes à leur sujet, autrement dit par des faits[2] que l'enquête doit récolter et examiner, ce que l'on appelle le travail empirique. Loin de se réaliser au hasard, cette observation est guidée par des questions et des hypothèses que le chercheur peut formuler grâce aux acquis théoriques antérieurs. Dans l'enquête sociologique, théorie, méthodologie et empirie sont donc indis-sociables, comme on le constatera à chaque page de ce livre.

Le processus pédagogique proposé ici est analogue à l'initiation à la musique : plutôt que de se contenter d'exposés abstraits, mieux vaut écouter de la musique et apprendre, à partir de là, la théorie musicale (comme les principes de l'harmonie et du contrepoint) avec l'aide d'un professeur qui, selon l'expression, « connaît la musique ». Chaque chapitre du livre s'ouvre donc par la découverte d'une recherche exemplaire exposée de manière aussi claire et vivante que possible. C'est au fil de cette découverte que les notions théo-riques sont abordées, au fur et à mesure où elles prennent sens et sont nécessaires. Pas à pas, elles sont reliées les unes aux autres pour élaborer progressivement les enseignements théoriques de base de la sociologie.

Si apprendre la musique c'est d'abord apprendre à écouter, apprendre les sciences sociales c'est d'abord apprendre à lire des textes de sciences sociales. Il faut se laisser trans-porter par le récit de l'enquête tout en gardant l'esprit en éveil, surtout aux moments où apparaissent les concepts clés et où s'esquissent les approches décisives. On verra comment des *problèmes sociaux* se transforment progressivement en *problématiques sociologiques* grâce au génie de chercheurs de renom. Dans ce livre, ce récit comporte de larges extraits de l'œuvre originale qui permettent au lecteur d'entrer de manière plus intime dans la pensée de chaque auteur étudié, de la découvrir de l'intérieur, d'apprécier son style qui n'est pas moins important que le fond car il est « l'ordre et le mouvement que l'on donne à ses pensées » selon la magnifique formule du naturaliste Buffon[3]. Ces extraits permettront au lecteur et de se familiariser avec la lecture d'œuvres classiques et, espérons-le, d'y prendre goût, car la lecture attentive d'un bon livre est source d'ouverture d'esprit et de découvertes passionnantes. Elle n'est ennuyeuse que si elle est trop rapide et superficielle. L'étudiant ou le lecteur doit donc aborder ce livre pas à pas, sans précipitation, lire chaque chapitre comme s'il était lui-même un petit ouvrage, sans se laisser impressionner ni décourager par le volume du livre. Chaque chose viendra en son temps et plus vite qu'on ne le pensait au départ, car les chapitres s'enchaîneront naturellement.

---

1. Le mot « spéculation » est compris ici dans le sens d'une réflexion intellectuelle abstraite, sans objet concret.
2. On verra plus loin quelle est la nature exacte des faits étudiés par la sociologie.
3. Dans un discours resté célèbre à l'Académie française en 1753.

Ce livre est un cours, certes, mais surtout, inversement, ce cours est un livre ; un livre écrit comme on écrit un livre et non comme on écrit un polycopié ou un syllabus. Ce dernier n'est généralement qu'un support de l'exposé oral dont il reprend, de manière plus sommaire, les points successifs, son écriture est « technique », il est au service de l'exposé et n'existe pas en lui-même. C'est au contraire le cas du livre. Celui-ci est sur le même pied que l'exposé oral, l'un et l'autre abordant la matière d'une manière différente mais complémentaire, car on n'écrit pas comme on parle et on ne parle pas comme on écrit. Ce qui est fondamental, c'est que ce livre permet, à l'enseignant comme à l'étudiant, une multiplicité d'usages différents en fonction de la situation d'enseignement ou de recherche dans laquelle il se trouve. En effet, l'expérience prouve que, tel qu'il est conçu, ce livre constitue une très bonne base pour construire un cours, chaque enseignant le faisant découvrir à ses étudiants d'une manière adaptée au contexte et aux finalités de l'enseignement. Celui qui veut l'utiliser pour un cours de 60 heures ou plus (ou pour plusieurs cours qui se suivent) y trouvera un contenu suffisamment dense et complet. Celui qui veut l'utiliser pour un cours de seulement 30 heures ou moins pourra se permettre de traiter de manière approfondie les seules parties qu'il estime indispensables et seulement résumer les autres. Dans ce scénario, il pourrait toutefois se permettre d'inviter les étudiants à lire ces autres parties attentivement, car le livre est rédigé de manière aussi claire que possible, en veillant à la progressivité des apprentissages. Si les conditions de cours et le niveau des étudiants le permettent, on peut même imaginer que l'exposé oral soit entièrement mis au service de la lecture du livre, pour l'introduire, attirer l'attention sur les points essentiels, éveiller l'intérêt par des questions préalables, répondre aux questions des étudiants et expliciter certains points plus difficiles, synthétiser, susciter la discussion critique, montrer l'actualité d'un concept ou d'une hypothèse par des exemples différents de ceux du livre, comparer des analyses d'auteurs différents présentées dans le livre, etc.

Découvrir les principes actifs de l'analyse sociologique des phénomènes sociaux est donc la première finalité de ce cours d'initiation à la sociologie. Il en a une seconde, tant pour les futurs sociologues que pour les étudiants qui ne se destinent pas à cette discipline : celle de contribuer à leur formation de base en sciences humaines. Quelle que soit sa discipline de prédilection et de finalisation, tout étudiant en sciences humaines doit avoir acquis un solide socle de connaissances pluridisciplinaires sans lequel il lui est impossible de construire une réflexion consistante sur les questions traitées par sa discipline, de comprendre l'œuvre d'auteurs contemporains et de saisir les enjeux des débats de société actuels. Depuis plus d'un siècle, la sociologie est constitutive de cette culture intellectuelle de base.

Selon sa discipline de finalisation, tout étudiant aura plus particulièrement besoin d'en maîtriser certaines composantes. Si le futur sociologue fera son miel de l'entièreté des chapitres qui suivent, bien d'autres parcours sont possibles. Par exemple, un étudiant en sciences politiques et qui doit donc étudier notamment les sources et les mécanismes du pouvoir, les liens entre le politique et les autres sphères de la société (comme l'économie, la religion ou la justice), le fonctionnement des grandes organisations publiques ou encore l'action collective et les mouvements sociaux, s'initiera avec profit à la pensée d'auteurs comme Marx, Weber, Mills, Foucault et Crozier notamment. Un étudiant de lettres amené à étudier les phénomènes culturels et symboliques apprendra beaucoup avec Mauss, Weber, Evans-Pritchard ou Bourdieu. Un étudiant de droit ou de criminologie[1] qui devra comprendre les processus de production des normes formelles (comme les normes juridiques) et leurs liens avec les normes informelles, les phénomènes de la transgression et de la déviance ainsi que les fonctions sociales de la sanction, trouvera des références et des outils d'analyse précieux dans les œuvres de Durkheim, Goffman et Becker entre autres. Un étudiant qui se destine à la gestion gagnera beaucoup à s'informer de certains travaux majeurs de Weber, Granovetter, Crozier et Boltanski, parmi d'autres. On pourrait aisément poursuivre pour ce qui concerne les étudiants des autres disciplines telles que l'économie, l'histoire ou la communication.

C'est notamment pour que ce cours contribue à cette culture intellectuelle de base des étudiants que les recherches choisies sont toutes des œuvres majeures qui font partie du patrimoine général des sciences sociales et sont dès lors traduites en plusieurs langues dont le français. Certaines d'entre elles sont d'ailleurs au programme de la formation à d'autres disciplines comme la science politique, la philosophie ou la criminologie. De plus, les auteurs dont la pensée est constitutive de ce socle, ceux que l'on appelle parfois les « pères fondateurs », seront davantage étudiés, mais toujours en partant d'une de leurs œuvres concrètes majeures.

En organisant le livre autour des principes actifs de l'analyse sociologique et en les découvrant à partir de recherches concrètes, on a délibérément choisi une voie différente de celles les plus couramment adoptées dans les manuels de sociologie. *A contrario*, ce cours n'est pas un exposé linéaire des théories et des grands courants sociologiques, ni un historique de la sociologie, depuis ses origines jusqu'à nos jours, ni une présentation systématique des grandes problématiques (comme la culture et la socialisation, les inégalités sociales, l'action collective et le changement social, les rapports entre genres...), ni un panorama des principaux domaines étudiés par ce qu'on appelle les sociologies particulières (comme la famille, la politique, la justice, la religion, l'éducation ou les loisirs). Toutefois, *par le biais des principes actifs,* en fin de parcours, les principaux courants théoriques auront été vus et comparés, les filiations entre eux auront été évoquées, la plupart des grandes problématiques et des principaux domaines de la sociologie auront été abordés. Par ailleurs, puisque les auteurs de ces recherches sont tous des auteurs majeurs des sciences sociales, on exposera chaque fois brièvement les grandes lignes de leur pensée.

Enfin, ce n'est pas parce que l'apprentissage est basé sur des recherches concrètes que ce livre est un cours de méthodes et techniques de la recherche en sciences sociales. Les méthodes et techniques utilisées par les auteurs des recherches seront chaque fois précisées

---

1. Nom donné en Belgique notamment à l'étude de la déviance et à sa gestion publique par les sciences humaines et sociales.

mais sans en détailler les étapes et les aspects techniques qui relèvent d'un autre enseignement[1]. Néanmoins, l'expérience a démontré que le contenu de ce livre pouvait être précieux pour les étudiants plus avancés qui s'initient à la recherche (notamment dans leur travail de fin d'études et même de thèse). En effet, le livre offre de nombreuses pistes pour problématiser un objet de recherche ; il permet de les comparer et de les discuter, voire de s'exercer à analyser les phénomènes sociaux « comme » tel auteur ou « selon » tel courant. La version précédente de ce livre a d'ailleurs été utilisée comme ouvrage de référence dans cette fonction dans certains enseignements de méthodes dans le second cycle universitaire ainsi que, individuellement, par plusieurs étudiants qui ont pu en témoigner.

Ce livre est donc principalement destiné aux étudiants du premier cycle de l'enseignement supérieur, qu'ils s'orientent ou non vers la sociologie, ainsi qu'aux étudiants plus avancés, en complément d'un cours de méthode. Un troisième groupe est particulièrement réceptif à la démarche d'apprentissage proposée ici : les adultes en formation. Une exigence essentielle, fondatrice même, de la formation des adultes est la possibilité d'établir un lien étroit entre les enseignements théoriques et l'expérience pratique, qu'elle soit celle de la vie professionnelle, de l'engagement militant dans la sphère sociale, politique ou culturelle, ou de la vie personnelle. Non seulement ce lien existe ici mais il est impossible de ne pas le faire en découvrant la plupart des travaux présentés dans cet ouvrage. Qu'il s'agisse d'œuvres récentes ou classiques, l'actualité de leurs enseignements sera démontrée par de nombreuses illustrations et applications intéressant les hommes et les femmes d'aujourd'hui et, en particulier, les étudiants et les jeunes. Constamment, le lecteur sera renvoyé à sa propre expérience que ces travaux éclaireront, interrogeront, permettront d'enrichir peut-être. De nombreux témoignages nous sont parvenus en ce sens de la part d'adultes qui s'étaient lancés dans la lecture de la première version du livre dans le cadre d'une formation ou d'une initiative personnelle.

2. Construction du livre

Chaque chapitre du livre est donc consacré à un des principes actifs de l'analyse sociologique des phénomènes sociaux. Comme indiqué plus haut, ce principe est étudié à partir d'une recherche majeure où il est mis en œuvre de manière exemplaire. La présentation de la recherche est chaque fois suivie d'un complément consacré à une question sociologique importante permettant d'approfondir le principe actif, d'actualiser les enseignements de la recherche, de discuter l'œuvre de son auteur ou de comparer son approche théorique à des alternatives. Ces compléments s'appuient eux aussi sur des recherches concrètes ou sur des œuvres internationalement reconnues.

Les neuf chapitres sont regroupés en trois parties composées de trois chapitres chacune. La première partie a pour principal objectif de saisir en quoi consiste l'attitude socio-

---

1. Van Campenhoudt et Quivy, 2011.

logique, c'est-à-dire l'état d'esprit indispensable pour aborder l'étude des phénomènes sociaux. Les recherches sélectionnées ont pour caractéristique d'illustrer de manière particulièrement vivante et pédagogique les principes actifs dans lesquels cette attitude doit se traduire. La deuxième partie a pour objectif de permettre aux lecteurs d'acquérir le socle de la pensée sociologique. Les travaux exemplaires sont ici ceux de pères fondateurs de la discipline. Pour cette raison, dans cette partie, on exposera davantage les grandes lignes de leur pensée. La troisième partie traitera de trois dimensions complémentaires et elles aussi centrales de l'analyse sociologique : la dimension symbolique, la dimension temporelle et la dimension relationnelle.

Chaque partie se clôture sur une conclusion. Celle de la première partie est consacrée au langage scientifique utilisé par la sociologie (concepts, hypothèses et théories notamment). Celle de la deuxième partie fournit des repères pour distinguer les différentes théories et s'y retrouver dans l'ensemble de l'espace théorique de la sociologie. Elle montre aussi les liens entre approches théoriques et conceptions de l'engagement du chercheur dans la société. La conclusion de la troisième et dernière partie rappellera le bon usage qu'il convient de faire des principes actifs de la sociologie, de ses concepts et des grandes œuvres abordées dans cet ouvrage. Elle indiquera des voies pour les appliquer aux problématiques les plus variées, telles que les rapports entre genres ou ce qu'on appelle le hooliganisme, qui n'auront été traitées que de manière transversale ou indirecte dans cet ouvrage. L'objet des conclusions successives n'est donc pas de fournir des ressources supplémentaires pour analyser la réalité sociale (recherches concrètes, théories, etc.), mais bien de revenir sur l'acte même de connaissance visant à connaître cette réalité. Elles proposent, en quelque sorte, des éléments de « connaissance des connaissances » c'est-à-dire d'épistémologie.

Enfin, le livre comporte quatre outils précieux pour l'étude : un glossaire où sont brièvement définis les principaux concepts sociologiques et les principales notions scientifiques exposées dans le livre ; un index des principaux mots-clés (qui sont signalés dans le texte par un astérisque à leur première apparition et lorsqu'ils sont traités de manière particulièrement développée) ; un index des nombreux auteurs abordés et cités ; des notes de bas de pages qui précisent les sources et donnent la signification de certains termes du langage ordinaire qui peuvent présenter des difficultés de compréhension ; enfin, bien sûr, une bibliographie avec les références complètes des livres et articles cités dans le livre.

3. Conviction du livre

Ce livre présente et discute les œuvres et recherches de plusieurs auteurs représentant différentes écoles de pensée, différentes façons de concevoir la posture scientifique, différentes préoccupations sociales. Il n'a évidemment pas été possible de présenter tous les auteurs qui comptent en sociologie. Cependant toutes les œuvres retenues ici sont des œuvres majeures d'auteurs majeurs qui, ensemble, procurent les principales clés de l'analyse sociologique des phénomènes sociaux et couvrent la diversité des principaux courants théoriques.

Toutefois, au-delà de leurs nombreuses et parfois profondes divergences, tous les auteurs étudiés dans ce livre partagent une conviction commune, sans laquelle ils feraient un autre métier : le social, au sens sociologique du terme[1], constitue un niveau de réalité spécifique (au même titre que le biologique et le psychologique par exemple) qui vaut la peine d'être étudié en tant que tel ; plus encore, qui *doit* être étudié en tant que tel si nos sociétés veulent se connaître elles-mêmes et avoir davantage prise sur leur propre destin. Être étudié « en tant que tel » implique qu'à l'instar des phénomènes biologiques qui ne peuvent être expliqués, en dernière instance, que par des processus eux-mêmes biologiques, les phénomènes sociaux ne peuvent être expliqués, en dernière instance, que par des processus sociaux. En d'autres termes, la sociologie vise à « expliquer le social par le social » selon la formule du grand sociologue français Émile Durkheim. Au fil des chapitres de ce cours, le sens de cette formule générale apparaîtra progressivement et l'on verra comment chacun des auteurs étudiés, y compris les plus éloignés de Durkheim, la nuancent et y apportent une contribution originale et nécessaire.

La démarche pédagogique proposée dans ce livre a été longuement expérimentée et est solidement éprouvée. Elle a été élaborée au fil de nombreuses années d'enseignement de la sociologie en grand amphi (comme on dit en France) ou en grand auditoire (comme on dit en Belgique). Une première version, profondément revue et complétée ici, a servi de manuel de base durant plusieurs années dans plusieurs institutions universitaires ainsi que dans plusieurs écoles supérieures. Il s'agit de l'ouvrage *Introduction à l'analyse des phénomènes sociaux*[2]. Dans ces différentes situations, les évaluations révèlent que les étudiants apprécient tout particulièrement l'intérêt du contenu pour leur formation, sa progressivité et son caractère vivant grâce aux recherches concrètes.

À de multiples reprises, d'anciens étudiants rencontrés par hasard nous ont dit combien ce qu'ils ont appris au cours de sociologie les aide encore, plusieurs années plus tard, à mieux comprendre certaines situations, certains comportements, certaines tensions, certains événements positifs ou négatifs auxquels ils sont confrontés dans leur vie professionnelle, sociale ou personnelle, leur permet de mieux en mesurer la portée, parfois de les prendre plus au sérieux, parfois de les dédramatiser, et finalement de mieux y réagir. « Ça marche » comme on dit, non parce que la méthode est habile ou parce que le livre chercherait à séduire par un pédagogisme chatoyant bien dans l'air du temps, mais parce que cette conception du cours est en adéquation et en intelligence complètes et intimes avec ce en quoi consiste la sociologie : une science de l'enquête qui tente de découvrir les clés de la vie collective telle qu'elle est réellement.

---

1. Le sens sociologique n'est pas celui qui est couramment donné dans les expressions telles que l'aide sociale ou la protection sociale.
2. Van Campenhoudt, 2001.

Remerciements

Ce livre a pour base de départ l'ouvrage *Introduction à l'analyse des phénomènes sociaux* (Dunod, 2001). Cette base a été profondément revisée et complétée grâce aux critiques et suggestions de plusieurs collègues qui l'utilisent comme support de leur propre cours et/ou qui le recommandent à leurs étudiants. Parmi ces collègues, nous souhaitons remercier tout particulièrement Abraham Franssen car c'est en grande partie au cours d'échanges de points de vue avec lui que la conception de ce livre a été redessinée. Merci aussi à Danilo Martuccelli dont les critiques pertinentes ont été précieuses.

Partie

1

L'ATTITUDE SOCIOLOGIQUE

CONNAÎTRE, C'EST D'ABORD SE CONNAÎTRE

Sommaire

1. Recherche de référence :
   Richard Hoggart, *La culture du pauvre*... 13
2. Complément : En quoi l'ethnocentrisme
   est-il un obstacle à l'analyse ? (M. Sahlins)... 27

1. Recherche de référence : Richard Hoggart, *La culture du pauvre*

La première clé de l'apprentissage des sciences sociales est la suivante : connaître c'est d'abord se connaître. Dans la vie de tous les jours, nous percevons la société à partir de notre propre expérience et de nos propres valeurs. Du coup, nous oublions de remettre les éléments dans le contexte qui est le leur, et sans lequel ils risquent de rester incompréhensibles ou mal compris. Quand nous réfléchissons uniquement à partir de nos propres idées et de nos propres perceptions, ce que nous pensons être des analyses objectives est immanquablement marqué par nos jugements subjectifs. Ce que nous voyons chez les autres est, pour partie, le reflet de nous-mêmes. C'est pourquoi, lorsque nous étudions quelque phénomène social*[1] que ce soit, il est essentiel de prendre conscience de l'effet que notre propre culture*, nos propres valeurs et notre propre trajectoire de vie peuvent avoir sur notre manière de l'étudier. C'est ce que Richard Hoggart a su faire de manière exemplaire dans une recherche célèbre qu'il a publiée dans son ouvrage *La culture du pauvre*[2]. Cette recherche permet de saisir la nature de ce phénomène et d'en tirer quelques conséquences importantes pour le travail sociologique. C'est la raison pour laquelle elle a été choisie ici comme recherche introductive.

1.1 Expérience vécue et démarche scientifique

La culture du pauvre n'est pas le compte rendu d'une recherche comme une autre, il est le résultat du travail de toute une vie. Hoggart est né et a vécu durant la plus grande partie de sa vie dans les quartiers ouvriers du nord de l'Angleterre. Étudiant brillant, il a bénéficié de bourses d'études et s'est retrouvé professeur d'université. Il combine donc une expérience directe de cette culture ouvrière et le recul de celui qui a vécu dans un autre monde où il a appris les principes de la démarche scientifique.

Richard Hoggart procède à une « étude sur le style de vie des classes populaires en Angleterre ». Il s'intéresse tout particulièrement à ce qu'il advint de la culture populaire dans le contexte des années 1930 à 1950 où la classe ouvrière a été scolarisée et a donc acquis la capacité de lire journaux, magazines et livres, et où, après la radio, la télévision commence à faire partie de la vie quotidienne. Le titre original du livre *The Uses of Literacy* (littéralement en français : « Les usages du fait d'avoir appris à lire et à écrire ») traduit bien cette intention. L'ouvrage se présente comme une description remarquablement détaillée et subtile de la culture ouvrière. Il en rend compte de manière extrêmement claire et se lit de bout en bout comme un roman. Hoggart a en effet souhaité écrire un livre solide sur

---

1. Les mots suivis d'un astérisque sont repris dans le glossaire à la fin de ce livre.
2. Hoggart, 1970.

le plan scientifique mais accessible au grand public, estimant qu'« un des aspects les plus inquiétants de la conjoncture culturelle tient au fossé sans cesse plus profond qui sépare le langage des spécialistes du langage, toujours plus pauvre, des publications largement diffusées »[1].

Connaître de l'intérieur la culture dont on souhaite rendre compte constitue un atout précieux mais comporte aussi le danger de manquer de recul et de voir son jugement déformé par sa propre position. D'entrée de jeu, Hoggart pose ainsi le problème :

> L'observateur issu des classes populaires peut, aussi bien que les auteurs bourgeois quoique d'une manière qui lui est propre, être sujet aux illusions de perspective. Je suis originaire d'une famille ouvrière et je me sens, en cet instant même, à la fois proche et éloigné de ma classe d'origine. D'ici quelques années, je le suppose, cette ambivalence ne me sera peut-être plus aussi sensible. Mais elle a exercé et exercera toujours une influence sur mes analyses. Mon origine sociale m'aide sans doute lorsqu'il s'agit de sentir et de faire ressentir la tonalité vécue de la vie populaire, de même qu'elle me préserve de quelques-unes des méprises auxquelles sont exposés les observateurs bourgeois. Mais, d'un autre côté, cette participation psychologique présente des dangers considérables. Que vaut mon opinion selon laquelle, comme je l'expose dans la seconde partie de l'ouvrage, les changements récents des sociétés industrielles tendent à déposséder les classes populaires du meilleur de leur culture propre ? C'est là ce que je crois, à partir d'une analyse de l'évolution que j'ai voulue aussi objective que possible. Mais je sais bien où me portaient mes tendances : en écrivant ce livre il m'a fallu résister sans cesse à une conviction profonde qui me portait à juger l'ancien plus admirable que le nouveau et à condamner certaines formes du loisir moderne, sans que les documents que j'analysais fournissent toujours un fondement suffisant à ce diagnostic. Il est même à présumer qu'une certaine nostalgie guidait déjà ma lecture des documents. J'ai fait ce que j'ai pu pour contrôler les effets de cette tendance. D'autre part, dans les deux parties de l'ouvrage on peut déceler une propension (sans doute explicable par mon origine et ma biographie) à faire preuve d'une sévérité toute particulière à l'égard des aspects du comportement populaire que je réprouve. On pourrait interpréter ce moralisme comme un effet du besoin d'exorciser mes propres démons ou, pourquoi pas, de la tentation de rabaisser ma classe, tentation où s'exprimerait l'ambiguïté de mon attitude à son égard. Corrélativement, j'aperçois fort bien que j'ai été porté à mettre en valeur les traits de la vie populaire que j'approuve, comme si, idéalisant mon milieu d'origine, je disais inconsciemment à mon lecteur : « Vous voyez, j'ai eu malgré tout une enfance plus riche que la vôtre. » Un auteur fait face comme il le peut à ces dangers, c'est-à-dire dans l'écriture même. Il est peu probable qu'aucun y parvienne jamais. Le lecteur, lui, garde toujours un avantage, celui des auditeurs de Marlow dans le roman de Conrad *Au cœur de la nuit* : « Évidemment, vous autres vous voyez dans cette histoire plus que je n'y ai vu moi-même. Vous m'y voyez. » Le lecteur voit lui non seulement ce qu'on a manifestement l'intention de lui dire, mais aussi, au travers du ton et des accentuations inconscientes, l'homme social qui se cache derrière le locuteur.[2]

---

1. Hoggart, 1970, p. 30.
2. Hoggart, 1970, p. 42-43.

Le subjectivisme* consiste à réduire toute connaissance à ce que révèle sa propre perception subjective. Hoggart se prémunit contre ce risque en recourant à une panoplie de méthodes de recherches différentes dont il confronte et articule les enseignements. Le cœur de sa démarche est l'enquête ethnographique. Elle consiste en une observation rigoureuse et approfondie des modes de vie, dont le plan respecte un certain nombre de rubriques. Celles-ci portent notamment sur l'organisation de l'espace et de l'habitat, les déplacements et les itinéraires des habitants, les rythmes de vie, les structures familiales et les relations entre générations et entre sexes, les pratiques culturelles et religieuses et l'usage des objets qui font partie du monde quotidien. Durant de nombreuses années, Hoggart fréquentera son « terrain » de manière ininterrompue. Grâce à cela, il sera capable de conjuguer une vue d'ensemble de la vie populaire et un regard extrêmement fin qui saisit ce qu'il appelle lui-même « les impondérables de la vie authentique », c'est-à-dire ces mille et un détails, routines et événements qui font la vie de tous les jours, dont l'importance peut sembler négligeable a priori mais qui, à y regarder de plus près, peuvent se révéler cruciaux et très révélateurs. Hoggart complétera cette observation intensive par une enquête, effectuée à l'aide d'un questionnaire, qui lui fournira des données chiffrées sur la pratique de la lecture par les classes ouvrières[1]. En outre, il analysera le contenu de livres, de journaux et de publicités à l'aide de techniques utilisées par les spécialistes de l'analyse littéraire. Enfin, il confrontera ses propres observations à celles réalisées par d'autres chercheurs travaillant sur le même sujet, de manière à éviter les généralisations trop hâtives.

Hoggart insiste tout particulièrement sur l'importance des méthodes dites qualitatives comme les observations minutieuses sur le terrain. À ses yeux, les enquêtes qui produisent des données statistiques sont très utiles mais insuffisantes à elles seules. Elles peuvent même être, selon lui,

> [...] la pire ou la meilleure des choses. Il faut savoir aller au-delà des régularités chiffrées, appréhender dans les comportements ce que ces comportements symbolisent et dépasser la lettre des déclarations pour en découvrir la signification (parfois contraire au sens patent[2] de la déclaration) ou pour déceler les valeurs profondes qui se dissimulent derrière les tournures idiomatiques[3] et les conformismes rituels.[4]

Loin de constituer un obstacle à une connaissance scientifique, sa connaissance intime de la culture populaire permettra de tirer profit des enquêtes tout en déjouant leurs pièges. Son expérience personnelle peut alors être utilisée avec fruit car elle s'inscrit dans un dispositif méthodologique diversifié où elle est confrontée à d'autres sources de savoir, produites avec l'objectivité des méthodes scientifiques. Ainsi son œuvre peut-elle être à la fois autobiographique et rigoureuse. Cet important travail de description contrôlée d'un

---

1. Enquête effectuée dans la ville de Hulton entre 1952 et 1955.
2. Patent : évident, manifeste.
3. Idiomatiques : qualifie des expressions propres à une communauté particulière.
4. Hoggart, 1970, p. 42.

point de vue méthodologique permet donc à Hoggart de récolter de nombreuses données[1] pertinentes pour son analyse. Mais ce n'est pas son seul avantage. Appliquer une méthode rigoureuse dans la récolte ou l'analyse des données permet aussi au chercheur de rendre son travail contrôlable par d'autres scientifiques. Quand Hoggart raconte comment il a réalisé son ethnographie ou comment il a interprété les données qu'il a rassemblées, il nous montre la « cuisine » du chercheur. Dès lors, quand un lecteur ou un autre scientifique en sciences sociales s'interrogera sur la qualité du travail de Hoggart, il aura en main tous les éléments pour en juger, sans devoir croire Hoggart sur parole.

1.2   La culture populaire sous le regard bourgeois

Comme c'est le cas de beaucoup d'œuvres, on peut lire celle-ci de plusieurs manières, à partir de différentes préoccupations. Dans la présentation de l'édition française, Jean-Claude Passeron explique que « Les analyses de Richard Hoggart ne sont jamais aussi originales que lorsqu'elles remettent en question l'image que les autres classes sociales* se font des classes populaires et de leurs valeurs »[2]. C'est cet angle d'approche que nous retiendrons ici pour entrer dans le contenu du livre, en mettant en parallèle la vision bourgeoise de certains traits de la culture populaire et l'analyse qui en est faite par Hoggart lui-même. De cette manière, loin de rendre compte de toute la richesse de l'ouvrage, nous pouvons toutefois faire d'une pierre deux coups : mieux saisir la culture populaire et mieux comprendre comment le regard porté sur les autres est façonné par l'origine sociale de celui ou de celle qui le porte. Pour les avoir souvent lus et entendus, Hoggart sait combien les jugements des bourgeois et des intellectuels sur la dégradation de la culture populaire sont généralement sans appel et condescendants[3]. Voyons ceci de plus près à partir d'un exemple.

Un reproche couramment adressé aux classes populaires est leur prodigalité et leur imprévoyance. Coutumières des dépenses inconsidérées par rapport à leurs ressources, elles seraient incapables de penser au lendemain, de gérer rationnellement un budget et de maîtriser les crédits imprudemment consentis, pour acheter par exemple un appareil ménager, une télévision ou une voiture. À l'occasion des fêtes, il est fréquent que les parents offrent des cadeaux aussi coûteux qu'inutiles à leurs enfants qui, par ailleurs, ne sont ni sainement nourris ni correctement éduqués. Les repas sont habituellement nourrissants et plutôt relevés, mais ils manquent de diversité. Si le charbon brûle toujours bien dans le poêle qui trône au centre de la pièce commune, les enfants traînent dans des vêtements usés et dépareillés.

---

1. On appelle ici « donnée » tout matériau empirique, c'est-à-dire toute information sur le monde social récoltée via des techniques de recherche diverses (observations, entretiens, enquêtes statistiques, etc.).
2. Passeron, 1970, p. 17.
3. On abordera également plus loin la culture des classes sociales moyennes et supérieures.

Hoggart conteste moins la matérialité de ces comportements que leur interprétation et les jugements dont ils font l'objet. Car, bien que le dessin soit ici caricatural, il n'en comporte pas moins les apparences de la vérité. On sait par exemple que le surendettement chronique est une plaie sociale et que la diversité alimentaire n'est pas au menu habituel des jeunes issus de milieu populaire. Mais la photographie est mensongère car elle isole certains comportements aisément critiquables de l'ensemble d'un mode de vie et, surtout, elle ne procure pas le principe explicatif des attitudes stigmatisées.

1.3   Saisir la structure des comportements

Quelle est la caractéristique commune de ces « dépenses inconsidérées » et que nous apprend-elle sur leur signification ? Telle est la question qu'il faut d'abord se poser pour aller au-delà des clichés. Cadeaux pour les fêtes, télévision, mais aussi charbon pour alimenter le foyer familial, nourriture simple mais abondante et plutôt relevée... sont toutes des dépenses et des pratiques qui contribuent à sauvegarder et renforcer l'atmosphère collective et à souder le groupe familial, explique Hoggart qui résume ainsi la clé de la compréhension de la culture populaire :

> La vie des classes populaires, si on voulait la résumer en une phrase, est une vie dense et concrète, où l'accent est mis sur le sens de l'intimité, la valeur du groupe domestique et le goût des plaisirs immédiats. C'est là, sans doute, un système de valeurs caractéristique des classes populaires du monde entier.[1]

Ainsi, ce ne sont pas les traits culturels en eux-mêmes qui importent, comme acheter tel produit ou consommer tel aliment, mais bien ce lien entre eux, qui seul permet d'expliquer le sens des comportements quotidiens. Les classes populaires de tous les pays du monde accordent une grande importance à la cohésion des cellules sociales de base que sont la famille, les amis proches, le quartier ou le village, qui constituent la protection ultime contre les difficultés de l'existence comme la perte de son emploi, l'accident, la maladie grave, ou encore la disparition d'un proche. Sans illusion sur leur avenir, elles dédaignent moins que d'autres le charme des plaisirs immédiats. Qu'elles mangent des pâtes ou du riz, boivent du thé ou de la bière, parlent anglais ou espagnol, les classes populaires de tous les pays du monde partagent les caractéristiques d'occuper la position la plus basse dans le système social, d'être en situation chronique sinon de pauvreté, du moins de précarité, de ne pas pouvoir se passer de la solidarité des proches et donc d'avoir tendance à entretenir une forte cohésion avec eux.

Cette position de la classe populaire dans l'échelle sociale constitue sa principale caractéristique structurelle. Une caractéristique structurelle est définie en terme de place relative dans un ensemble plus large (ici l'ensemble des classes sociales) et de relation avec les

---

1. Hoggart, 1970, p. 151.

autres éléments de cet ensemble (ici les autres classes sociales). La structure* est la règle implicite qui relie entre eux les éléments d'un ensemble ou encore un mode d'agencement particulier entre des éléments. Ainsi, une lampe verte n'a aucun sens en elle-même ; seule l'opposition qui la relie à une lampe rouge permet de comprendre que, dans cette association ou structure-là, elle signifie que l'on peut aller de l'avant. Pour prendre un autre exemple, d'un point de vue structurel on ne définirait pas un homme ou une femme par des caractéristiques biologiques ou psychologiques intrinsèques, spécifiques à chaque sexe, mais bien par leur opposition et leur complémentarité. On ne peut en effet comprendre ce qu'est un homme si on ne saisit pas qu'il n'est pas une femme et réciproquement. Homme et femme ne peuvent être saisis que comme les deux éléments indissociables et opposés d'une structure binaire. Si le lecteur a bien saisi l'idée de structure, il ne définira pas un jeune par le faible nombre d'années écoulées depuis sa naissance qui correspond à un état particulier du développement biologique mais bien par son opposition à un vieux et réciproquement bien sûr. Ces exemples sont des oppositions binaires qui représentent une forme très simple et élémentaire de structure. Nous en verrons d'autres plus loin qui sont plus complexes. Mais l'idée reste la même : celle de mode particulier d'agencement entre des éléments. En dehors de la structure où il est agencé avec d'autres, chaque élément demeure incompréhensible.

L'idée de structure suppose que les relations entre les éléments reliés soient systématiques et présentent une régularité : malgré les énormes différences de cultures, toutes les classes populaires du monde ont des comportements non pas identiques mais analogues, explique Hoggart, parce qu'elles se trouvent dans une même position structurelle. C'est pourquoi l'idée de structure est centrale dans toutes les sciences naturelles et humaines, et pas seulement en sociologie, car toute entreprise scientifique vise à mettre au jour des relations systématiques et des régularités.[1] Après le feu vert viendra le feu rouge et ensuite encore le feu vert qui sera encore suivi d'un feu rouge et ainsi de suite.

En matière de phénomènes sociaux, raisonner en termes de structure permet aussi d'éviter les idées simplistes, par exemple sur les traits culturels des différentes sociétés. Si ces traits sont considérés de manière isolée les uns des autres, comme simplement juxtaposés, ils relèvent du folklore que mettent en valeur reportages et documentaires au parfum exotique. Ils peuvent même, à la limite, apparaître comme ridicules, signes d'une culture peu évoluée. Mais dès qu'on les relie les uns aux autres dans une vision structurelle, des mêmes traits peuvent prendre un tout autre sens. Avec cette recherche de Hoggart, on voit d'emblée qu'une description précise et détaillée des phénomènes sociaux est indispensable à l'analyse sociologique ou anthropologique, mais qu'elle est pourtant insuffisante ; en s'appuyant sur cette description, il s'agit d'aller au-delà pour mettre au jour les principes de compréhension des comportements et, dans certains cas comme celui-ci, une explication simple mais de valeur universelle.

---

1. Pour une explication plus détaillée de la notion de structure, *cf.* Smelser, 1988.

Hoggart montre bien que saisir la structure, c'est accéder d'emblée à une grande partie de l'explication et détenir une clé utilisable pour comprendre une diversité d'autres comportements. Il indique par exemple que la liberté octroyée par les parents de classe ouvrière à leurs enfants (les sorties et virées entre copains, les tenues et les maquillages provocants...) s'explique en grande partie par la conscience du sort qui les attend, en l'occurrence en ces années 1950-1960 dans le sud de l'Angleterre, tout particulièrement les filles qui seront vite mariées, mères de famille, travailleuses en usine et privées, pour toutes ces raisons, de la capacité de prendre encore beaucoup de plaisir et soin d'elles-mêmes. Ce qui est taxé par le bourgeois d'irresponsabilité de la part des parents et de frivolité de la part des enfants n'est autre que l'anticipation d'un destin social, structurellement déterminé, dont le bourgeois sous-estime voire ignore la chance qu'il a d'en être épargné.

> [...] le tableau affligeant qu'on aime à donner des attitudes de la nouvelle génération est partiellement trompeur. Les filles des classes populaires ne connaissent qu'une brève période d'épanouissement et de liberté, une parenthèse de quelques années durant lesquelles elles n'ont pas de responsabilités et un peu d'argent de poche. Certaines vont à contre-courant en consacrant ce temps à des activités de plein air. Mais il ne faut pas s'étonner si la plupart se contentent de divertissements faciles que la société moderne leur propose avec tant d'insistance. Ces jeunes filles ont un travail qu'elles ne peuvent guère trouver qu'ennuyeux et les marchands de loisirs savent profiter de leur besoin d'évasion pour faire sortir l'argent de leur bourse. Dans cette période de facilité elles se laissent donc aller à toutes les rêveries de l'adolescence. Toute leur activité porte la marque triviale des produits de la civilisation urbaine à bon marché et elles semblent complètement perdues dans les rêves préfabriqués de l'imagerie moderne. Mais la conversion des attitudes est-elle profonde et durable ? On voit rarement ces jeunes filles s'insurger explicitement contre les valeurs du foyer, même si ce terme n'éveille chez elles qu'un faible écho. La famille, « c'est pas mal », leur entend-on dire (elles recourent ainsi à l'expression couramment utilisée pour désigner quelque chose que l'on accepte, mais sans enthousiasme particulier). La maison reste l'endroit où « l'on vit » ; on ne va pas souvent « vivre ailleurs » ; mais on ne pense guère à ce que représente le foyer et on n'y reste pas le soir, si on peut faire autrement. En fait, cette vie joyeuse (car elle est indiscutablement vécue comme telle), n'est pas considérée par les moins de vingt ans comme une solution définitive. Ce n'est pas « la vraie vie ». On sait que « ça ne durera pas ». On se hâte de « prendre du bon temps », mais quand il le faudra on changera de vie sans trop de regrets. Dans ces conditions, les activités de cette période de transition ne sauraient vraiment altérer la conception aux termes de laquelle « la vie réelle » c'est le mariage et les enfants. La « belle vie » de l'adolescence, c'est déjà « la vie », plus que l'école ne le fut jamais. On apprend alors une foule de choses sur ce qu'est réellement la vie tant au travers des bavardages avec les copines que pendant le travail. Mais « la vraie vie », c'est autre chose que « l'amusement ». Pour les deux sexes, en milieu populaire, la coupure marquante d'une biographie se situe à la fin de cette période, alors que dans d'autres classes c'est plutôt un changement de métier ou de ville, l'entrée à l'Université ou l'accession à un poste important. Pour les femmes surtout, le mariage met fin à la liberté provisoire et à l'insouciance de l'adolescence. Il marque le début des difficultés financières et cette perspective est acceptée d'emblée par presque toutes. La

période de licence autorisée apparaît à tous, y compris les jeunes, comme une sorte de vol de papillon, étourdissant tant qu'il dure, mais bref. Comme le disent sérieusement les jeunes filles qui ont trouvé un mari : « Maintenant je me range. »

Une fois franchi ce seuil, la jeune femme retrouve vite les valeurs et les modèles anciens. C'est un apprentissage jalonné de phases difficiles, mais qui conduit presque toujours à un équilibre. Il y a bien quelques écervelées qui refusent de s'adapter, qui continuent de fumer et d'aller au cinéma, tandis que les gosses mal tenus traînent dans les rues, mais la majorité des jeunes mariées reprennent facilement le rythme de vie qu'elles avaient connu avant l'époque des airs de danse et des amoureux de cinéma. Pour se persuader du sérieux de cette redécouverte des valeurs domestiques, il suffit d'observer comment la jeune épousée retrouve spontanément l'art de composer, en dépit de toutes les invites au mauvais goût que lui propose notre civilisation et à partir d'objets qui, pris individuellement, sont souvent sans attraits, l'atmosphère traditionnelle et chaleureuse de la salle de séjour ; ou encore les gestes qu'elle trouve pour s'occuper du bébé, non pas ce qui frappe à première vue – c'est-à-dire le manque d'hygiène ou les détails sans importance – mais la façon de porter l'enfant dans le creux du bras, ou la manière de le tenir dans son bain près du feu. En milieu populaire, la jeune fille a commencé l'apprentissage du maternage et du ménage avant de quitter l'école, en aidant au nettoyage de la maison, en s'occupant des petits frères et en promenant le dernier-né de la famille ou le bébé des voisins. Mais cette expérience reste limitée et, après six ou sept années de vie ostensiblement frivole, on peut s'étonner de la voir si bien gouverner sa barque. C'est que, profondément, ces jeunes filles n'ont jamais vraiment rompu leurs attaches domestiques.[1]

Saisir la structure permet non seulement à Hoggart d'interpréter des comportements qui autrement n'auraient pas pu être expliqués, cela l'autorise également à mieux comprendre les interprétations que les bourgeois tentent d'imposer : en considérant les classes populaires comme irresponsables, ils visent à s'en démarquer, pour se présenter en miroir comme l'incarnation et les garants de la responsabilité.

1.4   La structure durable oriente les changements

Les caractéristiques structurelles de la culture populaire permettent de comprendre pourquoi certaines habitudes restent profondément ancrées en dépit de l'assaut de nouveautés de toutes sortes qui caractérise l'époque moderne. Mais il y a plus : parce qu'elles sont précisément structurelles, elles commandent, dans une large mesure, la nature même des changements. Revenant à la question centrale du livre, *The Uses of Literacy*, soit ce que les classes populaires ont fait de cette chance nouvelle qui leur a été offerte d'avoir appris à lire et écrire, Hoggart montre combien la vision bourgeoise et intellectuelle manque ici encore d'objectivité. Cette vision relève de ce que l'on pourrait appeler une perspective de « sens commun », c'est-à-dire un ensemble d'interpréta-

---

1. Hoggart, 1970, p. 88-90.

tions toutes faites, de préjugés, que nous mobilisons automatiquement pour interpréter n'importe quelle situation en fonction de ce que nous connaissons déjà. Ces interprétations et ces préjugés en disent beaucoup plus sur nous-mêmes et sur la manière dont notre propre environnement social nous façonne que sur le phénomène auquel on les applique. Il en est de même des blagues que l'on raconte sur d'autres groupes ; en réalité elles n'apprennent rien sur les groupes qui en sont la cible, mais beaucoup sur ceux qui les racontent.

Rapidement schématisée, cette vision bourgeoise se caractérise par le contraste entre deux images complémentaires. La première est l'exagération, éventuellement condescendante, des qualités traditionnelles de la culture populaire[1]. On connaît ces clichés romantiques du « bon peuple » avec ses « vraies valeurs » (l'humble ténacité dans le labeur quotidien, le respect filial ou la soumission fataliste à l'ordre des choses…) et ses « plaisirs simples » faits d'une franche et festive camaraderie. La seconde image est l'exagération de la dégradation de cette culture « authentique » par les médias, auxquels la scolarisation a élargi l'accès[2]. Le succès des *tabloïds* anglais où le lecteur est réduit à un amateur de football, de voitures puissantes, de femmes pulpeuses et de blagues salaces, et dont la lectrice n'est intéressée que par les feuilletons à l'eau de rose, les faits divers tragiques ou les petites histoires des grands personnages, illustre bien cette soi-disant déchéance. On sait aussi que la radio et, plus récemment, la télévision sont allumées pratiquement en permanence dans les maisons ou les appartements populaires.

Une fois encore, Hoggart ne conteste pas entièrement la matérialité de ces clichés. Cependant, ses recherches montrent que les changements sont moins rapides qu'on ne le croit généralement et que l'attrait pour certains programmes racoleurs dans les médias n'est pas exempt, chez beaucoup de ceux qui les suivent, d'une certaine distance critique et ironique. Certes, ils jouent le jeu mais, en leur for intérieur, la plupart des auditeurs ou des téléspectateurs n'y croient pas vraiment. En fin de compte, explique Hoggart, « on ne la leur fait pas ».

Mais il y a plus important – et c'est encore une fois l'idée de structure que l'on retrouve – : l'adaptation des classes populaires aux changements constitués par l'envahissement médiatique de programmes de consommation de masse s'effectue en continuité avec les attitudes populaires traditionnelles. Parmi l'ensemble des nouveautés proposées, la préférence est donnée à ce qui est adéquat à leur culture et où se manifeste le goût de son « chez soi », la chaleur du groupe restreint et la vie concrète de « gens comme nous ». En témoignent l'attrait pour les programmes où l'on s'adonne sans retenue à une franche rigolade en famille ou entre amis, ou encore le succès de ce qu'on appelle aujourd'hui les *sitcoms* qui relatent les mille et une aventures et mésaventures de la vie

---

1. Dans leur ouvrage *Le savant et le populaire* (1989), Grignon et Passeron qualifient cette attitude de populiste.
2. Grignon et Passeron parlent ici d'attitude misérabiliste.

quotidienne. En revanche, ce qui ne convient pas aux dispositions de fond des classes populaires est délibérément ignoré. Il s'agit donc moins, dans le chef de leurs « accros », d'une soumission passive que d'une adaptation sélective et souvent active, comme le montre l'intense jeu de communications qui se développe à propos de ces programmes dans les familles et les quartiers, dans le *Courrier des lecteurs* des magazines et, aujourd'hui, sur divers sites Internet[1].

Quand elles ne sont pas écoutées ou regardées en famille ou entre amis, la radio ou, plus fréquemment désormais, la télévision allumées en permanence contribuent elles aussi à l'animation du groupe intime. À l'instar du vieux poêle dont le ronflement et le crépitement des flammes donnaient vie à la pièce commune de la maison, le son de la radio ou les images scintillantes de la télévision animent aujourd'hui le foyer.

« Si les classes populaires ont changé sous l'influence des moyens modernes de communication, c'est dans des directions et sous des formes dont les valeurs et la culture traditionnelles fournissaient déjà le principe », résume Hoggart qui précise : « Si certaines conduites douteuses ont été adoptées si facilement, c'est souvent qu'elles se trouvaient en conformité avec des attitudes traditionnelles qui n'étaient pas particulièrement dignes d'admiration. »[2] Par exemple, l'attrait, déploré par Hoggart, pour quelques-uns des contenus les moins reluisants des tabloïds prolonge un certain conservatisme populaire qui consacre le pouvoir de l'homme sur la femme et une admiration machiste pour les « vrais mâles » dont on excuse trop facilement les coups de gueule et la brutalité. Dans d'autres cas cependant, des valeurs traditionnelles « dignes d'admiration » ont été habilement déviées et travesties par les médias modernes. L'extrait qui suit est d'une redoutable actualité.

> Je voudrais montrer comment une morale de la complaisance universelle a pu être introduite dans l'esprit des gens du peuple par la presse à grande diffusion qui a eu l'habilité de faire tourner à son profit la notion traditionnelle et populaire de tolérance. Il n'est question ici ni du sentiment de libération sociale qu'éprouvent aujourd'hui les classes populaires – et qui fait, par exemple, qu'on ne croit plus en la supériorité de l'aristocratie ou que les filles préfèrent le travail en usine à la condition de domestique, malgré les conditions plus dures de travail – ni du sentiment croissant d'autonomie politique ou économique que peuvent ressentir les gens du peuple. Je veux parler du contenu nouveau qu'a reçu l'aspiration à la liberté, c'est-à-dire de cette certitude encore confuse, mais déjà solidement enracinée dans la conscience populaire, que les interdits anciens n'ont plus cours, que la « science » a remplacé la religion et que la « psychologie » a autorisé, avec la « largeur d'esprit », toutes les tolérances.
>
> Il a toujours été bien réconfortant de penser que la nature humaine est naturellement bonne ; mais quel progrès depuis les philosophes du XVIIIᵉ siècle ! Nous en avons maintenant la certitude. La notion de bonté naturelle vient à la rescousse de celle de liberté, conçue comme une liberté sans finalité : on se libère *de* et non *pour* quelque chose. La

---

1. Harrington et Bielby, 1995.
2. Hoggart, 1970, p. 65.

liberté est naturellement bonne en elle-même, elle est conçue comme un aboutissement et non comme la condition de possibilité de nouvelles conduites reposant sur de nouveaux principes de vie. L'individu se voit interdire, au nom de la liberté d'autrui, de s'opposer à quoi que ce soit, ou presque. À en croire la grande presse, l'homme est libre de ne pas choisir, mais qu'il use de sa liberté, pour choisir de ne pas suivre la majorité et il se verra immédiatement traité d'« esprit étroit », de « dogmatique », d'« arriéré », de « sectaire », d'« intolérant » ou, indifféremment, de « réactionnaire » ou de « révolté ». Personne n'est aussi détesté que celui qui se permet de « faire des comparaisons » ou des réserves. La grande presse populaire – qui se fait pourtant une spécialité des pseudo-controverses sans contenu et sans danger – refuse la vraie controverse qui, en divisant et en dressant les lecteurs les uns contre les autres, romprait la belle harmonie d'un public sur mesure.

On voit ainsi se constituer une forme de « liberté » plus peureuse encore que celle qui esquive les prises de position politique au nom d'un scepticisme douteux ou que celle qui conduit au repli sur soi. Le degré suprême de la démission est atteint, avec l'invocation de la « liberté » comme justification du refus total de s'engager et de se risquer sur quoi que ce soit au-delà du petit périmètre de la vie quotidienne. Si le principe que « tout se vaut » procède de la maxime traditionnelle qu'« il faut vivre et laisser vivre », il lui donne une portée toute nouvelle : l'« ouverture d'esprit » est devenue un gouffre béant. La tolérance n'est plus seulement compréhension pour la faiblesse humaine, mais elle s'est muée en indifférence totale à l'égard de tout ce qui dépasse tant soit peu le cercle étroit des intérêts individuels. Écoutez le tout-venant des gens parler de tolérance : ils se réfèrent aujourd'hui bien moins à la charité ou à la solidarité qu'au refus de juger quiconque et encore moins soi-même. L'expression passe-partout « Chacun a le droit d'avoir son opinion » est ambiguë puisqu'elle peut dénoter aussi bien la force de pensée que l'absence d'avis personnel. Dans ces conditions, on comprend que tant de lecteurs acceptent sans broncher n'importe quelle ineptie et ne se révoltent même pas devant les débordements les plus extrêmes de la presse à scandale. Il arrive que les lecteurs soient d'abord choqués, mais, comme si leur sursaut leur paraissait illégitime, ils se hâtent aussitôt d'ajouter, avec un sourire gêné, que « maintenant, ils font n'importe quoi ». C'est là bien plus un dédouanement qu'une condamnation. Dire : « Ils font n'importe quoi », c'est finalement sous-entendre beaucoup de choses comme : « Ça ne fait de mal à personne » ; « Vous en feriez autant à sa place » ; « Il faut bien vivre » ; « Qu'est-ce que vous voulez, ça rapporte du fric » ; « C'est marrant, au moins » ; « Qu'est-ce que vous croyez, faut bien qu'ils vivent ». La maxime selon laquelle « il ne faut pas pousser » et que « trop, c'est trop » laisse aujourd'hui la place à l'affirmation que « Tout se vaut, si ça vous amuse ou si vous pouvez vous le payer ». De même, on est passé de « Peu importe ce qu'on croit, du moment que le cœur y est » à « Peu importe ce qu'on fait, si on fait comme tout le monde ». Ainsi les expressions de la tolérance traditionnelle se sont trouvées sensiblement altérées. Les maximes modernes contaminent les anciennes et, toutes ensemble, elles expriment le refus de la responsabilité ou du risque. Tout est permis, tout passe, les frontières sont grandes ouvertes : « Laissez faire et laisser passer. »[1]

---

1. Hoggart, 1970, p. 228-230.

À partir des différents extraits présentés, on peut voir que la réalité de la culture et des modes de vie ne réside pas dans une simple addition de caractéristiques. Un tel étalage, qui a pour lui les allures de l'objectivité, trompe bien plus qu'il n'éclaire car il cache les principes mêmes qui rendent les comportements et leur transformation intelligibles. Il y a plus de vérité dans la mise en lumière des inclinaisons durables des classes populaires pour la tolérance, la cohésion du groupe restreint et les plaisirs concrets, et surtout dans la découverte des liens entre ces inclinaisons et la position dominée de ces classes dans le système social et culturel, que dans la description, aussi minutieuse soit-elle, d'une pratique particulière considérée en elle-même, isolément du jeu social total où elle prend place.

L'idée qu'il y ait plus de vérité et, pourrait-on dire, de réalité[1] dans des propositions à caractère théorique et relativement abstrait que dans des manifestations immédiatement perceptibles peut heurter le bon sens. Pourtant, si l'on considère le monde naturel par exemple, nous ne serons pas choqués d'entendre qu'il y a une vérité plus fondamentale et plus essentielle dans la loi de la pesanteur que dans la simple description de la chute d'un objet quelconque car, en lui-même, sans cette clé que constitue la loi de la pesanteur, ce phénomène ne nous apprend strictement rien sur le fonctionnement de l'univers dont il fait partie ni, par conséquent, sur lui-même. De même, Hoggart ne se contente pas de produire une bonne ethnographie ; sa description, aussi fine soit-elle, n'a de sens que parce qu'elle est intégrée dans une perspective d'analyse théorique capable de donner sens aux éléments repérés grâce à la description.

1.5   L'ethnocentrisme de classe

Cette image de la classe populaire comme classe naturellement travailleuse, économe et dépourvue d'ambition, mais devenue rapidement frivole, dépensière, et influençable n'est pas gratuite. D'une part, elle confine les classes populaires dans leur position dominée, dont elles sont censées ne pas pouvoir s'extraire sans risquer la dégradation morale. Car la pire des fautes qu'une classe sociale puisse commettre, selon celles qui sont socialement et économiquement mieux loties, est de ne pas rester à sa place, de ne pas se résigner à sa position dominée. D'autre part, en entretenant cette image, les autres classes sociales se mettent elles-mêmes en valeur par contraste, car elles s'affirment ainsi implicitement comme le contraire de ce qu'elles stigmatisent : des classes « responsables », capables de gérer leur budget, d'élever correctement leurs enfants et de résister à l'abrutissement médiatique. Il y a donc une importante violence symbolique*[2] contenue dans les images

---

1. On reviendra sur la notion de réalité dans les sciences sociales, en particulier dans les compléments des chapitres 2 et 7.
2. Comme on le verra dans le chapitre 9, Pierre Bourdieu appelle « violence symbolique » ce phénomène par lequel les dominants tendent à imposer leur lecture du monde aux dominés, et par lequel ces derniers se rallient eux-mêmes à cette lecture et participent ainsi à leur propre domination.

que les bourgeois créent à propos des classes populaires. Bref, les intellectuels « jouent entre eux quand ils jouent avec l'image des classes populaires », note bien Passeron[1].

Remettre un phénomène dans son contexte permet non seulement d'interpréter le comportement d'individus et de groupes, mais également de mieux comprendre le sens que les uns et les autres vont donner à leurs propres comportements ainsi qu'à ceux d'autrui. Ce sera l'objet du chapitre suivant. Ce qui se dit et s'écrit sur les uns et sur les autres doit être resitué dans le système des rapports de force entre classes sociales. D'abord les classes moyennes et supérieures et, en particulier, les intellectuels qui en font le plus souvent partie, s'autorisent à parler de manière autorisée de la culture des classes culturellement dominées. Ensuite elles analysent les comportements des autres classes sociales en fonction de leur propre système de valeurs (par exemple leur conception des responsabilités parentales, des dépenses raisonnables ou du bon goût). Dans le langage des sciences sociales, cette attitude est appelée l'ethnocentrisme* de classe. Il n'est donc pas incorrect de dire que chacun a spontanément tendance à voir son propre reflet dans le monde. Ce n'est évidemment pas la bourgeoisie[2] en tant que telle qui est visée ici, mais une attitude plus générale dont tous les groupes sociaux peuvent faire preuve à l'égard des autres, bien que de manières différentes et à partir de positions inégales dans l'échelle sociale.

1.6 Élucider le rapport du chercheur aux phénomènes étudiés

Est-il possible d'échapper à cet ethnocentrisme ? Et quelle raison avons-nous de penser que Hoggart lui-même y échapperait ? Dire qu'il n'existe pas de vérité absolue, que toute connaissance, scientifique ou non, adopte un angle de vue particulier est une chose. Il est vrai que le scientifique, lui aussi, évolue dans un contexte particulier (on le verra plus loin dans les compléments des chapitres 2 et 3). En déduire que, pour cette raison, toutes les connaissances se valent en est une autre. Observons d'abord que Hoggart a analysé la culture populaire avec une rigueur méthodologique et un niveau d'approfondissement qui laissent loin derrière les jugements hâtifs habituels mais aussi certaines enquêtes superficielles qui se targuent à peu de frais du qualificatif de scientifique tout en maniant des arguments d'autorité (« C'est prouvé », « Toutes les études montrent que », etc.). Prenons acte ensuite du fait que son étude se démarque des approches exotiques des comportements culturels qui se contentent d'en juxtaposer une série de traits sans rechercher les liens entre eux.

Mais il y a plus. Hoggart montre que l'image et l'explication qui sont données des comportements ne sont pleinement compréhensibles qu'à la condition de prendre également en compte la position sociale, les inclinaisons et les intérêts de ceux qui se trouvent

---

1. Passeron, 1970, p. 7-8.
2. Catégorie dont nous verrons dans les chapitres 6 et 9 qu'elle recouvre différentes fractions.

en position de force pour imposer leur vision des choses. Les objets d'étude des sciences sociales ne sont pas des domaines vierges sur lesquels aucun regard ne se serait jamais posé. Le sociologue n'est jamais le premier à interpréter un phénomène ; celui-ci a presque toujours déjà fait l'objet d'interprétations de sens commun. De plus, l'intellectuel lui-même a ses préjugés de classe, sa propre histoire et ses intérêts professionnels. Ne pas se contenter de ses préjugés et aller au-delà des interprétations toutes faites suppose d'appliquer une forme de rupture avec le sens commun, qu'on appelle rupture épistémologique*, c'est-à-dire une rupture dans l'ordre de la connaissance. C'est pourquoi Hoggart ne se contente pas de mettre au jour les idées préconçues de ceux qui font l'opinion de son temps, il applique à lui-même cette exigence de lucidité. Son analyse des autres est aussi son auto-analyse qu'il conduit sans faiblesse dans la dernière partie du livre. Il y retrace son propre itinéraire dans la mesure où celui-ci éclaire sa recherche. Hoggart ne se débarrasse pas de ce qu'il sait déjà sur son objet d'étude grâce à son propre parcours de vie, mais il ne s'en contente pas non plus. En cela, son implication dans son objet de recherche n'est plus un obstacle à la connaissance ; elle en constitue un ressort supplémentaire. Les sciences sociales sollicitent aussi bien les ressources de la méthodologie scientifique que celles de la subjectivité maîtrisée du chercheur, ce qui représente une difficulté en même temps qu'une richesse.

Il est donc indispensable d'élucider notre propre rapport aux phénomènes que nous étudions. Pourquoi portons-nous notre attention sur une question plutôt que sur une autre ? Quel avantage y trouvons-nous et en attendons-nous ? En quoi notre propre position dans le système social et notre histoire personnelle sont-elles susceptibles d'affecter notre point de vue ? Quel prix (en temps, en travail, en effort intellectuel, voire en difficultés personnelles) sommes-nous disposés à payer pour accéder à une qualité de connaissance acceptable ? Si ce prix n'était que le dixième de celui payé par Hoggart, ce ne serait déjà pas si mal.

Cet effort d'autolucidité, de réflexivité* réclamé du chercheur en sciences sociales n'est pas qu'une affaire d'éthique ou de morale mais aussi et surtout de travail scientifique. Penser qu'il est possible de décrire un phénomène de façon tout à fait pure est une erreur, et le faire croire aux autres est une manipulation (assez courante, lorsque l'on dit par exemple que « les chiffres parlent d'eux-mêmes »). Au contraire, on ne décrit jamais hors d'un système d'idées, de représentations, de concepts, qu'ils soient scientifiques ou qu'ils relèvent du sens commun. Hoggart ne parvient à cette réflexivité qu'en objectivant son propre itinéraire social et professionnel, c'est-à-dire en le situant dans le système général des positions sociales. En d'autres termes, il traite un problème de sciences sociales – ici celui de la partialité ou de l'impartialité du chercheur et de son implication dans l'objet qu'il étudie – à l'aide des ressources mêmes des sciences sociales[1]. Dans cet état d'esprit, le sociologue ou l'anthropologue qui étudie les comportements des autres ne cherche ni

---

1. Nous explorerons plus loin quelques-unes de ces ressources.

à les valoriser ni à les dénigrer systématiquement. Si, comme Hoggart, il s'autorise à en critiquer certains aspects, par exemple la « morale de la complaisance universelle », c'est de manière argumentée et surtout après avoir produit des descriptions et des analyses éclairantes, et sans ce mépris ou cette condescendance implicites qui caractérisent certains jugements parfois bien intentionnés mais purement subjectifs et peu rigoureux.

Depuis les années 1950, beaucoup d'eau a coulé sous les ponts de la Tamise. Aujourd'hui, la télévision occupe dans la vie quotidienne une place qui n'est pas la même que celle du livre ou de la radio voici quelques dizaines d'années. Loin de pouvoir être réduite à un média qui influencerait les modes de vie de l'extérieur ou, moins encore, à un simple élément de l'environnement humain, la télévision représente aujourd'hui un élément constitutif de la vie quotidienne. C'est en interaction étroite avec elle et avec leurs proches que les individus produisent le sens de leur existence. Le rapport au travail et aux loisirs a également évolué. Le travail de Hoggart a-t-il donc vieilli ? Pas le moins du monde, car le phénomène que Hoggart analyse, à savoir le discours que tiennent les classes supérieures sur les classes inférieures pour mieux s'en distancier est toujours aussi présent. En particulier, de nombreux discours continuent aujourd'hui d'entretenir la peur à propos des effets supposés de certaines productions culturelles sur les classes les plus faibles (ce que Stanley Cohen a appelé une « panique morale »[1]). Le roman puis le cinéma jusqu'au milieu du XXe siècle, la radio et la télévision ensuite, et aujourd'hui les jeux vidéos... les objets changent, mais la structure des arguments n'est pas modifiée : ceux qui profèrent les discours moralisateurs ne sont jamais inquiets de l'impact que ces objets pourraient avoir sur eux-mêmes et leurs semblables, car ils s'estiment protégés (par leur éducation, par exemple), mais ils prétendent que les autres ne le sont pas, et qu'il faudrait donc les empêcher d'entrer en contact avec ces contenus dangereux pour eux. Ces arguments dépendent des positions sociales des protagonistes, et les positions sociales ne disparaissent pas. De plus, l'intérêt des principaux enseignements de la recherche de Hoggart concernant la position du chercheur par rapport aux phénomènes étudiés reste également intact.

2. Complément : En quoi l'ethnocentrisme est-il un obstacle à l'analyse ? (M. Sahlins)

Lorsqu'on évoque l'ethnocentrisme, on songe d'abord à la manière dont, durant plusieurs siècles, voyageurs et scientifiques occidentaux, et à leur suite la plus grande partie de la population, ont interprété les modes de vie des sociétés archaïques en prenant comme critères de jugement leur propre culture, leur propre conception du développe-

---

1. Cohen, 1972.

ment mais aussi leurs propres intérêts de conquérants ou de colonisateurs. Dans une étude passionnante, publiée sous le titre *Âge de pierre, âge d'abondance*[1], l'anthropologue américain Marshall Sahlins a complètement mis à mal l'image selon laquelle les sociétés archaïques ou pré-agraires auraient été de tout temps, et jusqu'à leur colonisation, frappées par la pauvreté et la misère chroniques. En quelques traits caustiques, Sahlins peint d'abord l'image des sociétés primitives telle qu'elle apparaît notamment dans la plupart des manuels scolaires :

> On admet couramment que la vie au paléolithique[2] était dure ; nos manuels s'efforcent de perpétuer un sentiment de fatalité menaçante, au point qu'on en vient à se demander non seulement comment les chasseurs faisaient pour vivre, mais si l'on peut appeler cela vivre ! On y voit le chasseur traqué, au fil des pages, par le spectre de la famine. Son incompétence technique, dit-on, le contraint à peiner sans répit pour obtenir tout juste de quoi ne pas mourir de faim, sans que lui soit accordé sursis, excédent, ni loisir aucun pour « fabriquer la culture ». Nonobstant tous ses efforts, le chasseur décroche la pire note en thermodynamique : moins d'énergie annuelle par tête que dans tout autre mode de production. Et dans les traités de développement économique, il se voit attribuer le rôle de mauvais exemple : l'économie « de subsistance », c'est lui.[3]

Considérées comme les héritières des clans paléolithiques, les rares tribus de chasseurs-cueilleurs ayant subsisté aujourd'hui, comme certaines tribus de Bochimans ou de Pygmées en Afrique, d'Aborigènes d'Australie ou d'Indiens d'Amazonie, sont logées à la même enseigne : leur existence n'aurait jamais été autre chose qu'une lutte pathétique pour survivre.

Pour vérifier cette image, Sahlins a récolté une abondante documentation ethnographique sur les activités, les rythmes de travail, les conditions alimentaires et les systèmes d'échanges de biens et de services de ces sociétés. Recoupant ses nombreuses observations, il constate que la quête de nourriture y constitue une activité intermittente qui n'occupe, en moyenne, que quatre à cinq heures par jour. On y cesse de travailler au-delà d'un certain seuil qui est d'autant plus bas que la proportion d'adultes capables de produire est élevée. Valorisant par-dessus tout la liberté de mouvement, ces clans semi-nomades n'ont aucune raison de constituer des stocks. Ceux-ci les gêneraient dans leurs déplacements et diminueraient la quantité globale disponible dans la nature où les ressources se conservent mieux et sans qu'on ait à s'en soucier (comme le gibier sur pattes). Leurs loisirs sont généralement abondants et consacrés à des visites aux clans voisins, aux jeux, aux discussions et surtout au repos. Par jour et par an, on y dort en effet plus que dans n'importe quel autre type de société. Pourtant, avec une moyenne de plus de 2 000 calories par jour et par adulte, les besoins énergétiques y sont largement couverts.

---

1. Sahlins, 1972.
2. Le paléolithique est la période de la pierre taillée. Les clans de chasseurs-cueilleurs ignoraient encore l'agriculture.
3. Sahlins, 1972, p. 37.

Loin de défendre une vision idyllique de ces sociétés ou de nier qu'elles ne rencontreraient jamais le moindre problème, Sahlins observe que l'économie primitive s'organise autour de la valeur d'usage (soit la satisfaction qu'un bien apporte à son utilisateur) et non de la valeur d'échange (soit, dans les économies modernes, le prix auquel il s'échange sur le marché)[1]. Ces peuples poursuivent des objectifs limités, définis comme mode de vie et non comme richesse abstraite, qui donnent lieu à une activité discontinue. Ignorant l'idée de profit, selon laquelle chacun peut et doit (dans la mesure où il s'agit d'un impératif culturel) lutter pour améliorer indéfiniment sa condition matérielle, les clans archaïques pourraient produire plus s'ils décidaient de travailler davantage, mais ils n'en voient tout simplement pas la nécessité. Tous leurs besoins étant satisfaits, fonctionnant en-deçà de leurs possibilités objectives, ces sociétés sont en fait les premières et, jusqu'à présent, les dernières sociétés d'abondance, peut conclure Sahlins, qui nous présente une image inverse de celle des stéréotypes habituels.

Mais la question qui nous intéresse surtout ici est celle des « sources de l'erreur » de la vision traditionnelle de l'économie archaïque. Pour Sahlins, la première et la plus importante consiste précisément dans l'ethnocentrisme de nos sociétés modernes qui ne voient dans les économies primitives qu'une version sous-développée de l'économie de marché. Baignant dans un univers concurrentiel où règnent l'idée de profit et l'accumulation sans limites, nos ressources sont toujours en-deçà de nos besoins illimités. Nous n'avons pas pu imaginer que d'autres sociétés obéissent à d'autres modèles et nous leur avons attribué nos propres motivations économiques. Mais, ne disposant pas de nos puissantes ressources techniques, elles ne peuvent qu'être confrontées à une rareté considérable et, par conséquent, à une misère chronique. Sahlins remet donc de l'ordre dans les idées :

> Bien que richement dotées, les sociétés capitalistes modernes se vouent elles-mêmes à la rareté. L'insuffisance des moyens économiques est le principe premier des peuples les plus riches du monde ! [...] C'est nous, et nous seuls, qui avons été condamnés aux travaux forcés à perpétuité. La rareté est la sentence portée par notre économie, et c'est aussi l'axiome de notre économie politique : la mise en œuvre de moyens rares pour la réalisation de fins sélectives en vue de procurer la plus grande satisfaction possible dans les circonstances données. Et c'est précisément de ces hauteurs quelque peu vertigineuses que nous contemplons dans notre sillage les peuples chasseurs. Mais si l'homme moderne pourvu de tous les avantages de la technologie ne dispose toujours pas du strict nécessaire, quelle chance de s'en tirer aura le sauvage tout nu, avec ses armes chétives, arc et flèches ? Ayant attribué au chasseur des motivations bourgeoises et l'ayant muni d'outils paléolithiques, nous décrétons par avance que sa situation est désespérée. La rareté n'est pas une propriété intrinsèque des moyens techniques. Elle naît du rapport entre moyens et fins.[2]

---

1. Ces notions seront approfondies dans le chapitre consacré à Marx.
2. Sahlins, 1972, p. 40-41.

La seconde source d'erreur réside dans le fait que l'étude des sociétés de chasseurs étudiées aujourd'hui constitue le plus souvent « l'étude anachronique[1] d'ex-sauvages ou [...] une autopsie pratiquée par les membres d'une société sur le cadavre d'une autre »[2]. Les Bochimans ont été privés de leur gibier, les Eskimos de leurs baleines, les Amérindiens déplacés de leurs terres, tantôt par la chasse ou la pêche intensives, tantôt par l'extension de l'agriculture, mais toujours du fait d'une intervention extérieure. C'est assez récemment que le pillage systématique de leurs ressources ou la destruction de leur environnement par les « civilisateurs » venus d'ailleurs ont précipité leur misère et leur régression sociale et culturelle. Dans un raisonnement circulaire fallacieux, celles-ci ont constitué les arguments justifiant la colonisation salvatrice qui en était pourtant la principale cause.

Surtout développée dans le premier chapitre du livre de Sahlins, la thèse selon laquelle les sociétés primitives sont les premières et, jusqu'à présent, les dernières sociétés d'abondance a fortement ébranlé la vision des économies primitives.

Avec cette recherche, Sahlins fait d'une pierre deux coups. À travers sa contribution décisive à la connaissance des sociétés primitives, il éclaire les membres des sociétés modernes sur la relativité de leurs propres modes de fonctionnement et surtout sur leurs schémas mentaux. L'observation des sociétés éloignées des nôtres, effectuée indirectement par la lecture de bonnes recherches anthropologiques ou directement à la faveur de voyages ou de séjours, permet donc avant tout de mieux se connaître soi-même, d'abord pour ne pas se tromper soi-même, et ensuite pour ne pas tromper les autres. En particulier, le travail de Sahlins nous indique, comme en miroir, combien ceux qui vivent dans les sociétés occidentales et capitalistes peuvent être pris, voire emprisonnés par la notion de « développement » aujourd'hui très présente dans leur vocabulaire : nous devons nous développer nous-mêmes, nos compétences, notre réseau de relations sociales, une entreprise doit se développer au risque de disparaître, alors pourquoi n'en irait-il pas de même des groupes sociaux et des sociétés ? Cet enfermement intellectuel rend difficile la compréhension et l'analyse de systèmes sociaux qui ne sont pas axés sur le développement, voire refusent de se rallier à ce modèle. La notion de développement n'est pas critiquable en soi, à condition de ne pas en faire une catégorie de pensée naturelle et absolue visant à montrer qu'il est « normal » pour toute société d'être sur un chemin de développement, et de juger d'autres sociétés à partir de cette catégorie qui n'a aucun sens pour leurs membres. L'importance prise par l'idée de développement est une caractéristique culturelle, résultant d'une histoire particulière. Sahlins nous invite à ne pas oublier que d'autres modèles existent aussi.

---

1. Anachronique : dépassé, qui confond les périodes.
2. Sahlins, 1972, p. 45.

CONSIDÉRER TOUTE MANIÈRE DE VIVRE COMME NORMALE ET SENSÉE

Sommaire

1. Recherche de référence :
Erving Goffman, *Asiles. Études sur la condition
sociale des malades mentaux* 33

2. Complément : Qu'est-ce qu'un bon usage
du relativisme ? (E. E. Evans-Pritchard) 53

1. Recherche de référence : Erving Goffman, *Asiles. Études sur la condition sociale des malades mentaux*

Dépenser le peu d'argent qu'on gagne pour faire la fête, s'endetter pour acheter une voiture au-dessus de ses moyens, laisser ses filles porter des tenues aguichantes et sortir tard le soir, se passionner pour des programmes de télévision médiocres, ne sont des comportements insensés qu'aux yeux de ceux qui omettent de les situer dans le cadre de l'expérience populaire qui est d'ailleurs loin, très loin, de se réduire à eux. La recherche de Hoggart a clairement montré qu'on ne comprend rien aux modes de vie des autres si l'on néglige cette mise en contexte social. Plus encore, elle a établi que, resitués dans ce contexte, ils pouvaient apparaître adaptés à la situation et parfaitement sensés. Pourquoi, par exemple, ne pas arracher à une vie qui ne semble promettre que misère les quelques consolations et les quelques plaisirs possibles au moment où l'opportunité s'en présente ? Pourquoi ne pas tout faire pour sauvegarder les valeurs sécurisantes de l'intimité et de la solidarité avec les proches ? Hoggart ne prétend pas que, pour autant, les conduites et les modes de vie étudiés soient tous également dignes d'admiration. On a pu se faire une idée des nuances de son jugement à ce sujet, mais là n'est pas le propos.

Celui ou celle qui pose a priori qu'un mode de vie ou un comportement est insensé ou anormal (non pas dans le sens statistique mais dans le sens courant où il comporterait une anomalie) au regard de ce que, dans son environnement habituel, on considère comme normal ou naturel se place dans l'impossibilité d'y comprendre quoi que ce soit. Dans la vie courante, nous entendons ou formulons constamment des jugements de sens commun expéditifs tels que : « son comportement est irresponsable », « ce type est vraiment bête » ou « c'est dans sa nature ». Les conduites désapprouvées sont sommairement « expliquées » par quelques caractéristiques individuelles (comme la méchanceté ou la bêtise) ou collectives (comme la race ou la culture) attribuées à la légère, qui disqualifient a priori leurs auteurs et empêchent de saisir les ressorts de leurs comportements. Les sciences sociales nous enseignent exactement le contraire : si nous voulons jeter un peu de lumière sur les modes de vie et les comportements, nous devons partir du principe qu'ils ne sont ni anormaux ni insensés à partir du moment où ils sont saisis « de l'intérieur », resitués dans leur contexte. Si une théorie ne parvient pas à trouver le sens d'un comportement, c'est sans doute moins parce que celui-ci est insensé que parce que cette théorie n'est pas suffisamment robuste ou qu'elle n'a pas pris en compte les éléments qui permettent de le rendre compréhensible.

1.1   Même les « fous » !

Pour le démontrer et en saisir toutes les implications, le sociologue américain Erving Goffman n'y va pas par quatre chemins. À partir d'un long travail d'investigation sur les asiles psychiatriques, il va montrer que le principe s'applique aussi à ceux qu'on appelle couramment les fous, qui sont précisément internés en raison des anomalies que présentent leurs comportements. Si le principe est vrai pour eux, alors il est vrai pour tout le monde. Qui peut le plus peut le moins ! Plus encore, Goffman va montrer qu'en étudiant des cas extrêmes comme les asiles et les comportements de ceux qui y sont reclus, on peut mieux comprendre le fonctionnement d'institutions* que tout le monde fréquente, comme la famille, l'école ou l'entreprise, ainsi que les comportements des individus considérés comme normaux qui y vivent et y travaillent. Pour le chercheur, l'avantage des situations extrêmes est en effet que les processus sociaux y apparaissent plus nettement car ils s'y exercent de manière plus accentuée. Sous l'oeil de Goffman, les hôpitaux psychiatriques constituent quasiment et malgré eux des laboratoires expérimentaux pour le chercheur qui veut comprendre les ressorts de la vie sociale ordinaire.

Pour étudier de l'intérieur les asiles psychiatriques, Erving Goffman est parvenu à se faire engager dans l'un d'entre eux, l'hôpital Sainte-Élisabeth à Washington, qui comptait plus de 7 000 internés. Durant une année complète, il a pu y pratiquer ce que les anthropologues appellent une observation participante*. Cette méthode de recherche se caractérise par une insertion du chercheur dans le milieu étudié. Comme il participe aux activités au même titre que ceux qui en font normalement partie, il peut mieux comprendre, de l'intérieur, les comportements des internés et du personnel, les relations qui s'établissent entre eux, ainsi que le fonctionnement de l'ensemble de l'institution. Officiellement, Goffman s'était fait engager comme assistant à la direction, ce qui lui permettait d'éviter les biais liés au fait que, quand les individus se sentent observés, ils n'agissent pas comme ils le font d'habitude. L'observation participante se distingue de la plupart des méthodes de recherche où le chercheur reste extérieur à l'univers qu'il étudie et l'observe sans s'engager lui-même dans les activités normales du groupe. Cet épisode de la vie d'infirmier dans un asile s'inscrit dans un travail de trois années sur les hôpitaux psychiatriques. Celui-ci comporte notamment l'examen d'une série de recherches effectuées antérieurement par d'autres chercheurs sur les asiles ou sur des univers sociaux qui leur sont comparables. Principalement consacré aux observations effectuées par Goffman à l'hôpital Sainte-Élisabeth, le livre *Asiles*[1] reprend les résultats de l'ensemble de ses travaux dans ce domaine.

---

1. Goffman, 1968.

1.2   L'institution totale

Du point de vue médical, un hôpital psychiatrique fait partie de l'ensemble des institutions de soins. Sa particularité consiste à soigner et à surveiller des malades mentaux. Cette définition largement admise est parfaitement logique au regard de la finalité officielle et de l'activité la plus manifeste de ce type d'institution. Goffman n'en conteste nullement le bien-fondé, mais il souligne qu'elle n'est pas la seule possible et que, surtout, elle ne permet pas de saisir la structure sociale de l'hôpital. Si c'est cette structure qu'on veut mettre en évidence, on ne se préoccupe plus d'abord de la finalité officielle ou de l'activité la plus manifeste de l'institution, mais bien du système de relations concrètes entre ceux qui en font partie. De ce point de vue, l'asile peut être considéré, au même titre que la prison, le couvent, le navire de guerre, le camp de concentration ou le pensionnat, comme relevant d'un type particulier d'institution que Goffman appelle l'institution totale* et qu'il définit comme suit :

> On peut définir une institution totalitaire (*total institution*)[1] comme un lieu de résidence et de travail où un grand nombre d'individus, placés dans la même situation, coupés du monde extérieur pour une période relativement longue, mènent ensemble une vie recluse dont les modalités sont explicitement et minutieusement réglées.[2]

Plus loin il précise :

> C'est une caractéristique fondamentale des sociétés modernes que l'individu dorme, se distraie et travaille en des endroits différents, avec des partenaires différents, sous des autorités différentes, sans que cette diversité d'appartenances relève d'un plan d'ensemble. Les institutions totalitaires, au contraire, brisent les frontières qui séparent ordinairement ces trois champs d'activité ; c'est même là une de leurs caractéristiques essentielles. En premier lieu, placés sous une seule et même autorité, tous les aspects de l'existence s'inscrivent dans le même cadre ; ensuite, chaque phase de l'activité quotidienne se déroule, pour chaque participant, en relation de promiscuité totale avec un grand nombre d'autres personnes, soumises aux mêmes traitements et aux mêmes obligations ; troisièmement, toutes ces périodes d'activité sont réglées selon un programme strict, en sorte que toute tâche s'enchaîne avec la suivante à un moment déterminé à l'avance, conformément à un plan imposé d'en haut par un système explicite de règlements dont l'application est assurée par une équipe administrative. Les différentes activités ainsi imposées sont enfin regroupées selon un plan unique et rationnel, consciemment conçu pour répondre au but officiel de l'institution.
>
> Pris séparément, ces caractères se rencontrent ailleurs que dans les institutions totalitaires. C'est ainsi qu'il est de plus en plus fréquent de voir les grands établissements de commerce, d'industrie et d'enseignement mettre à la disposition de leurs membres des

---

1. « *Total institution* » a été traduit en français tantôt par « institution totalitaire » tantôt par « institution totale ». Sauf pour les citations où nous n'avons pas le choix, nous avons opté pour la seconde formule.
2. Goffman, 1968, p. 41.

cantines et leur procurer des distractions pour meubler leurs loisirs. Cependant, l'usage de ces commodités nouvelles dépend en bien des cas d'une libre décision et l'on veille avec un soin particulier à ce qu'elles échappent au contrôle de la direction. De même, si les femmes au foyer ou les familles paysannes limitent l'essentiel de leurs activités à un seul et même espace clos, elles ne sont pas pour autant embrigadées dans une collectivité, et elles échappent, pour accomplir l'ensemble de leurs tâches quotidiennes, au contact immédiat d'une foule composée d'autres personnes semblables.

Le caractère essentiel des institutions totalitaires est qu'elles appliquent à l'homme un traitement collectif conforme à un système d'organisation bureaucratique qui prend en charge tous ses besoins, quelles que soient en occurrence la nécessité ou l'efficacité de ce système. Il en découle un certain nombre de conséquences importantes.

Lorsque les individus sont manipulés en groupes, ils sont généralement placés sous la responsabilité d'un personnel dont la tâche principale n'est pas de diriger ou de contrôler périodiquement le résultat du travail – cas fréquent dans les relations employeurs-employés – mais plutôt de surveiller, c'est-à-dire de veiller à ce que chacun accomplisse la tâche qui lui a été impartie dans des conditions telles que toute infraction commise par un individu paraisse perpétuellement offerte aux regards par le contraste qu'elle offre avec le comportement des autres. L'important n'est pas ici la disproportion pourtant évidente au premier abord entre le nombre des surveillés et celui des surveillants, mais le fait que ces deux groupes forment un couple indissociable.

Les institutions totalitaires établissent un fossé infranchissable entre le groupe restreint des dirigeants et la masse des personnes dirigées, que nous appellerons pour plus de facilité « reclus ». Les reclus vivent ordinairement à l'intérieur de l'établissement et entretiennent avec le monde extérieur des rapports limités ; par contre, du fait qu'il n'effectue le plus souvent qu'un service quotidien de huit heures, le personnel d'encadrement demeure socialement intégré au monde extérieur. Chaque groupe tend à se faire de l'autre une image étroite, stéréotypée et hostile, le personnel se représentant le plus souvent les reclus comme des êtres repliés sur eux-mêmes, revendicatifs et déloyaux, tandis que le personnel paraît aux reclus condescendant, tyrannique et mesquin. Alors que le personnel a tendance à se croire supérieur et à ne jamais douter de son bon droit, les reclus ont tendance à se sentir inférieurs, faibles, déchus et coupables.

Les échanges entre ces deux groupes sont des plus restreints. La distance qui les sépare est immense et la plupart du temps imposée par l'institution.[1]

Les différents aspects de la vie quotidienne d'une institution totale y sont évalués et justifiés en référence à une idéologie consacrée comme principe unique de jugement : la dette à payer pour le condamné, l'amour de Dieu pour le couvent, la patrie pour le navire de guerre ou la guérison pour le malade. La vie est organisée en fonction d'oppositions structurelles tranchées : entre le dedans et le dehors dont l'accès est impossible ou strictement réglementé et filtré par le personnel, entre les activités légitimes et les activités clan-

---

1. Goffman, 1968, p. 47-49.

destines, ou encore entre les reclus (prisonniers, soldats, moines, malades mentaux…) et ceux qui les encadrent (gardiens de prison, officiers, supérieurs, médecins et infirmiers…).

Sous des modalités relativement variables, ces caractéristiques structurelles se retrouvent dans différents secteurs de l'activité humaine comme le traitement des délinquants, la vie religieuse ou militaire et les soins de santé. Ensemble elles constituent un schéma général qui se manifeste sous différentes formes concrètes. C'est ce schéma qui définit le concept* d'institution totale. Un concept n'est donc pas la description d'un phénomène particulier mais bien une catégorie de pensée, théorique, permettant de rendre compréhensible un certain ordre de phénomènes, en l'occurrence la vie des institutions qui relèvent du type défini par ce concept. Plus qu'une simple définition comme on en trouve par milliers dans les dictionnaires, un concept scientifique constitue, en lui-même, par l'articulation de ses composantes, une manière de penser les phénomènes afin de les rendre intelligibles. Il implique une « conception » théoriquement élaborée de la classe de phénomènes dont il a pour vocation de rendre compte.[1]

En effet, Goffman utilise le concept d'institution totale comme grille d'analyse de l'expérience concrète des reclus dans l'asile psychiatrique. C'est par la structure même de l'institution totale, formalisée par le concept, qu'il va rendre compte des comportements observables, y compris les plus aberrants au premier abord, et qu'il va pouvoir ordonner une série d'observations disparates dans une vision d'ensemble cohérente. Dès lors, plutôt que d'examiner d'emblée les caractéristiques spécifiques de l'asile psychiatrique Sainte-Élisabeth, il se penche d'abord avec minutie sur les caractéristiques des institutions totales en général et, en particulier, sur la manière dont elles façonnent l'existence de ceux qui s'y trouvent reclus. C'est dans ce but qu'il consulte les recherches disponibles sur ces institutions ainsi qu'un ensemble de récits et de témoignages publiés par ceux, marins ou anciens prisonniers notamment, qui en ont fait l'expérience.

Dans son analyse, Goffman insiste tout d'abord sur les techniques de mortification[2] et de dépersonnalisation mises en œuvre dans toutes les institutions totales pour dépouiller l'individu de sa personnalité antérieure, modifier l'image qu'il avait de lui-même et des autres, endosser un nouveau statut* et se plier à son nouveau rôle*. Le statut correspond à la position reconnue à un individu dans un système social donné. Dans la prison, l'asile ou l'armée, le reclus perd provisoirement ou définitivement ses statuts antérieurs (par exemple son statut professionnel ou son statut de père ou de mère de famille) et revêt celui de détenu, de malade mental ou de soldat. Le rôle correspond à l'ensemble des droits et obligations liés au statut. Dans les institutions totales, les obligations sont forcément nombreuses et très contraignantes tandis que les reclus ne bénéficient plus d'un ensemble de droits normalement acquis et évidents à l'extérieur (comme celui de se déplacer à sa

---

1. Nous reviendrons sur la notion de concept dans la conclusion de cette première partie.
2. Mortification : souffrance, privation.

guise, de décider soi-même de ses activités de loisir ou, précisément, de pouvoir faire valoir ses droits devant une instance indépendante de l'institution totale, comme la justice).

En elle-même, « la barrière interposée entre le reclus et le monde extérieur constitue la première amputation que subit la personnalité »[1]. À l'armée par exemple, un isolement rapide et quasi complet des nouvelles recrues par rapport à leur famille et à leur milieu social habituel contribue à la cohésion du groupe et à l'acquisition d'une nouvelle identité collective. Des cérémonies d'admission, telles que le bizutage ou le baptême, caractérisés par des rituels de soumission et accompagnés parfois de séances très symboliques de déshabillage, indiquent au « bleu » qu'il doit d'abord se faire petit avant de revêtir son nouveau statut de militaire et d'être pleinement admis dans son nouvel univers. La tonsure, le port de la bure austère et le dépouillement des effets personnels dans les ordres religieux contemplatifs relèvent du même mécanisme. Sévices corporels et outrages physiques ou psychologiques sont monnaie courante dans certaines institutions totales. Le personnel et les supérieurs réclament des reclus une attitude soumise et déférente sous peine de se voir refuser certains conforts auxquels chacun a facilement accès dans la vie ordinaire, comme fumer une cigarette, boire un verre d'eau ou utiliser le téléphone. Violations de l'intimité, confessions en groupe, obligation de dénoncer, avilissements divers…, longue est la liste des techniques de mortification et de dépersonnalisation, toujours justifiées au nom de principes généraux et appliqués à tous comme l'hygiène, la sécurité, la santé, l'amour de Dieu ou de la patrie, pour amener le reclus à se débarrasser de sa personnalité antérieure et à endosser celle qui convient à un long séjour dans l'institution totale.

Dans toutes les institutions totales, l'adoption des comportements adéquats est encouragée par un efficace « système des privilèges » qui, pour une grande part, fournit au reclus « la charpente de sa nouvelle personnalité »[2] et consacre sa rupture avec son monde antérieur. À côté des multiples réglementations et interdictions qui limitent la liberté du reclus, l'institution lui accorde un ensemble de faveurs et de récompenses en échange de sa soumission et de sa collaboration. La nature concrète de ces faveurs varie selon le type d'institution totale. Le marin aura le droit de boire de temps en temps un verre de vin ou d'alcool, le prisonnier celui de recevoir des visites, l'élève interné d'un certain âge sera autorisé à fumer de temps à autre une cigarette. Le propre de ces faveurs est qu'elles n'en sont pas dans la vie ordinaire. Après le bâton la carotte : punitions et récompenses alternent dans un système où la récompense n'est jamais que la levée momentanée et conditionnelle d'une privation, car la menace que la faveur soit retirée reste constamment brandie. En effet, dans l'hôpital psychiatrique décrit par Goffman, rien n'est jamais sûr pour les malades, aucune possession personnelle n'est garantie. Goffman trouve un exemple particulièrement frappant de cette incertitude orchestrée par les gardiens dans la division de l'hôpital en « quartiers », véritables castes auxquelles sont attachés des privi-

---

1. Goffman, 1968, p. 57.
2. Goffman, 1968, p. 92.

lèges inégaux. Le placement des reclus dans les différents quartiers est toujours justifié officiellement par l'évolution de leur état de santé mentale. En réalité, montre Goffman, il s'agit d'une expression du pouvoir discrétionnaire (c'est-à-dire arbitraire) des gardiens qui récompensent ou punissent les reclus en fonction du comportement qu'ils adoptent, tout en faisant reposer la faute d'une rétrogradation dans des conditions de vie moins enviables sur le seul reclus et son évolution psychique.

1.3   Les adaptations secondaires

Dominé et dépouillé de sa personnalité antérieure par l'institution, le reclus n'en élabore pas moins un système de défense destiné à sauvegarder une part d'autonomie, aussi minime soit-elle. Goffman observe que ce processus d'adaptation consiste en la recherche d'une sorte d'équilibre ou de compromis entre d'une part, un engagement ou un attachement minimum vis-à-vis de l'institution et d'autre part, un détachement ou une distance à son égard.

D'un côté, le reclus a intérêt à jouer le jeu de l'institution, à collaborer un tant soit peu et à ne pas trop se marginaliser. « Tenir son rôle », apparaître comme un reclus « normal », relativement bien intégré, peut être gratifiant, même dans une institution où l'on se sent constamment dégradé. Goffman appelle *adaptations primaires** ces conduites conformes aux règles et attentes de l'institution. Symboliquement, cette attitude conciliante peut mettre le reclus en valeur. Matériellement, elle lui permet d'obtenir diverses faveurs et récompenses, la plus importante étant, dans les prisons en particulier mais aussi parfois dans les asiles, une libération anticipée. En revanche, le coût de l'intransigeance et de la révolte radicale est très élevé. Il se paie cash, en isolement, en punitions, en traitements plus musclés et en privilèges refusés. Ces sanctions peuvent d'ailleurs toujours être justi-fiées par le personnel au regard du principe supérieur (la santé mentale du patient, dans ce cas-ci). C'est pourquoi la plupart des reclus s'engagent un minimum, souvent avec des pieds de plomb, dans la vie de l'institution.

Toutefois, le reclus ne reste pas entièrement passif et désarmé face aux contraintes impo-sées par l'institution. Même dans les prisons, les détenus apprennent vite les « ficelles », les « trucs », les « occases » et les « combines » qui leur permettent « d'obtenir des satis-factions interdites ou bien des satisfactions autorisées par des moyens défendus »[1]. Par exemple, les jeux d'argent, les trafics de cigarettes, d'alcool ou de drogues sont fréquents dans les institutions totales. Goffman appelle ces pratiques des *adaptations secondaires**. Il leur accorde une place centrale dans ses analyses car « le reclus y voit la preuve importante qu'il est encore son propre maître et qu'il dispose d'un certain pouvoir sur son milieu »[2].

---

1. Goffman, 1968, p. 99.
2. *Ibid.*

Le reclus tente de sauvegarder une part d'autonomie en se ménageant ce que Goffman appelle une distance au rôle*, soit un état d'esprit et une attitude par lesquels un individu montre d'abord à soi-même et éventuellement aux autres que sa personnalité ne se réduit pas au rôle qui lui est prescrit, celui de malade mental, de prisonnier, d'élève ou de soldat par exemple. La distance au rôle correspond, grosso modo, à ce qu'on appelle parfois le quant-à-soi dans le langage courant. Elle consiste d'abord, pour le reclus, dans le fait de refuser la définition que l'institution donne de lui. Le « malade mental » cherchera par exemple à accréditer une histoire de ses malheurs où les ennuis qu'il a rencontrés sont imputables à d'autres et non pas à une hypothétique maladie mentale. Cette distanciation, voire cette dissonance, s'exprime par mille et une adaptations secondaires : donner des sobriquets aux gardiens ou aux quartiers cellulaires, appelés ironiquement « salons de thé », proférer des « sarcasmes […] à mi-voix sur le passage des officiels ou des gardes » ou encore rire bruyamment et aussi longtemps que possible à la suite des traits d'humour de l'aumônier durant les offices religieux[1]. Les adaptations secondaires peuvent également consister en moyens licites, et donc susceptibles de donner aux gardiens une bonne image de soi, comme fréquenter assidûment la bibliothèque ou proposer ses services à la cuisine, mais pour servir des fins illicites ou du moins inavouables, comme influencer favorablement la commission de libération, rencontrer d'autres reclus ou bénéficier d'un régime alimentaire plus diversifié.

Chaque reclus tente, comme il le peut, de s'adapter aux contraintes de l'institution. Tantôt, il le fait dans la déviance des adaptations secondaires, par exemple en refusant de communiquer avec les autres[2] ou de collaborer à quoi que ce soit. Tantôt, au contraire, il s'adapte en faisant preuve d'hyperconformisme, il « en fait trop », comme cet interné qui adopte carrément « le style et la tenue des infirmiers pour aider à s'occuper des autres patients avec une rigueur qui surpasse parfois celle du personnel lui-même »[3]. Cherchant à faire contre mauvaise fortune bon cœur, certains reclus s'installent véritablement dans leur situation et cherchent à cumuler toutes les satisfactions qu'il est possible d'arracher à l'institution. La plupart des reclus tentent de survivre dans l'institution totale en combinant ces divers modes d'adaptation. Les attitudes dominantes restent toutefois marquées par l'égocentrisme du reclus et son apitoiement sur lui-même, qui sont indissociables du sentiment ravageur de perdre

---

1. Goffman, 1968, p. 368-369.
2. Comme se comportait l'indien dans le film *Vol au-dessus d'un nid de coucou* de Milos Forman, qui est une excellente illustration de cette recherche.
3. Goffman, 1968, p. 109. Les récits des survivants des camps de concentration (ex : Primo Levi ou Elie Wiesel) sont également plein d'enseignements tant sur la mise en place d'un système où tout est incertain pour les reclus et où il leur est très difficile de discerner ce que l'on attend d'eux, mais aussi sur les adaptations secondaires que ceux-ci développent malgré tout.

son temps dans une longue parenthèse de la vie. Selon l'expression courante chez les détenus et les jeunes recrues qui font ou faisaient leur service militaire, le temps passé dans l'institution est le plus souvent considéré comme un temps « à tirer ».

C'est dire combien la vie dans les institutions totales est infiniment plus complexe que les versions officielles ne le laissent entendre. Dans chaque interstice laissé par les activités réglementaires elles-mêmes, se développe une vie parallèle et, pour une large part, clandestine. Diverses rencontres et activités interdites se déroulent constamment dans les « coulisses » de l'institution, ces refuges où, à l'abri des regards, les reclus peuvent faire circuler des messages, échanger des journaux, de la nourriture ou des boissons, organiser des trafics et s'adonner à diverses occupations non autorisées. Les adaptations secondaires s'inscrivent dans tout un système d'échanges qui ne se limitent pas aux biens matériels : soutien mutuel, communication d'informations utiles, mille et un petits gestes d'humanité qui prennent souvent appui sur un objet matériel, comme le mégot de cigarette que l'on se passe, petite chose en elle-même insignifiante mais support symbolique[1] de la solidarité. Jusqu'à un certain point, les membres du personnel peuvent être eux-mêmes impliqués dans cette vie clandestine. En utilisant les reclus pour divers menus travaux, comme laver sa voiture, les membres du personnel offrent à ceux-ci des possibilités supplémentaires d'adaptation à la vie de l'institution.

Ces adaptations secondaires peuvent donc contribuer à rendre la vie moins insupportable dans l'institution et à atténuer les tensions entre ceux qui s'y côtoient. Goffman les qualifiera alors d'adaptations secondaires « intégrées ». Dans d'autres cas, les adaptations secondaires peuvent au contraire accentuer les tensions et perturber cette stabilité, par exemple les chahuts collectifs que le personnel interprétera comme une contestation de son autorité, ou encore des trafics qui deviennent sources de conflits entre reclus. Goffman dira alors qu'elles sont « désintégrantes ».

1.4   La carrière du malade mental

L'expérience du reclus au sein de l'institution totale se développe dans la durée. Différentes étapes se succèdent au cours desquelles se transforment la représentation que le reclus se fait des autres et de lui-même, ainsi que sa position dans l'institution. Goffman rend compte de ces transformations à l'aide du concept de carrière* qu'il définit de la façon suivante :

> Le terme de *carrière* est généralement réservé à l'entreprise de celui qui entend profiter des possibilités de promotion qu'offre toute profession respectable. Mais il est aussi

---

1. La question du symbolique sera abordée de manière détaillée dans le chapitre 7.

employé dans une acception plus large, pour qualifier le contexte social dans lequel se déroule la vie de tout individu. On se place alors dans la perspective de l'histoire naturelle, c'est-à-dire que l'on néglige les simples événements pour s'attacher aux modifications durables, assez importantes pour être considérées comme fondamentales et communes à tous les membres d'une catégorie sociale, même si elles affectent séparément chacun d'entre eux. De ce point de vue, la carrière ne saurait être dite brillante ou décevante pas plus qu'elle ne saurait être considérée comme une réussite ou un échec. C'est sous cet éclairage que sera conduite la présente étude du malade mental.

L'intérêt du concept de carrière réside dans son ambiguïté. D'un côté, il s'applique à des significations intimes, que chacun entretient précieusement et secrètement, image de soi et sentiment de sa propre identité ; de l'autre, il se réfère à la situation officielle de l'individu, à ses relations de droit, à son genre de vie et entre ainsi dans le cadre des relations sociales. Le concept de carrière autorise donc un mouvement de va-et-vient du privé au public, du moi à son environnement social, qui dispense de recourir abusivement aux déclarations de l'individu sur lui-même ou sur l'idée qu'il se fait de son personnage.

Cet essai est donc une tentative pour aborder l'étude du moi sous l'angle de l'institution. Il s'attachera surtout aux aspects *moraux* de la carrière, c'est-à-dire au cycle des modifications qui interviennent dans la personnalité du fait de cette carrière et aux modifications du système de représentation par lesquelles l'individu prend conscience de lui-même et appréhende les autres.[1]

Comme le concept d'institution totale, le concept de carrière – souvent appelée carrière morale – permet à Goffman de prendre de la hauteur par rapport aux situations particulières (de chaque interné dans l'hôpital, par exemple) pour mieux se concentrer sur les points communs de la structure du parcours de tous les malades mentaux. De plus, le concept de carrière permet à Goffman d'éviter une définition essentialiste[2] du malade mental pour se demander plutôt comment on devient interné dans un asile psychiatrique. Goffman distingue trois phases dans la carrière du malade mental.

La phase de préhospitalisation est celle qui précède directement l'internement. Présentée par Goffman comme un véritable engrenage, elle est vécue comme l'expérience de l'abandon par les proches et des ressentiments à l'égard de tous ceux, plaignants, parents, médecins, travailleurs sociaux, psychologues ou juges, qui à des titres divers, ont joué un rôle dans la décision de l'internement. Le futur reclus se sent exclu face à une coalition de personnes qui lui veulent du mal alors qu'ils prétendent justement le contraire (« c'est pour votre bien », lui répéteront-ils) et relit les épreuves qui l'ont conduit de la liberté à la réclusion « comme une sorte de couloir de la trahison ». Durant cette phase, l'individu va se voir petit à petit dépossédé d'une série de compétences qui sont normalement acquises dans la vie courante, comme pouvoir se définir soi-même, pouvoir dire ce qui est bon pour soi, ou savoir ce que les autres savent à notre sujet.

---

1. Goffman, 1968, p. 179-180.
2. Essentialiste : qui est dans son essence même, indépendamment du contexte et des relations où il est engagé.

Le statut de malade mental s'acquiert progressivement : l'individu voit sa vie passée réévaluée à l'aune de cette « maladie mentale » qu'on lui découvre, et l'internement devient la solution qui s'impose avec la force de l'évidence. Goffman n'est pas tendre avec les individus impliqués dans cet engrenage, qu'il s'agisse des intermédiaires, juge ou médecin, qui justifient l'internement d'une personne, ou qu'il s'agisse du parent du reclus qui se soumet à leurs arguments d'autorité et abandonne le « malade » :

> Ce sont souvent les intermédiaires qui, par le déploiement fallacieux de leurs argumentations psychiatriques et leur foi dans le caractère médical des hôpitaux, définissent la situation pour le parent et lui donnent l'assurance que l'hospitalisation est une solution raisonnable et efficace, qu'elle n'implique de sa part aucune trahison, mais qu'elle est plutôt une action médicale entreprise dans l'intérêt profond du malade.[1]

Au cours de la phase hospitalière, le malade « s'y fait » progressivement. Une fois que le reclus a « fait ses débuts » en tant que malade, son destin se met à ressembler à celui de n'importe quelle personne dans une institution totale. Comme on l'a vu plus haut, il est dépouillé de ses certitudes. « On découvre alors combien l'idée que l'on se fait de soi se trouve vite remise en question lorsqu'elle est brutalement privée de ses supports habituels »[2] fait remarquer Goffman. Le Moi*, que l'on peut sommairement définir ici comme la représentation par l'individu de lui-même en tant que sujet, apparaît profondément malléable. Il est conformé à la fois par le contrôle social* exercé sur le reclus par ceux qui l'entourent (principalement les surveillants) et par la manière dont lui-même intègre l'identité nouvelle que lui impose l'institution.

La troisième et dernière phase, à propos de laquelle Goffman a peu enquêté, est la phase post-hospitalière au cours de laquelle l'ancien reclus éprouve les difficultés de la réinsertion dans le monde extérieur avec lequel l'asile lui avait appris à couper presque tous les ponts.

Le concept de carrière s'avère particulièrement pertinent pour étudier le parcours de reclus dans les institutions totales, mais il peut aussi s'appliquer avec fruit à toutes les expériences sociales d'une certaine durée dans des cadres institutionnels fortement structurés, par exemple, la carrière de l'étudiant universitaire, dans laquelle on pourrait également distinguer trois phases. La phase pré-universitaire serait caractérisée par l'expérience, à la fois excitante et quelque peu inquiétante, de la fin d'une période où l' « élève » bénéficiait d'un encadrement rapproché dans une classe d'une école secondaire, de taille réduite et dirigée par un professeur qu'il ou elle connaissait bien, et de la préparation de l'entrée dans un autre univers plus anonyme sur lequel l'élève tente de se renseigner. Les premiers mois à l'université constituent une phase d'entrée dans un univers étranger au cours de laquelle le « bleu » est quelque peu perdu, « cherche ses marques », s'accroche à ses amis et amies de l'école secondaire, acquiert le jargon adéquat

---

1. Goffman, 1968, p. 197.
2. Goffman, 1968, p. 203.

et passe du statut d'élève à celui d'étudiant. C'est à ce moment que divers rituels comme les visites guidées, les soirées d'étudiants ou les baptêmes concourent à une intégration plus rapide. Ce n'est qu'après la réussite de la première année que l'étudiant(e) est enfin considéré(e) comme universitaire à part entière. Il ou elle entre alors dans une phase de stabilisation et adopte une certaine « vitesse de croisière » qui durera quelques années. Il *est* un étudiant, elle *est* une étudiante, bien dans leur élément, au fait des bons tuyaux, comme s'ils avaient été étudiants toute leur vie et devaient le rester pour toujours. Mais quand la fin des études approche, à l'instar des élèves du secondaire qui s'apprêtent à accéder à l'université, ils ont de plus en plus l'esprit ailleurs, et parfois même un pied aussi, à la faveur de stages ou de contacts pré-professionnels. Ils redeviennent alors, d'une certaine manière des bleus, mais cette fois par rapport au monde du travail auquel ils prétendent désormais.

1.5 Le concept pour construire un objet sociologique

Institution totale, adaptation secondaire, carrière morale constituent les principaux concepts utilisés par Goffman pour mener à bien sa recherche. Dans les trois cas, le concept est une clé permettant d'accéder à la compréhension des phénomènes. S'il faut choisir de bonnes clés, il ne faut pas les multiplier, au risque de ne plus savoir quelles portes elles ouvrent. C'est pourquoi Goffman recommande, pour mener à bien une recherche, de se limiter à un petit nombre de concepts judicieusement choisis et rigoureusement construits, et de les exploiter au maximum, de faire ressortir, en quelque sorte, leur « valeur ajoutée ». Ainsi peut-il écrire :

> Je pense qu'à l'heure actuelle l'usage le plus adéquat des concepts sociologiques consiste à les saisir au niveau même de leur meilleure application, puis à explorer le champ complet de leurs implications et les contraindre de cette façon à livrer tous leurs sens. Ainsi vaut-il mieux sans doute donner à chacun des enfants d'une famille des vêtements bien ajustés plutôt que les grouper sous une tente unique où, si spacieuse soit-elle, ils grelotteraient tous.[1]

Mais il y a plus : la fonction primordiale du concept scientifique est de construire un objet scientifique ; en particulier, la fonction primordiale du concept sociologique est de construire un objet sociologique. Au terme de cette présentation d'*Asiles*, nous pouvons mieux le montrer à partir du concept d'institution totale.

---

1. Goffman, 1968, p. 42.

Comme nous l'avons vu, pour la psychiatrie traditionnelle[1], l'hôpital est une institution où l'on tente de soigner des malades mentaux, tandis que Goffman montre qu'il est aussi un lieu de vie où de nombreux individus mènent une existence coupée du monde extérieur et régie par des règles très strictes, c'est-à-dire une institution totale. Par conséquent, il n'appelle plus ceux qui y sont placés des malades mentaux mais des reclus, et ce n'est pas leur aliénation mentale qui l'intéresse mais leur « aliénation sociale »[2], soit la manière dont leur être et leurs comportements sont altérés par leur expérience dans le système de l'institution totale. Goffman a d'ailleurs principalement centré son étude sur les individus qui « en dépit d'une solide constitution, se laisse[nt] happer d'une manière ou d'une autre par l'engrenage d'un hôpital », afin de « mesurer la puissance des forces sociales »[3] qui occasionnent un tel changement d'état.

Les deux approches, psychiatrique et sociologique, se posent des questions différentes et utilisent des concepts différents. Il serait stupide d'utiliser les arguments d'une approche pour montrer que l'autre a tort ou raison. Le psychiatre se pose des questions comme celles-ci : De quelle maladie mentale ce patient souffre-t-il ? Comment son état mental est-il susceptible d'évoluer ? Quel est le traitement le plus adapté à son cas ? Il parlera de psychoses ou de névroses pour qualifier différentes formes de pathologies. Pour comprendre l'aliénation sociale, Goffman se pose d'autres questions telles que : Comment la structure de l'institution influence-t-elle les comportements des reclus ? Quelles sont les étapes marquantes dans la transformation de leur personnalité ? Comment s'adaptent-ils à leur situation ? Il analyse les processus sociaux et psychiques « sous l'angle de l'institution » et utilise à cette fin les concepts sociologiques d'institution totale, de carrière et d'adaptation secondaire. Psychiatre et sociologue s'intéressent à une même réalité « brute » : des personnes placées dans un certain type d'institution. Mais ils conçoivent cette réalité autrement. Avec leurs questions et leurs concepts, ils la construisent comme deux objets d'analyse différents : objet médical pour l'un, objet social pour l'autre. Cette différence entre eux montre qu'un objet de connaissance n'est jamais donné à l'avance, ne s'impose jamais d'une manière univoque ; il est toujours construit.

Cela signifie que, d'une manière générale, les sciences sociales ne se définissent pas forcément par les phénomènes qu'elles étudient : les phénomènes dits « économiques » pour les économistes, les phénomènes dits « sociaux », au sens où on les

---

1. La psychiatrie a beaucoup évolué ces dernières décennies, notamment sous l'influence de sa confrontation avec d'autres disciplines. Comme toutes les disciplines, elle est traversée par plusieurs courants et ne constitue donc pas un ensemble parfaitement homogène. Au moment où Goffman écrit, la psychiatrie classique est fortement contestée par le courant de l'antipsychiatrie qui y voyait un instrument de contrôle social des individus marginaux.
2. Pour cette partie, on s'inspire principalement de Castel, 1968.
3. Goffman, 1968, p. 181.

entend le plus couramment[1], pour les sociologues, ou les phénomènes dits « politiques » pour les politologues. Elles se définissent en principe[2] par la perspective et la méthodologie utilisées pour étudier les phénomènes, par la manière d'en faire des objets de connaissance. Dès lors, chaque discipline, et en particulier la sociologie, est susceptible d'empiéter sur le terrain de prédilection des autres. En s'intéressant aux internés et aux asiles psychiatriques, Goffman s'immisce dans le terrain habituellement réservé aux psychiatres. En étudiant le processus de construction du Moi, il empiète également sur celui des psychologues. En fait, il n'est aucun phénomène qui puisse échapper à l'investigation des sciences sociales, mais en retour, il n'est aucun phénomène qui n'ait pas déjà, soit été étudié par d'autres disciplines, soit fait l'objet d'interprétations de sens commun.

Loin d'y être simplement juxtaposé, le travail de chaque discipline est susceptible de rivaliser avec celui de ses voisines. Si Goffman ne conteste pas la légitimité de l'approche psychiatrique et reconnaît son intérêt, il indique qu'elle n'est pas la seule possible et propose, sur certains points, une analyse ouvertement concurrente et critique. Grâce à la familiarité intime avec l'univers des reclus, acquise par une longue observation participante,

> [...] on finit très souvent par découvrir que la folie ou le «comportement anormal» attribué au malade résulte pour une grande part, non de sa maladie mais de la distance sociale qui sépare ce malade de ceux qui le déclarent tel. Quelles que soient les subtilités des diagnostics psychiatriques qui différencient les malades, quelles que soient aussi les particularités de la vie sociale «à l'intérieur» de l'institution, le chercheur est souvent amené à découvrir que la communauté avec laquelle il est en rapport ne se différencie guère de toutes celles qu'il a étudiées auparavant.[3]

Certes, reconnaît Goffman, certains malades mentaux ne seront jamais capables de mener quelque vie sociale que ce soit, où que ce soit. Mais la structure totalitaire même de l'hôpital psychiatrique explique une bonne part des comportements de la majorité des autres. De plus, une série de phénomènes observables dans un asile (activités clandestines, révoltes, tentatives de fugues, crises de colère ou d'abattement…), s'observent dans une série d'autres institutions (écoles, entreprises, familles…) sans être interprétés pour autant comme des signes de maladie mentale dans ces contextes. Ils relèvent des interactions internes à toute vie institutionnelle et, en particulier, de l'écart qu'elle instaure entre ceux qui font appliquer les règles et ceux qui doivent s'y soumettre. Pour faire son travail et analyser les phénomènes sociaux, le sociologue doit donc considérer

---

1. Comme l'exclusion sociale, la pauvreté ou la violence urbaine.
2. « En principe » parce que, dans la réalité, pour diverses raisons liées à l'histoire des sciences et l'organisation de l'université, les disciplines ont eu tendance à se délimiter des domaines d'investigation plus ou moins exclusifs. On reviendra sur ce point dans le complément du chapitre 3.
3. Goffman, 1968, p. 182.

les pratiques d'encadrement et le système psychiatrique lui-même comme une partie intégrale de son objet d'étude. C'est pourquoi Goffman conclut son ouvrage par un chapitre intitulé « Les hôpitaux psychiatriques et le schéma médical type » où il analyse notamment la manière dont le système psychiatrique conçoit le malade et envisage les problèmes liés à son traitement.

Des analyses comme celle de Goffman ont suscité des débats utiles au sujet du traitement des malades mentaux et, jusqu'à un certain point, à élaborer d'autres modes de travail davantage centrés sur l'environnement et le cadre relationnel du malade. Toutefois, si la sociologie peut montrer les limites de certaines interprétations psychiatriques et de certaines pratiques thérapeutiques, elle n'en est pas pour autant elle-même une thérapie et, de ce point de vue, sa propre efficacité est limitée. Il importe donc de savoir ce que l'on peut attendre d'une discipline scientifique, et de connaître les critères à l'aune desquels évaluer le travail que les chercheurs produisent. La démarche de Goffman consiste à repérer certains phénomènes et à les saisir à partir de concepts. Par là, il aide ceux qui sont concernés par un problème, en l'occurrence le traitement institutionnel des personnes considérées comme malades mentaux, non à mieux les soigner mais à reconsidérer leur perception des choses, à mettre en doute la représentation classique et socialement admise des personnes internées dans des asiles. C'est pourquoi un concept a aussi une fonction heuristique*, ce qui signifie qu'il sert à faire des découvertes ou, en d'autres mots, à découvrir le monde autrement.

1.6 Une vie « signifiante, sensée et normale »

Grâce à son immersion dans l'institution totale qu'est l'hôpital psychiatrique ainsi qu'à son étude de la carrière morale des reclus qui y vivent, Goffman s'est doté d'outils pour rendre compréhensible ce qui serait resté opaque aux yeux d'un observateur extérieur : la logique du comportement des reclus eux-mêmes. Souvent perçues par les cadres de l'institution comme des attitudes négatives, voire justement comme des signes de maladie mentale, les adaptations secondaires qu'ils mettent en place les aident à se préserver quelque peu de l'emprise de l'institution et de sa tendance à réduire ses membres à un seul rôle prescrit, celui de malade, de soldat ou de détenu conciliant. Elles permettent au reclus de réaffirmer son intégrité et sa dignité envers et contre tout. Goffman y voit un élément central de la construction du Moi. Le passage qui suit est, à cet égard, un moment clé du livre :

> Il serait facile d'expliquer le développement des adaptations secondaires en avançant que l'individu possède un ensemble de besoins originels ou acquis et que, placé dans un milieu qui refuse de les reconnaître, il réagit simplement en mettant au point des moyens de fortune pour les satisfaire. Cette explication a cependant le tort, selon moi, de méconnaître l'importance de ces adaptations clandestines pour la structure du moi. C'est dans les hôpitaux psychiatriques et les prisons que s'observe le plus fréquemment cette tendance à préserver une partie de soi de l'emprise de l'institution,

mais cette pratique se rencontre également dans des institutions dont le caractère est moins contraignant et moins totalitaire. Je voudrais faire remarquer que cette volonté de distanciation ne procède pas d'un mécanisme de défense accessoire, mais qu'il constitue un élément essentiel du moi.

Les sociologues ont toujours pris le plus grand soin à montrer comment l'individu est façonné par les groupes, comment il s'identifie à eux et comment il dépérit s'ils ne lui apportent pas le soutien émotionnel qu'il en attend. Mais lorsque nous observons attentivement comment les choses se passent dans le fonctionnement d'un rôle social, d'une relation d'échanges très avancée, ou d'un établissement social – peu importe ici l'unité sociale envisagée –, l'emprise de l'organisation n'est pas le seul fait qui attire l'attention. On y voit toujours aussi les individus chercher à garder une certaine distance, prendre un certain champ entre ce qu'ils sont vraiment et ce que les autres voudraient qu'ils soient. Sans aucun doute, l'hôpital psychiatrique d'État fournit un terrain qui n'est que trop fertile pour la culture des adaptations secondaires, mais en fait, on les voit aussi, semblables à de mauvaises herbes, surgir dans tous les types d'organisations sociales. Par conséquent, dans toutes les situations, pourvu qu'on les étudie vraiment, on observe que l'individu construit des défenses contre les liens qui le rattachent à ces organisations sociales ; pourquoi alors fonder notre conception du moi sur la façon dont l'individu réagirait si les conditions étaient « exactement ce qu'elles devraient être » ?

La représentation la plus simple de l'individu et du moi que peut se donner la sociologie, c'est qu'il est, pour lui-même, ce que la place dans une organisation fait de lui. En creusant davantage, la sociologie reconnaît que des implications surgissent parfois qui amènent à modifier ce schéma : le moi peut en effet ne pas être encore façonné, ou porter les marques d'influences contradictoires. Peut-être conviendrait-il de mettre ces réserves au premier plan, ce qui compliquerait encore cette construction, et de définir l'individu, dans une perspective sociologique, comme un être capable de distanciation, c'est-à-dire capable d'adopter une position intermédiaire entre l'identification et l'opposition à l'institution et prêt, à la moindre pression, à réagir en modifiant son attitude dans un sens ou dans l'autre pour retrouver son équilibre. C'est donc contre quelque chose que le moi peut s'affirmer comme l'ont montré les études consacrées au totalitarisme* : [...] « La révolte intérieure est parfois essentielle à l'hygiène spirituelle et peut créer une forme particulière de bonheur. Ce que l'on peut dire ouvertement est souvent moins intéressant que cette magie émotionnelle grâce à laquelle l'individu défend son sanctuaire privé ».[1]

C'est ainsi, nous l'avons montré, que les choses se passent dans les institutions totalitaires ; ne pourrait-on pas parfois en dire autant de la société libre ?

Si nous ne nous rattachons à rien nous n'avons pas de moi stable, et pourtant tout engagement et tout attachement inconditionnels envers une unité sociale quelconque entraînent une certaine destruction du moi. La conscience que l'on prend d'être une personne peut résulter de l'appartenance à une unité sociale élargie, mais le sentiment du moi apparaît à travers les mille et une manières par lesquelles nous résistons à cet entraînement : notre statut est étayé par les solides constructions du monde, alors que le sentiment de notre identité prend souvent racine dans ses failles.[2]

---

1. Goffman cite ici Czeslaw Milosz, *The Captive Mind*, New York, Vintage Books, 1955, p. 76.
2. Goffman, 1968, p. 372-374.

Pour les reclus comme pour les personnes vivant en liberté, pour ceux que l'on dit fous comme pour ceux que l'on dit sans d'esprit, la construction du Moi procède de la même recherche d'une position intermédiaire entre d'une part, l'identification aux institutions et aux rôles qu'elles prescrivent et d'autre part, la distanciation à leur égard. C'est par exemple le cas de l'étudiant qui assiste au cours, comme le rôle imposé par l'institution d'enseignement le lui prescrit, mais qui montrera ostensiblement à l'enseignant qu'il ne veut pas tenir un rôle de « premier de classe » ou de « frotte-manche » en restant très passif, voire en s'occupant à tout autre chose dans l'auditoire. Les modalités concrètes de cette sorte de compromis varieront avec les caractéristiques de l'institution et les ressources qu'elle procure. Ainsi, constate-t-on que des comportements qui seraient aberrants dans un environnement ouvert ne le sont plus dans un milieu clos, et que les comportements qui s'y observent doivent être compris en fonction du système social dans lequel ils prennent place. Goffman écrit :

> Je pensais, et je pense encore, qu'il n'est pas de groupe – qu'il s'agisse de prisonniers, de primitifs, d'équipages de navire ou de malades – où ne se développe une vie propre, qui devient signifiante, sensée et normale dès qu'on la connaît de l'intérieur ; c'est même un excellent moyen de pénétrer ces univers que de se soumettre au cycle des contingences qui marquent l'existence quotidienne de ceux qui y vivent.[1]

À l'adresse du chercheur en sciences sociales, Goffman peut dire alors qu' « il lui suffit d'élargir sa sphère de participation affective aux « pires » salles de l'hôpital pour que ces lieux mêmes lui apparaissent comme des milieux vivables où se déroule une vie sociale réelle et tout entière dotée de sens ».[2]

La nécessité existentielle de prendre distance par rapport à l'institution est d'autant plus aiguë que les règles y sont plus contraignantes. Pour autant, les adaptations secondaires n'en sont pas moins présentes et même constantes dans toutes les institutions : entreprises, écoles, familles, associations culturelles ou partis politiques. L'intérêt de l'étude des institutions totales réside dans le fait que de tels phénomènes y apparaissent avec beaucoup plus de clarté que dans les institutions non totales. « C'est lorsque l'existence se trouve réduite à un état quasi squelettique que se révèlent tous les procédés mis en œuvre par les victimes pour donner à leur vie quelque consistance »[3], explique Goffman. Ainsi, l'étude de l'asile présente-t-elle un « intérêt expérimental » pour la compréhension de toutes les institutions, quelles qu'elles soient, et de la manière dont les êtres humains s'y adaptent. « L'institution totalitaire est en effet à la fois un modèle réduit, une épure et une caricature de la société globale. [...] Dès lors le recours aux institutions totalitaires permet une véritable expérimentation sociologique. »[4]

---

1. Goffman, 1968, p. 37.
2. Goffman, 1968, p. 182.
3. Goffman, 1968, p. 358.
4. Castel, 1968, p. 30-31.

1.7   Interaction et interactionnisme symbolique

Comme institution totale, l'hôpital psychiatrique détermine le cadre structurel des expériences de ceux qui y vivent ou y travaillent ainsi que les relations entre eux. Comme institution concrète et singulière, l'hôpital Sainte-Élisabeth de Washington partage des caractéristiques structurelles avec toutes les autres institutions totales mais s'en distingue par un ensemble de caractéristiques propres comme sa position géographique, sa taille, les types de malades soignés ou le style de direction. Caractéristiques structurelles de l'institution totale, et caractéristiques spécifiques à l'Hôpital Sainte-Élisabeth définissent ensemble une situation dans laquelle se déroule la vie concrète des reclus, des infirmiers et des médecins.

Chacun interprétera à sa manière cette situation. Par exemple, tel reclus restera durablement révolté face à un internement jugé injuste tandis qu'un autre se fera plus facilement une raison. Tel infirmier aimera son travail tandis qu'un autre le détestera. Tel médecin considérera ses patients comme des personnes dignes de compassion tandis qu'un autre y verra surtout des cas intéressants pour ses travaux scientifiques. Ces interprétations de l'expérience se forment dans les interactions* quotidiennes entre les personnes impliquées dans la vie de l'institution, chacun ajustant continuellement ses interprétations et ses comportements aux interprétations et comportements des autres. Par exemple, les activités clandestines dans un hôpital psychiatrique risquent fort de s'accroître avec la sévérité du personnel, et inversement. Au sens large du terme, une interaction constitue l'influence réciproque que des individus appartenant à un ensemble donné, comme un hôpital, exercent les uns sur les autres. Goffman prend principalement en compte les interactions en face à face, c'est-à-dire « l'influence réciproque que les partenaires exercent sur leurs actions respectives lorsqu'ils sont en présence physique immédiate les uns des autres »[1]. La vie concrète dans l'hôpital Saint-Elisabeth résulte à la fois de la structure de l'institution totale, de la situation singulière de cet asile bien précis et de la multitude des interactions qui s'y déroulent au fil du temps, entre les reclus, entre les membres du personnel et entre ces deux groupes. La structure exerce une influence déterminante sur les interactions et les interactions contribuent à faire évoluer la structure qui n'est pas immuable.

L'importante œuvre d'Erving Goffman, dont *Asiles* n'est qu'une partie, est entièrement centrée sur l'analyse des interactions dans la vie quotidienne. Il s'intéresse à une grande diversité de situations d'interactions, aussi bien dans des lieux publics comme la rue (dans son ouvrage *La mise en scène de la vie quotidienne, 2. Les relations en public*[2]), au cours d'une conversation entre deux proches, qu'entre joueurs autour d'une table au casino. Les analyses qu'il mène sont particulièrement fines et précises. Dans l'ouvrage *Les rites*

---

1. Goffman, 1973, p. 23.
2. Goffman, 1973.

d'interaction[1], il explique notamment que la règle la plus fondamentale d'une interaction est le respect réciproque de la face, chaque interlocuteur devant éviter non seulement de perdre lui-même la face mais aussi de la faire perdre à l'autre, grâce notamment à des rituels comportementaux (comment la façon de se présenter et se saluer, ou de se sortir d'une situation embarrassante notamment). Dans son ouvrage *La mise en scène de la vie quotidienne, 1. La présentation de soi*[2], il utilise la métaphore théâtrale, avec les notions de décor, de coulisse, d'acteur, de rôle mais aussi de distance au rôle, pour rendre compte du déroulement des interactions. Dans *Stigmate*[3], il montre que le stigmate dont souffrent certaines catégories de personnes en fonction de critères particuliers (handicap physique, race, préférence sexuelle, profession, religion...) ne résulte pas d'attributs objectifs possédés par ces personnes car un même attribut peut ne pas être stigmatisé dans un contexte social alors qu'il l'est dans un autre, mais bien de l'interaction entre ceux qui possèdent l'attribut en question et ceux qui ne le possèdent pas et discriminent les premiers. La bonne volonté peut elle-même contribuer à la stigmatisation, par exemple lorsqu'une personne valide, qui souhaite se comporter aimablement avec une personne souffrant d'une infirmité physique, « en fait trop » avec maladresse, renforçant ainsi malgré elle la stigmatisation. Bref, Goffman est le sociologue par excellence des interactions sociales.

C'est pourquoi on rattache volontiers cet auteur au paradigme* sociologique de l'interactionnisme symbolique*. Un paradigme est plus qu'un lot de concepts ou de théories portant sur un aspect précis du monde social. Il s'agit plutôt d'un ensemble d'indications sur la façon dont le sociologue doit procéder s'il veut construire une théorie[4]. Un paradigme est donc un outil épistémologique, ce qui signifie qu'il va permettre de savoir comment on doit produire de la connaissance. Sur quels objets le sociologue doit-il se pencher ? Sur quels aspects de ces objets doit-il concentrer son attention ? Comment doit-il les analyser ? Comment peut-il en faire une théorie ? Pour le définir de façon imagée, on peut donc se représenter le paradigme comme la paire de lunettes qu'utilise le chercheur pour observer la réalité d'une certaine façon. Il existe de multiples paradigmes en sciences sociales, et nous en aborderons plusieurs dans les prochains chapitres. Chaque paradigme étant partagé par une communauté de chercheurs, on parlera parfois de « courant de pensée ».

Le courant de l'interactionnisme symbolique, qui s'est développé dans la première moitié du XXe siècle aux États-Unis, repose sur l'idée que la société est le résultat d'un ensemble d'interactions qui ne sont pas structurées au départ mais « se développent

---

1. Goffman, 1974.
2. Goffman, 1973.
3. Goffman, 1975.
4. Boudon et Bourricaud, 1982, p. 562. La notion de paradigme sera précisée dans la conclusion de la deuxième partie.

suivant une dynamique propre »[1]. Dans l'interactionnisme *symbolique*, ces interactions sont indissociables d'un ensemble de représentations qui leur donne sens et qui touchent à une diversité de questions, par exemple à la santé, à la vie, à la mort et au pouvoir médical dans une institution de soin. Ces représentations orientent les interactions et sont produites elles-mêmes par ces interactions.

Si, à certains égards, Goffman se rapproche incontestablement de ce paradigme, il s'en distingue surtout par le fait que, comme on l'a vu, il considère les interactions, aussi infimes soient-elles, comme structurées par un ordre social, explicite ou implicite. Dans *Asiles*, il montre que les interactions sont structurées par l'institution totale. C'est d'ailleurs l'institution totale qui constitue « l'unité réelle d'analyse »[2]. Certes, par les adaptations secondaires, l'individu est capable de prendre de la distance à l'égard de l'institution et au rôle qu'elle lui attribue mais ces adaptations ne se comprennent que comme des réponses à la puissance contraignante de l'institution et font en cela partie du même système social. C'est ce type d'institution qui produit, pour une large part, l'identité des reclus, c'est-à-dire ce dans quoi ils se reconnaissent et sont reconnus par les autres. À l'inverse, pour les tenants d'un interactionnisme symbolique strict, les interactions ne s'inscrivent pas dans une structure préexistante ; ce sont elles qui créent la structure, comme si l'asile en tant qu'institution totale était le résultat des seules interactions entre ceux qui y vivent et y travaillent. Pour les interactionnistes, les interactions obéissent à une dynamique propre et non à une logique structurelle, ce que Goffman conteste[3] fermement dans *Asiles*.

Ce point fait d'*Asiles* une pièce particulièrement importante dans l'œuvre de Goffman, mais elle n'est pas la seule. Goffman y montre également que l'individu n'est pas passivement façonné par les institutions sociales, aussi puissantes et contraignantes soient-elles. Il construit et reconstruit son Moi et sa propre identité autant dans la résistance à l'institution, par les adaptations secondaires, que dans le conformisme.

Enfin, *Asiles* est une des œuvres sociologiques qui, sans emphase, avec une grande sobriété, rend le plus justice à la dignité humaine. Goffman montre en effet combien des êtres humains particulièrement faibles, souffrant de troubles mentaux et soumis à un régime dur et dépersonnalisant dans un univers clos, sont encore capables de conserver une maîtrise minimale de leur propre vie, de leurs relations humaines, de leur espace de vie et, en définitive, de leur représentation d'eux-mêmes ; comment ils conservent par là un minimum de dignité[4].

---

1. Nizet et Rigaux, 2005, p. 77. L'un des auteurs généralement considéré comme l'une des références principales de ce courant est le sociologue Georges Herbert Mead, également professeur à l'Université Chicago, dont l'œuvre principale est *L'Esprit, le soi et la société*, publiée pour la première fois en 1934. L'allemand Georg Simmel (voir le complément au chapitre 6) fut une autre source d'inspiration.
2. Comme le montre bien la présentation de *Asiles* par Robert Castel, 1968, p. 10.
3. Nizet et Rigaux, 2005, p. 79.
4. Idem, p. 105.

2. Complément : Qu'est-ce qu'un bon usage du relativisme ? (*E. E. Evans-Pritchard*)

2.1 La pluralité des univers de sens

Comprendre qu'il existe d'autres contextes de vie, notamment économiques et maté-riels, que celui dans lequel nous vivons est un pas extrêmement important pour l'analyse sociologique. C'est ce que Sahlins nous invite à prendre en compte. Mais cette pluralité des façons de vivre ne concerne pas que les aspects matériels. Il faut également y inclure les représentations sociales et les symboles qui peuvent être partagés à l'intérieur d'un groupe social, alors qu'ils n'auront pas le même poids dans un autre groupe social. Toutes les sociétés et tous les groupes sociaux ne partagent pas les mêmes significations, et n'at-tachent pas de la même façon de l'importance aux choses. Hoggart en a fait la démons-tration en prenant au sérieux le mode de vie de la classe populaire : ce qui importe aux bourgeois n'est pas forcément ce qui compte aux yeux des membres des classes populaires. On peut également retrouver facilement l'application de cette idée chez Goffman : les adaptations secondaires prennent sens à partir du moment où l'on comprend la nécessité pour les reclus de sauvegarder un quant-à-soi. L'anthropologue anglais Edward Evans-Pritchard (1902-1973) est cependant le premier à avoir poussé cette logique aussi loin dans une recherche sur une peuplade africaine située à cheval sur le Soudan et la République démocratique du Congo : les Azandé (au singulier : le Zandé). Il en tirera un bijou d'anthro-pologie : le livre *Sorcellerie, Oracle et Magie chez les Azandé*[1].

Comme de nombreuses sociétés traditionnelles, les Azandé se réfèrent souvent à des explications magiques pour donner du sens à des phénomènes courants (par exemple le fait de revenir bredouille de la chasse) ou exceptionnels (par exemple la foudre qui s'abat sur une maison ou le décès soudain d'un proche). Dans la société Zandé, les accusations de sorcellerie sont monnaie courante : tout le monde peut être ensorcelé, et tout le monde peut être sorcier, c'est-à-dire posséder en soi la substance maléfique, qui est « chaude » si elle est active et « froide » si elle est inactive. Dès lors, même si la sorcellerie comme système de représentations est loin d'avoir disparu de nos sociétés dites « civilisées »[2], la particularité de la peuplade zandé est que la sorcellerie n'y a rien d'opaque, de caché ou de secret. C'est un élément de la vie quotidienne et les Azandé passent leur temps à se demander si quelqu'un a de bonnes raisons de leur en vouloir ou de leur tenir rancune.

Les Azandé n'ont de cesse de consulter des oracles, en particulier pour savoir s'ils sont ensorcelés. Parmi ces oracles, l'oracle du poison tient une bonne place. Il consiste à faire

---

1. Evans-Pritchard, 1972.
2. À ce sujet, voir les excellents travaux de l'anthropologue Jeanne Favret-Saada (1977), qui a étudié les pratiques de sorcellerie dans le bocage normand au cours des années 1970.

ingérer successivement à deux volailles un poison végétal, le *benge*, qui doit être récolté dans des circonstances très précises. Une question est ensuite posée à l'oracle, par exemple sur le risque qu'on prend à construire une maison à tel endroit, sur l'avenir d'une récolte ou encore sur le fait d'être soumis à la vindicte d'un autre villageois, selon la formule suivante : « si X est vrai, oracle du poison, tue la volaille. Si X est faux, oracle du poison, épargne la volaille ». L'opération est ensuite recommencée, mais cette fois en inversant les termes de la réponse.

À l'époque où Evans-Pritchard étudie les Azandé, la plupart des anthropologues qui se sont intéressés aux interprétations magiques dans les sociétés primitives expliquent ce phénomène soit, comme l'anthropologue français Levy-Bruhl, en se référant à une « mentalité primitive » différente de la mentalité moderne, soit, comme son collègue anglais Malinowski, en faisant de la magie une réponse à des besoins psychologiques (par exemple, se rassurer en rendant un phénomène compréhensible) qu'ils n'ont pas d'autres moyens de satisfaire (comme les connaissances scientifiques). Evans-Pritchard ne se limite pas à de telles explications naturalistes (qui expliquent la magie par la « nature » du sauvage) ou fonctionnalistes (qui expliquent la magie par la fonction qu'elle remplit dans une société)[1]. Pour lui, notre compréhension scientifique des causes et des effets qui nous amène à rejeter comme irrationnelles des pratiques magiques ne témoigne nullement d'une intelligence supérieure de notre part. D'ailleurs, quand nous disons que la pluie qui tombe en trombe du ciel durant un orage résulte de l'évaporation puis de la condensation de molécules d'H_2O, nous agissons exactement de la même façon que le Zandé qui prétendrait y voir le signe d'un ensorcellement : nous mobilisons simplement les explications les plus couramment acceptées dans notre culture. Mais nous n'avons pas plus l'occasion que le Zandé de vérifier personnellement si ce que nous racontons est vrai.

2.2 Analyser un phénomène social dans l'univers où il prend sens

Il n'empêche que l'observation de l'usage de la magie par les Azandé peut dérouter l'observateur occidental, ce qui pourrait le pousser à poser de mauvaises questions, comme par exemple « les Azandé croient-ils *vraiment* à la magie et à la sorcellerie ? ». Le risque est d'utiliser des catégories qui font sens dans notre société (comme, par exemple, « croire ») pour analyser des pratiques qui prennent place dans des sociétés où ces mêmes catégories n'ont aucun sens. Le premier coup de génie d'Evans-Pritchard a été de se forcer à analyser ces pratiques magiques en référence à leur propre contexte social et culturel.

Sur base de son long travail de terrain, Evans-Pritchard a pu détecter que l'invocation de la magie, et plus particulièrement les accusations de sorcellerie, intervenaient toujours dans

---

1. Nous reviendrons plus en détail sur le paradigme fonctionnaliste dans le complément du chapitre 4.

des situations de la vie quotidienne qui avaient une caractéristique précise. Du point de vue des Azandé, deux événements se produisent simultanément dans ces situations. D'une part, le fait qu'intervienne un événement, même tout à fait banal et explicable aux yeux des Azandé, par exemple la foudre qui s'abat sur un arbre et le fait tomber. D'autre part, le fait que cet événement se passe à un moment particulier, et touche certaines personnes : « la foudre aurait pu tomber n'importe quand sur cet arbre, se dit le Zandé, pourquoi est-elle tombée au moment précis où je m'y abritais ? ». C'est bien cette conjonction qui ne peut rester inexpliquée : les Azandé ne se satisfont pas de comprendre la *cause* de la chute de l'arbre (la foudre qui s'est abattue), ils doivent aussi trouver la *raison* pour laquelle ce phénomène les a touchés personnellement. De même, le jeune garçon Zandé qui s'écrase les orteils contre une souche dans la brousse au cours de la chasse ne pense nullement que c'est un sorcier qui lui a procuré la douleur, ou même qui aurait placé la souche à cet endroit. Mais, comme il avait ouvert l'œil et pris garde aux souches comme il le fait chaque fois, il se dit que s'il n'avait pas été ensorcelé, il aurait très certainement vu la souche et aurait pu l'éviter. Ainsi, à chaque fois que le malheur le touche personnellement, le Zandé se demandera « qui m'en veut ? Qui pourrait avoir des raisons de me jeter un sort? ».

> Le concept de sorcellerie leur fournit une philosophie naturelle qui explique les rapports des hommes et les événements malencontreux ; il leur fournit aussi un moyen tout prêt et tout classique de réagir à pareils événements. En outre, les croyances relatives à la sorcellerie renferment un système de valeurs régulatrices de la conduite.[1]

Après avoir été victime d'un malheur, le Zandé mènera sa petite enquête pour chercher à savoir qui a des raisons de lui en vouloir, et qui est responsable de son malheur. Il se demandera en particulier si certaines personnes ne seraient pas jalouses de sa réussite. Pour s'aider dans cette enquête, il ira consulter l'oracle. Si tout peut être potentiellement expliqué par la sorcellerie, expliquer son malheur par le fait d'être ensorcelé suppose de respecter certaines règles. Ainsi, un mauvais chasseur incapable d'évoluer silencieusement dans la brousse et qui ne ramène rien ou un mauvais constructeur de maison qui voit son toit s'effondrer sur lui peuvent bien essayer d'expliquer leurs malheurs par la sorcellerie, ils ne feront que provoquer l'hilarité de leurs congénères.

2.3 Attitude de sens commun et attitude scientifique

On pourrait se demander comment les Azandé parviennent-ils à maintenir ce système de croyances en dépit des nombreux démentis qu'offre la réalité. Par exemple, un oracle peut déclarer que quelqu'un est sorcier alors que cette personne nie sincèrement avoir jeté un sort (en pratique, c'est évidemment ce qui arrive tout le temps). De plus, il arrive très fréquemment que l'oracle se contredise lui-même en donnant deux réponses diffé-

---

1. Evans-Pritchard, 1972, p. 96.

rentes. Enfin, il peut arriver qu'un oracle annonce un malheur et que ce malheur ne se produise jamais.

Le second coup de génie d'Evans-Pritchard a été de constater que nous commettrions une grave erreur en pensant que les Azandé traitent les messages de l'oracle de la même façon que les scientifiques traitent des hypothèses de recherche. Les scientifiques veulent *vérifier* leurs hypothèses, et voir si elles correspondent à la réalité. Si l'hypothèse est contredite par la réalité, elle sera abandonnée. Les Azandé, quant à eux, prennent les messages de l'oracle non comme des hypothèses à tester, mais comme des guides qui aident à vivre[1]. Ainsi, ils sont capables d'éviter la plupart du temps la confrontation du message de l'oracle avec la réalité. Si un oracle dévoile à un homme qu'il mourra s'il bâtit sa maison à tel endroit, l'homme n'ira certainement pas vérifier si l'oracle a raison : il construira sa maison ailleurs. Et quand bien même l'oracle se contredirait en donnant deux réponses différentes à la même question, les Azandé ont à leur disposition toute une série d'explications pour éviter la contradiction : le *benge* a été mal récolté, l'oracle est fatigué, etc. De façon plus générale, les Azandé ne cherchent pas à savoir si l'oracle définit correctement la réalité (par exemple, ils ne se demandent pas si cet homme est *vraiment* un sorcier *dans l'absolu*), ils veulent juste que l'oracle les aide à continuer leur vie sans accroc. Une fois que le problème a disparu, le questionnement n'a plus de sens.

> Les Azandé ne perçoivent pas la contradiction comme nous le faisons, du fait que le sujet ne leur inspire aucun intérêt théorique, et les situations dans lesquelles ils expriment leurs croyances dans la sorcellerie ne les contraignent pas à se poser le problème. Jamais un homme ne demande aux oracles, qui sont seuls capables de révéler où réside la substance ensorcelante chez les vivants, si tel ou tel homme est un sorcier. Il veut savoir si en ce moment cet homme est en train de l'ensorceler. [...] Qu'il s'agisse d'un sorcier, cela ne compte pas pour vous tant que vous n'êtes pas sa victime.[2]

À travers cette fine description des pratiques magiques et de sorcellerie, Evans-Pritchard est l'un des premiers auteurs à remettre en cause l'idée très courante qu'il n'existerait qu'un seul standard de rationalité, celui de la science moderne occidentale, et que toutes les pratiques, pensées, concepts développés par des humains pourraient être évalués à l'aune de leur cohérence avec la pensée scientifique. De ce point de vue, il serait facile de décréter que certains auraient « raison » et diraient des choses « vraies » (ceux qui disent par exemple que la pluie résulte de l'évaporation et de la condensation), et que d'autres auraient « tort » et diraient des choses « fausses » (ceux qui affirment que la pluie résulte d'une volonté d'un sorcier). Evans-Pritchard montre qu'une telle idée ne permet nullement de comprendre pourquoi les gens font ce qu'ils font, pensent ce qu'ils pensent, aiment ce qu'ils aiment.

---

1. On reviendra plus longuement sur la question du « sens pratique » dans le complément du chapitre 6, ainsi que dans le chapitre 9.
2. Evans-Pritchard, 1972, p. 58.

2.4 Le relativisme méthodologique

S'il veut comprendre un système de représentations étranger au sien, l'analyste doit donc éviter à tout prix de se demander si ceux qu'il étudie ont tort ou raison. D'abord, cela le conduirait inéluctablement à analyser les catégories des autres à partir de son propre système de représentations. Ensuite et surtout, cette question n'a aucun sens pour la société étudiée. Cela ne signifie certainement pas que le sociologue ne peut pas se poser des questions que d'autres, dans leur vie quotidienne, ne se posent pas – c'est même, comme on le verra à l'entame du chapitre suivant, l'une des possibilités principale offerte par la recherche scientifique – ; cela signifie que s'il rencontre une pratique ou une pensée qui lui est inintelligible ou irrationnelle, c'est à lui de faire l'effort de trouver des clés de lecture qui la rendent compréhensible.

La seule voie possible est, comme on l'a vu avec Hoggart, Sahlins, Goffman et maintenant Evans-Pritchard, de chercher dans le contexte social et culturel les éléments qui permettent de donner sens à ce que l'on observe. En particulier, ces auteurs insistent clairement sur le fait que pour comprendre une pensée ou une action dans une culture qui n'est pas la nôtre, il est indispensable de comprendre *ce qui est considéré comme important* dans cette culture (c'est-à-dire, ce par rapport à quoi la pratique ou la pensée observée fait sens) : la chaleur du noyau familial dans les classes populaires étudiées par Hoggart, le jeu et l'absence de contraintes liées au travail pour les Bochimans de Sahlins, l'importance de garder la maîtrise sur la définition de soi pour les reclus étudiés par Goffman, et le fait d'expliquer le malheur qui nous arrive pour les Azandé.

Cette voie peut être assimilée à du relativisme méthodologique*, et il est important de le différencier du relativisme intégral*. Le relativisme méthodologique poursuit un but scientifique : celui de permettre l'intelligence d'un phénomène, en le rapportant à son contexte d'origine. Il vise à empêcher l'usage de catégories inadéquates. Le relativisme intégral est une position idéologique qui cherche à défendre le point de vue moral selon lequel il est impossible de dire quoi que ce soit sur une société qui n'est pas la nôtre, et en particulier sur ses pratiques, ses coutumes et ses valeurs. Le premier relativisme est un relativisme d'ouverture : il doit permettre de comprendre ce qui se passe ailleurs en évitant d'appliquer nos schèmes de pensée. Le second ferme chaque groupe social sur lui-même, en prétendant qu'il est impossible de porter des jugements sur ce qui n'est pas nous, justement parce qu'il nous est impossible de comprendre ce que nous ne vivons pas. Par exemple, là où le relativisme intégral interdirait de juger ou de comprendre certaines coutumes ou certaines mœurs, comme la peine de mort ou les mutilations génitales subies par les femmes, le relativisme méthodologique inviterait à les resituer dans les rapports de force (par exemple entre hommes et femmes) en place dans les sociétés étudiées pour mieux les comprendre et, le cas échéant, les critiquer en connaissance de cause.

Hoggart avait pourfendu l'ethnocentrisme de classe, Sahlins l'ethnocentrisme culturel. Tout en s'inscrivant dans ce même combat, Evans-Pritchard nous montre qu'il existe un ethnocentrisme encore plus difficile à détecter : l'ethnocentrisme de la position de scientifique consiste à croire que tout le monde agit, ou devrait agir, comme un scientifique en herbe. Or, comme le montre Evans-Pritchard, rien n'est plus faux. les Azandé qui utilisent magie et sorcellerie ne sont nullement intéressés par une représentation théorique de la réalité : leur intérêt est pratique, ils veulent « simplement » éviter le danger. Autrement dit, que l'oracle dise vrai ou faux n'est pas la question qu'ils se posent. Ils se demandent par contre si l'oracle est *efficace*, ce qui est tout autre chose. Le relativisme méthodologique est ce qui nous permet de sortir de l'alternative stérile entre l'ethnocentrisme et le relativisme intégral.

Il serait faux de croire qu'il existerait une barrière infranchissable entre « eux », les membres des sociétés traditionnelles aux intérêts pratiques, et « nous » les modernes qui réfléchissons comme des scientifiques. En effet, comme l'a montré l'exemple de la pluie, nous ne passons nous-mêmes que très peu de temps à vérifier nos informations ou à tester des hypothèses comme le feraient des scientifiques. La plupart du temps, nous agissons sans nous poser de questions. Quand nous utilisons un téléphone portable, par exemple, nous ne nous demandons pas « comment cela fonctionne », nous cherchons « simplement » à atteindre notre correspondant. Quand nous lisons un livre de sagesse populaire ou un horoscope, quand nous regardons un film romantique ou une émission de téléréalité, nous sommes bien plus proches de l'attitude des Azandé face à la magie et à la sorcellerie : ce sont des contenus culturels dont on cherche moins à tester la « véritable réalité » qu'à tirer des éléments qui nous aideront à vivre ou enrichiront notre vie. Ainsi, ce que les Azandé entendent par « réalité » ressemble bien plus à ce que nous entendons par ce terme dans notre vie quotidienne qu'à ce à quoi pensent les scientifiques. Le sociologue a certainement raison de vouloir rendre compte rationnellement d'autres modes de pensée insérés dans des formes de rationalité différentes. Mais il ne peut accomplir cette mission s'il oublie que les individus étudiés sont le plus souvent préoccupés par les choses de la vie quotidienne.

chapitre 3

S'AFFRANCHIR
DES CATÉGORIES
DE PENSÉE INSTITUÉES

Sommaire

1. Recherche de référence :
   Howard Becker, *Outsiders*.. 61

2. Complément : Comment vaincre
   les résistances à l'analyse sociologique ?
   (C. W. Mills, M. Douglas, B. Latour) 78

1. Recherche de référence : Howard Becker, *Outsiders*

Lorsque nous abordons l'étude d'un phénomène social, nous ne sommes pas comme des explorateurs qui découvriraient un monde totalement ignoré et sur lequel rien n'aurait encore été dit. Bien au contraire, les sciences sociales abordent des phénomènes sur lesquels, souvent, « tout le monde a déjà un avis » et à propos duquel des interprétations socialement instituées préexistent. De plus, comme l'a montré Hoggart, notre vision de la culture des autres est influencée par certains clichés et, en particulier, par les préjugés de notre propre milieu social. Il ne nous viendrait pas spontanément à l'esprit de tenter de comprendre les comportements des personnes internées dans un asile psychiatrique à la lumière de la structure des relations à l'intérieur de cette institution et de penser que ces personnes pourraient adopter un tout autre comportement dans un environnement différent de l'asile. Notre image des reclus est inévitablement influencée par l'interprétation dominante qu'en propose la psychiatrie. Les analyses des sciences sociales n'accèdent pas aux phénomènes étudiés dans un espace intellectuel vierge ; elles doivent se frayer un passage à travers d'autres visions qui s'imposent plus naturellement car elles ont pour elles toute la force de l'habitude et des vérités consacrées par de puissantes institutions, dans ce second exemple la médecine psychiatrique et le système public et privé de traitement des personnes définies comme malades mentaux.

Les catégories de malades mentaux et de pathologies mentales, avec leurs sous-catégories (psychoses, névroses…) et leurs sous-sous-catégories (névroses phobiques, névroses obsessionnelles…) ne sont pas seulement des catégories scientifiques de la médecine psychiatrique ; elle sont aussi des catégories institutionnelles et pratiques qui s'incarnent dans des institutions spécialisées où un personnel qualifié met en œuvre des traitements spécifiques autorisés par la loi ou les codes de déontologie médicale, et exposés dans les manuels médicaux. Participant de tout un système de gestion d'un certain type de problèmes – que faire avec des personnes qui adoptent des comportements « anormaux » et comment en protéger la société et leurs proches ? –, elles n'en ont que plus d'autorité, s'imposent avec d'autant plus d'évidence et résistent avec d'autant plus d'efficacité aux interprétations concurrentes. De plus, ces catégories peuvent finalement entrer dans le sens commun, avec une signification plus ou moins éloignée de leur sens original : combien de fois n'entend-on pas des interprétations du type : « il m'en veut parce qu'il est maniaco-dépressif » ou « elle a vraiment un comportement psychorigide » ?

A priori, le sociologue ne conteste pas la légitimité de ces catégories et de ces approches dominantes des problèmes ; il ne peut certainement pas plus que les autres prétendre pouvoir dire la vérité à leur propos. Mais, pour pouvoir mener ses propres analyses, il doit être capable de s'en affranchir. Dans ce but, il lui faut comprendre les processus par lesquels elles sont constituées. Si la « culture du pauvre » est, pour une large part, adéquate à la position structurelle des classes ouvrières dans la société, comment se fait-il qu'elle soit aussi sévèrement jugée par les autres classes sociales ? Si les adaptations secondaires sont des comportements sensés à partir du moment où elles sont replacées dans le contexte de l'institution totale et analysées « de l'intérieur », comment se fait-il qu'elles soient généralement perçues par le personnel soignant comme la confirmation de la maladie mentale ? Les sciences sociales partent de questions remarquablement simples et apparemment naïves, comparables à ces questions d'enfants qui laissent leurs parents bouche bée. Ces questions reviennent toujours à la même interrogation générale : « Qu'est-ce qui fait que c'est comme ça ? ». Cette interrogation caractérise beaucoup mieux la démarche scientifique que la question « Qu'est-ce que ? ». Le sociologue ne se demande pas ce qu'est vraiment un psychotique (comme s'il y avait une vraie substance du psychotique qu'il pourrait découvrir), il se demande par contre comment nous en sommes arrivés à qualifier certaines personnes de psychotiques, et ce que cela implique.

Pour y répondre, le scientifique bénéficie d'un atout : il n'est pas, comme le sont souvent les individus qu'il étudie et comme nous le sommes nous-mêmes la plupart du temps dans notre vie quotidienne, confrontés à des problèmes pratiques immédiats qu'il faut résoudre (par exemple, choisir quel médicament administrer à un malade ou obtenir des budgets pour faire fonctionner l'hôpital). Au contraire, le chercheur a le temps et les outils pour se poser des questions théoriques et fondamentales du type « Qu'est-ce qui fait que c'est comme ça ? », que nous évacuons la plupart du temps dans la vie quotidienne. Comme on vient de le voir dans le complément consacré à Evans-Pritchard, cet avantage certain qui permet au chercheur de prendre de la hauteur par rapport à l'urgence quotidienne et de ne pas mobiliser les catégories de pensées instituées peut cependant devenir un inconvénient, voire un danger s'il oublie qu'il bénéficie de ce privilège alors que la plupart des acteurs qu'il étudie n'en bénéficient pas, ou sont tout simplement dans une logique différente de la pensée scientifique.

Une des recherches qui illustre le mieux l'importance de cet effort pour s'affranchir des catégories de pensée instituées est celle consacrée par le sociologue américain Howard Becker à la déviance, publiée dans un ouvrage intitulé *Outsiders*[1].

1.1   La déviance est une interaction

Howard Becker a étudié la sociologie à l'Université de Chicago, réputée dans cette discipline pour sa fameuse École de Chicago, très active dans l'entre-deux-guerres en sociologie urbaine et par laquelle Goffman fut lui aussi fortement influencé. Ses fondateurs insistaient sur la nécessité de fonder l'analyse des phénomènes sociaux sur des observations minutieuses effectuées directement sur le terrain, sans se contenter de recherches « à distance », à partir, par exemple, de témoignages de seconde main ou de statistiques. Loin

---

1. Becker, 1991.

de ne fréquenter que l'université, Becker était lui-même un homme de terrain. Pianiste dans un orchestre de jazz, son expérience directe de groupes considérés comme marginaux lui servira de base d'observation pour l'étude de son thème de prédilection : la déviance.

Dans son acception la plus courante, la déviance* caractérise un comportement qui s'écarte des normes généralement admises dans un groupe donné. Une norme* est un précepte de conduite correspondant à une situation sociale déterminée. Par exemple, une situation de trafic automobile est régie par une série de normes de prudence et de courtoisie. De même, dans des situations de promiscuité physique avec des inconnus, comme dans les transports en commun aux heures de pointe, nos comportements sont organisés par une série de normes de coexistence implicites. Les normes se traduisent dans des règles qui en constituent l'expression visible. Certaines sont légales, comme les limitations de vitesse, mais d'autres n'ont pas ce caractère légal, comme certaines règles de comportement que l'on considère précisément comme « normales », par exemple adresser un geste de remerciement à un autre automobiliste qui a cédé le passage, ou feindre d'ignorer les personnes autour de nous dans les transports en commun. Les normes, écrit Becker, « définissent des situations et des modes de comportement appropriés à celles-ci ; certaines actions sont prescrites (ce qui est "bien"), d'autres sont interdites (ce qui est "mal") »[1]. Transgresser une norme légale constitue un délit, et le transgresseur est alors un délinquant. Si le délit est considéré comme grave, il est un criminel. Mais un grand nombre de conduites déviantes, qui s'écartent donc des normes socialement admises, ne sont pas sanctionnées par la loi, comme jouer du piano dans une boîte de nuit d'un quartier mal famé (comme le faisait Becker), porter des tenues extravagantes ou adopter des comportements considérés comme grossiers. Le transgresseur est alors un déviant ou un marginal mais pas un délinquant au sens de la loi. Inversement, certains comportements sanctionnés par la loi sont parfaitement admis, sinon valorisés dans certains groupes, comme cacher une partie de ses revenus au fisc, employer du personnel de ménage au noir ou prendre le volant après un repas arrosé. Le fait qu'un comportement soit ou non sanctionné par la loi est à prendre en compte dans l'analyse sociologique des normes et de la déviance car cette caractéristique peut avoir des conséquences importantes. Mais l'analyse sociologique de la déviance vise plus largement l'ensemble des comportements qui s'écartent de la norme sociale, qu'ils constituent ou non des délits du point de vue légal.

« Quand un individu est supposé avoir transgressé une norme en vigueur, il peut se faire qu'il soit perçu comme un type particulier d'individu, auquel on ne peut faire confiance pour vivre selon les normes sur lesquelles s'accorde le groupe. Cet individu est considéré comme *étranger* au groupe », écrit Becker[2], soit un *outsider*. Mais, inversement, il peut refuser les normes du groupe et considérer que ceux qui le jugent ne sont pas à même de le juger et sont eux-mêmes « étrangers à son univers ». C'est cette dimension d'extériorité

---

1. Becker, 1991, p. 25.
2. *Ibid.*

réciproque qui caractérise l'outsider, comme l'usager de drogue, l'homosexuel ou l'artiste sans emploi stable qui vit de quelques ressources irrégulières.

Pour le sens commun, explique Becker, « un acte déviant découle nécessairement de certaines caractéristiques de son auteur, qui rendent la réalisation de cet acte nécessaire ou inévitable »[1], par exemple un caractère faible qui refuse de voir la réalité en face, des problèmes relationnels avec ses parents, voire un dérèglement psychique ou une nature perverse. Ainsi, l'homosexualité reste encore considérée par beaucoup comme le résultat d'une anomalie psychique causée, par exemple, par un attachement excessif à une mère dominatrice. Les usagers de drogue sont indistinctement appelés toxicomanes, comme s'ils étaient, sans exception, prisonniers d'une implacable dépendance à l'égard d'une substance immanquablement toxique. Le chercheur montre que l'utilisation automatique de ces interprétations laisse dans l'ombre d'autres facteurs, parmi lesquels le contexte social et culturel qui peut conduire à considérer certains comportements comme respectables et d'autres comme méprisables, alors qu'ils ne le seraient pas dans un contexte différent.

La déviance apparaît comme le double négatif du comportement conforme à propos duquel on ne se pose aucune question parce qu'il va de soi. L'homosexualité est considérée comme une pathologie parce que l'hétérosexualité est la norme sociale. Il est banal de s'interroger et de disserter sur les causes de l'homosexualité mais il semble parfaitement saugrenu de s'interroger sur celles de l'hétérosexualité, car cette dernière est admise comme « naturelle » et incarne à la fois le bien (ce qu'il est « bon » de faire), la normalité (ce qu'il est « normal » de faire) et la santé psychique (ce qu'il est « sain » de faire). Même s'il peut mettre fin à une situation conjugale et familiale insupportable, le divorce est générale-ment vu a priori comme un mal car il représente l'échec du mariage, considéré comme une situation souhaitable. C'est pourquoi on s'intéressera davantage aux causes et aux effets déstabilisateurs du divorce qu'à ce qui se passe à l'intérieur des couples mariés et des familles considérées comme stables, même si l'on sait très bien qu'ils peuvent être le théâtre de scènes violentes et de tensions tenaces qui empoisonnent durablement l'exis-tence. On ne s'inquiétera pas que deux jeunes gens qui s'aiment décident de se marier. Mais si leur amour dure sans qu'ils décident de s'unir, on s'en étonnera. La force d'une institution comme le mariage, l'hétérosexualité, le travail ou la famille est celle de l'évi-dence, bien que son contenu et son poids puissent varier dans le temps et dans l'espace. Il ne s'agit pas de célébrer ou de critiquer ces institutions mais de reconnaître le pouvoir qu'elles exercent, en particulier sur notre manière de regarder la réalité. C'est pourquoi Becker estime qu'on ne peut se contenter de définir la déviance comme un écart par rapport à une norme sans s'interroger sur la manière dont celle-ci est produite et mise en œuvre, sur les multiples efforts qui sont faits pour faire passer la norme comme si elle était « naturelle » en faisant oublier qu'elle résulte d'une histoire et d'un contexte social. Dans

---

1. Becker, 1991, p. 28.

le passage qui suit, Becker expose l'hypothèse générale à partir de laquelle il conduira ses recherches empiriques.

> La conception sociologique que je viens de discuter définit la déviance comme la transgression d'une norme acceptée d'un commun accord. Elle entreprend ensuite de caractériser ceux qui transgressent les normes et recherche dans la personnalité et dans les conditions de vie de ceux-ci les facteurs susceptibles de rendre compte de leur transgression. Cette démarche présuppose que ceux qui ont transgressé une norme constituent une catégorie homogène parce qu'ils ont commis le même acte déviant.
>
> Cette présupposition me semble négliger le fait central en matière de déviance, à savoir que celle-ci est créée par la société. Je ne veux pas dire par là, selon le sens habituellement donné à cette formule, que les causes de la déviance se trouveraient dans la situation sociale du déviant ou dans les « facteurs sociaux » qui sont à l'origine de son action. Ce que je veux dire, c'est que *les groupes sociaux créent la déviance en instituant des normes dont la transgression constitue la déviance*, en appliquant ces normes à certains individus et en les étiquetant comme des déviants. De ce point de vue, la déviance *n'est pas* une qualité de l'acte commis par une personne, mais plutôt une conséquence de l'application, par les autres, de normes et de sanctions à un « transgresseur ». Le déviant est celui auquel cette étiquette a été appliquée avec succès et le comportement déviant est celui auquel la collectivité attache cette étiquette.
>
> Puisque la déviance est, entre autres choses, une conséquence des réactions des autres à l'acte d'une personne, les chercheurs ne peuvent pas présupposer qu'il s'agit d'une catégorie homogène. Plus précisément, ils ne peuvent pas présupposer que les individus soupçonnés ont effectivement commis un acte déviant ou transgressé une norme, car *le processus de désignation n'est pas nécessairement infaillible* : des individus peuvent être désignés comme déviants alors qu'en fait ils n'ont transgressé aucune norme. De plus les chercheurs ne peuvent pas présupposer que la catégorie des individus qualifiés de déviants contiendra tous ceux qui ont effectivement transgressé une norme, car une partie de ceux-ci peuvent ne pas être appréhendés et donc ne pas être inclus dans la population de « déviants » étudiée. Dans la mesure où la catégorie manque d'homogénéité et ne comprend pas tous les cas qui pourraient en relever, on ne peut raisonnablement s'attendre à découvrir, dans la personnalité ou les conditions d'existence des individus, des facteurs communs susceptibles d'expliquer la déviance qu'on leur impute.
>
> Qu'y a-t-il donc de commun à tous ceux qui sont rangés sous l'étiquette de déviant ? Ils partagent au moins cette qualification, ainsi que l'expérience d'être étiquetés comme étrangers au groupe. Cette identité fondamentale sera le point de départ de mon analyse : je considérerai la déviance comme le produit d'une transaction effectuée entre un groupe social et un individu qui, aux yeux du groupe, a transgressé une norme. Je m'intéresserai moins aux caractéristiques personnelles et sociales des déviants qu'au processus au terme duquel ils sont considérés comme étrangers au groupe, ainsi qu'à leurs réactions à ce jugement.[1]

---

1. Becker, 1991, p. 32-33.

Bref, « La déviance est une propriété non du comportement lui-même, mais de l'interaction entre la personne qui commet l'acte et celles qui réagissent à cet acte »[1]. Becker ne considère pas les déviants comme « coupables » ou « innocents ». Simplement, d'un point de vue sociologique, cette question ne l'intéresse pas. C'est ce principe explicatif que Becker explicite et étaye dans *Outsiders,* à partir d'études empiriques détaillées sur les musiciens de jazz et les fumeurs de marijuana. C'est à ce dernier groupe qu'on se limitera ici.

1.2   La carrière du fumeur de marijuana

Le phénomène à analyser ici est double : d'une part, le fait de devenir fumeur de marijuana et d'autre part, le fait que cette activité soit considérée comme une déviance. À chaque étape de son analyse, Becker cherche à identifier les « parties impliquées de près ou de loin » et à mettre au jour les interactions entre elles. Pour comprendre d'abord comment on devient fumeur de marijuana, il réalise cinquante entretiens auprès de fumeurs pour partie musiciens de jazz et pour partie provenant de diverses catégories sociales sans lien avec la musique. Ces entretiens portent sur les changements qui se produisent dans l'attitude et l'expérience des fumeurs. La méthode utilisée relève de ce qu'il appelle l'induction analytique*. Elle consiste à formuler une hypothèse et à la mettre à l'épreuve dans chacun des entretiens successivement réalisés. Si elle est infirmée par un seul cas, elle devra être reformulée, remplacée ou corrigée, jusqu'à ce qu'elle résiste à l'ensemble des cas relatés dans les entretiens. L'hypothèse de départ de Becker prend à rebours les explications psychologiques habituelles : ce ne sont pas des motivations déviantes qui produisent le comportement, mais bien l'inverse ; la déviance est un apprentissage qui s'effectue dans un jeu d'interactions, au cours duquel le déviant qui persévère acquiert progressivement des motivations déviantes de plus en plus déterminées.

Les entretiens permettront de vérifier cette hypothèse et de l'étoffer en mettant au jour le processus par lequel un fumeur débutant devient progressivement un fumeur confirmé. Au cours de ses premières expériences, explique Becker, le novice « plane » rarement car il ne maîtrise pas la technique appropriée. C'est le groupe qui la lui apprend, lui permet d'y trouver du plaisir, l'aide à reconnaître les symptômes produits par la consommation et à les relier explicitement au fait de fumer. Le groupe rassure le débutant qui se lance dans une expérience inédite et, à certains égards, inquiétante, en minimisant les impressions désagréables. Il l'aide à décrire et à analyser correctement ses sensations successives et à utiliser le vocabulaire spécialisé qui leur est associé (le processus est exactement similaire à ce qui se passe lorsque l'on apprend à déguster du vin, par exemple). En effet, son plaisir ne serait complet s'il ne pouvait l'exprimer et le partager avec ses compagnons. Becker illustre ce processus d'apprentissage par une série d'extraits d'entretiens, comme celui qui suit, où « un fumeur expérimenté raconte comment il procède avec les débutants » :

---

1. Becker, 1991, p. 38.

> Ben, ils planent vraiment quelquefois. Mais, en moyenne, les gens ne sont pas préparés à ça, et, des fois, ça leur fait un peu peur. Bien sûr, il leur est déjà arrivé de prendre une cuite, mais là, ils planent bien plus, et ils ne comprennent pas ce qui se passe. Parce qu'ils croient qu'ils sont partis pour monter, monter sans arrêt, et qu'ils vont finir par perdre la tête, se mettre à faire des tas de trucs bizarres. Il faut, comme qui dirait, les rassurer, leur expliquer qu'ils ne sont pas réellement en train de flipper[1], que ça va bien se passer. Il faut seulement les persuader de ne pas avoir peur. Leur parler sans arrêt, les rassurer, leur dire que tout va bien. Et enchaîner avec ta propre histoire, du genre : « Il m'est arrivé la même chose. Tu finiras par aimer ça au bout d'un moment. » Tu continues comme ça sans t'arrêter, et assez vite, à force de leur parler, ils n'ont plus peur. En plus, ils voient que tu fais la même chose et qu'il ne t'arrive rien de terrible, alors ça leur donne plus de confiance.[2]

C'est donc dans un processus d'interaction avec ses pairs, en apprenant progressivement à trouver la consommation agréable, que le fumeur débutant acquiert et développe la motivation à fumer. Si cet apprentissage s'interrompt avant d'être arrivé à son terme, le fumeur cessera probablement de fumer.

Mais, pour persévérer dans sa pratique, il lui faut encore résister aux puissants contrôles sociaux* qui s'exercent sur les usagers de drogues, les stigmatisent et en découragent plus d'un. À condition qu'il s'y intègre profondément, le groupe de fumeurs lui offrira un univers clos, une sous-culture* où fumer n'est pas une déviance mais au contraire la norme, et où il pourra poursuivre, en secret, sa carrière de fumeur dans un climat sécurisant. À l'instar de la carrière de reclus dans un hôpital psychiatrique ou d'étudiant à l'université, la carrière de fumeur de marijuana est une évolution par étapes. Becker en distingue trois : fumeur débutant, usager occasionnel et usager régulier. À chaque étape, le fumeur acquiert des compétences nouvelles, consolide ses motivations, adopte des modèles de comportement plus ou moins ritualisés et se voit conférer par le groupe un statut auquel correspondent des rôles spécifiques, par exemple celui d'initiateur des novices lorsqu'il est lui-même devenu un fumeur accompli. Le processus peut être interrompu à tout moment et son issue est donc toujours incertaine. Elle dépendra surtout de la force des interactions qui se tissent au fil du temps au sein du groupe de fumeurs.

La situation dans laquelle les fumeurs sont impliqués au cours des différentes étapes de leur carrière est constamment interprétée par eux. L'univers de ceux qui les critiquent et les contrôlent, les relations dans le groupe restreint qu'ils ont rallié, les sensations associées à la consommation de marijuana… font l'objet d'interprétations élaborées dans l'interaction. Les fumeurs adaptent en effet leurs interprétations à celles des autres, comme le montre la manière dont les novices modifient leur lecture de l'expérience au contact des initiés. Se dire ensemble que « c'est bon », que « ce n'est pas dangereux », qu'on « plane »… montre que les interactions entre fumeurs se déroulent dans un univers de

---

1. « Se sentir abattu, déprimé ou angoissé sous, ou après, l'effet de la drogue. » (N.d.T.)
2. Becker, 1991, p. 77-78.

significations. « Les gens agissent en construisant des interprétations de la situation dans laquelle ils se trouvent, puis en ajustant leurs conduites pour faire face à cette situation. En conséquence [...] nous devons prendre le point de vue de la personne ou du groupe ("l'acteur") dont le comportement nous intéresse, et comprendre le processus d'interprétation à travers lequel il construit ses actions » écrit Becker[1]. Interactions et significations sont donc indissociables et mutuellement constitutives.

Comme on l'a vu dans le chapitre précédent, cette conception de la vie collective selon laquelle les acteurs en interaction interprètent collectivement la situation dans laquelle ils sont impliqués et la gèrent en fonction de cette interprétation est celle de l'interactionnisme symbolique*.

1.3   La théorie de l'étiquetage[2]

Les interactions entre fumeurs de marijuana expliquent comment on devient fumeur. Les analyser permet de voir que la consommation de marijuana n'est pas forcément, et en tout cas pas uniquement, le résultat de causes psychologiques ou naturelles. Même le plaisir pris à fumer, que celui qui l'éprouve considérera souvent comme authentique, est d'abord construit dans des interactions. Mais les interactions entre fumeurs n'expliquent pas pourquoi cette activité est considérée comme déviante. Rappelons qu'il n'existe de déviance que par rapport à une norme. L'excès de vitesse n'est une déviance que par rapport à la norme imposant une limitation, et cette norme peut varier d'un pays à l'autre. Un comportement déviant dans un pays (par exemple rouler à plus de 130 kilomètres à l'heure sur autoroute en France) sera parfaitement conforme dans un autre (par exemple en Allemagne). De même, certains pays comme les Pays-Bas ont une législation plus tolérante que la plupart des autres en matière d'usage de drogues. C'est donc le processus de création et de maintien des normes qu'il faut analyser : Qui « fait » les normes ? Quels sont les intérêts de ceux qui les produisent ? Comment se fait-il que certaines affaires passionnent les foules (par exemple une affaire de mœurs impliquant des personnalités ou un crime passionnel), alors que d'autres suscitent relativement moins d'intérêt (par exemple des délits financiers, même si ceux-ci conduisent à la ruine de milliers d'épargnants) ?

Les acteurs décisifs à cet égard sont ceux que Becker appelle les *entrepreneurs de morale**, soit les personnes qui entreprennent des « croisades pour la réforme des mœurs ». Souvent intransigeants, paternalistes, imbus de leur propre vertu et pessimistes quant à la nature humaine, les entrepreneurs de morale sont convaincus de devoir améliorer le sort de leurs semblables et de remettre fermement la société sur le droit chemin. Ils s'engagent, souvent avec l'appui d'experts ou en faisant usage de données scientifiques plus ou moins bien

---

1. Becker se réfère ici au sociologue Herbert Blumer, professeur à l'Université de Chicago et une des figures de proue de l'interactionnisme symbolique.
2. Plus connue sous sa formulation anglaise d'origine : *labelling theory*.

utilisées, dans les campagnes les plus variées : contre le mariage homosexuel ou la prostitution, l'alcoolisme ou l'usage de drogues, l'interruption de grossesse ou la pornographie. Ils n'hésitent pas à utiliser des expressions grandiloquentes sur l'avenir de la société et les catastrophes qui s'annoncent si les normes se relâchent. Leur succès est consommé lorsque la campagne aboutit à l'édiction d'une nouvelle loi. Alors, note ironiquement Becker, l'entrepreneur de morale « a découvert, si l'on peut dire, le Graal [et] se retrouve sans emploi ».

Dès la norme édictée, certains individus peuvent être étiquetés comme déviants : alcooliques, chauffards, toxicomanes ou avorteurs. À partir de ce moment, leurs comportements, déviants ou non, seront systématiquement interprétés en fonction de cet étiquetage. Autrement dit, une fois apposée, l'étiquette permet d'expliquer potentiellement tous les comportements d'un individu. Son pouvoir de traduction est énorme. Si un jeune « toxicomane » est impliqué dans des conflits familiaux comme n'importe quel jeune peut en connaître avec ses parents, ses comportements seront automatiquement interprétés comme le résultat de sa toxicomanie. Si un jeune « délinquant » connu de la police est impliqué dans une rixe banale, on y verra le résultat de ses inclinaisons délinquantes. Dès l'étiquetage effectué, il devient presqu'impossible de s'en débarrasser.

Les différents groupes sociaux sont inégaux face à cet étiquetage. Un même délit, comme un vol ou un acte de vandalisme mineur, sera interprété différemment selon l'origine sociale de son auteur. S'agit-il d'un jeune de milieu populaire vivant dans un quartier pauvre, on y discernera la confirmation d'une tendance à la délinquance, surtout s'il est d'origine étrangère. S'agit-il d'un jeune de milieu privilégié, on y verra plus facilement une simple erreur de jeunesse, un moment d'égarement lié à une crise d'adolescence difficile à traverser. Les chances pour que la police et la justice s'en mêlent sont plus élevées dans le premier cas que dans le second, où les parents seront davantage prompts à dédramatiser l'affaire et à s'arranger « entre personnes de bonne volonté », en dédommageant les victimes. Dans le premier cas, des conséquences néfastes pour l'intéressé de cette délinquance, que les criminologues qualifient de « primaire », peuvent s'enchaîner dangereusement : passant du home à la prison, le jeune délinquant peut être vite immergé dans un milieu criminel où il sera entraîné à commettre des délits plus graves. Ce phénomène renforce encore le caractère social ou interactionniste de la déviance, car les étiquettes peuvent se cumuler et se renforcer pour former un ensemble de représentations dense et solide, d'autant plus difficile à combattre. Le processus d'étiquetage et le traitement qui en résulte varient non seulement selon la classe sociale, mais aussi l'origine ethnique, l'âge et le sexe notamment de la personne visée. Pourquoi ? La réponse est que les entrepreneurs de morale ne sont pas également répartis dans toutes les couches de la société, les groupes ethniques, les classes d'âge. De même, si les entrepreneurs de morale sont plus souvent des hommes que des femmes, il y a fort à parier que les règles morales qu'ils édictent concerneront les femmes au premier chef (l'exemple de l'évolution de la réglementation de la prostitution au cours des XIXe et XXe siècles est frappant à cet égard[1]).

Toutes les normes et les règles ne sont pas respectées avec la même rigueur, et il n'est pas demandé à tout le monde de les respecter de la même façon. Certaines, comme les limitations de vitesse sur les routes, sont même massivement transgressées. La raison en est quelquefois très pragmatique. Si les interdictions relatives au stationnement en double file étaient respectées à la lettre, de nombreux quartiers commerciaux seraient vite désertiques. Respectées avec souplesse et un peu de bon sens, de telles règles assurent un certain roulement dans l'occupation des places cruciales pour charger et décharger les marchandises et sert à arbitrer d'éventuels conflits. Pour qu'elles soient effectivement respectées, il faut que certaines personnes (les policiers) entreprennent de poursuivre les coupables, et que d'autres (les automobilistes coincés en première file) aient des raisons d'attirer l'attention des premières sur le comportement déviant. Si ces conditions ne sont pas remplies, normes et règles restent de pure forme, transgressées impunément selon un commun accord généralement implicite.

Becker peut donc résumer et conclure comme suit :

> La déviance – au sens adopté ici d'action publiquement disqualifiée – est toujours le résultat des initiatives d'autrui. Avant qu'un acte quelconque puisse être considéré comme déviant et qu'une catégorie quelconque d'individus puisse être étiquetée et traitée comme étrangère à la collectivité pour avoir commis cet acte, il faut que quelqu'un ait instauré la norme qui définit l'acte comme déviant. Les normes ne naissent pas spontanément. Même si, éventuellement, une pratique nuit objectivement au groupe dans lequel elle s'effectue, le dommage doit être découvert et signalé. Il faut que la population ait été persuadée que quelque chose doit être fait à ce sujet. Pour qu'une norme soit créée, il faut que quelqu'un appelle l'attention du public sur les faits, donne l'impulsion indispensable pour mettre les choses en train, et dirige les énergies ainsi mobilisées dans la direction adéquate. Sans ces initiatives destinées à instaurer des normes, la déviance, qui consiste à transgresser une norme, n'existerait pas : elle est donc le résultat d'initiatives, à ce niveau.
>
> Mais la déviance est aussi le produit d'initiatives à un autre niveau. Une fois qu'une norme existe, il faut qu'elle soit appliquée à des individus déterminés avant que la catégorie abstraite de déviants que crée cette norme puisse se peupler. Il faut découvrir des délinquants, les identifier, les appréhender et prouver leur culpabilité (ou bien remarquer qu'ils sont « différents » et les stigmatiser pour cette non-conformité, dans le cas de groupes déviants qui, comme par exemple les musiciens de danse, restent dans la légalité). Cette tâche incombe ordinairement à des professionnels spécialisés dans l'imposition du respect des normes ; ce sont eux qui, en faisant appliquer des normes préexistantes, créent une catégorie spécifique de déviants, d'étrangers à la collectivité. Il est significatif que la plupart des recherches et des spéculations scientifiques sur la déviance s'intéressent plus aux individus qui transgressent les normes qu'à ceux qui les

---

1. Voir à ce sujet Chaumont, 2009.

établissent et les font appliquer. Si nous voulons comprendre pleinement la conduite déviante, nous devons garder l'équilibre entre ces deux directions possibles de nos investigations. Nous devons considérer la déviance et les déviants, qui incarnent ce concept abstrait, comme un résultat du processus d'interaction entre des individus ou des groupes : les uns, en poursuivant la satisfaction de leurs propres intérêts, élaborent et font appliquer les normes sous le coup desquelles tombent les autres qui, en poursuivant la satisfaction de leurs propres intérêts, ont commis des actes que l'on qualifie de déviants.[1]

La théorie de l'étiquetage projette un éclairage précieux sur la déviance mais, selon l'avis de Becker lui-même, elle ne peut en constituer l'explication exclusive : « Il serait absurde de suggérer que les voleurs à main armée attaquent les gens simplement parce que quelqu'un les a étiquetés comme voleurs à main armée, ou que tout ce que fait un homosexuel découle de ce que quelqu'un l'a étiqueté comme tel. »[2] Pour la théorie interactionniste, la déviance est aussi une action volontaire d'acteurs agissant ensemble. Cela ne signifie pas que leur action soit forcément réalisée en groupe, mais bien que toute action déviante est effectuée en fonction d'autres acteurs par rapport auxquels le déviant ajuste ses propres conduites, même individuelles. Il y a action collective dans le sens où chacun agit « avec un oeil sur ce que les autres ont fait, sont en train de faire ou sont susceptibles de faire dans le futur »[3], explique Becker. Le processus d'apprentissage au contact des autres en constitue une illustration.

1.4   Décoller les étiquettes

L'interactionnisme de Becker concentre l'attention sur ce jeu complexe, constitué d'entreprises morales, d'étiquetages, de contrôles sociaux et d'actions collectives, dont les interactions concrètes constituent, en quelque sorte, les atomes de base, et auquel prennent part, « de près ou de loin » un ensemble de protagonistes. Appliquée à la déviance, cette approche n'est pas seulement attentive aux acteurs étiquetés de déviants mais aussi, et peut-être surtout, à ceux qui, bien que contribuant considérablement à la production du phénomène, sont généralement épargnés par l'analyse, parce qu'ils produisent un travail constant pour se rendre invisibles[4] et pour faire passer leur intérêt particulier pour l'intérêt général, en particulier les entrepreneurs de morale à l'origine des normes, les responsables politiques qui font la loi, les policiers, les magistrats, les médecins, les travailleurs sociaux, les enseignants et les parents, qui en assurent l'efficacité concrète et le contrôle. De cette façon, l'acte « prend place dans un réseau complexe d'actions » qu'il s'agit de décoder pour en saisir toute la signification.

---

1. Becker, 1991, p. 186-187.
2. Becker, 1991, p. 203.
3. Becker, 1991, p. 205-206.
4. On le verra encore un peu plus loin dans l'étude de Mills sur les élites.

Si Becker parvient à une compréhension aussi fine de la déviance, c'est parce qu'il ne se contente pas d'étudier les comportements des déviants indépendamment de ce système social qui contribue à les définir comme tels et à les produire. Loin de prendre pour argent comptant les normes qui définissent la déviance, il inclut leur production et les processus de contrôle qui en assurent le respect dans son objet d'analyse. Il s'affranchit des catégories de pensée instituées, des définitions officielles ou généralement admises de la déviance, non pas en les ignorant mais au contraire en les étudiant comme n'importe quelle autre dimension du phénomène étudié.

Cette règle de l'analyse en sciences sociales est très bien mise en évidence par le courant interactionniste, en particulier par des auteurs comme Becker et Goffman. Mais la règle n'est pas propre à ce courant et devrait s'appliquer à tout objet de recherche. Comment, par exemple, pourrait-on imaginer comprendre les comportements des personnes âgées sans prendre d'abord en compte la manière dont la vieillesse est définie et traitée dans la société moderne ? Dans les sociétés industrielles et bureaucratiques, est considérée vieille la personne qui accède à l'âge de la retraite fixée par les lois sociales et qui n'est donc plus productive. Il n'en a pas toujours été ainsi. Ce statut et la manière dont chacun peut s'y adapter, en fonction de sa condition physique, de ses ressources, de l'importance de ses activités extra-professionnelles ou de ses relations familiales et amicales, pèsent d'un poids majeur dans la situation des personnes âgées, leurs modes de vie et leurs visions de l'existence. Celui qui, dans le cadre d'un travail de sciences sociales, questionnerait ces personnes sans prendre en compte et analyser d'abord les catégories instituées qui organisent socialement la vieillesse ne pourrait à peu près rien comprendre au phénomène qu'il prétend étudier.[1] Pire, il risquerait malgré lui de servir les intérêts des entrepreneurs de morale en reprenant à son compte la définition particulière de la réalité que ceux-ci cherchent à imposer.

Les catégories de pensée instituées comportent plusieurs facettes. La première est le choix des mots utilisés. La terminologie institutionnelle utilise le mot « toxicomanes » pour parler des usagers de drogues. Ce terme présuppose une dépendance et suggère que la consommation est toujours toxique. Tous les usagers de drogues sont associés dans une seule et même catégorie ainsi connotée, quels que soient la matière consommée, le rythme et les raisons de leur consommation. Le terme « fumeur de marijuana » utilisé par Becker est dépourvu de tels présupposés. Le terme d' « usager de drogues » se réfère à un ensemble plus large mais ne présuppose rien, lui non plus, concernant l'assuétude ou la toxicité. Il est impossible d'étudier les phénomènes sociaux sans faire usage de mots. Mais encore faut-il les choisir le mieux possible, peser les implications des choix opérés et les expliciter. On comprend maintenant pourquoi Becker a intitulé son ouvrage *Outsiders* et non *Délinquants*.

---

1. Sur cette question, voir Lenoir, 1989.

Les catégories de pensée instituées comprennent également un ensemble de procédés de recueil et d'organisation d'informations, comme les statistiques officielles, qui peuvent présenter d'importants biais. En ce qui concerne le thème de la déviance, l'exemple le plus connu est celui des statistiques de la délinquance et de la criminalité récoltées chaque année par les parquets et les services de police. Loin de rendre compte de la criminalité réelle, ces chiffres sont habituellement basés sur les dossiers ouverts par ces institutions. Imaginons, cas fréquent, que les services de police reçoivent pour instruction d'être plus vigilants et plus sévères à l'égard des délits liés à la drogue et disposent de moyens accrus à cette fin. Après quelques mois, on observera presqu'inévitablement un accroissement des dossiers impliquant de la drogue dans les statistiques policières. Mais rien ne permetterait d'imputer ce résultat statistique à un accroissement réel du trafic et de la consommation. Comme y insistent régulièrement les criminologues, il est davantage un indicateur de l'activité policière que de la délinquance effective. Pourtant, chaque année de tels chiffres sont présentés à la presse et, à travers celle-ci, au public, comme des photographies fidèles de la criminalité et de ses dernières tendances.

Les modes de pensée instituées acquièrent une réalité tangible à travers l'ensemble des dispositifs de gestion des problèmes. Ils servent de cadre intellectuel au travail de milliers d'agents institutionnels (magistrats, policiers, fonctionnaires, gardiens de prison, psychologues, responsables de la communication ou travailleurs sociaux) qui mobilisent des ressources et mettent en œuvre des routines professionnelles qui contribuent à les constituer en évidences pour eux-mêmes ainsi que pour une grande partie de la population. Il devient alors très difficile, même pour le chercheur en sciences sociales, de penser en dehors de ces cadres de pensée, et de les considérer comme une dimension même du problème à étudier.

Une constante des modes de pensée institués est de considérer que les problèmes ne résident pas dans les institutions elles-mêmes mais bien chez les destinataires de leurs activités. Même si les institutions qu'ils dirigent traversent des crises graves, leurs dirigeants répugnent à les analyser elles-mêmes. Ils pensent que la solution doit plutôt être recherchée dans une meilleure connaissance de leurs destinataires (leurs sous-cultures, leurs « besoins » ou leurs « attentes ») ou dans une meilleure communication avec eux. Ainsi, le ministère de la Justice demandera plus volontiers des études sur les délinquants, ou encore sur les opinions et attentes de la population à l'égard de la justice que sur l'institution judiciaire elle-même, sinon à travers des « audits » qui n'analysent guère en profondeur les structures de pouvoir et la culture de l'institution elle-même. Les responsables politiques seront curieux de mieux connaître les opinions de leur électorat potentiel, mais le fonctionnement interne des partis politiques ou des cabinets ministériels, où des décisions importantes se prennent tous les jours, restera presque totalement épargné par les recherches de sciences politiques ou de sociologie politique. Les universités s'intéressent aux trajectoires des étudiants, mais assez peu au système universitaire lui-même dont ces trajectoires dépendent directement.

Comme nous l'avons vu dans le premier chapitre, on appelle souvent « sens commun », le sens le plus communément admis, celui qui est donné aux problèmes et aux phénomènes sociaux par les gens « du commun ». Comme nous le verrons plus loin, l'opinion de Becker sur le sens commun diverge de celle d'une bonne partie des scientifiques qui ont tendance à le stigmatiser sans nuances comme obstacle à la connaissance scientifique. Que nous enseignent à ce propos les trois principales recherches étudiées jusqu'ici ? La première, de Hoggart, nous montre qu'il n'existe pas de sens commun homogène. La représentation déformée de la culture populaire est principalement le fait de classes moyennes et supérieures. Hoggart a montré que cette représentation ethnocentriste était fort éloignée de la manière dont les membres de la classe ouvrière percevaient leur propre culture. Les deux recherches suivantes, de Goffman et de Becker, indiquent que les catégories de pensée dont le sociologue doit s'affranchir ne sont pas d'abord celles qui seraient les plus communément partagées par une population ignorante mais bien celles qui sont consacrées par les institutions légitimement habilitées à gérer ces problèmes. Comme on vient de le voir, ce sont des systèmes institutionnels avec leurs professionnels, et notamment leurs scientifiques, qui consacrent des catégories de pensée et leur confèrent par là un poids particulier aux yeux d'importantes franges de la population. Ce ne sont pas des concierges mais des médecins qui décrètent les frontières entre la santé mentale et la folie. Ce sont les parlementaires qui confèrent l'autorité de la loi à leur propre définition des problèmes. Certes, ces catégories de pensée instituées sont elles-mêmes influencées par l'environnement social et culturel dans lequel elles prennent place, mais c'est par rapport aux sources mêmes des représentations instituées, et donc les plus communément admises, que le chercheur en sciences sociales doit d'abord s'affranchir, c'est-à-dire aux lieux où elles s'élaborent comme légitimes. Quand les chercheurs en sciences sociales adoptent sans sourciller ces catégories de pensée instituées et renoncent à construire un point de vue autonome avec des concepts des sciences sociales, ils amputent volontairement ou involontairement leur capacité d'analyse d'une grande part de son potentiel d'élucidation des phénomènes sociaux et ils ne font guère avancer les choses.

Choix d'un langage qui définit et classe les individus et les comportements, consécration scientifique et légale de certaines catégories de pensée à leur sujet, procédés d'organisation des informations, dispositifs institutionnels chargés de traiter les problèmes ainsi définis, faiblesse des analyses portant sur les institutions et le pouvoir en tant que tels... participent d'un processus que les sociologues appelle *la construction sociale de la réalité* que la recherche de Becker met remarquablement au jour. Nous y reviendrons dans le complément du chapitre 7.

1.5   Poser l'équivalence morale des comportements

Cette nécessaire autonomie des sciences sociales par rapport aux catégories de pensée instituées est la principale leçon d'*Outsiders*. Becker la résume dans la conclusion de son livre où il expose également les implications morales de son travail.

> L'approche interactionniste de la déviance n'a pas été seulement utile pour clarifier les phénomènes qui ont été conventionnellement étudiés sous cette rubrique : elle rend aussi plus complexe notre conception morale de ceux-ci. L'approche interactionniste a entrepris cette double tâche de clarification et de complication en faisant prendre conscience aux sociologues de la nécessité d'inclure dans leur étude des phénomènes déviants un ensemble plus vaste de personnes et d'événements, et en les sensibilisant à l'importance d'un ensemble plus vaste de faits. Nous étudions tous les acteurs de ces drames moraux, les accusateurs comme les accusés, sans soustraire à nos enquêtes, par respect des conventions sociales, aucun individu, aussi honorable ou haut placé soit-il. Nous examinons minutieusement les activités effectives, en tentant de comprendre les circonstances dans lesquelles agissent tous ceux qui sont concernés. Nous nous refusons à invoquer des forces mystérieuses comme ressorts des drames de la déviance et nous prenons au sérieux l'interprétation du « sens commun », qui attire notre attention aussi bien sur ce que nous pouvons voir clairement que sur les événements et les intérêts qui demandent plus de subtilité dans le recueil des données et dans l'analyse théorique.
>
> À un second niveau, l'approche interactionniste montre aux sociologues l'importance primordiale, dans tous les aspects des drames de la déviance, de l'imposition de définitions – que celles-ci concernent les situations, les actes ou les catégories de personnes. Une compréhension complète exige l'étude approfondie de ces définitions ainsi que des processus par lesquels elles sont élaborées et accèdent à la légitimité ou au statut de fait établi.
>
> Ces deux niveaux d'analyse donnent, dans les circonstances présentes, un caractère radical à l'approche interactionniste. En étudiant les entrepreneurs de morale – aussi bien que ceux qu'ils cherchent à contrôler – les analyses interactionnistes violent la hiérarchie de la crédibilité* établie dans la société. Elles mettent en question le monopole de la vérité et de l'énonciation des faits que prétendent détenir ceux qui sont en position de pouvoir et d'autorité. Elles suggèrent qu'au lieu de nous reposer sur les comptes rendus officiels qui devraient suffire à tout bon citoyen, nous devons découvrir par nous-mêmes la vérité sur les phénomènes déclarés déviants. Les analyses interactionnistes adoptent une position relativiste à l'égard des accusations et des définitions de la déviance construites par les gens respectables et les pouvoirs établis et elles traitent celles-ci non comme l'expression de vérités morales incontestées, mais comme le matériel brut des analyses de sciences sociales.
>
> Les analyses interactionnistes des phénomènes déviants deviennent radicales dans un dernier sens : par le fait qu'elles sont traitées comme radicales par les autorités conventionnelles. Quand les autorités exercent le pouvoir en recourant pour une part au brouillage et à la mystification, une science qui rend les choses plus claires attaque inévitablement les bases sur lesquelles repose ce pouvoir. Les autorités dont relèvent les institutions et les domaines étudiés par les recherches interactionnistes attaquent ces analyses en alléguant les « biais » qui résulteraient de leur parti pris, de leur incapacité

à accepter la sagesse et les valeurs traditionnelles ainsi que leurs effets destructeurs sur l'ordre public.

Ces conséquences des analyses interactionnistes rendent plus compliquée notre position morale en tant que scientifiques dans la mesure même où elles rendent plus clair ce qui se passe dans ces arènes morales que constituent les tribunaux, les hôpitaux, les écoles et les prisons. Elles nous empêchent d'ignorer les implications morales de notre travail. Même si nous le voulions, les autorités qui se sentent soumises à des attaques détruiraient l'illusion d'une science neutre en insistant sur le fait que nous sommes responsables des conséquences morales de nos recherches (ce que nous sommes effectivement).

Cette discussion des développements récents de la théorie de la déviance conduit à prendre en compte la signification morale de la sociologie contemporaine, mais elle ne constitue qu'un premier pas dans cette voie. Nous pouvons faire d'autres progrès vers la solution de ce problème épineux en examinant de la même manière d'autres domaines de la sociologie tels que les institutions d'enseignement, les services de santé, l'armée, l'industrie et les affaires – en fait, en examinant tous les autres domaines dans lesquels les études sociologiques élucident les activités des gens et des institutions, et influencent par là nos jugements moraux sur ces activités.[1]

Ce passage nous éclaire sur la dimension morale de l'analyse scientifique des phénomènes sociaux. Becker traite de la même manière les comportements étiquetés comme déviants et ceux, étiquetés comme conformes, des entrepreneurs de morale et des agents institutionnels chargés de veiller au respect des normes et à la punition de leur transgression. Il considère les comportements des uns et des autres comme des conduites sociales qui demandent à être expliquées par le système d'interactions dont elles participent et les inclut dans son objet d'analyse. Il refuse de considérer a priori certains comportements comme blâmables et d'autres comme dignes d'estime. Il pense en effet que le chercheur qui introduit, consciemment ou inconsciemment, des jugements moraux dans sa définition des problèmes commet une erreur intellectuelle qu'il appelle le sentimentalisme. « Nous sommes sentimentaux, en particulier, quand nous refusons d'étudier certains sujets parce que nous préférons ignorer ce qui se passe plutôt que de risquer, en l'apprenant, de heurter tel ou tel de nos attachements dont nous n'avons peut-être nous-mêmes pas conscience. »[2] Cette position de Becker consistant à traiter de la même manière tous les comportements sans préjugé moral n'est pas uniquement une position morale ; elle est d'abord et surtout une position scientifique qu'il justifie par des raisons proprement scientifiques.

Mais cette position a des conséquences morales directes. En mettant sur le même pied les comportements et les représentations des uns et des autres, elle heurte la hiérarchie de crédibilité selon laquelle plus une personne occupe une position élevée, plus ce qu'elle avance est digne de confiance. Elle attaque « les définitions,

---

1. Becker, 1991, p. 231-233.
2. Becker, 1991, p. 234.

les étiquettes et les représentations conventionnelles de l'identité des personnes et des choses »[1] sur lesquelles repose le pouvoir de ceux qui définissent la norme et contrôlent sa transgression. Goffman ne fait pas autre chose. Donner la parole aux reclus de l'hôpital psychiatrique est scientifiquement nécessaire pour comprendre leurs comportements et les interactions à l'intérieur de l'institution totale. Mais, ce faisant, il conteste *de facto* le monopole exercé par les psychiatres et les surveillants sur les interprétations légitimes des comportements des malades mentaux et remet forcément en question la hiérarchie de crédibilité établie. Le chercheur en sciences sociales qui fait correctement son travail risque toujours de se confronter à des approches « autorisées » des phénomènes sociaux et à ceux qui les incarnent. Son travail s'inscrit dès lors dans une dynamique de pouvoir et prend, au sens large du terme, une dimension politique. C'est pourquoi il se doit d'être conscient des conditions dans lesquelles il exerce son métier : qui finance les recherches ? qui sont ses commanditaires ? à quels terrains d'enquête lui est-il très difficile d'accéder ? L'extrait qui précède témoigne de la lucidité de Becker concernant les implications morales de son travail sociologique.

Une telle attitude s'écarte de deux autres visions opposées mais également simplistes des rapports entre le travail scientifique et les positions morales[2]. La première consiste à considérer que le travail scientifique peut être radicalement et entièrement détaché de toute option morale. Déjà le choix des thèmes de recherche contredit cette vision. Celui qui décide d'étudier les systèmes de domination auxquels les pauvres ou les reclus sont soumis ne fait pas le même choix que celui qui choisit d'étudier les méthodes les plus rentables de gestion des « ressources humaines ». L'agronome ou le biologiste qui tente de mettre au point des techniques agricoles non coûteuses et durablement efficaces pour les contrées défavorisées du tiers-monde ne fait pas le même choix que celui qui met au point des plantes génétiquement programmées pour mourir après une saison sans produire de graines fertiles. Néanmoins, dans tous ces cas, il n'en s'agit pas moins de recherche scientifique. La seconde vision simpliste consiste à considérer qu'il n'y a pas de différence entre le travail scientifique et les positions morales et à mélanger avec désinvolture les deux registres. Elle peut servir à soutenir deux arguments opposés mais également fallacieux : d'abord, l'idée que le scientifique peut ou doit parler à partir de son seul ressenti et que la méthodologie ne lui est d'aucune utilité ; ensuite la disqualification de tout travail scientifique sous prétexte qu'il ne serait pas imperméable aux valeurs morales. Si les deux registres sont bien liés, ils n'en sont pas moins de natures différentes, de sorte que leurs articulations doivent être explicitées, comme le font les trois principaux auteurs que nous venons d'étudier.

---

1. Becker, 1991, p. 229.
2. On y reviendra dans le chapitre 5 consacré à Max Weber.

2. Complément : Comment vaincre les résistances à l'analyse sociologique ? (C. W. Mills, M. Douglas, B. Latour)

2.1 La résistance des puissants

L'enjeu des catégories de pensée à partir desquelles un phénomène a de fortes chances d'être abordé est essentiel mais il n'est pas le seul ni le premier enjeu scientifique. Le premier enjeu, non moins important, est la question de savoir si tous les phénomènes ont la même chance d'être étudiés. La réponse est évidemment négative en raison, ici aussi, de rapports de force au sein de la société.

Dans les années 1950, le sociologue américain Charles Wright Mills s'est lancé dans une grande enquête sur le pouvoir aux États-Unis. Les résultats ont été publiés sous le titre *L'Élite au pouvoir*[1]. Cet ouvrage constitue certainement l'œuvre la plus réputée de toute la sociologie politique nord-américaine, voire mondiale, celle en tout cas qui a suscité le plus d'admiration, de controverses et même de vocations sociologiques. L'élite* que Mills veut étudier est « l'ensemble des hommes qui prennent toutes les décisions importantes que l'on peut prendre »[2] ou encore l'ensemble des personnes dont la situation leur permet « de prendre des décisions aux conséquences capitales »[3] pour la vie des gens ordinaires.

Au moment où Mills entame son enquête, il n'existait qu'assez peu d'enquêtes approfondies sur l'élite. Les véritables hommes et femmes de pouvoir n'aiment pas parler ouvertement de leur pouvoir et encore moins se prêter à une investigation sociologique. Ils sont en général trop occupés pour cela, explique Mills. Éviter de montrer au grand jour comment il fonctionne fait partie du fonctionnement même du pouvoir. S'ils ne souhaitent pas qu'on en sache trop sur eux-mêmes, en revanche, les gens de pouvoir sont intéressés par les enquêtes ou les sondages sur les personnes sur lesquelles s'exercent leur pouvoir. S'ils ne veulent pas être eux-mêmes des objets d'étude, ils commandent des études pour mieux diriger leurs concitoyens. Il faut reconnaître qu'en gros, ils parviennent assez bien à leurs fins. Les enquêtes sur les électeurs, les étudiants, les pauvres, les délinquants, les malades, les soldats, les agents moyens et subalternes des institutions, comme les employés, les enseignants, les travailleurs sociaux ou les infirmières, sont bien plus nombreuses que celles portant sur les hauts responsables politiques et leurs cabinets, la haute administration, les officiers supérieurs, les présidents directeurs généraux des entreprises et les dirigeants des grandes institutions comme les hôpitaux et les universités.

---

1. Mills, 1969. Titre original : *The Power Elite*, 1956.
2. Mills, 1969, p. 25.
3. Mills, 1969, p. 8.

Celui qui veut étudier l'élite se lance donc dans une entreprise difficile à financer mais aussi à mener, car on ne lui communiquera pas volontiers les informations utiles. S'il parvient au bout de ses peines, on lui reprochera après coup des lacunes dans son information sur certaines questions (comme cela a été reproché à Mills) sans préciser qu'il lui a fallu des trésors de persévérance et d'ingéniosité pour contourner la propension de l'élite à échapper au regard des chercheurs et à garder ce qu'elle sait pour elle seule.

En quoi consiste l'élite au pouvoir ? De qui se compose-t-elle ? Qu'est-ce qui fait son pouvoir et comment fonctionne-t-il ? Pour répondre à ces questions, Mills mettra au point une stratégie de recherche basée sur une diversité de sources qu'il recoupera : biographies des grandes fortunes et des principaux dirigeants politiques et militaires, annuaires et registres reprenant les noms des personnalités des grandes villes et du pays, statistiques sur les origines et les profils de plusieurs centaines de mandataires politiques, rapports administratifs divers portant notamment sur les déclarations fiscales d'hommes d'affaires et de responsables, ouvrages biographiques ou de réflexion de personnalités politiques et économiques, interviews et reportages consacrés aux célébrités dans les magazines et les journaux, articles publiés dans des revues sérieuses par des analystes politiques et économiques, entretiens avec des fonctionnaires, militaires et cadres du secteur privé bien au fait du fonctionnement du sommet des grandes institutions et entreprises, interviews et observations de terrain dans une douzaine de villes moyennes, sans oublier, bien sûr, l'examen habituel des enseignements des recherches réalisées antérieurement sur les différentes questions étudiées.

2.2   Analyser le fonctionnement du pouvoir

De cet important travail de recherche, Mills dégage trois enseignements principaux. Le premier est que, dans la société moderne, à son niveau le plus élevé, le pouvoir repose essentiellement sur des bases institutionnelles, c'est-à-dire sur le fait d'occuper des postes de commandement au sommet des principales institutions publiques et privées. Certes, sur le papier, le pouvoir n'appartient pas aux individus de chair et d'os, mais bien à la fonction qu'ils occupent. Mais ce sont bien des individus qui, une fois installés à différents postes à responsabilités, vont prendre des décisions et mobiliser à leur façon les ressources de pouvoir dont ils disposent[1].

> L'élite, ce n'est pas simplement les hommes les plus favorisés, car ils ne pourraient pas « être favorisés » sans les postes qu'ils occupent au sein des grandes institutions. En effet ces institutions sont les bases nécessaires du pouvoir, de la richesse et du prestige, et en même temps les moyens principaux d'exercer le pouvoir, d'acquérir et de conserver la richesse, et d'obtenir le haut degré de prestige que l'on revendique.

---

1. On reviendra sur ce point avec l'analyse stratégique des organisations, présentées dans le complément du chapitre 9.

Par les puissants, nous entendons évidemment ceux qui peuvent réaliser leur volonté même si d'autres s'y opposent. En conséquence, nul ne peut être vraiment puissant s'il n'a pas accès à la direction des grandes institutions, car c'est sur ces moyens institutionnels de pouvoir que les hommes vraiment puissants exercent, en première instance, leur pouvoir. Les politiciens importants et les hauts fonctionnaires disposent de ce pouvoir institutionnel ; il en est de même pour les généraux et les amiraux, et pour les gros actionnaires et les dirigeants des grandes entreprises. Certes, le pouvoir n'est pas entièrement ancré dans ces institutions, et n'est pas exercé uniquement par elles, mais c'est en elles et par elles qu'il prend sa continuité et son importance.

La richesse aussi s'acquiert et se conserve dans les institutions et grâce à elles.[1]

Par conséquent, pour savoir en quoi consiste l'élite au pouvoir, il faut d'abord identifier les institutions les plus importantes. Car l'élite est forcément constituée des hauts dirigeants de ces institutions, ceux qui prennent les décisions qui pèsent le plus sur le sort des « gens ordinaires ». Mills distingue trois grandes catégories d'institutions et donc trois principales élites ; c'est le second enseignement de sa recherche. La première catégorie est celle des grandes entreprises industrielles de dimension nationale (ce qui, vu le poids mondial des États-Unis, en fait d'office des entreprises de dimension internationale) dont les dirigeants, malgré une relative diversité de leurs composantes (riches patriciens des grandes villes, anciens et nouveaux capitaines d'industries...) forment une classe relativement homogène dont les membres partagent une conscience d'appartenance à une élite clairement distincte de la masse de la population. Mills analyse de manière détaillée l'influence du contexte politique et économique sur la constitution et l'accroissement des grandes fortunes, les voies par lesquelles on accède à cette classe sociale et l'importance de l'héritage, les relations entre ses membres et la manière dont ils se cooptent et se reproduisent. La deuxième catégorie d'institutions se réduit en fait à une seule : l'armée américaine qui a bénéficié du contexte de la guerre froide, de diverses crises internationales et, par là, de la croissance d'une énorme économie de guerre pour se développer et s'imposer comme une organisation extrêmement puissante (sur le plan économique, politique, scientifique et technique et pas seulement strictement militaire). Les dirigeants du Pentagone constituent, selon Mills, une deuxième élite qui exerce aux États-Unis un pouvoir sans commune mesure avec les dirigeants militaires des pays européens notamment. Les militaires tentent d'imposer ce que Mills appelle la « vision militaire de la réalité internationale », c'est-à-dire un monde fait de vassaux ou d'ennemis qu'il faut contrôler ou combattre à travers les moyens développés par l'armée, comme la surveillance et l'espionnage. La troisième catégorie d'institutions est l'ensemble des institutions politiques fédérales de Washington et tout particulièrement l'exécutif fédéral autour du Président, qui ont acquis un pouvoir important sur des domaines

---

1. Mills, 1969, p. 13-14.

de plus en plus étendus, au détriment des institutions politiques locales, notamment des États fédérés, et partisanes.

Le troisième enseignement de la recherche de Mills est l'articulation étroite entre ces trois élites au plus haut niveau de pouvoir. Analysant finement les liens entre elles, il montre qu'elles se renforcent mutuellement (par exemple, les budgets militaires renforcent l'industrie, les industries soutiennent les politiciens fédéraux, etc.), qu'elles partagent un même sentiment d'appartenance à une élite unique qui plane au-dessus de la masse mais aussi qu'il existe une grande porosité entre elles, les mêmes individus pouvant passer d'une élite à l'autre (comme un général qui devient chef d'entreprise ou politicien, un richissime de l'industrie qui devient politicien, un politicien qui se recycle dans les affaires, etc.)

Cette connivence entre les élites s'est récemment élargie aux médias pense Mills, avec des effets très lourds sur la manière dont la société américaine se représente et se connaît elle-même. En effet, explique-t-il, les médias véhiculent une image des démocraties modernes comme celle d'un peuple qui a la possibilité de discuter librement et rationnellement des problèmes d'intérêt général dans l'espace public, d'exprimer sa volonté à travers ses représentants au Parlement et divers groupes de pression, et de constituer ainsi un contrepoids au pouvoir de l'élite. Par là, les médias répandraient une vision naïve, bien dans l'intérêt des élites, selon laquelle le pouvoir serait la chose la mieux partagée qui soit. Sans doute les citoyens ne cessent-ils de discuter entre eux d'une série de questions d'actualité que les responsables politiques et les médias ont mis à l'agenda, mais ce n'est pas parce qu'une multitude d'opinions sont émises de tous côtés qu'elles pèsent sur les décisions. « Les problèmes qui décident aujourd'hui du destin de l'humanité ne sont ni soulevés ni réglés par le peuple »[1], observe Mills. Pour lui, le pouvoir est un jeu à somme nulle : si certains en gagnent (en l'occurrence l'élite), c'est forcément que d'autres en perdent (le reste de la population). Quantitativement, la proportion de véritables décideurs par rapport à l'ensemble de la population tend à diminuer. Qualitativement, les vrais débats publics entre l'élite au pouvoir et les citoyens sont pratiquement inexistants. Interventions militaires, politiques budgétaires et industrielles, recherches spatiales, accords internationaux et autres choix vraiment importants sont décidés par l'élite au pouvoir, dans des cercles très restreints, à partir de rapports confidentiels et en fonction de préoccupations qui ne sont pas forcément en lien avec l'intérêt général. Donnant l'illusion d'une communication incessante, multipliant les débats auxquels les dirigeants les plus importants ne participent pratiquement jamais – certains d'entre eux « accordent » parfois une interview lorsqu'ils l'ont eux-mêmes décidé ou organisent une conférence de presse dont ils s'assurent la maîtrise –, les médias conforment les opinions plus qu'elles ne

---

1. Mills, 1969, p. 307.

les confrontent, argumente Mills. Ils constituent plus un instrument d'assoupissement intellectuel et de propagande qu'un espace public de discussion où des opinions tranchées peuvent s'entrechoquer. Victimes de l'audimat, la presse d'opinion n'est guère lue et a tendance à disparaître, tandis que les tabloïds qui détournent l'attention du peuple vers des problèmes futiles battent chaque jour des records de tirage.

Pour Mills, les médias contribuent à transformer une communauté de publics en une masse manipulée et assoupie. Le « viol psychique des masses » par la propagande nazie[1] avait montré, pour la première fois, la puissance dévastatrice des médias capables de toucher une grande masse d'individus. Aujourd'hui, leur influence s'exerce de manière plus subtile, à la fois douce et englobante. Transformant le public en consommateurs, ils maintiennent les esprits dans une espèce d'anesthésie mentale et détournent leur attention de ce qui se passe dans les sphères les plus hautes du pouvoir, pense Mills. Sans doute Hoggart avait-il raison de montrer l'adaptation active d'une bonne partie du public aux programmes proposés par les médias. Des études plus récentes montrent également toute la complexité du rapport du public ou, plus exactement, des publics aux médias[2]. Mais Mills soutiendrait que cette activité n'affecte en rien les plus hautes sphères du pouvoir.

De plus, explique Mills, les élites tendent, à travers les médias, à répandre une vision consensualiste de la société dont toutes les composantes, riches et pauvres, partageraient les mêmes intérêts, notamment la croissance, la richesse nationale ou la sécurité, comme si la réussite des riches servait automatiquement les classes moyennes et défavorisées. Toute analyse qui mettrait en évidence les divergences d'intérêt et de destinée entre les élites et la masse est taxée d'idéologique ou de populiste par les élites, le dirigeant moderne se prétendant sans idéologie mais seulement pragmatique en vue du bien commun. Il nie que les décisions qu'il prend résultent d'un choix politique, et se présente comme un simple technicien.

Dans ce contexte, Mills reproche violemment à ses collègues politologues et sociologues de ne pas vraiment étudier le pouvoir en ses échelons les plus élevés. De position sociale moyenne, les chercheurs en sciences sociales et politiques ne s'intéressent qu'aux échelons moyens du pouvoir (comme les cadres des partis et les mandataires politiques de faible poids) auxquels ils ont accès, par lesquels ils peuvent être reconnus et auprès desquels ils peuvent espérer jouer un rôle valorisant d'expert. Mais en se limitant à ce niveau, ils en surestiment le poids et donnent une image déformée du pouvoir, où les échelons supérieurs ne sont guère analysés, sinon à travers des « commérages », ironise Mills. Connaître c'est d'abord se connaître. Comme Hoggart l'a montré, ce principe s'applique donc aussi et surtout aux chercheurs en sciences sociales eux-mêmes.

Mais ce travail de Mills nous apporte une leçon supplémentaire : toutes les composantes de la société ne sont pas également susceptibles d'être analysées, toutes ne sont pas

---

1. Voir l'ouvrage de référence de Serge Tchakhotine, 1939, cité par Mills.
2. Voir Belin et Van Campenhoudt, 1998.

également exposées à l'investigation des chercheurs, toutes n'ont pas la même capacité d'y échapper. Or, le pouvoir et son exercice, parce qu'ils consistent précisément à prendre des décisions importantes pour la vie des citoyens ordinaires, devraient faire l'objet, plus que tout autre, d'analyses sociologiques approfondies. Il en va de la responsabilité sociale des sciences de la société.

2.3 Décrypter la pensée des institutions

Nous avons tendance à aborder l'étude des phénomènes sociaux à partir de catégories de pensée qui s'imposent spontanément à nous. Les pages qui précèdent en donnent de nombreux exemples. Rien que les mots déjà, comme « sauvage » qu'on oppose à « civilisé », « malade mental » qu'on oppose à « personne saine d'esprit », « délinquant » ou « toxicomane » que l'on différencie de « personne respectable », correspondent à des images préconçues des personnes dont les idées ou les comportements sont étudiés. Le lexique est souvent lié à des « évidences », par exemple « les classes populaires sont dépensières », « certains individus ont une personnalité qui les prédestine à la délinquance », « tous les internés dans les asiles psychiatriques sont des fous ». Comme Mills l'a montré, même des mots empreints d'une certaine dignité comme « démocratie » peuvent laisser implicitement entendre, si l'esprit critique n'est pas en éveil, que « toutes les questions peuvent être débattues dans l'espace public », que « dans nos pays, le pouvoir est partagé de manière démocratique », etc. Chacun dans leur domaine de recherche, Hoggart, Sahlins, Goffman, Evans-Pritchard, Becker et Mills ont montré comment ces catégories de pensée sont construites et parviennent à s'imposer. Dans le langage scientifique, on dira qu'ils les ont « déconstruites ».

Mais ils n'en sont pas restés là ; ils ont construit des catégories d'analyse sociologiquement plus pertinentes, comme « institution totale », « adaptation secondaire », « outsider », « usager de drogue » ou « élite du pouvoir », qui ne sont pas entachées par les idées toutes faites et qui n'impliquent pas de jugements de valeur implicites, souvent teintés d'ethnocentrisme. Avec Mills, nous venons de souligner le fait que tous les objets de recherche et tous les phénomènes n'avaient pas la même chance d'être étudiés, du fait de la capacité de certaines catégories sociales, en l'occurrence les élites mais aussi les classes moyennes supérieures et intellectuelles (chez Hoggart), les colonisateurs (chez Sahlins), les médecins psychiatres (chez Goffman), les entrepreneurs de morale (chez Becker), d'échapper, sinon totalement au moins assez largement, à l'analyse et à la faire porter plutôt sur d'autres catégories qui n'ont pas la même capacité d'orienter les visions de la société et même, dans certains cas, les recherches.

Les chercheurs en sciences humaines et sociales pourraient-ils prétendre qu'ils ne sont pas eux-mêmes directement impliqués dans ces processus, qu'ils sont à l'abri de ces idées toutes faites et que, si cela ne tenait qu'à eux, tous les phénomènes, tous les objets, et notamment toutes les catégories sociales, auraient la même chance d'être analysés avec une égale impartialité ? Déjà Mills avait un peu refroidi cet espoir en montrant que les sociologues et politologues, qui sont plutôt de classe moyenne, ont tendance à concentrer leurs travaux sur le personnel politique de même niveau social qu'eux, qui leur est à la fois plus familier et accessible. Qui plus est, les scientifiques n'envisagent pas toujours volontiers de se prendre eux-mêmes comme objets d'étude. Or, la sociologie a la particularité d'être l'une des seules disciplines qui développe des outils analytiques qu'elle peut s'appliquer à elle-même.

Plusieurs travaux de sociologie des sciences ont cherché à montrer que la logique des découvertes scientifiques répondait elle aussi, au moins en partie, à des logiques sociales. Loin d'être dus au seul hasard ou à leur seul pouvoir heuristique, les options théoriques elles-mêmes ainsi que le destin des théories, leur succès ou leur échec, dépendent également de mécanismes institutionnels. Comment expliquer qu'à certaines époques, certains objets apparaissent comme particulièrement intéressants et sont souvent prisés par les membres de la communauté scientifique ? Plus encore, comment se fait-il que certaines façons de raisonner et certains types d'explication scientifique connaissent un succès remarquable, alors que d'autres, qui ne sont pourtant pas moins intéressants, restent confidentiels ? Voilà les questions que posent les travaux qui prennent pour objet d'étude la logique sociale de la « découverte scientifique ».

Parmi ces travaux[1], ceux de la sociologue britannique Mary Douglas, présentés dans son livre *Comment pensent les institutions ?*[2] sont particulièrement intéressants. Ce titre peut surprendre car, à l'évidence, en elles-mêmes, des institutions comme la Justice, l'école, une religion, la médecine ou même l'université, ne pensent pas. Seuls pensent les individus qui y travaillent ou ont affaire à elles. Néanmoins, les institutions façonnent les manières de penser de ces individus. Elles déterminent ce qui est considéré comme pertinent par les individus dans le regard qu'ils portent sur un phénomène ou un problème. Elles leur imposent un lexique (par exemple le lexique médical), une vision des choses (par exemple la vision scientifique de la santé et de la maladie) qui conduit à poser les problèmes d'une certaine manière (par exemple comme causé par un virus), elles procurent des méthodes pour analyser ces problèmes (par exemple des techniques de diagnostic) et prescrivent des solutions pour y faire face (par exemple une opération chirurgicale ou des médicaments). Ce faisant, elles écartent voire disqualifient d'autres objets d'intérêt, d'autres visions des choses, d'autres méthodes et d'autres solutions (par exemple celles préconisées par les médecines dites alternatives). La Justice définit et traite tout problème dont elle est saisie en référence à la loi et non à la morale par exemple, même si la loi n'est pas sans lien avec la morale. Toute la réflexion de ses professionnels se structure autour du couple légal/illégal, et non bon/mauvais, juste/injuste, beau/laid ou vrai/faux par exemple. Un juge

---

1. Notamment de Robert K. Merton, Thomas Kuhn, Michaël Polanyi et Pierre Bourdieu.
2. Mary Douglas, 2004.

qui se baserait sur de tels critères pour former son jugement se référerait à un système de pertinence inapproprié.

Dire cela ne constitue en rien un jugement critique visant à disqualifier les institutions. La vie collective est impossible sans institutions, même si l'on peut penser que, dans tel ou tel contexte concret, elles sont loin de fonctionner de manière idéale. De même, il est impossible pour une institution de ne pas imposer des systèmes de pensée qui organisent la réalité en séparant ce qui est pertinent de ce qui ne l'est pas. Mary Douglas montre que les institutions ne se réduisent pas à leurs aspects concrets, aux normes techniques qui sont les leurs, aux ressources humaines et matérielles qu'elles mobilisent, aux objets ou aux services qu'elles produisent, bref qu'elles ne se réduisent pas à des processus sociaux, techniques et réglementaires. Elles sont aussi et tout autant des processus cognitifs, c'est-à-dire des manières spécifiques de connaître le monde et de produire (et de reproduire) des connaissances. Ces processus cognitifs sont eux-mêmes des processus institutionnels, au sens fort du terme, c'est-à-dire qui *instituent* ces manières de penser, les font exister et reconnaître comme légitimes voire seules légitimes.

2.4 La science est une institution

Avec ses universités, ses laboratoires de recherche, ses revues, ses *think-thanks*, la Science est une institution au même titre que les autres. Les professeurs, les chercheurs et les étudiants des universités et des écoles supérieures ne sont pas moins que les autres des acteurs institutionnels et ils auraient bien tort de croire que, travaillant dans un haut lieu de la science et du savoir, leur manière de penser échapperait à ce modelage institutionnel. Prenons l'exemple des distinctions entre les disciplines de sciences humaines. Telles qu'organisées aujourd'hui en programmes d'études et départements de recherche, ces disciplines sont, pour une large part, le résultat d'un partage assez arbitraire des territoires du savoir qui ont fait l'objet de luttes entre personnes, factions et écoles à la fin du XIXe et au début du XXe siècles : le passé pour l'histoire et le présent pour les autres disciplines ; les sociétés colonisées pour l'anthropologie ou l'ethnologie et les sociétés industrialisées pour la sociologie notamment ; le marché pour la science économique, l'État pour la science politique, les « populations » pour la démographie et la « société » pour la sociologie ; les émotions individuelles pour la psychologie, les relations affectives dans les groupes restreints pour la psychologie sociale, les émotions collectives pour la psychosociologie et les mouvements sociaux pour la sociologie, etc. À partir de cette division des savoirs dont on oublie aujourd'hui le caractère historiquement construit, on a tendance à considérer a priori que certains problèmes relèvent intrinsèquement d'une discipline particulière, par exemple qu'un problème lié au comportement d'un individu est d'office un problème psychologique. L'analyse par Goffman du processus de construction du Moi dans une institution totale montre que l'on peut tout aussi légitimement considérer ce problème comme un problème sociologique. Inversement, on a tendance à considérer le succès populaire d'un artiste comme un phénomène sociologique, ou un « phénomène de société » comme on dit, alors qu'on pourrait tout aussi légitimement le considérer comme un phénomène psychologique ou économique. L'étude du marché, par exemple le marché de l'emploi, est généralement considéré comme relevant de la compétence exclusive de la science économique, mais nous verrons plus loin que des sociologues s'en sont également saisis avec un certain succès. En revanche, certains économistes étudient, avec les outils de leur propre discipline, des phénomènes habituellement considérés comme relevant d'une autre discipline, comme les choix des électeurs qui est habituellement la chasse gardée des politologues et sociologues politiques. Bref, ce sont moins des critères proprement scientifiques qui décident mais plutôt des critères institutionnels.

Mary Douglas va plus loin et montre qu'au sein d'une même discipline ou ensemble de disciplines, toutes les théories n'ont pas les mêmes chances de s'imposer. Leur destin est loin de dépendre seulement de leur robustesse proprement scientifique et de leur apport plus ou moins innovant à la connaissance. En réalité, explique Mary Douglas, une théorie a d'autant plus de chances de réussir que les hypothèses qu'elle comporte sont compatibles avec celles qui sont déjà admises dans le monde scientifique concerné et que les observations sur lesquelles elle se base ne vont pas à l'encontre de ces hypothèses admises. À chaque époque, il existe des conceptions théoriques dominantes et il est très téméraire d'en dévier et, a fortiori, de s'y opposer.

Au cours des années 1950, un paradigme appelé le structuro-fonctionnalisme, dont le chef de file était l'américain Talcott Parsons, dominait le champ sociologique nord-américain et, pour une large part, mondial. On le verra plus loin, elle reposait sur une conception de la société comme un tout relativement cohérent et intégré où le pouvoir est au service de l'ensemble de la société. À l'époque il était très difficile de défendre une thèse qui allait à l'encontre de la conception structuro-fonctionnaliste de la société. Son plus ardent adversaire fut précisément C. W. Mills qui défendait une conception de la société comme traversée par de profondes inégalités et où le pouvoir est confisqué par une minorité dans son propre intérêt. Les débats entre Parsons et lui furent rudes[1]. Une part de la renommée de Mills vient du fait qu'il a été le premier à oser s'attaquer frontalement à la théorie dominante avec un réel succès et à faire valoir une autre conception de la société et du pouvoir, solidement argumentée. L'âpreté de ces débats montre la puissance et la capacité de résistance de la théorie dominante. Plus tard, au cours des années 1960 et 1970, particulièrement en Europe et notamment en France, le champ théorique des sciences sociales a été marqué par la domination de deux théories : le matérialisme historique d'inspiration marxiste[2] et la théorie structuraliste[3].

Mary Douglas appelle *cohérence cognitive** ce processus selon lequel, pour réussir, de nouvelles théories tendent à rester compatibles avec celles qui sont déjà bien installées

---

1. On y reviendra dans le complément du chapitre 4.
2. Avec notamment la figure de Louis Althusser en France et l'École de Francfort en Allemagne. Le matérialisme historique est présenté au chapitre 6.
3. Avec la figure de Claude Lévi-Strauss en anthropologie.

et reconnues comme légitimes, ce qui, pendant un temps, renforce encore les théories dominantes[1]. La cohérence cognitive ne s'observe pas seulement au niveau du contenu des théories et hypothèses, c'est-à-dire au niveau du fond. Elle s'observe aussi au niveau des procédures scientifiques mises en œuvre pour établir les connaissances : la structure logique du raisonnement, les méthodes de recueil et d'analyse des données et des informations, les normes de validation scientifique des résultats notamment. À certaines époques, certaines procédures sont considérées comme plus scientifiques et légitimes que d'autres, voire comme seules légitimes. Aujourd'hui par exemple, dans la plupart des sciences sociales, les procédures formelles et quantitatives[2] (comme l'analyse statistique des données d'enquêtes administrées à de larges échantillons représentatifs de la population) sont considérées comme plus valides scientifiquement que les procédures qualitatives (comme l'observation de terrain ou les entretiens qualitatifs approfondis). On observe cependant depuis quelques années, dans certains segments des sciences sociales, un mouvement inverse qui insiste sur le fait que pour pouvoir parler d'un phénomène, le chercheur doit se faire le porte-parole du vécu des individus, et se faire le plus transparent possible dans le compte-rendu qu'il fait de ses observations. Cette position tend à valoriser ce que la posture précédente dévalorise et à disqualifier les outils théoriques qui formalisent la réalité. La raison pour laquelle les recherches de Goffman ou Becker, de Hoggart ou Mills, constituent des œuvres majeures est qu'elles ne sont pas les purs produits d'une de ces deux postures. En conjuguant observations de terrain et statistiques, enquêtes concrètes et lectures de textes, empirie et théorie, elles ont renouvelé la réflexion et durablement marqué les esprits car elles s'inscrivent à la marge de la cohérence cognitive de leur temps.

2.5　La science comme construction sociale

Bruno Latour est l'un de ceux qui ont poussé le plus loin la critique de l'idée selon laquelle l'évolution des sciences ne répondrait qu'à des critères proprement rationnels et scientifiques. De son point de vue, la science est une construction sociale comme les autres, mais qui a tendance à masquer son caractère construit en usant de multiples moyens d'objectivation ou de naturalisation. Les scientifiques font comme si les objets qu'ils découvrent (qu'il s'agisse d'une molécule ou d'une régularité statistique dans un comportement humain) avaient toujours existé alors que les chercheurs participent grandement à les construire. Les découvertes scientifiques se présentent comme des bâtiments dont l'échafaudage a été enlevé, ce qui pousse à croire qu'ils n'ont pas été patiemment construits par la main de l'homme, mais qu'ils auraient toujours existé sous leur forme

---

1. Dans *La structure des révolutions scientifiques*, Thomas Kuhn étudie les processus qui conduisent à la remise en cause des théories dominantes, ce qui advient forcément tôt ou tard.
2. Pour une analyse historique approfondie de la domination des procédures formelles et quantitatives, lire Armand Mattelart, *Histoire de la société de l'information*, Paris, La Découverte, coll. « Repères », n°312, 2003 (2001).

actuelle. Dans leur ouvrage *La vie de laboratoire*[1], sous-titré *La production des faits scientifiques*, Latour et Woolgar procèdent à une analyse anthropologique très fouillée du fonctionnement et du travail d'un laboratoire américain de neuroendocrinologie tels qu'ils se déroulent réellement. Ils montrent que la découverte d'une molécule résulte d'un ensemble de conditions (organisation spatiale et sociale du laboratoire en fonction des objectifs de publications dans des revues scientifiques, relations entre patrons et chercheurs, routines organisationnelles, nombreux essais infructueux, doutes et hésitations, pistes de recherche abandonnées au profit d'autres, recherche de fonds pour effectuer les expériences indispensables, concurrence pour la notoriété scientifique avec d'autres laboratoires dont les travaux sont suivis de très près...) qui font que c'est cette molécule-là et pas une autre qui est découverte et qu'elle l'est à ce moment-là. L'image qui en ressort cadre peu avec celle, naïve, de la recherche comme un processus linéaire purement scientifique et devant forcément conduire à une seule découverte possible d'une réalité préexistante.

De façon plus générale, si les sociétés modernes ont toujours clamé haut et fort que le savoir scientifique était produit indépendamment de toute contrainte extérieure (par exemple politique ou culturelle), Latour n'hésite pas quant à lui à déclarer que *Nous n'avons jamais été modernes*[2]. En effet, le programme de la modernité partageant brutalement les humains (les sujets capables de produire de la connaissance pure) et les non-humains (les objets qui ne demandent qu'à être connus) n'a en réalité jamais été mis en pratique : dans la vie quotidienne comme dans les laboratoires scientifiques, nous sélectionnons une série d'informations pour élaborer des « faits » dont nous oublions rapidement qu'ils ont été construits, en faisant comme s'ils existaient indépendamment de nous.

Plutôt que de croire au discours que la Modernité tient sur elle-même, il faudrait étudier la façon dont les humains et les non-humains s'associent constamment dans ce que Latour appelle des « réseaux »[3] (par exemple, le chercheur avec ses multiples objets et outils techniques). C'est pourquoi Latour propose de mettre en place une anthropologie des Modernes, exactement comme s'ils étaient n'importe quel peuple plus ou moins exotique. La vie de laboratoire et plus généralement toutes les innovations scientifiques, constituent, pour la sociologie des sciences, un terrain de recherche aussi valable que ne le sont les pratiques de sorcellerie étudiées par Evans-Pritchard.

La sociologie, comme discipline scientifique étudiant les logiques objectives du social[4], n'échappe pas à la critique radicale de Latour. Elle constitue même l'une de ses cibles favorites dans ses derniers ouvrages. Non seulement, pense-t-il, en prétendant décrire les « forces du social », la sociologie fait exister des entités mythiques qui n'expliquent

---

1. Latour et Woolgar, 1979.
2. Selon le titre d'un autre ouvrage : Latour, 1991.
3. L'appellation de réseau est, chez Latour, très différente de celle qu'on verra dans le complément du chapitre 9. Avec d'autres collègues, Latour a développé la « théorie de l'acteur-réseau » pour insister sur les multiples connexions entre les sujets et les objets.
4. Voir chapitre 4.

pourtant rien, mais qui plus est, la rupture épistémologique dont se vantent les scientifiques est en réalité un moyen de cacher la symétrie qui existe bel et bien entre les actions du scientifique et le comportement du citoyen lambda. À l'étude des régularités sociales inspirée par Durkheim, Latour voudrait substituer l'étude des multiples associations réalisées par des acteurs dont les compétences seraient méconnues par la sociologie classique.

Sans que l'on soit obligé de suivre le point de vue radical de Latour, une conclusion s'impose cependant : pour penser autrement et plus loin, il faut être conscient des implications de notre inscription institutionnelle, en particulier des manières de penser et des orientations théoriques et méthodologiques vers lesquelles elle nous entraînent. Non pour s'en distancer a priori – car elles sont souvent pertinentes et bien maîtrisées, mais aussi parce qu'il n'est pas forcément raisonnable de vouloir se singulariser à tout prix, surtout lorsque l'on débute – mais pour aborder les phénomènes sociaux de la manière la plus lucide possible. En d'autres mots, il est important de prendre conscience que le savoir scientifique est, lui aussi, forcément situé. Ce serait cependant une grave erreur d'en tirer la conclusion que la posture scientifique est sans valeur : on n'abandonnerait la naïveté de penser la science comme un système pur que pour tomber dans le travers inverse qui en fait le résultat arbitraire de logiques sociales. Comme souvent, la position pertinente résulte du dépassement de ces deux extrêmes : élaborer du savoir en étant conscient des conditions dans lesquelles ce savoir a été élaboré.

Conclusion de la première partie :
Le langage de la sociologie

Les recherches présentées dans cette première partie ont été choisies car elles constituent des portes d'entrée exceptionnelles pour saisir en quoi consiste l'attitude sociologique. Premièrement, elles montrent que l'adoption de l'attitude sociologique ne résulte pas de l'application d'une recette toute faite, qui donnerait immanquablement les mêmes résultats. Il n'est pas anodin de parler de « recherche » et de « chercheurs-chercheuses », car les résultats ne sont jamais donnés d'avance. Tous les travaux mentionnés dans cette première partie sont sans exception des chantiers de longue haleine, qui ont nécessité des tâtonnements et des remises successives de l'ouvrage sur le métier. Il a fallu à ces auteurs une bonne dose d' « imagination sociologique », pour reprendre le terme de Mills, et souvent du courage pour pénétrer dans des terrains difficiles d'accès, voire de l'abnégation pour continuer à enquêter malgré les résistances et les difficultés de toutes sortes. Mais toutes ces qualités réunies ne suffiraient pas à faire une bonne recherche sociologique si elles n'étaient pas accompagnées d'une grande rigueur méthodologique. Chacun à leur manière, les auteurs que nous avons abordés ont organisé leur tâtonnement à l'aide des outils de formalisation que les sciences sociales ont développé.

Comme toutes les disciplines scientifiques, la sociologie possède son propre langage. Ce langage est composé, pour l'essentiel, de concepts. Un concept* est une catégorie intellectuelle permettant de définir et de rendre compréhensible un certain type de phénomènes ou encore une représentation intellectuelle de ce type de phénomène ; un phénomène*, c'est-à-dire tout ce qui se donne à voir, peut faire l'objet d'une appréhension sensible (par exemple un comportement, une parole, une idée qui s'exprime d'une manière ou d'une autre, le mode de fonctionnement d'une entreprise ou une action collective). On a vu que dans *Asiles* par exemple, Goffman utilise notamment les concepts d'institution totale, d'adaptation secondaire et de carrière morale pour expliquer les comportements des reclus.

Ces concepts synthétisent une manière de concevoir la réalité sociale ou certains aspects de cette réalité et permettent de l'étudier de manière ordonnée. C'est pourquoi les concepts demandent à être définis avec précision en détaillant, le cas échéant, leurs caractéristiques et dimensions, comme les caractéristiques structurelles qui organisent la vie au sein d'une institution totale (séparation nette entre le dedans et le dehors, entre le personnel et les reclus, etc.). On appelle « conceptualisation » le travail consistant à choisir et construire les concepts. Certains concepts sont empruntés au langage courant, par exemple « institution » ou « acteur » mais, en sociologie, ils ont alors un sens bien précis, parfois très différent du sens qui leur est donné dans le langage courant. Par exemple, le concept d'acteur représente un individu ou un groupe d'individus qui agissent dans et sur la société en relation avec d'autres individus ou groupes ; c'est pour éviter la confusion que l'on parlera souvent d'« acteur social ». Le sens du concept peut connaître des nuances plus ou moins importantes d'une école de pensée ou d'un auteur à l'autre. Par exemple, dans la théorie de la présentation de soi élaborée par Goffman, l'idée d'acteur est également associée à celle de représentation, au sens théâtral du terme : sur la « scène sociale » l'acteur qui interagit avec d'autres est toujours en quelque sorte en représentation, tandis qu'il se comportera différemment dans les « coulisses » de la vie collective. Ici, on est davantage proche du sens donné au mot acteur dans le langage courant, mais cet usage s'inscrit dans une perspective théorique qui, quant à elle, n'est pas courante. Dans le cas où un terme du langage courant est emprunté, la conceptualisation consiste notamment à bien montrer en quoi le sens sociologique du concept se distingue de son sens courant.[1]

Si les sociologues utilisent des concepts, ce n'est donc pas par souci d'hermétisme ou pour « faire scientifique ». Dans quelque discipline que ce soit, il est impossible de construire une connaissance quelconque sans concepts. Par exemple, pour étudier la chute des corps, les physiciens ont besoin des concepts de masse, de vitesse et d'accélération. Goffman a toutefois bien expliqué qu'il ne fallait pas en abuser, qu'il valait mieux ne pas s'encombrer de trop de concepts mais plutôt exploiter au mieux quelques concepts bien choisis. Toutes les recherches exemplaires présentées dans le présent ouvrage reposent sur un nombre limité de concepts exploités au maximum de leurs possibilités ; le lecteur pourra encore le vérifier dans tous les chapitres qui suivent. Il n'est pas opportun d'utiliser à la légère des concepts savants lorsque des mots du langage courant suffisent. Par exemple, il n'est pas nécessaire de parler d'« acteur social » lorsque des mots plus neutres comme « personnes », « hommes » ou « individus » suffisent. Surtout, il faut éviter les soi-disant concepts qui ne sont que des formulations inutilement tortueuses. Par exemple, il n'est pas nécessaire de parler d'« individu de sexe féminin » pour parler simplement d'une femme. Ce genre de snobisme est déplacé et fait perdre son crédit au travail sociologique.

Les concepts sont le plus souvent associés à des hypothèses*. Par exemple, l'hypothèse « C'est en trouvant un compromis entre adaptations primaires et adaptations secondaires que le reclus peut reconstruire son Moi au sein d'une institution totale » mobilise pas moins de trois concepts sociologiques : adaptation primaire, adaptation secondaire et institution totale... sans compter les concepts de Moi et de construction du Moi qui relèvent de la psychologie. Lorsque Hoggart soutient que « la culture des classes populaires s'explique par leur position structurelle par rapport aux autres classes sociales », il formule une hypothèse qui mobilise les concepts de culture, de classe sociale et de position structurelle. Une hypothèse est une proposition visant à expliquer la réalité ; elle est une présomption dans le sens où le chercheur pense que les choses fonctionnent comme présumé par l'hypothèse, mais cela reste à vérifier dans la situation sur laquelle porte la recherche. Pour remplir cette fonction une hypothèse est inévitablement et nécessairement « carrée », peu nuancée. C'est par exemple le cas de l'hypothèse « Les comportements des reclus s'expliquent par la structure de l'institution totale ». On sait que les choses sont

---

1. Dans le complément du prochain chapitre, on en développera un exemple avec le concept de fonction.

en réalité plus complexes. Mais grâce à une telle hypothèse, il sera possible d'orienter les investigations dans une piste particulièrement éclairante et de mettre au jour des processus qui seraient restés ignorés autrement. Avec cet exemple, on voit qu'une bonne hypothèse n'est pas forcément une hypothèse qui se vérifie car une hypothèse banale et trop prudente n'apprendrait rien de neuf au chercheur. Il est fréquent qu'une hypothèse ne se vérifie pas ou pas entièrement mais permette au chercheur de faire des découvertes intéressantes et imprévues qu'il n'aurait pas pu faire à partir d'une hypothèse triviale[1]. Dans *Outsiders*, Becker en fait même un procédé de recherche qu'il a appelé l'induction analytique. Comme on l'a vu, dès les premiers entretiens il se risque à formuler des hypothèses dont il sait pertinemment bien qu'elles sont insuffisamment étayées et devront être revues voire carrément remplacées par d'autres au fil de l'avancement du travail empirique. Mais c'est précisément grâce à cette dynamique de révision constante des hypothèses qu'il a pu éclairer aussi finement les processus de la déviance. Une hypothèse n'est donc jamais définitivement acquise ; elle doit toujours être remise en question dans chaque situation qu'elle a pour fonction d'éclairer.

Concepts et hypothèses constituent les composantes indissociables d'une théorie*, par exemple la théorie de la déviance élaborée par Becker à partir des concepts d'interaction, d'apprentissage, d'étiquetage et de carrière morale notamment, qui sont associés dans l'hypothèse que la déviance est le résultat d'une double interaction, entre déviants et entre déviants et non déviants.

Les théories ont pour finalité de rendre les phénomènes sociaux compréhensibles, c'est-à-dire de concevoir les processus par lesquels ces phénomènes adviennent et de la manière dont ils adviennent[2]. Qu'est-ce qui fait, par exemple, que des comportements déviants se multiplient dans telle ville à telle époque ? Qu'est-ce qui amène les classes populaires à privilégier les pratiques culturelles qui confortent la cohésion au sein des groupes de proches ? Qu'est-ce qui explique les adaptations secondaires dans les institutions totales ? La manière de comprendre* les phénomènes qui est généralement privilégiée, notamment pas les disciplines scientifiques comme la sociologie, est l'explication*. Expliquer consiste à mettre le phénomène en rapport avec autre chose, par exemple la déviance avec les interactions sociales, les pratiques culturelles avec la position de classe, les adaptations secondaires avec la structure de l'institution totale. Autrement dit, expliquer consiste à « tirer le phénomène hors de son immédiateté et de l'isolement qu'elle implique »[3]. Une cause* est ce avec quoi on met le phénomène en rapport et qui est donc considéré comme participant à sa constitution, dans les exemples précédents les causes sont les

---

1. Pour les aspects méthodologiques concernant la formulation des hypothèses, voir Van Campenhoudt et Quivy, 2011.
2. On comprend ici les mots « compréhension », « explication » et « cause » dans leur sens le plus large qui est bien défini par Ladrière (1994). On verra dans le chapitre 5 consacré à Max Weber qu'ils ont aussi un sens plus précis en sociologie.
3. Ladrière, 1994, p. 250.

interactions sociales, la position de classe et la structure de l'institution totale. « C'est la cause que recherche l'explication »[1]. Comprise au sens large, la cause peut être de natures très diverses : un processus d'interaction, une structure ou une attitude culturelle (comme l'ethnocentrisme) par exemple. On ne peut donc pas restreindre l'idée de causalité*, c'est-à-dire « le schème précis selon lequel a été formalisée l'explication »[2] à un schème simple et exclusif du genre « même cause, même effet », d'autant plus qu'un même phénomène résulte le plus souvent de plusieurs causes interconnectées.

Comme on l'a vu dans les différentes recherches étudiées jusqu'ici, en sociologie, une explication ne peut pas être établie par un pur raisonnement logique, comme c'est le cas en philosophie ; le raisonnement logique doit être étroitement articulé à un travail empirique, dont il se nourrit. Quelle que soit la méthode utilisée (une observation directe sur le terrain, des entretiens, une enquête par questionnaire, le recueil de sources historiques ou de documents récents…), le travail empirique consiste à récolter des informations sur ou en rapport avec les phénomènes étudiés. Ce travail empirique a une triple fonction : primo, mettre les hypothèses à l'épreuve, les confirmer ou les infirmer pour les réviser ; secundo, conférer à la recherche un principe de réalité et éviter de se lancer dans des spéculations complètement déconnectées de l'expérience des personnes concernées – dans le langage courant, on dirait qu'il faut « garder les pieds sur terre » ; tertio, apprendre du « terrain », se laisser surprendre par lui et faire des découvertes que seule sa fréquentation rend possibles.

On ne pourrait conclure sans mentionner une deuxième caractéristique sur laquelle nous aurons l'occasion de revenir plus longtemps dans la seconde partie de cet ouvrage. Il s'agit de la savante alchimie propre à chaque recherche et à chaque auteur qui allie travail scientifique et travail éthique. En ce sens également, ces recherches sont exemplaires car elles démontrent la réflexivité de leurs auteurs, c'est-à-dire leur capacité à réfléchir sur leurs propres positionnements.

Il serait certainement absurde de vouloir terminer cette partie en cherchant à donner une définition unique et universelle de l'attitude sociologique. Le lecteur a maintenant tous les ingrédients en main pour l'esquisser et la mettre en pratique dans ses réflexions et ses travaux. Cependant, au-delà de leurs différences théoriques, méthodologiques et éthiques, les recherches que nous avons présentées dans les chapitres et leurs compléments donnent à voir un faisceau concordant vers l'une des caractéristiques fondamentales de cette attitude : la production d'un décalage, la possibilité de vivre des surprises, le fait de ne jamais se contenter des idées toutes faites, fussent-elles légitimes ou sophistiquées, et finalement, la production d'un savoir méthodologiquement contrôlé, grâce auquel on ne regardera ni n'analysera plus jamais le phénomène social étudié de la même façon. Dans son *Invitation à la sociologie*, Peter Berger l'a formulé mieux que nous ne pourrions le faire :

---

1. *Ibid.*
2. *Ibid.*

La plupart du temps, le sociologue aborde des secteurs de l'expérience qui lui sont parfaitement familiers ainsi qu'à la plupart de ses compatriotes et contemporains. Il étudie des groupes, des institutions et des activités dont les journaux parlent tous les jours. Mais ses investigations comportent un autre type de passion de la découverte. Ce n'est pas l'émoi de la découverte d'une réalité totalement inconnue, mais celui de voir une réalité familière changer de signification à nos yeux. La séduction de la sociologie lui vient de ce qu'elle nous fait voir sous un autre jour le monde de la vie quotidienne dans lequel nous vivons tous.[1]

---

1. Berger, 1973, p. 30.

2

LE SOCLE
DE LA SOCIOLOGIE

METTRE AU JOUR
LES LOGIQUES OBJECTIVES
DU SOCIAL

Sommaire

1. Recherche de référence :
Émile Durkheim, *Le suicide* 101

2. Complément :
Quel est l'intérêt et quelles sont les limites
du fonctionnalisme ? (R. K. Merton, T. Parsons) 126

1. Recherche de référence : Émile Durkheim, *Le suicide*

Les travaux de Hoggart, Goffman et Becker notamment sont particulièrement appropriés pour s'initier à l'attitude intellectuelle qu'il convient d'adopter lorsqu'on s'attaque à l'étude sociologique des phénomènes sociaux. Comme tous les meilleurs auteurs contemporains, ils maitrisaient parfaitement les bases de la discipline telles qu'elles ont été bâties par ceux qu'on appelle parfois les « pères fondateurs ». Même si les œuvres de ces pères fondateurs datent de plus d'un siècle et si la sociologie a considérablement progressé depuis, une initiation à leurs théories reste indispensable pour saisir la portée des travaux récents ainsi que les enjeux de quelques-uns des grands débats théoriques actuels. Plus encore, dans une certaine mesure et pourvu qu'on les aborde avec discernement, leurs œuvres conservent aujourd'hui une pertinence indéniable, tant leur génie et leur capacité d'anticipation étaient grands. Cette pertinence est tout particulièrement évidente pour ce qui concerne les principes actifs de la démarche sociologique, sur lesquels le présent cours met l'accent. De la même manière qu'un philosophe contemporain a besoin d'être initié aux grandes philosophies de l'Antiquité (comme celles de Platon et d'Aristote) et de l'époque moderne (comme celles de Kant et d'Hegel), un sociologue contemporain se doit d'être initié aux œuvres de Durkheim, Weber et Marx, qui font d'ailleurs partie du patrimoine culturel commun des sciences humaines. Certes, d'autres auteurs des siècles précédents comptent aussi[1], mais ces trois-là s'imposent le plus incontestablement. Dans cette seconde partie du livre, nous découvrirons ces véritables piliers de la sociologie. En partant encore et toujours de recherches concrètes, on ne vise pas à acquérir une connaissance encyclopédique de leurs œuvres ni, a fortiori de l'ensemble de la sociologie, mais bien à apprendre à penser et analyser les phénomènes sociaux en sociologue.

Pour une raison de logique de l'exposé, cette partie débute par Émile Durkheim (1858-1917). Au moment de ses premiers écrits, à la toute fin du XIXᵉ siècle, la sociologie n'était pas encore reconnue dans le monde scientifique en général, et dans le monde universitaire francophone en particulier ; au moment où il meurt, à peine vingt-cinq ans plus tard, elle s'y était quasi imposée, en grande partie grâce à lui. Son projet fut en effet de faire de la sociologie une science à part entière, ce qui supposait, à ses yeux, qu'elle possède un objet et une méthode propres, différents de ceux des autres disciplines déjà reconnues, comme la psychologie, l'économie ou l'histoire.

Nous allons découvrir cet objet, cette méthode et, plus largement, la pensée de ce grand sociologue français, à partir de sa recherche la plus célèbre publiée dans un livre au titre

---

1. Nous songeons notamment au français Tocqueville, à l'allemand Simmel, à l'italien Pareto et à l'américain Park. Des aspects de l'œuvre de certains d'entre eux seront abordés ailleurs dans ce livre, notamment le travail de Simmel dans le complément du chapitre 7.

aussi court que clair : *Le Suicide* sous-titré *Étude de sociologie*[1]. Nous en retirerons un principe actif supplémentaire : mettre au jour les logiques objectives du social. De quoi s'agit-il ?

Revenons quelques pages en arrière. Dans la première recherche étudiée, Hoggart montre qu'un certain nombre de valeurs et de comportements des personnes de classes populaires, notamment l'importance accordée à la cohésion avec les proches ou encore le goût pour les plaisirs immédiats, s'expliquent en grande partie par leur position structurelle au sein de la société. Dans un ensemble de pratiques des classes populaires, il discerne ce qu'on peut appeler une *logique*, non pas dans le sens où ces pratiques résulteraient d'un raisonnement logique de leurs auteurs mais dans le sens où l'on peut discerner entre elles une cohérence implicite et une certaine orientation[2]. Pour le dire dans un langage courant, elles « tiennent ensemble » et ne partent pas dans tous les sens. D'une certaine façon, la logique qu'il met au jour dans les phénomènes sociaux permet au sociologue, si non de prédire leur évolution, au moins de savoir en partie à quoi s'attendre lorsqu'une situation sociale similaire se présente. Cette logique peut être dite *objective* en ce sens qu'elle existe et exerce ses effets indépendamment de la conscience qu'en ont les individus concernés. Les membres des classes sociales populaires ne se disent pas forcément « Je vais entretenir des liens étroits avec mes proches parce que nous sommes collectivement dans une position structurelle inférieure » ni même « parce que notre vie est précaire et que notre avenir n'est pas assuré », ils se sentent étroitement liés à leurs proches sans pour autant devoir le décider de manière intentionnelle ; cela s'impose spontanément à eux car c'est *objectivement* lié à leur situation matérielle et à leur position structurelle. Si les phénomènes sociaux présentent des régularités, c'est notamment en raison de logiques objectives, en l'occurrence à caractère structurel.

D'autres exemples peuvent être repris dans les chapitres précédents. Un seul suffira : dans son étude de l'économie des sociétés archaïques, Sahlins montre que le fait de ne pas constituer de stocks et de ne prester qu'une quantité de travail limitée correspond aussi à une logique objective. Ces conduites sont cohérentes entre elles et impriment une certaine orientation à la vie collective dans un environnement naturel où les aliments sont immédiatement disponibles et dans un contexte culturel où les biens ont une valeur d'usage, non une valeur d'échange sur un marché.

Durkheim a voulu montrer durant toute sa carrière qu'une très grande partie de nos pensées et de nos actions dépend de logiques sociales objectives. Ce que nous pensons être le fruit de nos propres réflexions spontanées et de nos décisions prises de façon autonome obéit souvent à des logiques qui nous dépassent. Dans les sociétés contemporaines, nous avons tendance à sous-estimer le poids de telles logiques, notamment parce que nous aimons penser que la manière dont nous conduisons notre vie est décidée par nous-mêmes et rien que par nous-mêmes. Comme on le verra plus loin, Durkheim montre bien

---

1. Durkheim, 1983a.
2. Remy, Voyé, Servais, 1978, p. 93.

en quoi cet état d'esprit est favorisé par le contexte culturel qui s'est mis en place dans le monde occidental depuis le XIXe siècle. Il montre aussi et surtout que la vie en société n'est possible que parce qu'il existe de telles forces sociales. Bien sûr, ces forces évoluent dans le temps. Cependant, penser que les logiques sociales objectives pourraient un jour disparaître est une erreur qu'il faut éviter de commettre. Autrement dit, pour Durkheim, la société et l'individu, ou la vie en société et la vie de chaque individu, sont les deux faces de la même pièce. Cet enseignement est sans conteste l'un des plus importants de toute la théorie sociologique, et son actualité n'est nullement remise en cause.

Son œuvre s'est construite en plusieurs étapes et à un rythme très soutenu sur quelques années seulement. En 1893, il publie sa thèse de doctorat sous le titre *De la division du travail social*[1]. Il y présente son analyse de la transformation de la société moderne dans laquelle une interdépendance plus étroite entre individus – qu'il appellera la solidarité organique comme on le verra plus loin – se combine paradoxalement avec le fait que ces individus soient de plus en plus individualistes. Ce travail est la base théorique de toute son œuvre. Deux ans plus tard, il publie *Les Règles de la méthode sociologique*[2], véritable manifeste pour la reconnaissance de la sociologie comme science moderne spécifique dont il fixe les principes propres et les règles méthodologiques. Il les appliquera et en démontrera la fécondité dans son grand classique *Le Suicide*[3], publié en 1897. Conformément à la philosophie générale de ce cours de sociologie, nous aborderons donc son œuvre à partir de cette recherche concrète, mais en montrant à la fois comment il y applique les règles qu'il a lui-même édictées et en quoi les différents types de suicides sont liés aux transformations du mode de solidarité dans la société. Durkheim a en outre publié de très nombreux textes importants notamment sur la pédagogie et l'éducation ainsi que sur la vie religieuse. Nous clôturerons ce chapitre en évoquant l'actualité de la pensée de Durkheim.

1.1 Le suicide : un acte individuel et des causes sociales

Le choix de ce thème par Durkheim pour montrer l'importance des logiques sociales et donc des forces qui agissent dans la société peut étonner. Y a-t-il en effet un acte plus individuel que le suicide ? La personne qui décide de se donner la mort le fait très souvent dans un grand isolement, à plusieurs points de vue : c'est une décision qu'elle a prise seule, qui résulte souvent d'un sentiment de désespérante solitude et qu'elle exécute seule et sans témoin. Certes, il existe des exceptions (que Durkheim va d'ailleurs prendre aussi en considération), comme les suicides collectifs accomplis dans le cadre d'une secte, mais elles sont par définition extrêmement rares et on n'est d'ailleurs jamais tout à fait certain que ces suicides soient vraiment volontaires. Avec le suicide, le père fondateur peut réaliser

1. Durkheim, 1996.
2. Durkheim, 1983b.
3. Durkheim, 1883a.

un coup de maître : c'est précisément parce qu'il s'agit d'un des actes qui semble a priori le moins « social » qui soit, qui devrait intéresser les psychologues plutôt que les sociologues, que Durkheim l'a choisi pour démontrer la force du social. Si Durkheim parvient à démontrer que l'acte en apparence le plus solitaire qui soit obéit à des logiques sociales objectives, alors c'est a fortiori vrai pour tous les actes qui n'ont pas ce même caractère solitaire. Encore une fois, qui peut le plus peut le moins.

Comment Durkheim s'y prend-il pour faire de ce phénomène individuel le révélateur de logiques sociales ? La première tâche du chercheur est de définir précisément ce qu'il étudie, surtout lorsque ce sujet d'étude, ici le suicide, est déjà l'objet d'interprétations de sens commun. Dans les toutes premières pages de son livre, Durkheim explique d'abord pourquoi il prend autant de soin à le définir.

> Comme le mot de suicide revient sans cesse dans le cours de la conversation, on pourrait croire que le sens en est connu de tout le monde et qu'il est superflu de le définir. Mais, en réalité, les mots de la langue usuelle, comme les concepts qu'ils expriment, sont toujours ambigus et le savant qui les emploierait tels qu'il les reçoit de l'usage et sans leur faire subir d'autre élaboration s'exposerait aux plus graves confusions. Non seulement la compréhension en est si peu circonscrite qu'elle varie d'un cas à l'autre suivant les besoins du discours, mais encore, comme la classification dont ils sont le produit ne procède pas d'une analyse méthodique, mais ne fait que traduire les impressions confuses de la foule, il arrive sans cesse que des catégories de faits très disparates soient réunies indistinctement sous une même rubrique, ou que des réalités de même nature sont appelées de noms différents. Si donc on se laisse guider par l'acception reçue, on risque de distinguer ce qui doit être confondu ou de confondre ce qui doit être distingué, de méconnaître ainsi la véritable parenté des choses et, par suite, de se méprendre sur leur nature. On n'explique qu'en comparant. Une investigation scientifique ne peut donc arriver à sa fin que si elle porte sur des faits comparables et elle a d'autant plus de chances de réussir qu'elle est plus assurée d'avoir réuni tous ceux qui peuvent être utilement comparés. Mais ces affinités naturelles des êtres ne sauraient être atteintes avec quelque sûreté par un examen superficiel comme celui d'où est résultée la terminologie vulgaire ; par conséquent, le savant ne peut prendre pour objets de ses recherches les groupes de faits tout constitués auxquels correspondent les mots de la langue courante. Mais il est obligé de constituer lui-même les groupes qu'il veut étudier, afin de leur donner l'homogénéité et la spécificité qui sont nécessaires pour pouvoir être traités scientifiquement. C'est ainsi que le botaniste, quand il parle de fleurs ou de fruits, le zoologiste, quand il parle de poissons ou d'insectes, prennent ces différents termes dans des sens qu'ils ont dû préalablement fixer.
>
> Notre première tâche doit donc être de déterminer l'ordre de faits que nous proposons d'étudier sous le nom de suicides. Pour cela, nous allons chercher si, parmi les différentes sortes de morts, il en est qui ont en commun des caractères assez objectifs pour pouvoir être reconnus de tout observateur de bonne foi, assez spéciaux pour ne pas se rencontrer ailleurs, mais, en même temps, assez voisins de ceux que l'on met généralement sous le nom de suicides pour que nous puissions, sans faire violence à l'usage, conserver cette même expression. S'il s'en rencontre, nous réunirons sous cette même dénomination tous les faits, sans exception, qui présenteront ces caractères distinctifs, et cela sans nous

inquiéter si la classe ainsi formée ne comprend pas tous les cas qu'on appelle d'ordinaire ainsi ou, au contraire, en comprend qu'on est habitué à appeler autrement. Car ce qui importe, ce n'est pas d'exprimer avec un peu de précision la notion que la moyenne des intelligences s'est faite du suicide, mais c'est de constituer une catégorie d'objets qui, tout en pouvant être, sans inconvénient, étiquetée sous cette rubrique, soit fondée objectivement, c'est-à-dire corresponde à une nature déterminée des choses.[1]

Dans cet extrait, Durkheim indique les raisons pour lesquelles le chercheur doit construire ses définitions. Distinguer rigoureusement les actes considérés comme suicides, quelles que soient leurs modalités, de ceux non considérés comme suicides est indispensable pour pouvoir comparer des données relatives au suicide. La comparaison est en effet le procédé méthodologique qui permet l'explication. La définition proposée par le chercheur se distingue des définitions courantes, de sens commun, « vulgaires ». Pour Durkheim, le chercheur ne peut pas se contenter des on-dit ou des définitions approximatives que nous utilisons dans la vie de tous les jours. Si c'était le cas, la science sociologique qu'il propose de développer n'aurait aucun intérêt. C'est pourquoi Durkheim offre une vision assez tranchée de la rupture épistémologique*. Pour autant, Durkheim ne dit nullement que les catégories du scientifique doivent être totalement déconnectées de la réalité. À quoi bon appeler « suicide » un acte qui, aux yeux du sens commun, n'a vraiment rien à voir avec un suicide ? Le but n'est donc pas de « faire violence à l'usage », mais bien d'offrir la précision terminologique et conceptuelle nécessaire pour se lancer dans une recherche. Les préjugés et croyances qui nous sont utiles dans la vie quotidienne peuvent alors se révéler des obstacles si l'on veut dépasser l'approximation. Après avoir préalablement expliqué le pourquoi d'une définition rigoureuse, Durkheim l'élabore sans plus attendre, ce qui n'est pas si simple et nécessitera plusieurs étapes. Il poursuit :

> Or, parmi les diverses espèces de morts, il en est qui présentent ce trait particulier qu'elles sont le fait de la victime elle-même, qu'elles résultent d'un acte dont le patient est l'auteur ; et, d'autre part, il est certain que ce même caractère se retrouve à la base même de l'idée qu'on se fait communément du suicide. Peu importe, d'ailleurs, la nature intrinsèque des actes qui produisent ces résultats. Quoique, en général, on se représente le suicide comme une action positive et violente qui implique un certain déploiement de force musculaire, il peut se faire qu'une attitude purement négative ou une simple abstention aient la même conséquence. On se tue tout aussi bien en refusant de se nourrir qu'en se détruisant par le fer ou le feu. [...] Nous arrivons donc à cette première formule : On appelle suicide toute mort qui résulte médiatement ou immédiatement d'un acte positif ou négatif, accompli par la victime elle-même.
>
> Mais cette définition est incomplète ; elle ne distingue pas entre deux sortes de morts très différentes. On ne saurait ranger dans la même classe et traiter de la même manière la

---

1. Durkheim, 1983a, p. 1-2.

mort de l'halluciné qui se précipite d'une fenêtre élevée parce qu'il la croit de plain-pied avec le sol, et celle de l'homme, sain d'esprit, qui se frappe en sachant ce qu'il fait. [...]

Dirons-nous qu'il y a suicide que si l'acte d'où la mort résulte a été accompli par la victime en vue de ce résultat ? Que celui-là seul se tue véritablement qui a voulu se tuer et que le suicide est un homicide intentionnel de soi-même ? [...] Le soldat qui court au-devant d'une mort certaine pour sauver son régiment ne veut pas mourir, et pourtant n'est-il pas l'auteur de sa propre mort au même titre que l'industriel ou le commerçant qui se tuent pour échapper aux hontes de la faillite ? On en peut dire autant du martyr qui meurt pour sa foi, de la mère qui se sacrifie pour son enfant, etc. Que la mort soit simplement acceptée comme une condition regrettable, mais inévitable, du but où l'on tend, ou bien qu'elle soit expressément voulue et recherchée pour elle-même, le sujet, dans un cas comme dans l'autre, renonce à l'existence, et les différentes manières d'y renoncer ne peuvent être que des variétés d'une même classe. Il y a entre elles trop de ressemblances fondamentales pour qu'on ne les réunisse pas sous la même expression générique, sauf à distinguer ensuite des espèces dans le genre ainsi constitué. [...]

Ce qui est commun à toutes les formes possibles de ce renoncement suprême, c'est que l'acte qui le consacre est accompli en connaissance de cause ; c'est que la victime, au moment d'agir, sait ce qu'il doit résulter de sa conduite, quelque raison d'ailleurs qui l'ait amené à se conduire ainsi. Tous les faits de mort qui présentent cette particularité caractéristique se distinguent nettement de tous les autres où le patient ou bien n'est pas l'agent de son propre décès, ou bien n'en est que l'agent inconscient. Ils s'en distinguent par un caractère facile à reconnaître, car ce n'est pas un problème insoluble que de savoir si l'individu connaissait ou non à l'avance les suites naturelles de son action. Ils forment donc un groupe défini, homogène, discernable de tout autre et qui, par conséquent, doit être désigné par un mot spécial. Celui de suicide lui convient et il n'y a pas lieu d'en créer un autre ; car la très grande généralité des faits qu'on appelle quotidiennement ainsi en fait partie. Nous dirons donc définitivement : "On appelle suicide tout acte de mort qui résulte directement ou indirectement d'un acte positif ou négatif, accompli par la victime elle-même et qu'elle savait devoir produire ce résultat." La tentative, c'est l'acte ainsi défini, mais arrêté avant que la mort en soit résultée.[1]

1.2 Le fait social

Durkheim se demande ensuite en quoi le suicide ainsi défini intéresse le sociologue et pas seulement le psychologue, qui ira chercher des explications internes à la personne, ou le criminologue qui pourra proposer un portrait type des personnes qui commettent de tels actes. Pour que la sociologie ait quelque chose à dire sur ce phénomène, autrement dit pour qu'une étude sociologique apporte quelque chose de plus, il faudrait que le suicide ne relève pas seulement de facteurs individuels, mais aussi de facteurs sociaux, qu'il soit, pour partie au moins, causé par la société elle-même. Il faut qu'il y ait une force extérieure aux consciences et aux psychologies individuelles, une force qui résulte de leur

---

1. Durkheim, 1983a, pp. 2-5.

association et qui pousse les individus au suicide. C'est bien le cas, pense Durkheim, qui, pour le montrer, avance quelques statistiques particulièrement troublantes.

> [...] si, au lieu de [...] ne voir [dans les multiples cas de suicide] que des événements particuliers, isolés les uns des autres et qui demandent à être examinés chacun à part, on considère l'ensemble des suicides commis dans une société donnée pendant une unité de temps donnée, on constate que le total ainsi obtenu n'est pas une simple somme d'unités indépendantes, un tout de collection, mais qu'il constitue par lui-même un fait nouveau et *sui generis*, qui a son unité et son individualité, sa nature propre par conséquent, et que, de plus, cette nature est éminemment sociale. En effet pour une même société, tant que l'observation ne porte pas sur une période trop étendue, ce chiffre est à peu près invariable[1]. [...] C'est que, d'une année à la suivante, les circonstances au milieu desquelles se développe la vie des peuples restent sensiblement les mêmes. Il se produit bien parfois des variations plus importantes ; mais elles sont tout à fait l'exception. On peut voir, d'ailleurs, qu'elles sont toujours contemporaines de quelque crise qui affecte passagèrement l'état social. C'est ainsi qu'en 1848[2] une baisse brusque a eu lieu dans tous les États européens.[3]

Les chiffres rassemblés par Durkheim montrent deux choses importantes. D'abord, ils permettent d'observer que les taux de suicide (généralement calculés en pour-cent mille habitants) sont de niveaux fort différents d'un pays à l'autre. Ensuite, ils indiquent que les taux de suicide sont relativement stables d'une année à l'autre pour chaque pays pris séparément. Les quelques variations brutales observées pour chaque pays, tant en hausse qu'en baisse, sont systématiquement liées à des événements qui perturbent gravement la société, comme des crises et des booms économiques, des guerres ou des mouvements de révolte. Cette différence entre pays qui reste stable dans le temps ne peut donc être due au hasard. Au contraire, il faut enquêter sur les causes qui permettent de rendre ce phénomène explicable.

Durkheim insiste pour que l'on distingue deux réalités différentes : le suicide d'une personne particulière bien précise, avec son histoire et ses problèmes personnels, notamment psychologiques, et le total des suicides au sein d'un groupe ou d'une société donnée (la population d'un pays ou les fidèles d'une religion par exemple) durant une période donnée, calculé par le taux de suicide. Loin d'évoluer au hasard, celui-ci manifeste un état général de ce groupe ou de cette société. Il sera relativement faible ou élevé selon certaines caractéristiques propres à ce groupe ou à cette société, caractéristiques qui restent bien sûr à

---

1. Durkheim insère ici un tableau qui montre la « constance du suicide dans les principaux pays d'Europe » entre les années 1841 et 1872. Les pays comparés sont la France, la Prusse, l'Angleterre, la Saxe, la Bavière et le Danemark.
2. Année de soulèvements populaires appelés « Printemps des peuples » qui touchèrent toute l'Europe. Cette année décisive intéressera également le jeune Karl Marx (chapitre 6) qui consacre un ouvrage à la Seconde République en France.
3. Durkheim, 1983a, p. 8.

découvrir. Il n'y a pas d'opposition entre le fait qu'une personne se suicide pour des raisons particulières et personnelles (qui ne ressembleront jamais exactement aux raisons d'une autre personne), et le fait qu'il y ait des régularités dans les taux de suicide qui dépassent ou transcendent les variations individuelles, régularités que le sociologue peut déceler grâce à ses outils d'observation et d'analyse. Certes, nos vies, nos raisons et nos façons de mourir sont toutes très différentes, mais, comme le dit Durkheim, chaque société est prédisposée à fournir un contingent de personnes qui vont se suicider. Durkheim ne nie pas que les gens aient des raisons personnelles de se suicider, il ne dit certainement pas non plus que les individus ne connaissent pas les vraies raisons de leur suicide. Cependant, les raisons que donnent les individus, par exemple dans leur lettre d'adieu, ne l'intéressent pas dans sa recherche. Ce que Durkheim cherche à mettre au jour, ce sont bien les logiques objectives du social qui permettent d'expliquer les taux de suicide et leur évolution. C'est pourquoi Durkheim suggère d'étudier cette réalité représentée par le taux de suicide comme un fait social* qui a sa propre existence, qui est *sui generis*, c'est-à-dire d'une nature spécifique.

La notion de fait social est centrale dans l'œuvre de Durkheim car elle représente l'objet même de la sociologie qui, à défaut d'objet propre, ne pourrait exister comme science spécifique, distincte des autres, comme la psychologie, l'économie ou l'histoire. En effet, écrit-il, « Pour que [la sociologie] puisse avoir une raison d'être, il faut qu'il y ait des réalités qui méritent d'être appelées sociales et qui ne soit pas simplement des aspects d'un autre ordre de choses »[1]. Il définit les faits sociaux comme « des manières d'agir, de penser et de sentir, extérieures à l'individu, et qui sont douées d'un pouvoir de coercition en vertu duquel ils s'imposent à lui. »[2] Une religion, une coutume bien implantée, l'organisation d'un système industriel ou d'une université en facultés, des goûts musicaux partagés par une partie de la jeunesse, des manières courantes de s'habiller et de consommer, le système juridique, la politesse dans les rapports avec les inconnus... sont des exemples de faits sociaux.

Les faits sociaux, ces faits dont la société est la cause, sont extérieurs à nous dans le sens où ils ne dépendent pas de nous (par exemple, nous ne pouvons pas créer une mode ou une monnaie tout seul), ils sont antérieurs et extérieurs à nous (par exemple, le langage que nous utilisons dans la vie quotidienne existait avant notre naissance et existera toujours après notre mort). Cependant, la caractéristique la plus importante du fait social n'est pas le fait qu'il soit partagé par beaucoup d'individus, mais bien le fait qu'il soit en mesure d'exercer une pression sur la façon de vivre des individus. En quelque sorte, nous ne pouvons pas ne pas nous y plier. La pression qu'exercent les faits sociaux sur nous n'est pas mécanique, comme le vent qui en soufflant, ferait tomber des feuilles mortes. Autrement dit, dans la plupart des cas, l'idée que les faits sociaux exercent une contrainte sur les individus n'implique pas pour autant l'usage de la force physique ou de

---

1. Durkheim, 1975, p. 23.
2. Durkheim, 1983b, p. 14.

la violence. Pour le comprendre, il faut observer ce qui se passe lorsqu'un fait social n'est pas respecté par un individu ou un groupe d'individus. Certes, lorsqu'on transgresse une loi reconnue par le système juridique et l'on est arrêté, jugé et envoyé en prison, la contrainte exercée par le fait social qu'est le système juridique est très visible, et matérialisée dans une série d'éléments : les menottes, la privation de liberté, etc. Goffman en fournit un parfait exemple avec son travail sur les institutions totales. De même, si l'on échoue à un examen pour un abus de fautes d'orthographe, la sanction due au non-respect des règles de langage est là aussi évidente. Cependant, dans la plupart des cas, la transgression des faits sociaux n'est pas sanctionnée formellement : ne pas respecter les règles de bienséance avec les inconnus, ne pas suivre les préceptes du groupe religieux ou convictionnel auquel on appartient, adopter un code vestimentaire différent de celui qui est en vigueur dans notre entourage ne font pas l'objet de sanctions légales. Pourtant, nous n'en sentons pas moins que ces trois faits sociaux peuvent exercer une pression sur nous, et que ne pas nous y plier risquerait de provoquer, par exemple, une exclusion du groupe d'appartenance ou un sentiment de honte qui sont tout autant des formes de sanctions sociales.

Durkheim va plus loin encore. Selon lui, les manières d'agir, de penser et de sentir que sont les faits sociaux s'imposent le plus souvent à nous de manière douce, au point qu'elles nous contraignent à agir, à penser, à sentir, à aimer, à vivre d'une certaine façon, même si, souvent, nous ne nous en rendons pas compte. Comment est-il possible que les faits sociaux exercent sur nous une contrainte dont nous n'avons pas conscience ? La plupart du temps, nous respectons les règles sociales sans que quelqu'un ou quelque chose nous y force, parce que les faits sociaux sont dotés à nos yeux d'un certain prestige. Ainsi, nous trouvons spontanément normal d'être poli même avec des inconnus, de ne pas tuer quelqu'un lorsque cette personne possède un objet que nous n'avons pas, ou encore de chercher à avoir la meilleure orthographe possible. Nous avons, pourrait-on dire, de l'affection pour ces faits sociaux, nous les jugeons importants et respectables, grâce notamment au prestige et aux ressources des institutions et autorités qui les incarnent, qu'elles soient économiques, religieuses, politiques ou médiatiques. La pression qu'ils exercent sur nous est donc de nature plus morale que physique.

Reste maintenant à montrer en quoi et comment ce que représente le taux de suicide est effectivement un fait social. Qu'est-ce qui peut expliquer que dans certaines circonstances, un nombre de personnes plus ou moins important décideront, pour des raisons très diverses, de se donner la mort ? Pour cela, il convient avant tout de montrer que la propension au suicide, relativement forte ou faible, de chaque groupe social (population d'un pays, fidèles d'une religion ou catégorie professionnelle par exemple) n'est pas due au hasard mais bien à des causes sociales précises, qu'elle est dès lors une manière d'agir, de penser ou de sentir (avoir ou non des tendances suicidaires plus ou moins marquées, penser que la vie vaut ou non la peine d'être vécue, avoir honte de soi au point de se donner la mort, etc.) vers laquelle les personnes concernées sont entraînées malgré elles. Quelles pourraient être ces causes ?

1.3   Le holisme méthodologique : expliquer le social par le social

Pour parvenir à répondre au défi qu'il s'est fixé, Durkheim va appliquer rigoureusement les principes qu'il prône dans son livre *Les règles de la méthode sociologique*[1].

La première règle consiste à rompre avec les prénotions ou encore avec la sociologie spontanée, ce que nous avons déjà appelé la rupture épistémologique. Comme nous l'avons vu dans les chapitres précédents, lorsque le sociologue aborde un sujet d'étude, celui-ci est souvent déjà l'objet d'une série de représentations, d'images, d'idées préconçues et a souvent déjà été abordé à partir de catégories de pensées instituées, courantes ou scientifiques. Il n'y a aucune raison pour qu'il en soit autrement en ce qui concerne le suicide. Plutôt que de les ignorer, Durkheim va examiner les explications courantes du suicide et montrer, statistiques à l'appui, qu'elles ne sont pas fondées. Ainsi montrera-t-il qu'il n'y a pas de lien entre le taux de suicide et les maladies mentales ou les états psychopathiques, comme il n'y en a pas davantage avec la race et l'hérédité. Il consacrera un grand nombre de pages à ces démonstrations, de manière à mieux souligner la nécessité de chercher l'explication dans une autre direction. De plus, Durkheim indique que l'interprétation qu'une personne fait de son acte de suicide n'aide pas forcément à saisir les logiques objectives qui en sont, au moins en partie, la cause.

La seconde règle consiste à « traiter les faits sociaux comme des choses ». Cette expression célèbre de Durkheim a parfois été mal comprise. Il ne s'agit évidemment pas de réduire les comportements humains, avec leurs dimensions psychologiques et symboliques, à de simples choses ou objets mais d'une part, à observer à leur égard une attitude intellectuelle objective, qui ne se laisse pas influencer par les propres sentiments, préjugés et idées préconçues des chercheurs eux-mêmes, et d'autre part, à les examiner à l'aide de méthodes aussi objectives que possible portant sur des données empiriques. C'est pourquoi Durkheim s'est attaché non seulement à définir précisément ce qu'il entend par suicide, comme nous venons de le voir, mais aussi à faire un large usage de statistiques pour comptabiliser et regrouper le plus rigoureusement possible – compte tenu des moyens limités de son époque, les cas de suicides en fonction de sa définition et des catégories qu'il aura constituées pour l'analyse (et que l'on verra plus loin).

La troisième règle est la plus fondamentale de toutes ; c'est elle qui représente la clé de voûte de l'ensemble des principes actifs présentés dans cet ouvrage, le principe actif par excellence en quelque sorte : « expliquer le social par le social ». Pour en saisir la portée, il faut partir de la conception durkheimienne du social ou de la société comme totalité.

> On affirme que la société n'est formée que d'individus et que, de la même façon qu'on ne peut avoir dans le tout que ce qu'on rencontre dans les parties, tout ce qui est

---

1. Durkheim, 1983b.

social est réductible à des facteurs individuels. On pourrait dire de même qu'il n'y a rien d'autre dans la cellule vivante en dehors de ce qui existe dans les atomes d'hydrogène, de carbone et d'azote qui contribuent à sa formation ; or, on sait intuitivement que ces atomes ne vivent pas.

La façon de raisonner que nous venons d'indiquer est donc radicalement erronée et il est faux que le tout soit toujours égal à la somme de ses parties. Quand des éléments se combinent, c'est une réalité nouvelle qui dérive de leur combinaison et elle présente des caractères entièrement nouveaux, parfois même opposés à ceux qu'on observe dans les éléments qui la composent. [...] Si donc des particules non vivantes peuvent en s'unissant former un être vivant, il n'y a rien d'extraordinaire à ce qu'une association de consciences particulières devienne le champ d'action de phénomènes *sui generis* que les consciences associées n'auraient pas pu produire par la seule force de leur nature.[1]

Ailleurs, Durkheim précise encore :

En vertu de ce principe, la société n'est pas une simple somme d'individus, mais le système formé par leur association représente une réalité spécifique qui a ses caractères propres. Sans doute, il ne peut rien se produire de collectif si des consciences particulières ne sont pas données ; mais cette condition nécessaire n'est pas suffisante. Il faut encore que ces consciences soient associées, combinées, et combinées d'une certaine manière ; c'est de cette combinaison que résulte la vie sociale et, par suite, c'est cette combinaison qui l'explique. En s'agrégeant, en se pénétrant, en se fusionnant, les âmes individuelles donnent naissance à un être, psychique si l'on veut, mais qui constitue une individualité psychique d'un genre nouveau. C'est donc dans la nature de cette individualité, non dans celle des unités composantes, qu'il faut aller chercher les causes prochaines et déterminantes des faits qui s'y produisent. Le groupe pense, sent, agit tout autrement que ne feraient ses membres, s'ils étaient isolés. Si donc on part de ces derniers, on ne pourra rien comprendre à ce qui se passe dans le groupe.[2]

On pourrait multiplier les exemples de ce principe. Un État possède des caractères propres comme des traditions et cérémonies nationales, des lois et des institutions, un système administratif, des équipements collectifs... qui lui sont spécifiques, qui n'appartiennent pas aux personnes qui le font fonctionner mais qui résultent de leur association souvent séculaire. Même la vie d'une famille ne peut s'expliquer que très partiellement par les caractéristiques psychologiques de ceux et celles qui la composent ; elle résulte en grande partie de la manière dont se structurent et se vivent les relations entre eux.

Durkheim pensait donc que lorsque des individus vivent ensemble (et pratiquement ils vivent toujours ensemble, car l'idée que les individus préexistent à la société ou pourraient vivre en dehors d'une société est une chimère), des phénomènes *sui generis* se créent inéluctablement. C'est pourquoi, selon Durkheim, le domaine de la psychologie, qui étudie les comportements et les consciences individuelles, s'arrête là où le domaine de la sociologie commence : lorsqu'il s'agit de comprendre ce qu'il appelle la « conscience

1. Durkheim, 1975, p. 24.
2. Durkheim, 1983a, p. 103.

collective ». Durkheim définit la conscience collective* comme l'ensemble des « croyances et des sentiments communs à la moyenne des membres d'une même société » et considère qu'elle a sa propre vie. En d'autres termes, la conscience collective reprend les valeurs auxquelles les membres d'une même société accordent ensemble de l'importance, au-delà de leurs préférences individuelles. Cette réalité, située quelque part au-dessus et entre les individus est celle dans laquelle prennent leur source les faits sociaux capables d'exercer, à travers le prestige qu'ils tirent de la conscience collective, une pression sur les individus.

L'idée maîtresse selon laquelle « le tout (la société) est plus que la somme de ses parties (les individus) » est la clé de voûte de l'approche de Durkheim : le holisme méthodologique*, littéralement « l'approche méthodologique par le tout », qui invite le chercheur à étudier chaque phénomène (par exemple les inégalités sociales, un conflit religieux, un phénomène de mode vestimentaire ou une institution totale) comme une totalité complexe irréductible aux actions individuelles qui y prennent place. La clé d'explication d'un phénomène se trouve au niveau du « tout ». Durkheim applique ce principe à son objet de recherche : le suicide. Si un fait social est différent de la somme de ses parties (comme le taux de suicide est différent de l'addition des suicides individuels), si on ne retrouve pas parmi ses caractères les caractères de ses parties (un taux de suicide n'a pas les caractères d'un acte individuel), alors il ne peut pas être expliqué par des causes individuelles mais seulement par des causes elles-mêmes sociales, qui concernent la combinaison ou l'association des parties, ici des individus vivant en société. En d'autres mots, « un fait social doit être expliqué par un autre fait social » ou encore « il faut expliquer le social par le social ». Certes, l'explication sociologique n'est pas la seule possible, mais elle n'a d'intérêt spécifique ou de valeur ajoutée qu'à cette condition. Fort de ces règles méthodologiques, Durkheim va donc tenter de mettre au jour les causes sociales du suicide ou, en langage statistique, du taux de suicide compris comme fait social. Il dégagera trois principales causes à partir desquelles trois types de suicide pourront être distingués. Ces causes concernent le contexte social et ses transformations.

1.4 Le suicide, la cohésion sociale et les transformations normatives

À partir d'une comparaison des taux de suicide de la population de différents pays européens, Durkheim constate que, d'une manière générale, les juifs se suicident moins que les catholiques qui se suicident moins que les protestants. À l'aide de plusieurs indicateurs[1] tels que la place du libre examen, l'importance numérique du clergé qui encadre les fidèles, le caractère légal ou non de nombreuses prescriptions religieuses, la pratique de rites collectifs et l'emprise de la religion sur la vie quotidienne, il montre que la religion juive est celle où les fidèles sont les plus encadrés et les plus intégrés socialement tandis

---

1. La notion d'indicateur est exposée dans Van Campenhoudt et Quivy, 2011, p. 111-112.

que la religion protestante est au contraire celle où les fidèles sont les moins encadrés et les plus livrés à eux-mêmes. Durkheim pousse particulièrement loin la comparaison pour ce qui concerne les religions protestante et catholique. La place du libre examen est beaucoup moins importante chez les catholiques que chez les protestants, ceux-ci se trouvant seuls face à Dieu en quête des signes de leur salut[1]. L'encadrement des fidèles par les pasteurs protestants est par ailleurs moins étroit que par les prêtres catholiques. Seuls le baptême et la cène (ou eucharistie) sont des sacrements dans le protestantisme tandis qu'il y en a cinq de plus dans le catholicisme. Dans le protestantisme, la religion encadre moins la vie quotidienne des fidèles, via des écoles et des associations sociales et culturelles notamment. Les prescriptions légales et religieuses y sont davantage indépendantes les unes des autres. Comme le taux de suicide est plus élevé chez les protestants que chez les catholiques, Durkheim pense pouvoir dire que la cohésion religieuse protège du suicide.

Etudiant parallèlement d'autres statistiques sur la fréquence du suicide selon la situation familiale des suicidés, Durkheim constate que les femmes se suicident moins que les hommes car elles sont davantage impliquées dans la vie familiale et sociale de proximité. Il montre également que les célibataires se suicident davantage que les personnes mariées et que les personnes âgées se suicident proportionnellement plus que les jeunes, notamment parce qu'elles sont davantage isolées, avec une santé souvent précaire. Dès lors Durkheim pense également pouvoir dire que la cohésion familiale protège du suicide.

La religion et la famille étant les deux principaux socles de la cohésion sociale à son époque, Durkheim conclut de ces résultats convergents que le suicide varie avec le degré de cohésion sociale ou encore d'intégration des groupes sociaux. Plus un individu est intégré dans un groupe social, qu'il s'agisse d'une famille ou d'une communauté religieuse notamment, moins il est exposé au suicide. Durkheim appellera *suicide égoïste** le type de suicide qui résulte d'une faible cohésion ou intégration sociale. Sous sa plume, le qualificatif « égoïste » – qu'on n'utiliserait sans doute plus dans ce sens aujourd'hui – ne vise pas les qualités morales des personnes qui se suicident mais bien le climat social et psychologique dans lequel elles baignent.

Comme on le verra plus loin, le suicide égoïste est particulièrement fréquent dans les sociétés modernes contemporaines où les cadres d'intégration traditionnels ont, d'une manière générale, perdu de leur emprise au profit d'une organisation sociale où l'autonomie individuelle prend beaucoup plus de place. Il est frappant de constater que, même si les outils et les sources statistiques dont Durkheim disposait à son époque n'étaient pas comparables à ceux dont démographes et sociologues disposent aujourd'hui, l'essentiel de ses observations reste valable. Les hommes se suicident toujours plus que les femmes, les célibataires toujours plus que les personnes mariées et les vieux toujours plus que les

---

1. On y reviendra dans le chapitre suivant, avec la recherche de Max Weber sur *L'éthique protestante et l'esprit du capitalisme.*

jeunes, même si les suicides de jeunes frappent davantage parce qu'ils sont perçus comme particulièrement choquants.

Durkheim aurait pu s'arrêter là, en concluant à ce que les statisticiens appellent une relation linéaire entre la cohésion sociale et le taux de suicide. Plus la cohésion sociale est faible, plus on risque de se suicider. L'inverse, à savoir que plus la cohésion sociale est forte, moins on risque de se suicider, est-il également vrai ? Durkheim fait une découverte intéressante : une cohésion sociale (trop) forte ne protège pas du suicide. Au contraire, elle contribue au risque que les individus commettent cet acte. Ce second type de suicide, que Durkheim appelle le *suicide altruiste**, se présente comme le contraire du précédent puisqu'il résulte d'une intégration sociale particulièrement forte. « Quand l'homme est détaché de la société, il se tue facilement, il se tue aussi quand il y est trop fortement intégré »[1], écrit Durkheim. Il en multiplie les exemples comme le soldat qui se porte volontaire pour une « mission-suicide » (comme on la nomme justement) en vue de sauver son régiment, le capitaine qui refuse de quitter son navire en train de couler, le vieil indigène qui s'en va mourir seul pour ne pas être un poids pour son clan, le croyant qui refuse d'abjurer sa foi, ce qui lui éviterait d'être tué. S'il vivait aujourd'hui, Durkheim ajouterait certainement le kamikaze ou le fanatique qui commet un « attentat suicide » comme on l'appelle précisément dans les médias. Durkheim distingue différents cas de figure selon notamment le degré de pression exercé par le groupe sur la personne qui se suicide. Mais ce qui importe ici est leur point commun : le fait que l'individu soit « presque totalement absorbé par le groupe » et que dès lors « sa personnalité individuelle compte alors pour bien peu de choses »[2]. Si ce type de suicide était plus probable dans les sociétés traditionnelles, c'est parce que le groupe social y recevait une valeur plus importante que la vie de chaque individu[3]. Il y était donc relativement courant de se donner volontairement la mort pour des normes, des valeurs, ou des idéaux qui étaient globalement considérés comme suprêmes, et au regard desquels la vie propre de l'individu n'avait que peu d'importance. Par exemple, la perte de l'honneur, c'est-à-dire d'une image de soi valorisée à la fois par le groupe et par l'individu lui-même, pouvait être considérée comme une souffrance ou une punition bien pire que la perte de la vie. Dans les sociétés contemporaines, où l'individu, sa vie et le respect de son intégrité ont pris beaucoup plus d'importance au point de devenir, comme on le verra, nos valeurs suprêmes[4], nous avons probablement beaucoup de mal à imaginer que ce type de suicide puisse encore exister, à part dans des cas exceptionnels de conflits (lorsque l'on accepte de donner sa vie pour un idéal, pour la patrie, etc). Mais notre langage porte encore les traces de cette possibilité : nous disons aujourd'hui que, certes, « le ridicule ne tue pas », mais il nous arrive aussi de dire que nous étions « morts de honte » dans une telle situation où notre honneur était en jeu, ou que nous aurions

---

1. Durkheim, 1983a, p. 233.
2. Durkheim, 1983a, p. 237.
3. C'est la raison pour laquelle ces sociétés sont aussi qualifiées de « holistes ».
4. C'est la raison pour laquelle ces sociétés sont aussi qualifiées d'« individualistes ».

souhaité « rentrer cent pieds sous terre » pour échapper à une autre scène gênante. Notre honneur, ou plus largement l'image de nous-mêmes que nous pensons renvoyer aux autres est très loin d'être le dernier de nos soucis. Il arrive encore aujourd'hui que l'on se donne la mort pour sauver un honneur que l'on estime bafoué, ou parce qu'on ne peut plus supporter le regard d'autrui.

Les deux premiers types de suicide mis en lumière par Durkheim expliquent le suicide comme fait social par un autre fait social : dans le premier cas une faible intégration sociale, dans le second cas une très forte intégration sociale. Dans les deux cas, c'est l'intégration sociale qui est considérée comme la cause ou le facteur qui pousse les taux de suicide à la hausse ou à la baisse.

Durkheim repère enfin un troisième type de suicide qu'il nomme le *suicide anomique**. Dans ce type de suicide, c'est le degré de régulation sociale qui est en cause. Ce type est sans doute le plus intéressant sur le plan sociologique car il mobilise un concept classique remarquable, celui d'anomie* qui, de plus, ne manque pas d'intérêt dans le contexte social et culturel actuel. Littéralement a-nomie signifie absence de loi. Les lois ou, plus exactement dans l'esprit de Durkheim, les normes morales ne font plus sens, ne représentent plus des repères pour les conduites des individus. L'anomie est une déstructuration du système normatif, « la négation de toute morale » écrit-il. Il ne s'agit pas d'une simple transgression de normes morales qui conserveraient une importance et un sens pour des transgresseurs toujours habités d'un sentiment de culpabilité ; les normes ne comptent plus pour eux, ils n'ont plus de repères.

Durkheim observe que si le taux de suicide s'élève en situation de crise économique, ce n'est pas tant parce que la situation matérielle des gens se dégrade, mais bien parce qu'ils ne parviennent plus à s'orienter dans une situation où les ressources plus faibles dont ils doivent se contenter désormais (du fait par exemple d'une perte d'emploi ou d'une diminution de leurs revenus) ne sont plus en adéquation avec les objectifs qu'ils s'étaient raisonnablement fixés avant la crise (par exemple acheter une maison, payer des études à leurs enfants et économiser pour leurs vieux jours). De telles situations remettent en cause tous les repères, laissent les individus désemparés et plus exposés au suicide, dont le taux augmente en effet chaque fois dans de telles circonstances. Cette observation peut nous paraître aujourd'hui évidente, et on est peu surpris d'observer une augmentation importante du nombre de suicides dans les pays qui, à l'instar de la Grèce depuis le début des années 2010, ont vu leur économie sinistrée par la « crise de la dette » en Europe.

Mais, chose curieuse, Durkheim observe que le taux de suicide augmente également en période de forte et rapide croissance, comme ce fut le cas de la « Belle époque » en France, période durant laquelle Durkheim produisit ses travaux les plus importants. La contradiction n'est qu'apparente car la situation est en fait analogue. En période de rapide croissance, les ressources augmentent certes, mais tellement vite et fort que les besoins augmentent plus vite encore. Les individus perdent toute mesure et ne veulent mettre aucun frein à leurs ambitions, leurs désirs se déchaînent, les convoitises s'aiguisent, avec pour résultat que les ressources, même plus abondantes, restent toujours en-deçà des aspirations nouvelles et que les tensions sociales s'accentuent car personne ne veut être en reste. Le fossé entre les fins et les ressources se creuse encore bien davantage, mais pour une raison inverse, non plus parce que les ressources diminuent mais parce que les fins s'envolent. Durkheim analyse très finement cette situation, en développant une vision de l'être humain qui n'est pas sans rappeler celle de son contemporain Sigmund Freud, le fondateur de la psychanalyse[1] :

> On ne sait plus ce qui est possible et ce qui ne l'est pas, ce qui est juste et ce qui est injuste, quelles sont les revendications et les espérances légitimes, quelles sont celles qui passent la mesure. Par suite, il n'est rien à quoi on ne prétende. Pour peu que cet ébranlement soit profond, il atteint les principes qui président à la répartition des citoyens entre les différents emplois. Car comme les rapports entre les différentes parties de la société sont nécessairement modifiés, les idées qui expriment ces rapports ne peuvent plus rester les mêmes. Telle classe, que la crise a plus spécialement favorisée, n'est plus disposée à la même résignation, et, par contrecoup, le spectacle de sa fortune plus grande éveille autour et au-dessous d'elle toute sorte de convoitises. Ainsi, les appétits n'étant plus contenus par une opinion désorientée, ne savent plus où sont les bornes devant lesquelles ils doivent s'arrêter. D'ailleurs, à ce même moment, ils sont dans un état d'éréthisme[2] naturel par cela seul que la vitalité générale est plus intense. Parce que la prospérité s'est accrue, les désirs sont exaltés. La proie plus riche qui leur est offerte les stimule, les rend plus exigeants, plus impatients de toute règle, alors justement que les règles traditionnelles ont perdu de leur autorité. L'état de dérèglement ou d'*anomie* est donc encore renforcé par ce fait que les passions sont moins disciplinées au moment même où elles auraient besoin d'une plus forte discipline.
>
> Mais alors leurs exigences mêmes font qu'il est impossible de les satisfaire. Les ambitions surexcitées vont toujours au-delà des résultats obtenus quels qu'ils soient ; car elles ne sont pas averties qu'elles ne doivent pas aller plus loin. Rien donc ne les contente et toute cette agitation s'entretient perpétuellement elle-même sans aboutir à aucun apaisement. Surtout, comme cette course vers un butin insaisissable ne peut procurer d'autre plaisir que celui de la course elle-même, si toutefois c'en est un, qu'elle vienne à être entravée, et l'on reste les mains entièrement vides. Or, il se trouve qu'en même temps la lutte devient plus violente et plus douloureuse, à la fois parce qu'elle est moins réglée et que les compétitions sont plus ardentes. Toutes les classes sont aux prises parce qu'il n'y a plus de classement établi. L'effort est donc plus considérable au moment où il devient plus improductif. Comment, dans ces conditions, la volonté de vivre ne faiblirait-elle pas ?[3]

Si l'on fait abstraction du style qui date quelque peu, ces propos pourraient avoir été écrits aujourd'hui. Pourtant ils l'ont été en 1897. Depuis Durkheim, la vie économique n'a été qu'une succession de crises et de booms plus ou moins brutaux, de sorte qu'il soit, pour

---

1. On reviendra sur Freud dans le chapitre 8 consacré à Norbert Elias.
2. Éréthisme : surexcitation.
3. Durkheim, 1983a, p. 280-282.

beaucoup d'individus, très difficile de se projeter avec certitude dans le futur. Autrement dit, il n'est pas aisé de « savoir à quoi s'attendre ». Du fait de ces variations, l'anomie règne quasiment de manière continue et normale. Elle menace bien sûr tout d'abord les professions liées à la finance et aux affaires, directement touchées par ces changements, mais également et par ricochet, l'économie réelle, même si c'est avec un effet retard. Un récent épisode en est la crise financière et bancaire de 2007-2008 qui a été suivie de banqueroutes retentissantes, de pertes considérables pour nombre de petits épargnants, d'un important appauvrissement général, d'une crise de l'emploi et d'une détérioration des finances publiques mais, simultanément, de l'enrichissement considérable de certains groupes et particuliers. À l'évidence, ces crises n'ont pas calmé le « déchaînement des désirs » et l'anomie semble s'être « institutionnalisée et se situe au cœur du système de valeurs des sociétés modernes »[1].

Le suicide anomique résulte donc d'une transformation ou d'une déstructuration des normes en vigueur dans un groupe social. Si, pour reprendre l'expression de Durkheim, la volonté de vivre s'affaiblit dans de telles circonstances, c'est parce que ces transformations normatives peuvent brutalement amener un individu à considérer comme futile tout ce qu'il tenait pour important, comme insensées les raisons qui le poussaient à se lever le matin, comme fragiles les projets de vie qu'il avait patiemment élaborés, comme menaçant l'avenir qu'il avait tenté d'assurer pour lui et ses descendants. Durkheim avait bien anticipé. Il avait surtout réussi à démontrer que le suicide répond à des logiques sociales objectives. Il avait par ce biais montré que la sociologie se justifiait par un objet propre, le fait social, et par une méthode propre dont le principe clé est d'expliquer le social par le social.

1.5   Solidarité mécanique et solidarité organique

Les logiques objectives que Durkheim met en évidence dans les différents types de suicide sont étroitement liées à des changements macrosociaux, c'est-à-dire qui touchent la société dans son ensemble. La fréquence décroissante du suicide altruiste et la fréquence croissante du suicide égoïste sont des phénomènes complémentaires, en quelque sorte les conséquences face et pile de la transformation de l'intégration sociale qui a accompagné le passage de la société traditionnelle, fondée sur les liens primaires de la famille et de la religion, à la société moderne fondée sur les liens secondaires de la vie professionnelle. Durkheim établit ainsi une relation entre un ensemble d'actes individuels (des suicides) et des changements macrosociaux : la modernisation de la société et l'individuation[2] qui s'en suit. Il en est de même du suicide anomique qu'il relie aux crises et aux bouleversements rapides propres à cette même modernisation au cours de laquelle ce sont en même temps

---

1. Besnard, 1987, p. 101.
2. Individuation : processus par lequel les individus se distinguent chacun les uns des autres.

les modes d'intégration (la cohésion) et les modes de régulation (les normes morales) qui sont déstructurés et profondément transformés.

Comme on l'a indiqué plus haut, la recherche sur le suicide avait été précédée d'une autre étude majeure de Durkheim qui en procurait le cadre macrosociologique. Elle avait été publiée en 1893 sous le titre *De la division du travail social*[1].

La naissance de la sociologie comme discipline scientifique et universitaire à part entière s'inscrit dans les interrogations suscitées par les grandes transformations sociales de la fin du XIXe et du début du XXe siècles. On cherchait alors à comprendre scientifiquement à la fois la persistance de la société et les changements profonds qui y prenaient place pour être mieux à même d'y faire face. Ce n'est donc pas un hasard si l'objectif principal et commun des trois « pères fondateurs » repris dans cette section du présent livre (Marx, Weber et Durkheim) fut double. Il fallait d'abord comprendre comment il est possible qu'une société se maintienne dans le temps, avec ses institutions, ses coutumes, ses conflits structurants, etc. alors que les individus qui la composent naissent et meurent à un rythme rapide, de telle sorte qu'en l'espace d'un siècle, la quasi-totalité de la population soit renouvelée[2]. Le second objectif a été de construire une analyse rigoureuse de la transformation de la société occidentale dans laquelle ils vivaient, pour comprendre la spécificité de la modernité occidentale.

Ces trois grands auteurs vont en proposer trois lectures différentes, dont certains éléments vont néanmoins se recouper. Chacun va adopter une démarche particulière mais, face à cette situation sociale qu'ils jugent inédite, tous les trois vont chercher à saisir ce qu'elle a de spécifique en la comparant avec la situation antérieure. Durkheim en particulier va analyser la société moderne en la comparant à la société traditionnelle en suivant toujours cette même idée : expliquer le social par le social. Ce principe n'est pas une banale règle méthodologique ni une astuce intelligente pour distinguer la sociologie des autres sciences. Il est sous-tendu par une conviction théorique profonde : celle que des êtres humains ne font pas société parce qu'ils auraient un jour passé ensemble des contrats (comme le pensaient Hobbes et Rousseau dans leurs fictions politico-philosophiques respectives) ou parce que leurs intérêts individuels et utilitaires sont automatiquement agencés par une sorte de « main invisible » (comme le pensaient Adam Smith, Stuart Mill et les théoriciens du marché et de l'utilitarisme*). La façon dont les individus sont associés et intégrés dans un ensemble social tient à l'existence d'un lien bien plus profond et touchant la globalité de leurs activités, une forme de solidarité essentielle, à la fois matérielle et morale, telle que leurs sorts se trouvent étroitement liés. En quoi cette solidarité consiste-t-elle ? Prend-elle la même forme dans les sociétés traditionnelles que

---

1. Durkheim, 1893.
2. Dans le complément de ce chapitre, nous verrons que cette question est centrale dans le projet théorique du sociologue américain Talcott Parsons, qui y apporte une réponse particulièrement élaborée.

dans les sociétés contemporaines ? Durkheim s'attelle à répondre à ces deux questions dans son premier grand ouvrage de sociologie.

Pour saisir le pourquoi et la portée de son étude, il faut donc se remettre dans le contexte intellectuel et historique de l'époque. Depuis la fin du XVIIIᵉ, l'Europe a connu de grands bouleversements. Un siècle avant Durkheim, dans un livre retentissant intitulé *Essai sur le principe de population* (1798), l'économiste anglais Thomas Robert Malthus (1766-1834) avait élaboré une vision particulièrement inquiétante des perspectives démographiques. D'après lui, les moyens de subsistance, augmentant seulement selon une progression arithmétique, ne parviendraient bientôt plus à satisfaire les besoins d'une population de plus en plus nombreuse, augmentant quant à elle selon une progression géométrique. S'ensuivraient inévitablement des famines et des conflits destructeurs, à moins que d'énergiques mesures de limitation des naissances[1] (à destination principale des pauvres ou des « improductifs ») ne contiennent la croissance démographique. À défaut, prédisait Malthus, ce contexte de rareté accrue ne pourra que causer le chaos, la disparition de la société, et le retour à un état de nature où l'homme serait redevenu un loup pour l'homme.

Certes, le XIXᵉ siècle n'a pas été un long fleuve tranquille. À l'époque de Durkheim, la révolution industrielle battait son plein, l'économie de marché pure et dure connaissait son apogée[2], le régime démocratique prenait certes pied, mais la situation politique, en particulier en France, avait beaucoup de mal à trouver une forme de stabilité, les grandes questions de la justice sociale et des conditions de travail devenaient de plus en plus préoccupantes comme en témoignent les romans réalistes et la naissance des luttes socialiste et communiste. Par ailleurs, la pression démographique était en effet de plus en plus forte. Cependant, au final, ce siècle n'a pas connu de catastrophes de l'ampleur prophétisée par Malthus, et en tous cas pas pour la raison qu'il redoutait. Malgré des conditions de vie et de travail très pénibles pour la classe ouvrière au cours de ce premier siècle d'industrialisation, la révolution industrielle et l'augmentation de la productivité ont progressivement permis que la croissance des moyens de subsistance suive la croissance démographique (et conduise même, dans la seconde moitié du XXᵉ siècle, à la société de « consommation de masse »), au point que la possibilité même d'une famine nous paraisse aujourd'hui extrêmement peu probable. Pour quelle raison la prédiction de Malthus ne s'est-elle pas réalisée ? La thèse de la différenciation sociale* élaborée par Durkheim apporte une réponse.

La densité démographique physique (c'est-à-dire le nombre d'habitants sur un même territoire qu'on peut mesurer au kilomètre-carré) n'est qu'un aspect de la concentration d'une population. Du point de vue sociologique adopté par Durkheim, l'aspect le plus

---

1. D'où l'expression de « politiques malthusiennes » pour signifier les politiques de limitation des naissances. Depuis le milieu du XXᵉ siècle, les thèses de Malthus sont revenues à la mode, mais dans un contexte démographique différent. On parle dès lors de « néo-malthusianisme ».
2. Voir à ce sujet Polanyi, 1983.

important est ce qu'il appelle la densité morale, c'est-à-dire l'intensité des contacts et des échanges entre les individus présents sur ce territoire.

Dans la société traditionnelle, préindustrielle, la densité était faible sur ces deux aspects. Plus précisément, sa faiblesse sur un plan général (au niveau d'un grand territoire) contrastait avec sa force sur le plan local (de la famille, du clan, etc.). Le lien entre les individus était de nature communautaire et la société était fortement segmentée, avec relativement peu d'échanges entre les différents groupes de base, comme les villages et les phratries[1]. Dans ces groupes, les liens entre individus étaient basés sur le partage des mêmes croyances, des mêmes valeurs, d'une même vision du monde et des mêmes compétences (par exemple les indigènes dans une tribu de cueilleurs-chasseurs ou les paysans dans la société féodale). Bref, la solidarité reposait sur leur similitude et les individus étaient dès lors interchangeables. La mort d'un individu particulier n'était pas une menace importante pour le groupe puisque d'autres individus pouvaient assumer sa fonction. Durkheim parlera dans ce cas de *solidarité mécanique**. Dans les sociétés caractérisées par ce type de solidarité, la conscience collective occupe une place beaucoup plus grande que les consciences individuelles. La vie du groupe est considérée comme infiniment plus importante que la vie de tel individu en particulier. Dès lors, tout ce qui semble remettre en cause les valeurs partagées est perçu comme une grave menace pour la collectivité (et par là pour tous les individus, puisque c'est le groupe qui assure à chacun sa subsistance et le sens de son existence), de nombreux délits sont considérés comme des crimes et sont sanctionnés par des peines sévères et spectaculaires (comme des exécutions capitales en public, des mises au pilori, etc.). La sanction est essentiellement répressive et vise à soigner la conscience collective qui a été blessée par le crime. L'individu qui a attenté au groupe est souvent puni par une exclusion de ce groupe, un bannissement censé l'accabler d'un sentiment de honte et resserrer les liens entre ceux qui continuent d'appartenir au groupe. À ce stade du développement des sociétés, la menace démographique annoncée par Malthus ne se pose évidemment pas encore.

Au fil des siècles, la densité démographique s'est considérablement accrue, tant sur le plan de la densité physique que sur celui de la densité morale. En d'autres termes, de plus en plus d'individus vivaient sur les mêmes territoires et entretenaient des échanges de plus en plus nombreux et variés. Ce faisant, les sociétés devenaient de plus en plus complexes et diversifiées. Les tâches se spécialisaient en même temps que les individus qui devenaient de plus en plus dépendants les uns des autres. Plus précisément, ils avaient bien plus qu'avant besoin des autres pour leur permettre d'obtenir ce qu'ils sont devenus incapables de faire eux-mêmes. Le médecin avait besoin du mécanicien pour réparer son véhicule, le mécanicien avait besoin du boulanger pour fabriquer son pain, le boulanger avait besoin de l'entrepreneur pour construire sa maison, l'entrepreneur avait besoin du juge pour arbitrer ses conflits avec ses clients et ses fournisseurs, le juge avait besoin

---

1. Phratrie : groupe de deux ou trois clans au sein d'une tribu.

du médecin pour se soigner, et ainsi de suite dans une interdépendance[1] généralisée. La division du travail s'instaurait progressivement non seulement entre les activités mais aussi au sein de chaque activité, en particulier la production industrielle mais aussi, et cela est essentiel, dans tous les autres domaines d'activité : l'enseignement, la justice, la production artistique par exemple. Chaque individu ne s'occupe plus que d'un aspect très particulier d'un domaine lui-même particulier, mais il devient un spécialiste de cette tâche. De cet aspect général de la nouvelle organisation de la société découle le qualificatif « social » dans le titre de l'ouvrage *De la division du travail social*. Dans les sociétés modernes techniquement avancées, la solidarité change donc de nature : de mécanique, basée sur la similitude, elle devient une *solidarité organique** basée sur la différence et la complémentarité entre les individus. Le qualificatif « organique » n'est pas choisi par hasard : il correspond à la façon dont le corps, notamment humain, fonctionne : chaque organe y est spécialisé dans une fonction qui le rend à la fois indispensable et non interchangeable avec d'autres organes[2].

La division du travail dans la production industrielle, qui est généralement vue, par les économistes et les ingénieurs de production notamment[3], comme le résultat d'un calcul rationnel et délibéré n'est en fait, montre Durkheim, qu'une application dans un domaine particulier, d'un phénomène bien plus général qu'il appelle la différenciation sociale**, c'est-à-dire ce passage à un lien social basé sur la solidarité organique. Dans une société de ce type, relativement moins de délits sont considérés comme des crimes. La sanction est essentiellement restitutive ; par elle la personne punie paie sa dette et peut ensuite reprendre place dans la coopération.

Durkheim montre que la différenciation sociale est la solution pacifique que les sociétés modernes ont élaborée pour faire face à la pression démographique redoutée par Malthus. En se spécialisant et en augmentant leurs interdépendances, elles ont formidablement accru leurs ressources, évitant ainsi les grandes famines, et instauré à l'intérieur de leurs frontières un principe de coexistence pacifique, puisque plus personne n'est en mesure de se passer des autres. Cette solution n'a donc pas été rationnellement voulue et calculée dans tous ses aspects et ses conséquences car elle procède de la mise en relation, sous des modalités extrêmement variées, de la multitude d'individus et de groupes qui composent la société, gagnant peu à peu tous les domaines d'activité. Elle ne résulte pas de l'addition des actions individuelles mais de leur association dans un « tout » qui n'est pas égal à la somme de ses parties. En établissant une relation causale entre d'une part, la densité démographique, physique et morale, et d'autre part, le mode de solidarité sociale, Durkheim explique ici aussi le social par le social.

---

1. Cette notion, centrale pour le sociologue Elias, sera approfondie dans le chapitre 8.
2. On reviendra sur cette conception de la société dans le complément de ce chapitre.
3. On pense ici au fordisme et au taylorisme, deux formes de « division scientifique du travail » industriel.

1.6   La sociologie comme science de la causalité sociale

Avec le recul de plus d'un siècle que nous avons aujourd'hui sur les travaux de Durkheim, le programme que le père fondateur définit pour la science qu'il cherche à installer peut paraître assez abrupt. On pourrait en effet penser que Durkheim voulait faire de la sociologie une discipline scientifique sur le modèle des sciences « dures » comme la physique ou la chimie, capable de détecter les « lois » du social. Or, la causalité sociale n'est jamais aussi systématique que peut l'être la causalité du monde physique. Il est vrai que dans son travail sur le suicide, Durkheim ne se montre pas du tout attentif aux raisons du phénomène pour se concentrer uniquement sur ses causes. Autrement dit, il ne s'intéressait pas à la signification du suicide pour ceux qui le commettent, mais voulait détecter des régularités générales. Est-ce à dire que le fondateur de la sociologie en France était totalement inattentif au sens, aux symboles, aux imaginaires dans lesquels les êtres humains vivent pourtant forcément ?

Pour répondre à cette question, il faut prendre en compte deux éléments : le contexte intellectuel dans lequel Durkheim fonde la discipline sociologique d'une part, et l'évolution de sa pensée d'autre part. Quand Durkheim débute sa carrière intellectuelle, le mot « sociologie » a déjà été forgé près d'un demi-siècle auparavant par un autre penseur français : Auguste Comte. Ce philosophe a fondé un mouvement de pensée dont l'influence, notamment sur le jeune Durkheim, est très importante dans la France du XIXe siècle : le positivisme*. Le positivisme est une doctrine philosophique selon laquelle la science doit être pratiquée à partir d'études réalisées uniquement sur des données observables, plus communément appelées des *faits*. Avec le positivisme, Comte, attentif à l'instabilité sociale et politique de son époque, postule également que la science basée sur l'observation et le traitement de faits positifs pourrait apporter ordre et progrès à la société de son temps, bien mieux que ne le firent les croyances religieuses et les théories métaphysiques. La découverte des lois du social (sur le modèle de la découverte des lois de la nature) serait la clé de la paix et de la prospérité sociales. C'est dans cette perspective que Comte, pressentant la nécessité d'une science capable de prendre à bras-le-corps ce nouvel objet, forgea le mot sociologie.

Durkheim s'est également montré particulièrement sensible aux troubles de son temps, et en particulier à la « question sociale », c'est-à-dire à la création de classes sociales extrêmement pauvres générée par la révolution industrielle. Dans les premiers moments de sa carrière, croyant profondément à la nécessité d'une science de la société pour répondre aux nouvelles questions posées par un monde en profonde mutation, il reprit le flambeau allumé par Comte : la création d'une science du social positive, basée sur l'étude des faits.

Par ailleurs, à l'époque dans laquelle évoluait le jeune Durkheim, l'évolutionnisme* appliqué aux groupes humains exerçait également une profonde influence sur les sciences sociales en train de naître. L'idée que toutes les sociétés pouvaient être placées sur une même ligne d'évolution était alors courante, notamment en anthropologie. Certaines sociétés étaient considérées comme moins évoluées que d'autres, et les mêmes critères étaient appliqués à chacune d'entre elles (par exemple le niveau de développement technique). Bien que l'étude de Durkheim sur *la division du travail social* se différencie de l'évolutionnisme pur à de nombreux niveaux, il n'en garde pas moins certains aspects, comme l'idée que les sociétés traditionnelles sont forcément moins complexes que les sociétés modernes. Enfin, il faut également signaler que si Durkheim insiste avec une telle force sur la nécessité d'une science, la sociologie, qui se distingue radicalement de la philosophie comme de la psychologie, et qui se pense sur le modèle des sciences naturelles, dites parfois « dures », c'est évidemment en raison de la nécessité pour cette jeune discipline et ses praticiens d'être reconnu par leurs pairs scientifiques, à la fois dans leurs compétences et dans leur utilité.

La première période de la fondation de la discipline passée, Durkheim se montre pourtant de plus en plus attentif aux symboles, au sens et aux imaginaires dans lesquels vivent les êtres humains. Sous l'influence de son brillant neveu et collègue Marcel Mauss[1], il se prend de passion pour l'une des formes symboliques par excellence : la religion. Cet intérêt donnera lieu à l'un de ses derniers grands ouvrages, *Les formes élémentaires de la vie religieuse*[2], publié en 1912, soit cinq ans avant sa mort. Dans cet ouvrage consacré à ce qu'il considère comme l'une des formes de religion les plus intéressantes, le totémisme des aborigènes australiens, il y montre qu'une religion constitue un domaine d'activité séparé de la vie quotidienne, parce qu'il touche au sacré qu'il faut donc éloigner du profane. Son hypothèse directrice est que lorsque les humains vénèrent un totem*, un esprit ou un dieu, ils célèbrent en fait, mais sans s'en rendre compte, la force morale qui les unit tous et leur permet de vivre ensemble : la société elle-même, ou plus précisément la conscience collective qui génère les faits sociaux. Aucune autre force n'aurait, selon lui, la possibilité de mettre les individus dans de tels états, du désespoir à la frénésie en passant par la crainte et l'attirance pour les choses sacrées. La religion est un produit dont la société est la cause et qui a pour fonction[3] de rappeler à l'individu, à travers des interdictions et des obligations, qu'il est affilié à autre chose que lui-même : le groupe social, la société à laquelle il appartient.

1.7 L'individualisme est un fait social

Les sociétés ont changé depuis les travaux de Durkheim, et a fortiori depuis le totémisme australien qu'il étudie dans ses derniers travaux. Ce changement semble tellement profond que certains se demandent si les théories de Durkheim sur le fait social sont encore applicables aujourd'hui. Dans les sociétés contemporaines à solidarité organique,

---

1. Le chapitre 7 est consacré à cet auteur et à son important travail qui permet de saisir la constitution symbolique du social.
2. Durkheim, 1990.
3. Voir le complément à ce chapitre.

la conscience collective semble s'être fortement affaiblie. Nous sommes aujourd'hui des individus maîtres de notre vie (ou, à tout le moins, nous espérons et prétendons l'être). Depuis quelques décennies, nous nous préoccupons comme nous ne l'avons sans doute jamais fait auparavant de notre bonheur, de notre bien-être, de notre santé, de notre autonomie, de notre épanouissement personnel, et nous n'imaginons généralement pas sacrifier ces valeurs pour quelque raison que ce soit (par devoir envers la société, par exemple). Nous pensons être les seuls à savoir ce qui est bon ou pas pour nous-mêmes.

Face à ce constat que l'on qualifie parfois de « montée de l'individualisme » (sans toujours savoir à quoi cela renvoie), on peut légitimement se demander si la vision durkheimienne d'un individu mû par les règles sociales est encore d'actualité. N'assiste-t-on pas à un processus de « désinstitutionnalisation », où certains de ces faits sociaux perdraient de leur aura, et donc de leur pouvoir sur nous ? En particulier, la religion, que Durkheim considérait comme une métaphore[1] de la société, semble avoir été aujourd'hui reléguée, pour le meilleur et pour le pire, dans la sphère privée, celle du choix et de la préférence individuelle[2]. Est-ce à dire qu'il n'y a plus rien de sacré dans notre société qui force le respect au-delà de nos préférences individuelles ?

C'est justement à ce point précis que Durkheim développe l'une de ses idées les plus brillantes et les plus innovantes, qui démontre l'actualité de sa pensée. Et si, de nos jours, notre croyance collective la plus chère, la plus sacrée, qui dépasse nos préférences individuelles, était justement que personne n'a à déterminer nos choix ? Si notre valeur suprême était le droit à l'autonomie de chaque individu, tant qu'elle respecte celle d'autrui ? Le coup de génie de Durkheim a été d'imaginer que même si cette règle semble individualiste, parce qu'en apparence elle nous pousse à chérir ce qui paraît être l'exact contraire de la société (à savoir l'idée que chaque individu se donne ses propres lois en s'affranchissant justement des normes sociales), elle n'est cependant pas moins sociale pour autant. « En réalité – dit-il déjà dans un texte de 1898 intitulé *L'individualisme et les intellectuels* – la religion de l'individu est d'institution sociale ». Et d'ajouter : « Cette religion de l'humanité a tout ce qu'il faut pour parler à ses fidèles sur un ton non moins impératif que les religions qu'elle remplace. »[3]

L'individualisme, c'est l'amour que nous portons à l'idée de conduire les rênes de notre propre destin, et c'est un fait social d'une puissance très importante. Il s'agit d'un droit

1. Figure de style visant à désigner un objet (ici la société) par un autre (ici la religion). La métaphore fonctionne par analogie.
2. Cette question fait toutefois encore l'objet de nombreux débats dans les sociétés industrielles avancées elles-mêmes, par exemple autour de la question du port du voile dans l'espace public.
3. Ce petit texte d'Émile Durkheim, initialement publié dans la *Revue Bleue* (4e série, t. X, 1898, pp. 7-13) est disponible sur le site de l'Université du Québec à Chicoutimi à l'adresse url suivante : http://classiques.uqac.ca/classiques/Durkheim_emile/durkheim.html. Ce site regorge de textes classiques en sciences sociales tombés dans le domaine public et disponibles en version informatique grâce au travail de bénévoles.

que nous tenons pour sacré. Mais, comme tout fait social, l'individualisme comporte aussi une part d'obligation, de contrainte : nous sommes responsables de nous-mêmes, et nous ne pouvons pas décider d'abandonner cette responsabilité. Nous avons intériorisé cette norme depuis notre enfance : l'éducation, la publicité, la famille nous invitent à comprendre qu'il est bon et normal de « chercher à être soi-même », d'avoir « son propre projet de vie », d'être « indépendant », etc. Dès lors, même lorsque cette norme prend la forme d'une injonction (« soyez vous-mêmes ! » comme nous l'ordonnent certains ouvrages de développement personnel[1]), nous ne le ressentons pas comme tels.

Il existe aujourd'hui de nombreux domaines où l'on mesure et on classe les individus à l'aune de leur capacité à être autonome et à se prendre en charge eux-mêmes. C'est ainsi que dans les entreprises, on favorisera les personnes qui savent se « manager », qui expriment leur individualité, qui sont capables de se donner des objectifs et de les atteindre, de saisir les opportunités de manière proactive sans attendre qu'elles tombent du ciel[2]. L'autonomie est là aussi considérée comme un comportement prestigieux, qui permet à ceux qui l'adoptent de tirer des bénéfices sociaux. L'individualisme est une réalité sociologique, mais il ne signifie pas la fin de la société ou la disparition des faits sociaux. Tout au plus les rend-il plus difficile à détecter.

Lorsqu'elle nous montre que l'individualisme est un fait social, la sociologie telle que Durkheim nous invite à la pratiquer se révèle être une science qui nous permet de comprendre ce qui ne dépend pas de nous dans ce que nous tenons pour important. Elle tente de nous indiquer ce que nous n'avons pas choisi d'aimer mais que nous aimons authentiquement comme si c'était notre création personnelle. Elle nous montre que parce que l'individu vit dans une société, la société vit dans chaque individu, et que ces deux entités ne peuvent être pensées séparément. Elle est une discipline dérangeante car elle brouille l'opposition entre la contrainte et le désir, entre ce que l'on pense choisir et ce que l'on croit imposé de l'extérieur. Elle est une discipline de l'étrangement car elle questionne ce qui nous est le plus familier, ce que nous tenons « naturellement » pour bon et pour vrai, sans pour autant aucunement nous dire comment nous devons vivre.

---

1. Marquis, 2014.
2. Le complément du chapitre 5 en offre un exemple concret à travers l'analyse du nouvel esprit du capitalisme.

2. Complément : Quel est l'intérêt et quelles sont les limites du fonctionnalisme ? (*R. K. Merton, T. Parsons*)

2.1 La fonction comme principe explicatif

Le courant de pensée qui, en sociologie, développe le plus radicalement l'analyse des logiques objectives est le fonctionnalisme. Pour ce courant, la société forme un tout dont chacun des éléments apporte une contribution à la cohésion et à la reproduction de l'ensemble. Cette contribution est appelée fonction*. Au cours du XIXe siècle, certains sociologues, notamment Durkheim dans sa théorie de la solidarité organique[1], utilisèrent l'analogie de l'organisme vivant pour penser la société. De manière analogue au corps humain, qui forme un système dont chaque organe (par exemple le cœur ou la jambe) remplit une fonction spécifique pour le fonctionnement de l'ensemble, la société forme un système dont chaque institution (par exemple l'école ou la famille) remplit une fonction spécifique nécessaire à la cohésion et à la continuité de ce système. Les différents organes sont complémentaires et reliés les uns aux autres, de sorte que si l'un d'entre eux subit un changement, les autres doivent automatiquement s'adapter. Si, par exemple, quelqu'un perd l'usage de ses yeux au cours d'un accident, c'est l'ensemble du corps qui va se réorganiser pour suppléer à cette invalidité. De manière analogue, si le système scolaire par exemple connaît de profondes réformes, l'organisation de la vie familiale en sera affectée.

Cette analogie organiciste va bientôt révéler ses limites car une société obéit à d'autres lois que celles de la nature, et la sociologie va petit à petit s'en détacher. Au fil des années, la définition de la fonction en sociologie va progressivement s'éloigner de l'acception biologique au sens d'activité d'un organe vivant (comme la fonction alimentaire ou la fonction respiratoire) pour qualifier la contribution objective d'un élément d'un système social (une institution au sens large du terme, y compris une coutume ou une pratique courante notamment) à la cohésion et à la continuité de ce système. La fonction est l'effet objectif de la présence ou de l'action de cet élément. Le sens du mot fonction ne correspond donc pas au sens courant de tâche ou de devoir à accomplir (plus proche du concept sociologique de rôle), même si l'une et l'autre peuvent coïncider. Par exemple, dans le langage courant, on dira que l'école primaire ou fondamentale a pour fonction d'apprendre aux enfants à lire et à écrire ; c'est sa tâche mais ce n'est à proprement parler une fonction au sens sociologique du terme que si l'école la réalise effectivement et que la conséquence est que les enfants apprennent réellement à lire et à écrire. L'école a d'autres fonctions, c'est-à-dire d'autres contributions effectives à la cohésion et à la continuité de la

---

1. Et avant lui l'anglais Herbert Spencer (1820-1903) qui appliqua la théorie de l'évolution aux phénomènes sociaux.

société, comme celle de distribuer les élèves dans les différents métiers, grâce à la réussite des uns et à l'échec des autres. Cette fonction-là fait moins explicitement partie de sa tâche.

Comme l'interactionnisme symbolique que nous avons développé dans la première partie, le fonctionnalisme est un paradigme[1], car il pousse le chercheur à s'intéresser à la réalité sociale d'une certaine manière, à poser certaines questions, à utiliser certains outils pour y répondre. L'interrogation qui caractérise finalement le fonctionnalisme par rapport aux autres paradigmes peut être formulée par la question suivante : à quoi le phénomène que j'observe sert-il *objectivement* ? L'hypothèse générale, l'axiome, le présupposé[2], du fonctionnalisme est que si une institution ou une pratique sociale existe, c'est qu'elle a une fonction. Si elle se déroule de telle ou telle façon, c'est également parce que cette façon de faire est fonctionnelle. Bref, la fonction est le principe explicatif. La fonction d'un phénomène n'est que très rarement observable au niveau de ce phénomène lui-même, c'est pourquoi le chercheur qui utilise le paradigme fonctionnaliste est invité à prendre de la hauteur pour replacer ses observations dans le contexte du groupe social dans lequel le phénomène prend place. Par exemple, on ne peut pas comprendre la fonction de l'institution scolaire et des multiples techniques d'évaluation des apprenants en se limitant à l'étude du système scolaire lui-même. C'est au niveau de la société elle-même que se trouve la réponse à la question : à quoi servent *objectivement* les évaluations que produit le système scolaire ? Dès lors, le fonctionnalisme est fortement lié au holisme méthodologique développé par Durkheim.

2.2 Du fonctionnalisme absolu au fonctionnalisme relatif

Evidemment, on n'a pas besoin de sociologues pour identifier des fonctions évidentes, qui sont explicitement voulues et perçues, par exemple la fonction d'apprentissage assurée par l'école. C'est ce que le sociologue américain Robert K. Merton appelle une *fonction manifeste**. D'un point de vue sociologique, les étudier ne présente qu'un intérêt très limité car cela revient à « enfoncer des portes ouvertes ». Le travail spécifique du sociologue n'est utile que s'il met en évidence des fonctions non explicitement voulues et perçues mais qui n'en sont pas moins agissantes dans la société et que Merton appelle *fonctions latentes**. Pour illustrer la notion de fonction latente, il mobilise un exemple proche de ce que Durkheim a montré dans *Les formes élémentaires de la vie religieuse* : les danses de la pluie des Indiens Hopis du Nouveau-Mexique. La contribution effective de ces cérémonies à la vie du groupe ne sera certes pas de faire tomber la pluie, mais bien de rassembler la tribu et de sauvegarder sa cohésion au cours d'une période délicate, où l'on craint de ne pas voir la pluie arriver ou du moins en quantité suffisante. C'est là que réside la fonction latente de la danse de la pluie : « renforcer la cohésion du groupe en offrant une occasion périodique

---

1. La notion de paradigme sera développée dans la conclusion de cette partie.
2. En anglais on dira de manière sans doute plus claire la *basic assumption*.

à ses membres disséminés de se réunir pour participer à une activité commune »[1]. Merton s'accorde avec Evans-Pritchard ou Sahlins pour dire que l'observateur extérieur aurait donc tort de considérer ces danses comme irrationnelles, signes du caractère primitif de la tribu, pour la raison qu'elles n'ont aucun impact sur la pluie. Elles constituent au contraire une sorte d'ingénierie sociale particulièrement adaptée à la situation, qui n'a été explicitement voulue par aucun membre du groupe (c'est ce qui en fait une fonction latente) mais qui n'en a pas moins été élaborée par la collectivité pour sa propre survie. Merton peut dès lors conclure : « Grâce à l'application systématique du concept de fonction latente, un comportement apparemment irrationnel peut dans certains cas apparaître comme ayant une fonction positive pour le groupe. »[2] Cette explication du rite de la danse de la pluie est caractéristique d'une conception fonctionnaliste de la société, vue comme un système qui tend à reproduire son équilibre et sa cohésion, et à s'adapter à son environnement, grâce à la contribution ou la fonction de chacune de ses composantes, ici le rituel de la danse.

Avec cet exemple on voit qu'un paradigme comme le fonctionnalisme consiste d'abord en une manière de questionner la réalité, de se poser à son sujet un certain type de question pour permettre la formulation de théories. En présence d'un rite, d'une coutume ou d'un comportement social quelconque, le sociologue fonctionnaliste qui s'inspire de Merton se posera d'abord la question : « Quelle pourrait bien être sa fonction latente ? » et discernera peut-être alors une explication qu'il n'aurait sans doute pas envisagée s'il ne s'était posé cette question. L'explication de Merton n'épuise certainement pas le sens des danses des Hopis (de la même façon que Durkheim ne s'était pas intéressé aux raisons du suicide), mais c'est parce qu'il s'est posé cette question qu'il a pu mettre en évidence l'importance de ce rite pour la cohésion et la survie du groupe.

Le sociologue fonctionnaliste se posera cette question même et surtout pour des comportements qui, au premier abord, ne semblent pas contribuer à la stabilité du système social. Dans une étude sur « les sources sociales et culturelles de la déviance »[3], Merton montre que des comportements déviants peuvent être fonctionnels. Ils peuvent notamment introduire de la souplesse dans un système social rigide ou favoriser des transformations limitées mais nécessaires à la vie collective. Durkheim lui-même pensait d'ailleurs qu'une dose minimale d'anomie n'était pas une mauvaise chose car on ne peut faire évoluer la morale si on ne s'en écarte quelque peu. Avant Merton, quelques anthropologues et sociologues avaient défendu une position théorique qu'on a appelée le fonctionnalisme absolu et universel, selon lequel absolument tout élément du système social est fonctionnel pour l'ensemble du système. Son plus fameux représentant est l'anthropologue britannique

---

1. Merton, 1997, p. 112.
2. Merton, 1997, p. 113.
3. Merton, 1997, p. 164-187.

d'origine polonaise Bronislaw Malinowski (1884-1942)[1], pionnier du fonctionnalisme, qu'il appliqua dans ses études des sociétés mélanésiennes du Pacifique Sud[2].

Pour sa part, Merton n'est pas adepte d'un fonctionnalisme absolu et universel qui considère que tout élément d'un système social *doit* être fonctionnel. Il *peut* l'être mais ne l'est pas forcément.[3] Il pourrait même être dysfonctionnel. On se rappellera la distinction faite par Goffman entre les adaptations secondaires « intégrées » qui atténuent les tensions dans l'institution totale et « désintégrantes » qui contribuent au contraire à attiser les tensions et à mettre en péril la stabilité de l'institution. Dans le langage fonctionnaliste, on dira que les adaptations secondaires désintégrantes sont dysfonctionnelles. Une dysfonction* consiste donc en une contribution désintégratrice du système social, qui met en péril sa cohésion et sa continuité. La déviance peut être fonctionnelle, concède Merton, si elle reste le fait d'une minorité. Mais si elle s'étend, si les valeurs dominantes de la société sont remises en cause, ou si elle conduit des groupes déviants importants à se marginaliser par rapport au reste de la société, la déviance devient dysfonctionnelle.

Merton ne pense pas davantage que tout élément du système social est fonctionnel pour l'ensemble de la société. Estimant que la sociologie n'est pas ou pas encore en mesure de construire des théories générales de la société présentant toute la rigueur scientifique voulue, il recommande de se limiter plus modestement à élaborer des « théories de moyenne portée » (*middle range theory*) où l'intégration étroite du travail théorique et du travail empirique (la récolte et l'analyse de données d'observation, statistiques ou de terrain par exemple) reste possible. Merton se méfie autant de l'accumulation massive de données et d'observations non raccrochées à une théorie permettant de les interpréter et de leur donner sens, que de grandes théories trop abstraites pour pouvoir effectivement guider le travail de terrain et l'analyse des données. Les recherches présentées plus haut dans ce livre (*La Culture du pauvre*, *Asiles*, *Outsiders* et *Le Suicide* notamment) sont des exemples d'application de théories de moyenne portée.

2.3   Le structuro-fonctionnalisme

Sans tomber dans les excès du fonctionnalisme absolu et universel, le sociologue américain Talcott Parsons (1902-1979), dont Merton fut l'étudiant, est certainement le sociologue fonctionnaliste qui a été le plus loin dans l'effort d'élaborer une théorie générale de la société. Appelée le structuro-fonctionnalisme, sa théorie, extrêmement élaborée[4],

---

1. Malinowski est aussi le pionnier de l'observation participante, méthode qui consiste à s'immerger activement dans la vie des sociétés étudiées et donc à les analyser « de l'intérieur », et qui a été appliquée notamment par Goffman dans l'asile. On reviendra sur cet auteur dans le chapitre 7 consacré à Marcel Mauss et à la dimension symbolique du social.
2. Malinowski, 1922.
3. Merton, 1997, p. 148.
4. Au point que Mills l'a ironiquement appelée la « suprême théorie ».

notamment dans ses œuvres majeures *The Structure of Social Action*[1] et *The Social System*[2], s'est imposée comme le paradigme dominant de la sociologie américaine et mondiale au cours des années 1950-1960. Il est utile d'en avoir une idée générale car ce paradigme correspond à une conception de la société encore très présente aujourd'hui, prise en considération par de nombreux auteurs majeurs[3] et à laquelle les débats intellectuels actuels font toujours référence. Nous en donnerons ici un bref aperçu[4].

Toute la théorie de Parsons vise à répondre à des questions qui ont accompagné la naissance de la sociologie. Parmi celles-ci, l'une des plus lancinantes est : Comment une société peut-elle survivre malgré le renouvellement complet des générations successives ? En effet, si nous retournons une quarantaine d'années dans le passé, les pensionnés d'aujourd'hui étaient actifs et ceux qui travaillent aujourd'hui n'étaient pas nés ou étaient encore à l'école. Dans quarante ans, tous les pensionnés actuels auront disparu, la plupart de ceux qui travaillent aujourd'hui seront pensionnés ou déjà morts et les enfants actuels seront des adultes en pleine période active. Les humains ne font que passer mais la société reste, les États-Unis sont toujours là avec leur administration fédérale, leur armée, leurs grandes entreprises… Chaque jour, des centaines de millions de citoyens cohabitent et se croisent dans des villes bondées, produisent et consomment, étudient ou enseignent, vaquent à de multiples activités, règlent leurs différends avec ou sans la Justice, se réunissent parfois par dizaines de milliers dans des stades de football ou de baseball… et ça « fonctionne » dans un certain ordre. Comment cela se fait-il ? Comment ce qu'on peut appeler un ordre social existe-t-il et se maintient-il ?

La première partie de la réponse de Parsons peut être résumée comme suit : parce que la société élabore des structures qui rencontrent tant les exigences fonctionnelles de la société dans son ensemble que les besoins des individus (se nourrir, apprendre, bouger, travailler, nouer des relations affectives…). Il distingue quatre principales exigences fonctionnelles de la société. La première est l'adaptation à son environnement ; cette exigence est assurée par la structure économique (la chasse et la pêche, l'extraction, l'élevage et l'agriculture, l'industrie, le commerce, l'organisation de la consommation…). La deuxième est la poursuite de finalités collectives ; cette exigence est assurée par la structure politique (le gouvernement, le Parlement, les administrations…). La troisième est l'arbitrage des conflits internes à la société ; cette exigence est assurée par la structure juridique (le droit et la Justice, la police…). La quatrième est le maintien des modèles latents ; cette exigence est assurée par les structures de socialisation (la famille, la religion, l'école, l'art, la science…). En anglais : A comme *adaptation*, G comme *goals*, I comme *integration*, L

---

1. Parsons, 1937.
2. Parsons, 1951.
3. Notamment Jürgen Habermas ainsi que Niklas Luhmann, théoricien des systèmes sociaux, qui réalisa sa thèse de doctorat sous le direction de Parsons.
4. À partir notamment de Smelser, 1988, p. 109-111 (qui fut proche collaborateur de Parsons) et, pour ce qui concerne plus spécifiquement la conception du pouvoir, à partir de Orum, 1988, p. 398-400.

comme *latency*, ce qui donne le « système AGIL », acronyme commode pour s'en souvenir. Chacune de ces quatre structures est elle-même subdivisée en sous-structures (par exemple, pour la quatrième, l'enseignement primaire, l'enseignement secondaire et l'enseignement supérieur) ; chaque sous-structure est elle-même subdivisée en sous-sous-structures (par exemple les facultés, pour l'université qui fait partie de l'enseignement supérieur) et ainsi de suite jusqu'à l'atome structurel de base qui est l'individu défini par son statut*, c'est-à-dire la position qui lui est reconnue dans une collectivité donnée, et surtout par son rôle*, c'est-à-dire l'ensemble des droits et devoirs associés à ce statut (par exemple, d'étudiant en biologie). L'ensemble de ces structures sont interdépendantes : un changement intervenant dans l'une d'entre elles (par exemple la science et la technologie) va inévitablement avoir des répercussions dans les autres (par exemple l'économie ou la politique). Chaque structure va donc constamment s'adapter aux autres qui constituent son environnement, de sorte que l'ensemble forme un « système social » qui tend constamment à retrouver son équilibre. La théorie de Parsons est donc à la fois fonctionnaliste, structurelle et systémique.

Pour Parsons, ces structures ne sont pas des institutions concrètes mais des catégories analytiques à partir desquelles les institutions concrètes peuvent être saisies dans l'ensemble de leurs dimensions et fonctions. Même si l'université, comme catégorie abstraite, relève de la quatrième structure, dans toute université concrète, les quatre fonctions de base se réalisent : l'université participe à l'activité économique du pays en consommant, en engageant du personnel et en produisant des agents économiques ; elle est le lieu d'application de politiques universitaires et ses scientifiques sont consultés comme experts pour définir des politiques publiques ; son fonctionnement obéit à des lois que ses juristes contribuent à produire et elle forme avocats et magistrats ; enfin, elle est un lieu de socialisation aux modèles latents (notamment les valeurs de la science mais aussi, dans les sciences sociales, les conceptions dominantes de la société). Parsons montre par là qu'il ne faut pas confondre d'une part, la réalité qui est toujours complexe, ambivalente et singulière et d'autre part, les ressources intellectuelles (ici de la sociologie) sans lesquelles cette réalité ne peut être comprise et qui, pour remplir cette fonction, doivent forcément être réductrices, univoques et générales.

La deuxième partie de la réponse de Parsons réside dans le fait que la multitude et la diversité d'actions et de choix qui sont continuellement posés par les millions d'individus composant la société, le sont en fonction d'un ensemble de finalités, de valeurs et de normes largement partagées au sein de cette société et que chacun a intégrées à son propre rôle. Parsons l'illustre par son étude de la relation entre le médecin et son patient[1]. Son approche s'inscrit bien dans une conception fonctionnaliste de la société. En effet, en traitant la maladie et en veillant à la santé de la population, la médecine permet aux individus de continuer à participer à la production économique notamment et contribue

---

1. On trouvera un résumé de cette étude (publiée par Parsons dans *The Social System*) dans Adam et Herzlich, 1994, p. 75-78.

ainsi à la stabilité et à la reproduction de la société. Médecin et patient s'impliquent dans cette relation thérapeutique fonctionnelle parce qu'ils partagent une même valeur, la santé, et une même finalité, la guérison du patient. Chacun y assume le rôle qui est lié à son statut. Le médecin, dont l'autorité est strictement limitée au domaine de la santé, doit vouloir le bien du patient, il doit apporter la même attention et offrir des soins de même qualité à tous ses patients quelle que soit sa sympathie ou son antipathie à leur égard, et il doit prodiguer ses soins selon les critères de la médecine scientifique. Pour sa part, le patient doit sincèrement souhaiter guérir ; pour cela il doit suivre le traitement prescrit par le médecin ; il est exempté de travail tant qu'il n'est pas guéri mais devra le reprendre dès sa guérison. Cette conception éclairante n'en est pas moins fortement datée et de nombreux auteurs doutent qu'elle soit encore pertinente dans le contexte actuel où les patients s'adressent de plus en plus souvent au médecin pour des raisons administratives (certificats) et pour des pathologies chroniques plutôt qu'aiguës.

La théorie du pouvoir de Parsons illustre bien elle aussi sa conception générale de la société. Le pouvoir y prend une place relativement peu importante dans la mesure où l'accent est mis sur la capacité du système à réaliser ses buts (*goals*) et sur celle de ses différentes composantes à y contribuer. Le pouvoir est cette capacité systémique de mobiliser acteurs et ressources en vue de ces buts qui visent à réaliser des biens collectifs. Pour Parsons, il en va du pouvoir comme de l'argent : il constitue un medium qui circule sans cesse dans le système social au bénéfice de tous. Ce n'est pas parce que certains en gagnent davantage que les autres en perdent. Si quelqu'un se fait construire une maison, il perd l'argent qu'il donne à l'entrepreneur et à l'architecte mais il gagne en retour une maison qui vaut bien cet argent, tandis que ceux qui auront reçu cet argent en céderont une grande part à leurs propres ouvriers ou fournisseurs. Les possédants, comme ceux qui, comme on dit, « exercent le pouvoir » ne sont, aux yeux de Parsons, que les instruments du système par qui les ressources collectives ne font que passer dans un ensemble de flux qui servent finalement toute la société. Le pouvoir est associé à la légitimité, au consensus, à la poursuite d'un intérêt général. Il est extensible ; ce n'est pas parce que certains s'en voient confier davantage que d'autres en perdent automatiquement ; il ne fonctionne pas à somme nulle.

Sur ce dernier point, comme on l'a vu dans le chapitre 3, Parsons et Mills sont en profond désaccord. Pour Mills, le pouvoir est bien à somme nulle ; lorsque certains en gagnent (par exemple un parti politique qui remporte davantage de sièges aux élections ou une organisation syndicale dont l'influence s'accroît), d'autres en perdent inévitablement (par exemple un autre parti politique qui perd des sièges ou une autre organisation syndicale qui voit son influence décroître, voire le patronat qui a moins les coudées franches). Par ailleurs, pour Mills comme pour la plupart des sociologues et politologues, le pouvoir est toujours exercé par certaines personnes sur d'autres personnes, les premières ayant la possibilité de contraindre les secondes à agir contre leur propre intérêt[1]. Le pouvoir constitue donc une relation inégalitaire. Ici s'opposent deux conceptions de la société, l'une consensuelle chez Parsons qui voit la société comme un ensemble relativement bien intégré, l'autre conflictuelle chez Mills qui voit la société comme divisée, en l'occurrence entre une petite élite très puissante et la grande partie de la population dépossédée de tout réel pouvoir. C'est d'ailleurs lorsque des grandes crises sociétales ont surgi à partir de la fin des années soixante (révoltes étudiantes, mouvement hippie opposé à l'*American way of life* et émeutes raciales aux États-Unis, mouvements de libération dans le tiers-monde...) que la conception parsonienne d'une société intégrée et unifiée a été de plus en plus fortement contestée par divers courants de pensée, notamment d'inspiration marxiste, à la fois pour son conservatisme (puisqu'elle revient à justifier a priori toute institution qui serait fonctionnelle) et pour son incapacité à rendre compte des crises et bouleversements qui secouaient la société américaine et le monde. Dans l'approche fonctionnaliste, les changements profonds, les contradictions et les conflits sociaux sont bien envisagés mais ils restent fondamentalement de l'ordre du désordre, de la pathologie sociale, de l'anormal.

---

1. Selon la conception du pouvoir chez Max Weber, sur laquelle nous reviendrons plus loin.

COMPRENDRE LE SENS DES ACTIONS SOCIALES

Sommaire

1. Recherche de référence :
   Max Weber, *L'Éthique protestante et l'esprit du capitalisme* 137
2. Complément :
   Comment l'esprit du capitalisme a-t-il évolué jusqu'aujourd'hui ?
   (L. Boltanski, E. Chiapello) 163

1. Recherche de référence : Max Weber, *L'Éthique protestante et l'esprit du capitalisme*

En tentant d'expliquer les phénomènes sociaux concrets, les sciences sociales révèlent toute leur complexité. Pour rendre compte des situations sociales particulières, les chercheurs rassemblent généralement une importante information qu'ils doivent être capables d'organiser à l'aide de concepts appropriés. Cette « double tâche de clarification et de complication » dont parlait Becker constitue une équation difficile à résoudre. Comment ne pas se perdre dans la masse et la complexité des informations ? Comment distinguer une situation concrète des autres et faire ressortir sa singularité ? Si la réalité sociale est si complexe et multiforme, c'est notamment parce que les individus vivent dans un monde de significations, ce qui fait qu'une situation vécue ne semble jamais tout à fait pareille à une autre. L'une des principales caractéristiques des sciences sociales est qu'elles ont affaire à un objet d'étude, l'être humain, qui, immanquablement, donne du sens plus ou moins consciemment à ce qu'il fait. Il s'agit à la fois d'une immense richesse et d'une énorme difficulté pour les sciences sociales, qui doivent prendre en compte le fait que nous sommes immergés dans de tels univers de sens.

C'est certainement l'œuvre de Max Weber (1864-1920) qui incarne le mieux le travail consistant à faire ressortir la spécificité des situations historiques concrètes en cherchant à mettre en lumière les significations qui s'y déploient. Si d'autres savants s'y sont également livrés, Weber est celui qui a le plus contribué à en élaborer la démarche méthodologique. C'est ce qu'on étudiera dans ce chapitre. Né en Allemagne dans une famille bourgeoise, Max Weber étudie le droit, l'économie politique, l'histoire et la philosophie. Son œuvre impressionnante transgresse les frontières disciplinaires. Ses recherches portent sur des thèmes extrêmement variés : l'histoire agraire dans l'Antiquité et au Moyen Âge, la situation des ouvriers agricoles allemands, la Bourse, le droit, la musique, l'État et, surtout, les principales religions tant anciennes que modernes, tant asiatiques qu'européennes. Toutes ses recherches concourent à un objectif unique qui constitue le fil conducteur de l'ensemble de son œuvre : comprendre la spécificité du capitalisme occidental, ses origines et ses conséquences. Cette question était déjà une des grandes préoccupations intellectuelles des savants de son temps. L'originalité de Weber réside dans la manière dont il l'a abordée et y a répondu. Ses travaux sur *L'Éthique protestante et l'esprit du capitalisme*[1], publiés pour la première fois en 1905, constituent sa contribution la plus éclairante à cet égard.

---

1. On se base ici sur la traduction française d'Isabelle Kalinowski : WEBER, 2000.

1.1   La rationalisation, « destin de notre temps »

Quelques mois avant sa mort, Max Weber ajoutera à son œuvre une « remarque préliminaire » dans laquelle il décrit la singularité culturelle de la civilisation occidentale qu'il a durant toute sa vie cherché à expliquer. Il procède à cette description en soulignant des aspects présents dans la culture occidentale mais absents ou seulement ébauchés dans d'autres cultures. Par exemple, si d'autres grandes civilisations ont contribué au développement de la science, ce n'est qu'en Occident, constate Weber, que s'observe une science procédant selon une démarche méthodique, fondée sur la mathématique et l'expérimentation, avec ses laboratoires et son corps de chercheurs professionnels organisés dans des associations et des universités. La Chine impériale notamment était en grande partie gérée par des fonctionnaires réunis dans d'imposantes administrations, mais c'est dans les États modernes européens que toute la vie sociale a fait systématiquement l'objet d'une organisation bureaucratique fondée sur un système juridique rationnellement conçu et mis en œuvre par des fonctionnaires spécialisés et rigoureusement formés. Toutes les cultures connaissent des formes artistiques et en particulier musicales, mais seul l'Occident a développé une théorie musicale aussi élaborée, des types de compositions obéissant à des règles et à des théories rationnelles, ainsi qu'une organisation aussi poussée de l'activité musicale avec ses orchestres symphoniques composés de leurs différentes catégories d'instruments. Les religions existent sous tous les cieux, mais c'est le christianisme, suivi de l'islam, qui, selon Weber, a développé la théologie la plus systématique.[1]

Le mot-clé, qui revient quasiment à chaque paragraphe du texte de Weber, est l'adjectif « rationnel ». La rationalisation* caractérise en effet le développement des sociétés occidentales. Ce processus conduit à envisager de plus en plus de domaines de la vie sous l'égide de plans, de calculs, de règlements, de bilans que l'on dit « rationnels » parce qu'ils permettent, grâce à l'usage de la « Raison » humaine, d'ajuster les buts poursuivis (les fins) et les possibilités d'y parvenir (les moyens). La place grandissante de la rationalité* constitue donc le trait culturel majeur des sociétés occidentales qui imprègne l'ensemble des activités : la science et les techniques bien sûr, mais aussi l'organisation de la vie publique, l'art, la religion et même l'ensemble des activités de la vie de tous les jours. Le phénomène de la rationalisation est toutefois particulièrement visible dans l'économie capitaliste occidentale. La rationalité capitaliste, cette maîtrise méthodique et pacifique des échanges économiques et de l'organisation du travail formellement libre, distingue le capitalisme d'autres formes de recherche du profit considérées comme « irrationnelles », car basées sur les opportunités ou sur la violence des guerres et du pillage.

----

1. Depuis l'œuvre de Weber, les connaissances historiques sur les sociétés anciennes non occidentales ont beaucoup progressé. Des travaux plus récents montrent que la rationalité occidentale trouve une grande partie de ses sources dans les cultures mésopotamienne, indienne et chinoise, en particulier dans le domaine des mathématiques. On trouvera une critique de l'inclinaison ethnocentriste de Weber dans Turner, 1974.

Il en va de même [Weber parle ici du processus de rationalisation] pour la puissance qui marque le plus le destin de notre vie moderne : le capitalisme.

La « pulsion de profit », « l'appât du gain », l'aspiration à gagner de l'argent, à gagner le plus d'argent possible, n'ont en eux-mêmes rien à voir avec le capitalisme. Cette aspiration s'est manifestée et se manifeste toujours chez les garçons de café, les médecins, les cochers, les artistes, les cocottes, les fonctionnaires vénaux, les soldats, les voleurs, les croisés, les habitués des tripots, les mendiants : « *by all sorts and conditions of men* », à toutes les époques et dans tous les pays du monde où la possibilité objective de s'enrichir s'est présentée et se présente encore d'une manière ou d'une autre. Renoncer définitivement à ce concept naïf, c'est le b-a-ba de l'histoire des civilisations. Le désir de profit le plus immodéré ne peut en aucun cas être identifié au capitalisme, moins encore à son « esprit ». Le capitalisme *peut* précisément se confondre avec la *maîtrise* de cette pulsion irrationnelle, ou tout au moins avec le projet de la tempérer rationnellement. Mais il est vrai que le capitalisme se confond avec l'aspiration au profit par l'activité capitaliste, continuelle et rationnelle : au profit toujours *renouvelé*, à la « rentabilité ». C'est pour lui une nécessité. Si l'ensemble de l'économie était soumis à l'ordre capitaliste, une entreprise capitaliste individuelle qui ne chercherait pas à saisir les chances de gagner en rentabilité serait condamnée à disparaître. Donnons pour commencer une *définition* un peu plus précise que cela n'est souvent le cas. Nous désignerons d'abord comme un acte économique « capitaliste » celui qui se fonde sur l'attente d'un gain par l'exploitation d'opportunités d'*échange* : sur des chances de profit (formellement) *pacifique*. Les profits réalisés par la violence (formelle et réelle) obéissent à leurs propres lois et il n'est pas opportun (même si on ne peut interdire à personne de le faire) de les ranger dans la même catégorie que les activités destinées à exploiter (en dernière instance) des chances de gain par le biais de l'échange. Lorsque le profit capitaliste est visé de manière rationnelle, l'activité correspondante est orientée en fonction d'un *calcul* du capital. Cela signifie qu'elle est ordonnée en vue d'une utilisation planifiée des ressources en biens ou personnes, assimilées à des instruments de profit : le produit final d'une opération, en termes de biens monnayables, chiffré dans le bilan final (ou la valeur estimée des biens monnayables d'une entreprise en activité, chiffrée dans les bilans intermédiaires), doit être *supérieur* au « capital » au moment de l'épuration des comptes, c'est-à-dire à la valeur estimée des biens matériels utilisés en vue d'assurer des profits par le biais de l'échange (qu'il soit *toujours* supérieur dans le cas d'une entreprise en activité).[1]

Ce n'est donc pas la recherche du profit en tant que telle mais bien une forme spécifique de recherche du profit qui définit l'économie et l'entreprise capitalistes. Cette forme se caractérise par le recours à une main-d'œuvre formellement libre[2], l'utilisation de techniques de gestion reposant sur une analyse scientifique de la situation économique, l'usage d'une comptabilité rationnelle et en particulier du bilan, la prise de décision en fonction des opportunités du marché des capitaux, des biens et du travail, à quoi il faut ajouter la séparation du ménage et de l'entreprise. Ces traits constituent la concrétisation, dans

---

1. Weber, 2000, p. 53-54.
2. Ce point sera discuté dans le prochain chapitre consacré à Marx.

le domaine économique, des caractéristiques générales de la rationalité, telles qu'on les retrouve dans tous les secteurs des sociétés occidentales modernes.

Weber ne considère certainement pas le capitalisme moderne comme intrinsèquement supérieur aux formes antérieures d'économie. Comme on le verra plus bas, il ne croit d'ailleurs pas non plus que les Occidentaux seraient devenus des êtres uniquement rationnels. Il observe toutefois que la rationalité propre à la civilisation occidentale tend à s'imposer à la terre entière et à être perçue, tout au moins en Occident, comme ayant une portée universelle, c'est-à-dire à devenir une grille de lecture qui permette d'évaluer toutes les pratiques et les représentations de n'importe quel individu dans n'importe quelle société[1]. Weber ne se contente pas de cette perspective naturaliste et universaliste, et se demande au contraire d'où peut bien venir tant cet appât du gain et cette recherche du profit que l'idée que ceux-ci doivent être poursuivis par des moyens rationnels ? La réponse qu'offre sa recherche est à première vue on ne peut plus étonnante : la rationalisation de la sphère économique, moteur de la rationalisation générale des sociétés occidentales, a trouvé ses sources, pour une large part, dans la religion et, en particulier, dans la Réforme protestante.

1.2   Les sources religieuses de la rationalisation économique

Si la réponse de Weber semble étonnante, c'est parce qu'on oppose souvent religion et modernité, comme si celle-là était toujours et systématiquement un frein à celle-ci. Pour étayer ce cliché, on trouve aisément dans l'histoire de nombreux exemples comme la condamnation de Galilée par l'Inquisition qui le força à abjurer ses convictions coperniciennes sur la rotation de la Terre et le mouvement des planètes autour du soleil. Aujourd'hui encore, on présente généralement les religions comme des forces conservatrices, en particulier en matière de mœurs. Certaines religions elles-mêmes se présentent comme des forces de résistance à l'emprise de la rationalité économique sur le monde : elles louent par exemple la générosité et la sollicitude et critiquent vertement l'égoïsme et l'individualisme dont on dit souvent qu'ils ne cessent de gagner du terrain.

Ce tableau manichéen[2] ne correspond pourtant pas à la réalité. Les nombreuses études d'histoire et de sociologie des religions effectuées par Weber montrent toute la complexité des liens entre les religions et les changements économiques et culturels. Son analyse part d'une constatation courante à son époque : le parallélisme frappant entre le développement du capitalisme et celui du protestantisme.

> Un coup d'œil sur les statistiques professionnelles d'un pays de confession mixte [protestante et catholique] suffit généralement pour constater la fréquence remarquable d'un phénomène qui a souvent été commenté avec humeur dans la presse et les publications catholiques d'Allemagne : le caractère très majoritairement protestant des déten-

---

1. Weber, 2000, p. 49.
2. Manichéen : qui oppose de manière tranchée, notamment ce qui est bien à ce qui est mal.

teurs de capitaux et des chefs d'entreprise, ainsi que des couches supérieures qualifiées de la main-d'œuvre, notamment, dans les entreprises modernes, du personnel technique ou commercial hautement qualifié.[1]

À partir de là, Weber formulera l'hypothèse que certaines croyances religieuses, en particulier le protestantisme, ont pu jouer un rôle déterminant dans l'émergence de ce qu'il appelle une mentalité ou un « *ethos* » économique. De quelle nature pourrait être ce rôle déterminant ? Lorsque l'on prétend qu'existe une relation entre deux phénomènes, il est indispensable de préciser le type de lien qui les unit. Weber veut se démarquer d'emblée de deux manières simplistes d'aborder une question aussi complexe.

La première consisterait à établir un lien trop explicite et immédiat entre les préceptes du protestantisme et les comportements de type capitaliste. Il n'entrait nullement dans les intentions des réformateurs protestants, Calvin en particulier, d'inciter leurs fidèles à adopter des conduites économiques particulières. Deux phénomènes peuvent donc entrer en relation sans que personne n'ait *voulu* ou n'ait même *pensé* à les faire se rencontrer. Dans le passage qui suit, Weber indique bien la nécessité de faire la distinction entre les intentions subjectives des réformateurs et les effets non intentionnels de leurs croyances religieuses et qui peuvent exister au-delà de la conscience des individus qui les portent. Cela n'implique nullement pour Weber de se désintéresser des significations que les individus donnent à ce qu'ils font, mais bien de les replacer dans un contexte (notamment historique) plus large où elles peuvent avoir des conséquences qui resteraient invisibles sans ce recul. Ce sont ces conséquences qui lui importent.

> [...] nous ne présupposons en rien que l'un des fondateurs ou des représentants de ces communautés religieuses se soit fixé pour *objectif* de consacrer le travail de sa vie à éveiller ce que nous appelons ici « l'esprit capitaliste ». Il est impossible de croire que la recherche des biens de ce monde, entendue comme une fin en soi, ait été tenue par l'un d'entre eux pour une valeur éthique. Il faut faire ce constat une fois pour toutes : les programmes de réforme de la morale n'ont été une préoccupation centrale pour aucun des réformateurs [...]. Ils ne fondèrent pas des sociétés de « culture morale » et ne prirent pas fait et cause pour une réforme sociale humanitaire ou un certain idéal de civilisation. Le salut des âmes et lui seul fut le pivot de leur vie et de leur action. Leurs objectifs en matière de morale et les répercussions pratiques de leur doctrine s'enracinaient dans cette préoccupation ; ils n'étaient que les *conséquences* d'un projet strictement religieux. Par suite, nous devrons considérer que les répercussions culturelles de la Réforme furent pour une bonne part – et même principalement, dans notre perspective particulière – la conséquence imprévue et *involontaire* du travail des réformateurs, souvent très éloignée, sinon aux antipodes des fins qu'ils poursuivaient.[2]

En deuxième lieu, Weber veut également se démarquer d'une vision trop hiérarchique et mécanique des rapports entre le système économique et les idées religieuses, selon

1. Weber, 2000, p. 70-71.
2. Weber, 2000, p. 150.

laquelle un des deux termes constituerait le simple effet ou la simple conséquence de l'autre, considéré comme cause première. Pour Weber, les idées religieuses ne sont ni le simple reflet du système économique, ni leur cause.

> Nous devons nous affranchir de l'idée qu'il soit possible de déduire la Réforme de certaines transformations économiques dont elle serait la conséquence « historiquement nécessaire ». D'innombrables configurations historiques, qui ne se laissent enfermer dans aucune « loi économique », ni même dans quelque perspective économique que ce soit, en l'occurrence des processus purement politiques, contribuèrent à n'en pas douter à assurer la pérennité des Églises nouvellement constituées. D'un autre côté, on ne saurait prétendre, en vertu d'une thèse absurdement doctrinaire, que « l'esprit capitaliste » (toujours entendu au sens que nous lui donnons ici provisoirement) a *pu* n'être qu'un épiphénomène de certaines influences exercées par la Réforme, ou même que le capitalisme comme *système économique* est un produit de la Réforme. Le seul fait que certaines *formes* importantes de commerce capitaliste aient notoirement existé *avant* la Réforme ruine une fois pour toutes cette hypothèse.[1]

Ce rejet d'une vision simpliste de la cause et de l'effet est un enseignement épistémologique important. Si le vocabulaire des causes et des effets est très présent dans le sens commun parce qu'il nous séduit (par exemple quand nous disons que jouer à un jeu vidéo *cause* un comportement violent, sans vraiment comprendre la nature du lien qui unit ces deux phénomènes), il doit être utilisé avec la plus grande prudence dans les sciences sociales. Une corrélation statistique entre deux phénomènes ne prouve nullement que l'un soit la cause de l'autre. C'est au chercheur qu'incombe la responsabilité de démontrer par quel biais un phénomène en *cause* éventuellement un autre, à l'aide d'hypothèses théoriques. Avant de prétendre expliquer un phénomène par un autre, il doit saisir la nature de la relation qui les unit. Or, il arrive souvent que ce qu'on pensait être une relation de cause à effet se révèle bien plus complexe.

Weber ne s'y est pas trompé en analysant la relation entre le protestantisme et le capitalisme : il prend acte de et insiste sur « l'incroyable enchevêtrement d'influences réciproques entre les fondements matériels, les formes d'organisation sociale et politique et le contenu spirituel des époques culturelles réformatrices »[2]. Il qualifie la nature du lien qui unit ces deux phénomènes d'*affinités électives** entre certains aspects du protestantisme et certains aspects de la mentalité capitaliste, soit des relations de connivence ou d'attirance réciproques dont résulterait un renforcement mutuel. Loin de considérer le protestantisme comme *la* cause du capitalisme, il se demande si certains aspects de la religion protestante ne prédisposent pas à certains comportements de type capitaliste et en favoriseraient dès lors l'essor. « Ce n'est qu'*après* avoir établi cela avec certitude qu'on pourra tenter de mesurer la part qui revient à ces motifs religieux et celle qui revient à

---

1. Weber, 2000, p 151-152.
2. Weber, 2000, p. 152.

d'autres facteurs dans la genèse historique des contenus culturels modernes. »[1] Les aspects auxquels songent Weber ne sont pas forcément ceux que le fidèle protestant considérerait comme les plus caractéristiques et les plus importants de sa foi, prise dans son ensemble. Ils pourraient même être perçus par lui comme secondaires. Mais ils sont essentiels du point de vue des liens entre les dispositions religieuses et la mentalité capitaliste.

1.3 Le type idéal de l'esprit du capitalisme

Pour cerner les traits pertinents de ce qu'il appelle « l'esprit du capitalisme », Weber se réfère à un texte de Benjamin Franklin, inventeur, homme politique et pamphlétaire[2] américain du XVIIIe siècle. Très explicites, les propos de Benjamin Franklin représentent l'expression la plus limpide de l'esprit du capitalisme. Il ne se contentait pas d'enseigner le sens des affaires, nécessaire à la prospérité économique ; il cherchait à inculquer à ses lecteurs des principes de comportement, une véritable discipline ou une conduite de vie, soit ce que Weber appelle un *ethos*[3]. Ne pas en suivre les règles fait de l'individu un homme mauvais, menant une vie inutile ou dépravée. Cet *ethos* possède quelques caractéristiques remarquables que Weber repère dans les écrits de Franklin où celui-ci explique à ses lecteurs ce qu'est « bien vivre ». La première caractéristique est que chacun a le devoir d'accroître son capital. Faire du profit, gagner toujours davantage constitue un objectif en soi et non plus un moyen en vue d'autres fins, tenues pour plus élevées. Deuxième caractéristique, ce devoir s'accomplit dans l'exercice d'une profession. Le métier est une véritable vocation que chacun se doit d'exercer avec ardeur, le travail étant un but en lui-même. Le mot allemand traduit par « métier » est celui de *Beruf* qui signifie à la fois profession, devoir et vocation. Troisième caractéristique, cette poursuite du profit par le métier doit procéder d'une démarche rationnelle et rigoureuse appliquée à tous les plans de la vie, en particulier au contrôle des dépenses et à l'investissement de l'argent – Franklin décrit à ses lecteurs sa journée bien organisée d'homme d'affaires occupé, où pas un seul instant n'est perdu en futilité. Quatrième caractéristique enfin, il ne faut retirer de sa richesse d'autre satisfaction que celle d'avoir rempli son devoir. Jouir de sa richesse et de la puissance qu'elle confère ou l'étaler ostensiblement ne sont pas des comportements recommandables. L'homme de bien mène une vie ascétique entièrement consacrée au labeur et cherche, comme le dit Weber, à « gagner de l'argent, toujours plus d'argent, en proscrivant avec la dernière sévérité toute jouissance immédiate »[4]. Le seul usage acceptable de sa fortune est donc de la réinvestir. Outre qu'elle s'applique aux bourgeois détenteurs des richesses, cette mentalité capitaliste justifiera les bas salaires de leurs ouvriers.

---

1. *Ibid.*
2. Pamphlet : texte court à caractère polémique.
3. Weber, 2000, p. 89.
4. Weber, 2000, p. 92.

Un tel tableau correspond-il à la réalité ? Sans doute, au XVIIIe et XIXe siècles, fut-il possible de rencontrer un certain nombre de chefs d'entreprise dont la mentalité fut assez proche de ce portrait. Mais le mode de vie et le système de valeurs de la plupart ne devaient sans doute y correspondre qu'assez imparfaitement. Même ceux pour qui les traits sont assez justes ne peuvent être réduits à cette description à l'allure caricaturale. En réalité, ce portrait dressé par Weber n'est pas celui de personnes concrètes. Il représente une utopie, une forme accentuée, quasi parfaite, d'une mentalité qui a peu de chances de se retrouver à l'état pur dans la réalité mais qui exprime bien ce que la mentalité capitaliste de l'époque avait de typique. Ce faisant, Weber construit ce qu'il appelle le type idéal* (ou l'idéal-type) de l'esprit du capitalisme.

Pour faire comprendre en quoi consiste le type idéal, le sociologue Julien Freund[1] utilise l'analogie éclairante du personnage d'Harpagon dans la pièce de théâtre *L'Avare* de Molière. D'une méfiance maladive à l'égard de ses proches, serviteurs ou futur gendre, Harpagon ne se lasse jamais de recompter ses sous et éprouve le summum de la jouissance dans la musique que font les pièces d'or lorsqu'elles passent et repassent entre ses doigts. Harpagon ne représente certainement pas l'avare moyen. Il est une sorte d'avare « idéal », non qu'il serait un modèle à suivre mais bien dans le sens où il est avare à la perfection, dans toute sa splendeur si l'on peut dire. Dès lors, ce qu'il y a de typique dans le comportement et la mentalité de l'avare (la méfiance, l'horreur de toute dépense, la jouissance de la possession de l'argent pour elle-même, les comptes refaits sans cesse et obsessionnellement...) apparaît en toute clarté. L'effet comique recherché par Molière procède de l'exagération de ces traits et de leur réunion dans un tableau d'ensemble d'où ressortent mieux les clés de compréhension du comportement de tous les avares, même si la plupart d'entre eux sont loin du portrait ainsi tracé. La caricature de presse fonctionne exactement de la même façon : les dessins ne ressemblent pas du tout aux personnages auxquels ils renvoient, mais nous sommes capables de les reconnaître parce que la caricature accentue certains traits de l'individu réel (mimique, caractéristiques physiques, etc.).

La manière de procéder de Weber est analogue. Primo, il sélectionne certains traits pertinents pour sa recherche. Secundo, il accentue ces traits. Tertio, il les articule dans un tableau d'ensemble cohérent. Il construit ainsi un personnage à la fois fictif (au sens où on ne le rencontre guère dans la réalité) et historique (au sens où il révèle l'esprit d'un groupe à une certaine époque). Contrairement à Molière ou au dessinateur de presse, Weber ne cherche nullement à produire un effet comique, mais bien à permettre une meilleure interprétation scientifique de la réalité sociale. L'idéal-type est donc un outil intellectuel heuristique. Grâce aux traits spécifiques mis en évidence, les situations réelles qui s'y rapportent peuvent être mieux comprises. Elles peuvent être comparées les unes aux autres par la proximité qui les rapproche ou par la distance qui les sépare du type idéal, conçu comme repère. La spécificité de l'esprit du capitalisme ressortant mieux, il

---

1. Freund, 1968, p. 54.

sera plus aisé de saisir en quoi et dans quelle mesure il présente des affinités électives avec l'éthique du protestantisme que Weber spécifie à son tour.

1.4   Le type idéal de l'éthique protestante

L'examen par Weber des liens entre le protestantisme et le capitalisme a été précédé d'un ensemble d'études portant tant sur les religions et les philosophies asiatiques comme l'hindouisme, le bouddhisme, le confucianisme et le taoïsme que sur les religions et tendances religieuses dont est issu le christianisme moderne en Europe, comme le judaïsme antique, le christianisme primitif ou le monachisme[1] occidental. Cet important travail historique et comparatif lui a permis de saisir la spécificité et l'avènement progressif de la rationalité occidentale et de comprendre dans quelle mesure la religion s'y inscrit. Depuis le judaïsme antique jusqu'à la Réforme, les religions ont participé d'un long processus de rationalisation et de sa conséquence que Weber appelle le « désenchantement du monde ». Le désenchantement du monde constitue d'abord une rupture avec la magie en tant qu'explication et moyen de salut. Depuis l'animisme jusqu'au monothéisme en passant par le polythéisme, les dieux ont été présentés comme étant de plus en plus distants des êtres humains. Alors que dans l'animisme, les objets et phénomènes de la nature et de la vie quotidienne sont considérés comme habités par des esprits avec lesquels les humains peuvent interagir, le Dieu des religions monothéistes est hors du monde de l'ici-bas. Il est transcendant et a tout pouvoir sur ce monde qu'il n'habite pas. Les hommes se doivent donc d'adopter une conduite de vie qui participe à sa gloire pour espérer une place dans l'au-delà. Cette conduite de vie leur est imposée par ceux qui se réclament les représen-tants de Dieu sur Terre : les prophètes, puis plus tard les appareils religieux hiérarchisés que seront les Églises, les Ordres, etc. Au Sinaï, par l'intermédiaire de Moïse, Yahvé et son peuple concluent laborieusement une loi qui dote les Juifs d'un ensemble de normes morales – comme « Tu ne tueras pas » – à partir desquelles leurs comportements peuvent être désormais évalués de manière non arbitraire. La rationalité progresse grandement avec la montée en puissance de l'Église et le développement de la théologie scolastique[2]. Elle se projette, dans le champ artistique, sur l'équilibre, l'harmonie et la symétrie de l'architec-ture des cathédrales[3]. Coupée du monde, la vie monacale s'organise de telle façon qu'elle plaise parfaitement à Dieu. Tout y est pensé selon une « Règle » (comme la Règle de Saint Benoît pour les Bénédictins) remarquablement rationnelle et efficace. Cette organisation contribuera d'ailleurs grandement au développement économique de l'Occident, notam-ment dans le domaine de l'agriculture, grâce à ce mode de vie très strict et prévoyant.

---

1. Monachisme : état de moine.
2. Scolastique : école philosophique et théologique du Moyen Âge chrétien. L'un de ses plus illustres représentants est Saint Thomas d'Aquin.
3. Voir à ce sujet l'étude classique de Panofsky, 1974.

Le désenchantement du monde se poursuivra mais connaîtra une rupture importante lorsque les institutions religieuses qui revendiquent le statut des représentants de Dieu sur terre, seront mis en cause par la Réforme Protestante. Au XVIᵉ siècle, le réformateur religieux allemand Martin Luther (1483-1546), défend la doctrine selon laquelle le salut ne dépend pas des œuvres mais seulement de la foi (« *sola fide*[1] » sera sa doctrine). Luther est un adversaire résolu des indulgences aux relents magiques, grâce auxquelles il serait possible pour les pécheurs d'acheter leur salut par des prières, des dons ou des sacrifices, permettant ainsi à l'Église de s'enrichir considérablement. Il est tout aussi farouchement opposé à la vie monastique qu'il tient pour une manière égoïste de se soustraire aux responsabilités terrestres. Décidée par décret divin, la position professionnelle de chacun doit être acceptée pour ce qu'elle est et assumée dans le monde. Le travail doit être considéré comme une véritable vocation – *Beruf* en allemand –, comme la manière la plus sûre d'être agréable à Dieu et comme « la forme la plus haute que puisse revêtir l'activité morale de l'homme »[2]. Avec Luther, l'activité professionnelle prend donc une forte signification religieuse. Contrairement à la doctrine chrétienne, le réformateur protestant invite ceux qui le suivent à investir le siècle, c'est-à-dire la vie quotidienne, pour plaire à Dieu. Cette conception luthérienne du travail reste cependant traditionnelle car chacun doit s'accommoder de la position professionnelle qui lui est attribuée par Dieu et ne point essayer d'en changer. Le travail est le fait d'une soumission à la volonté divine et à une situation donnée, non le lieu d'un véritable devoir moral.

Le calvinisme, doctrine protestante fondée par Jean Calvin (1509-1564), représente une étape encore plus décisive dans le développement d'une éthique favorable à des conduites capitalistes. Son dogme le plus important est celui de la prédestination, qui sera notamment exposée après sa mort dans la *Confession de Westminster* (1647) dont nous reproduisons ici un extrait cité par Weber :

> Par sa chute dans l'état de péché, l'homme a entièrement perdu la faculté de vouloir ce qui est spirituellement bon et qui conduit à la félicité, à tel point qu'un homme naturel, entièrement détourné du Bien et mort dans le péché, n'est pas capable de se convertir ou même de se préparer à la conversion.
>
> Par décret, Dieu a prédestiné certains hommes à la vie éternelle, pour la révélation de sa magnificence, et en a voué d'autres à la mort éternelle. Avant de poser le fondement du monde, Dieu a élu dans le Christ, pour sa magnificence éternelle et en vertu de son décret éternel et immuable, de son dessein secret et de l'arbitraire de sa volonté ceux qui, dans le genre humain, sont prédestinés à la vie, et il l'a fait par pure miséricorde et amour, sans présumer de leur foi ou de leurs bonnes œuvres ou de leur persévérance dans la foi ou dans les œuvres, ni quoi que ce soit d'autre dans les créatures, qui aurait été la condition ou la cause de sa décision ; tout cela a pour seule fin la glorification de la grâce du Seigneur. Il a plu à Dieu de suivre le dessein insondable de sa volonté

---

1. Par la seule foi.
2. Weber, 2000, p. 134.

pour accorder ou refuser la grâce à ses créatures comme il lui plaît, pour la gloire de sa puissance infinie, et de vouer le reste du genre humain au déshonneur et au châtiment de leurs péchés, à la gloire de son immense justice.[1]

Selon Weber, la doctrine calviniste créa chez les protestants « un sentiment de *solitude intérieure inouïe de l'individu* »[2] : celui-ci est seul face à un Dieu avec lequel il ne peut communiquer que dans son intériorité, sans espérer le secours ou l'intercession d'un appareil ecclésiastique[3]. Confronté à la force de ce décret divin qui sauve les uns et condamne inéluctablement les autres, la question angoissante que se pose tout croyant est celle des signes lui permettant de s'assurer qu'il compte parmi les élus. Car, s'il ne peut espérer modifier la décision divine, prise de toute éternité, au moins peut-il chercher à acquérir la preuve qu'il fait partie du bon contingent. Pour le calvinisme, cette preuve ne réside pas dans de quelconques signes extérieurs mais bien dans une conviction personnelle forgée par l'efficacité de la foi en Dieu et par le sentiment d'être tout entier absorbé en lui. Le doute quant au fait de faire partie des élus devait être, comme le dit Weber, repoussé en tant que tentation du démon, car une confiance en soi insuffisante était le symptôme d'une foi trop faible, et donc un signe de damnation. Seul le travail acharné et correctement effectué pour la plus grande gloire de Dieu, la vie austère et le succès professionnel découlant forcément d'un tel type de conduite peuvent nourrir cette conviction qui habite chaque élu. Chaque individu se retrouve ainsi irrémédiablement seul responsable face à Dieu et à son destin, contraint de travailler sans relâche sans jamais pouvoir jouir des fruits de son opiniâtre labeur.

> Le Dieu du Calvinisme n'exigeait pas des siens un certain nombre de « bonnes œuvres », mais une sainteté par les œuvres faites *système*. [Il ignorait le va-et-vient catholique et vraiment humain entre le péché, le repentir, la pénitence, la délivrance, le nouveau péché, et ne croyait pas que le solde de la vie puisse être réglé par des peines temporelles ou des grâces accordées par l'Église.] La pratique morale de l'homme du quotidien cessait d'être une série d'actions dépourvues de plan d'ensemble et de système et devenait une *méthode* conséquente de conduite de toute sa vie.[4]

Le calvinisme représente une importante innovation par rapport au catholicisme dans le rapport du croyant au monde car il consacre la fin de l'antagonisme entre vie spirituelle et vie économique. Chercher à s'enrichir n'est plus considéré comme un péché capital,

---

1. Weber, 2000, p. 161.
2. Weber, 2000, p. 165. Les soulignés sont de Weber lui-même.
3. Ce rejet de l'Eglise fut l'une des raisons principales de la condamnation en hérésie des protestants par les catholiques. Entre 1545 et 1563, l'Eglise catholique organise la Contre-réforme avec le Concile de Trente, durant lequel les dogmes principaux sont confirmés. Les guerres de religions et les persécutions des protestants qui s'ensuivront en Europe (particulièrement en Suisse, en France et en Espagne), occasionneront l'immigration massive de protestants (aussi appelés les puritains) vers l'Amérique nouvellement découverte, avec l'espoir d'y fonder une société nouvelle.
4. Weber, 2000, p. 191. Les crochets [ ] sont de Weber lui-même.

mais comme le signe même d'une vie pieuse. Volonté de Dieu et comportement de l'*homo oeconomicus* coïncident désormais. L'ascétisme n'est plus extramondain comme celui des moines ; il est intramondain, au service d'une vie active dans le monde. La foi et le salut étant affaires personnelles, l'individualisme, en tant que valorisation de l'individu par rapport à son groupe, peut prospérer sans limites car il est conforme à la volonté divine.[1] Ce comportement de l'élu n'est pas dicté par une directive morale explicite ; il constitue la conséquence pratique d'un point de doctrine, la prédestination. Au contraire des théologiens ou des moralistes, ce n'est ni la doctrine en tant que telle, ni la morale religieuse qui intéressent Max Weber, mais bien le rapport pratique au monde qu'elles participent à créer, c'est-à-dire les motivations psychologiques qu'elles induisent et leurs effets concrets, en particulier dans l'activité professionnelle.

Travail productif sans relâche, ascétisme puritain et individualisme constituent donc les principaux traits caractéristiques du type idéal de l'éthique protestante distingués par Weber. Grâce aux deux types idéaux ainsi élaborés, les affinités électives entre l'éthique protestante et l'esprit du capitalisme peuvent apparaître avec netteté.

1.5 Les affinités électives entre le protestantisme et le capitalisme

Dans l'extrait qui suit, Weber résume l'essentiel de ses conclusions sur ce point.

> L'ascèse protestante intramondaine [...] mit tout en œuvre pour combattre la puissance spontanée de la fortune, elle restreignit la *consommation*, en particulier les consommations de luxe. En revanche, elle eut pour effet psychologique de *libérer l'enrichissement* des entraves de l'éthique traditionnelle, de supprimer ce qui faisait obstacle à la quête du profit, en présentant celle-ci non seulement comme légitime, mais comme immédiatement voulue par Dieu [...].
> La valorisation religieuse du travail temporel, exercé sans relâche et de façon permanente et systématique, et tenu pour le moyen suprême de l'ascèse et pour la confirmation la plus certaine et la plus visible de l'élection d'un homme et de l'authenticité de sa foi, fut nécessairement le ferment le plus puissant de l'expansion de la conception de la vie que nous avons désignée ici comme l'« esprit » du capitalisme. Si nous conjuguons à présent cette restriction de la consommation et cette libération des entraves qui pesaient sur l'aspiration au profit, le résultat coule de source : *constitution d'un capital par la contrainte ascétique d'épargne*. Les obstacles qui s'opposaient à la consommation et à la dépense de l'argent acquis ne pouvaient que favoriser son usage productif : l'*investissement du capital*. [...]
> Dans la mesure où son influence a pu s'exercer, la conception puritaine de la vie a favorisé dans tous les cas – ce qui est évidemment beaucoup plus important que le simple encouragement à la constitution d'un capital – la tendance à l'adoption d'une conduite de vie bourgeoise et économiquement *rationnelle* ; elle en a été le vecteur

---

1. Sur l'individualisme, voir Dumont, 1983, p. 73.

principal, et surtout l'unique vecteur conséquent. Elle a fait le lit de l'« homme économique » moderne. [...]

Le XVIIe siècle, période d'intense vie religieuse, a précisément légué à l'époque utilitariste qui lui a succédé une incroyable bonne conscience – disons-le sans hésiter : une bonne conscience de pharisien – dans l'accumulation du profit, dès lors qu'elle s'opérait par les voies légales. Toute trace du « *Deo placere vis potest* »[1] avait disparu. Un *ethos du métier* spécifiquement *bourgeois* était né. La conscience de se tenir dans la plénitude de la grâce de Dieu et d'être visiblement l'objet de sa bénédiction permettait à l'entrepreneur bourgeois qui restait dans les limites de la correction formelle, dont la transformation morale était irréprochable et qui ne faisait pas un usage scandaleux de sa richesse de se laisser guider par ses intérêts de profit : c'était même là un *devoir*. La puissance de l'ascèse religieuse mettait de surcroît à sa disposition des ouvriers pragmatiques, consciencieux, extraordinairement travailleurs et attachés au travail comme à la finalité de leur vie, voulue par Dieu. Elle lui conférait en outre l'assurance réconfortante que la répartition inégale des biens de ce monde était tout spécialement l'œuvre de la Providence divine qui, en imposant ces différences, tout comme la restriction de la grâce à un certain nombre d'élus, poursuivait des fins secrètes, inconnues des hommes. Calvin avait déjà énoncé ce principe fréquemment invoqué : le « peuple », autrement dit la masse des ouvriers et des artisans, devait être maintenu en état de pauvreté pour rester obéissant envers Dieu. Les Hollandais (Pieter de la Court, etc.) avaient « sécularisé » ce principe : la masse des hommes ne *travaillait* que lorsqu'elle y était contrainte par la nécessité ; cette formulation d'un leitmotiv de l'économie capitaliste déboucha ensuite sur la théorie de la « productivité » des bas salaires. Ici encore, une conception se trouvait insensiblement infléchie dans un sens utilitariste après avoir été coupée de sa racine religieuse, conformément au schéma d'évolution que nous avons constamment observé.[2]

Dans ce texte, Weber montre qu'un premier effet du calvinisme a été de légitimer, c'est-à-dire de donner une justification et un sens à la quête infinie du profit. Non seulement cette quête est tolérée mais elle est souhaitable car elle est une manière de rendre hommage à Dieu. Considéré par l'Église catholique avec sévérité, le profit est désormais encouragé par le protestantisme de sorte que les capitalistes protestants doivent le poursuivre avec détermination et bonne conscience. Loin de constituer une sphère coupée de la vie religieuse, le travail professionnel sans relâche constitue la forme suprême d'ascétisme et la confirmation de l'élection du croyant. La combinaison de ces traits produit des effets économiques considérables car celui qui recherche le profit avec ardeur mais ne peut jouir des richesses acquises par son travail accumule forcément une épargne qui ne peut qu'être réinvestie dans l'activité économique en vue de profits encore plus grands, ce qui correspond parfaitement à l'idéal-type de l'esprit capitaliste que Weber repère chez Franklin. Ainsi, se met en place une sorte de « cercle vertueux » entre le travail intéressé et l'ascèse, favorable au développement économique.

---

1. Traduction : « La puissance peut plaire à Dieu. »
2. Weber, 2000, p. 284-296.

Les convictions du croyant le conduisent à adopter une conduite de vie rationnelle sur le plan économique qui s'identifie à une conduite vertueuse sur le plan de sa foi. Respecter un horaire strict – on dirait aujourd'hui « gérer son temps » –, adopter une organisation du travail rigoureuse, tenir une comptabilité précise, choisir ses investissements après un examen soigneux du marché des capitaux, planifier le développement de son entreprise sans rien laisser au hasard, respecter une discipline de fer dans la conduite de sa vie quotidienne... constituent quelques-uns des aspects d'une approche rationnelle non seulement de l'activité économique mais de l'ensemble de l'existence. Le puritanisme a donc été le principal ressort de l'homme économique moderne. Avec le protestantisme est né, non pas l'économie capitaliste mais l'*ethos* capitaliste ou bourgeois, c'est-à-dire une vision du monde spécifique qui va doter le comportement capitaliste d'une signification et d'une motivation accrues. Par là, le protestantisme va procurer à l'économie capitaliste un dynamisme inégalé dans l'histoire économique antérieure.

Ici réside le cœur du lien entre l'éthique protestante et l'esprit du capitalisme. Tous deux participent du même mouvement et partagent le même fondement : la rationalisation de l'existence et de la société[1]. C'est seulement par cette médiation, cette affinité élective centrale, que le protestantisme a pu favoriser à ce point l'essor du capitalisme. Dans la suite du passage, Weber souligne que l'éthique protestante a justifié et favorisé l'emploi d'une main-d'œuvre courageuse et sous-payée, grâce à laquelle les profits des entrepreneurs bourgeois ne seront que plus importants. Attribuant à la Divine Providence la position sociale de chaque individu, le protestantisme offrira ainsi une justification aux inégalités économiques et sociales qui seront à la base des futures révoltes ouvrières.

Weber laisse finalement entendre que la mentalité utilitariste et capitaliste a poursuivi son essor mais en se coupant de la justification et de l'impulsion religieuses de ses origines. Dans ce processus de sécularisation déjà à l'œuvre dans les écrits de Franklin, la poursuite de la richesse procède de moins en moins d'une démarche liée à l'espoir d'être sauvé dans l'au-delà. Aujourd'hui, le comportement capitaliste, avec sa recherche du profit et son accumulation de richesses, trouve sa fin en lui-même sans qu'il soit nécessaire de lui donner une justification. Weber – dont le jugement est relativement ambivalent par rapport au processus de rationalisation qui caractérise l'Occident – considère que cette fin est devenue pour ses contemporains une véritable « cage d'acier » qui pèse de tout son poids sur des conduites et les conditions de vie, à tel point qu'il nous est difficile d'imaginer d'autres façons de vivre. « Le puritain *voulait* être un homme de métier – nous *devons* l'être. »[2]. Bien sûr, depuis les écrits de Weber au début du XXᵉ siècle, l'esprit du capitalisme s'est encore modifié : si nous restons des individus besogneux (dans le sens où il nous faudrait travailler toujours plus), cette attitude s'accommode aujourd'hui très bien d'un désir de confort et de consommation matérielle aux antipodes de l'ascétisme protestant que l'on

---

1. Voir Kalinowski, 2000, p. 8.
2. Weber, 2000, p. 300.

retrouve encore chez Franklin[1]. On pourrait même dire que cette volonté de consommer toujours plus offre la justification contemporaine pour la quantité de travail que nous nous infligeons. Au final, le dynamisme économique ne trouve plus son principe dans la vertu mais dans la passion de la lutte pour supplanter ses concurrents et dans les valeurs matérialistes.

1.6   La rationalisation de la domination politique

Comme l'a indiqué Weber dans sa « Remarque préliminaire », le processus de rationalisation concerne les aspects les plus variés de la vie sociale et culturelle : l'économie et la religion mais aussi l'art, le droit, les sciences et les techniques, jusqu'à la manière de conduire sa propre vie. Weber a particulièrement étudié le processus de rationalisation dans le domaine politique[2]. À ses yeux, le politique se caractérise par la domination* exercée par certaines personnes sur d'autres personnes, c'est-à-dire par la capacité des unes d'obtenir l'obéissance des autres. L'obéissance ne peut être durable si elle ne repose, au moins en partie, sur une adhésion des subordonnés. Ceux-ci doivent croire un tant soit peu en la validité du commandement qui s'exerce sur eux. Cette croyance constitue ce que Weber appelle la légitimité* de la domination. Elle représente ce qui justifie la domination aux yeux de ceux qui y sont soumis, ce qui lui accorde du crédit.

Fidèle à sa méthode, Weber construit trois types différents de domination en fonction du type de légitimité sur lequel elle repose[3]. Chaque type est caractérisé par un ensemble de traits. La *domination traditionnelle* repose sur l'adhésion aux traditions et sur la croyance en la validité de ceux qui sont appelés à exercer l'autorité en conformité avec ces traditions. Dans la plupart des civilisations anciennes et pré-démocratiques la façon dont la domination est exercée correspond à ce type. Sous l'Ancien Régime, par exemple, le pouvoir du roi reposait sur la tradition monarchique. D'âpres conflits pouvaient diviser les candidats à la couronne mais la royauté elle-même et ses fondements symboliques, notamment religieux, n'étaient pas remis en question. L'autorité de la papauté repose sur la tradition chrétienne formulée dans les textes sacrés ou canoniques[4]. Le chef traditionnel dispose de serviteurs – une cour dans les monarchies – directement attachés à sa personne. Les forces révolutionnaires et/ou démocratiques modernes ont sonné le glas de ce type de domination à grande échelle. Dans les sociétés contemporaines, la domination traditionnelle ne subsiste plus, en public, que sous forme de traces et de décor, par exemple dans certaines cérémonies auxquelles participent les familles royales, désormais dépouillées de leur ancien pouvoir.

---

1. Le complément de ce chapitre porte sur les évolutions de la mentalité capitaliste.
2. Cette question est étudiée dans un autre ouvrage classique de Weber intitulé *Économie et société* (Weber, 1995, p. 285-336).
3. Weber, 1995, p. 285-336.
4. Canonique : relatif à la loi ecclésiastique.

Le processus de rationalisation a progressivement conduit à la prévalence d'une *domination légale-rationnelle*. L'autorité des dirigeants, par exemple un président de la République ou un ministre, repose sur la validité d'un ensemble de lois et de règlements (comme la Constitution) qui ont été conçus et décidés rationnellement. Les dirigeants bénéficient de l'autorité que leur confèrent ces règles en application desquelles ils ont accédé à leurs fonctions. Pour les exercer, ils ne disposent point de serviteurs attachés à leur personne. Formellement indépendants du pouvoir politique, les fonctionnaires remplissent des fonctions[1] définies dans le cadre des missions générales de l'administration. Pour Weber, la bureaucratie constitue le mode d'organisation correspondant à ce type de légitimité. Elle se caractérise par une distinction nette entre la propriété privée des fonctionnaires et la propriété de l'organisation, par le fait que l'individu n'est pas propriétaire de sa fonction et ne peut donc la transmettre (à ses enfants par exemple), par une définition rigoureuse des postes selon des règles générales et indépendantes des qualités de leurs occupants, ainsi que par un corps de fonctionnaires protégés, spécialistes à plein temps, rémunérés selon des barèmes fixes et recrutés sur base de concours, examens ou diplômes. La multiplication des règles et des documents dans des organisations de grande taille nécessite un mode d'organisation rigoureusement élaboré. Les sociétés modernes n'auraient pu s'organiser sans dispositifs administratifs obéissant à des règles strictes s'appliquant à tous. Weber ne sous-estime pas les inconvénients de la bureaucratie (comme une certaine rigidité), mais il rappelle que sans elle, la société industrielle moderne, avec ses grandes organisations privées autant que publiques, n'aurait pu se développer comme elle l'a fait. Dans la sphère politique, le processus de rationalisation consiste donc essentiellement en un passage de la domination traditionnelle à la domination légale-rationnelle.

Dans le cadre de cette grande tendance historique, un troisième et dernier type de domination peut survenir au cours de certaines périodes particulières de l'histoire : la *domination charismatique*. Elle repose sur l'abandon des membres de la collectivité à un chef reconnu pour ses qualités exceptionnelles, quasi surhumaines, c'est-à-dire son charisme. Considérés comme remarquables par leur extraordinaire capacité de mobilisation populaire, par leur sainteté, par leur courage ou par leur intelligence, Hitler, de Gaulle, Gandhi, Mao Tsê-Tung ou Mandela représentent des exemples récents de chefs charismatiques. Ils illustrent combien ce type de domination survient de préférence durant des périodes troublées de crise d'un régime politique (République de Weimar en Allemagne, occupation étrangère en France, empire colonial en Inde, Kuo-min-tang en Chine, apartheid en Afrique du Sud). Le chef charismatique est entouré de partisans ou de disciples, qui lui sont attachés par des liens émotionnels intenses. Dans ce type de domination, la succession est le plus souvent problématique. Tel n'est pas le cas quand la tradition ou les lois fixent directement les règles successorales et quand le pouvoir est moins personnalisé.

---

1. Le mot « fonction » est compris ici dans le sens courant d'exercice d'une charge, non dans le sens fonctionnaliste étudié dans le chapitre précédent.

1.7   Du type idéal à la typologie

Grâce à de tels types, le lien qui unit gouvernants et gouvernés peut être mieux compris, tant du point de vue des gouvernants (les fondements sur lesquels ils entendent asseoir leur autorité) que des gouvernés (les motivations et croyances qui les conduisent à accepter et à se soumettre à cette autorité). Toutefois, les trois types distingués ne se retrouvent qu'exceptionnellement à l'état pur dans la réalité. Ils sont généralement métissés dans les situations historiques concrètes. L'autorité d'un pape repose principalement sur la tradition ecclésiale mais il est aussi chef de l'État du Vatican et d'une importante organisation administrative qui fonctionne sur le modèle bureaucratique propre à la domination légale-rationnelle. De plus, certains papes sont en mesure d'exploiter un charisme qui peut faire défaut à d'autres. L'autorité du président de Gaulle reposait principalement sur les lois de la République. Mais il savait faire référence, quand il le fallait, au prestige de la tradition militaire, par exemple pour contrer la tentative de putsch des généraux opposés à l'indépendance de l'Algérie. Son ascendant durable sur la population française n'est pas non plus indépendant de son charisme de résistant et d'orateur. On observe encore ici qu'un type idéal ne constitue pas une catégorie dans laquelle les situations concrètes entreraient ou dont elles sortiraient entièrement, par exemple les catégories « homme » et « femme » ou une catégorie d'âge comme « les jeunes âgés de 10 à 19 ans », mais un repère abstrait, idéal, en référence auquel les situations concrètes peuvent être situées et mieux comprises.

Ce travail de Weber sur la domination politique fait apparaître tout l'intérêt méthodologique de la mise en contraste de plusieurs types différents dans un tableau de pensée homogène. Les différents types de domination sont en effet tous trois caractérisés à partir des mêmes critères : le fondement de la légitimité et la nature des liens entre gouvernants et gouvernés, la nature des liens qui unissent plus directement les gouvernants à ceux qui les assistent et exécutent leurs décisions (courtisans, fonctionnaires ou disciples), le destin historique de chaque type et les problèmes éventuels de succession. Un tel tableau de pensée constitue une typologie*, soit un ensemble de types destinés à saisir et à comparer la spécificité de multiples phénomènes d'un certain ordre, en l'occurrence des formes de domination politique[1]. La typologie est un des outils majeurs que les sciences sociales peuvent mobiliser pour rendre la réalité intelligible. Elle permet d'y trouver de la structure, tout en ne niant pas sa complexité.

En effet, la spécificité d'une domination politique concrète à un moment donné de l'histoire peut mieux apparaître à partir de sa proximité avec un des types et de sa distance avec les autres, parfois même à partir de sa position intermédiaire entre deux ou plusieurs types idéaux. Les transformations d'une domination dans le temps peuvent aussi être mieux appréhendées. Par exemple, la situation d'un chef révolutionnaire charismatique qui a pris le pouvoir par la force et tente de doter son autorité d'une légitimité légale-rationnelle

1. Schnapper, 1999, p. 7.

pourra être mieux comprise grâce à ces repères typologiques. En effet, l'opposition la plus fondamentale à un pouvoir consiste à contester non pas l'une de ses décisions ou même sa politique générale, mais bien sa validité même, quelles que soient ses décisions et sa politique. Les mouvements sociaux qui ont précédé la chute des régimes communistes en Europe de l'Est contestaient la validité des lois et des règles sur lesquelles cette domination essentiellement légale-rationnelle prétendait se fonder. En République démocratique d'Allemagne (ex-Allemagne de l'Est) par exemple, les slogans populaires réclamaient d'abord de véritables élections libres et des administrations impartiales. De telles crises de légitimité montrent qu'un ordre politique quelconque doit être capable de susciter un niveau minimum d'adhésion des citoyens sans lequel il ne peut gouverner qu'un temps, en faisant usage d'une sévère répression qui le délégitime davantage encore.

La question de la légitimité est d'autant plus importante que les États modernes sont fondés sur la violence ; plus encore, ils se définissent par le monopole de la violence légitime[1]. Weber s'en explique dans cet extrait central de son ouvrage *Le savant et le politique* :

> « Tout État est fondé sur la force », disait un jour Trotsky à Brest-Litovsk. En effet, cela est vrai. S'il n'existait que des structures sociales d'où toute violence serait absente, le concept d'État aurait alors disparu et il ne subsisterait que ce qu'on appelle, au sens propre du terme, l'« anarchie ». La violence n'est évidemment pas l'unique moyen normal de l'État, – cela ne fait aucun doute – mais elle est son moyen spécifique. De nos jours la relation entre État et violence est tout particulièrement intime. Depuis toujours les groupements politiques les plus divers – à commencer par la parentèle[2] – ont tous tenu la violence physique pour le moyen normal du pouvoir. Par contre il faut concevoir l'État contemporain comme une communauté humaine qui, dans les limites d'un territoire déterminé – la notion de territoire étant une de ses caractéristiques – revendique avec succès pour son propre compte « le monopole de la violence physique légitime ». Ce qui est en effet le propre de notre époque, c'est qu'elle n'accorde à tous les autres groupements, ou aux individus, le droit de faire appel à la violence que dans la mesure où l'État le tolère : celui-ci passe donc pour l'unique source de « droit » à la violence.[3]

Le type idéal et la typologie constituent donc les outils méthodologiques par excellence grâce auxquels la spécificité des situations empiriques et historiques particulières peut être mieux saisie parce que systématisée grâce à un ensemble articulé de critères. Ces outils ne sont pas posés ni construits a priori. C'est en étudiant des textes protestants que Weber a progressivement élaboré le type idéal de l'esprit du protestantisme. C'est à l'appui d'une énorme culture historique qu'il a construit sa typologie de la domination politique. Le type idéal dérive de l'observation minutieuse de la réalité. Au fur et à mesure de la progression de ses observations, le chercheur dégage des traits caractéristiques et pertinents en regard de ses objectifs de recherche. Ce n'est qu'en fin de parcours que le type ou un ensemble

---

1. On y reviendra avec Elias au chapitre 7.
2. Parentèle : ensemble de personnes liées par des liens de parenté.
3. Weber, 1959, p. 100-101.

de types formant une typologie peuvent être considérés comme construits et que toute leur potentialité d'éclairage de la complexité du réel peut apparaître.

1.8 Comprendre l'action sociale

Dans les discussions courantes, ou même parfois savantes, on parle souvent des entités collectives, telles que le protestantisme, le capitalisme, le marché, l'État ou le peuple, comme si elles avaient une existence propre, indépendante des actions concrètes des individus concrets qui les font exister. On dira par exemple : « l'État a décidé que… », « le marché s'est emballé » ou « le peuple est mécontent », comme on parlerait d'êtres humains qui possèdent une conscience propre[1]. Weber ne nie pas qu'il y ait des formes collectives de pensée, mais insiste sur le fait que ce processus d'anthropomorphisation, qui consiste à attribuer des qualités humaines à des entités qui ne sont pas humaines, est un danger pour le raisonnement sociologique à partir du moment où il permet de se contenter d'une explication superficielle, si pas magique, des phénomènes sociaux.

En réalité, l'État ne décide rien du tout ; ce sont toujours des personnes qui décident, responsables politiques ou administratifs. Il n'existe que par l'activité quotidienne de tous les agents qui œuvrent en son nom. Quand on dit que le marché s'emballe, on veut dire que des agents économiques concrets ont brusquement intensifié leurs achats et leurs ventes, avec des effets sur les prix et les quantités échangées. « Le peuple est mécontent » signifie qu'un grand nombre de personnes manifestent leur mécontentement de diverses manières. C'est l'ensemble des activités religieuses des protestants qui donne sa réalité au protestantisme. C'est l'ensemble des activités économiques des capitalistes qui donne sa réalité au capitalisme. Pour analyser les phénomènes sociaux, saisir comment les choses se passent et se transforment, il faut analyser les actions concrètes des individus qui les constituent. Il faut « désubstantifier » les entités collectives en les ramenant aux actions concrètes des agents, pense Weber.

Pour Weber, la sociologie peut être définie comme «la science qui se propose de comprendre par interprétation l'activité sociale et par là d'expliquer son déroulement et ses effets». Ce n'est donc pas n'importe quel type d'activité qui intéresse Weber : les actions sociales* sont les activités auxquelles leurs auteurs donnent un sens (ou une signification) en fonction d'autrui. Une action sociale est donc une action pensée et effectuée *en fonction* d'une ou de plusieurs autres personnes, dont le sens est orienté vers autrui. Mis à part les réactions instinctives, on peut considérer que toute action humaine, même réalisée dans la solitude, est sociale car elle anticipe les réactions d'autrui. Sans toujours nous en rendre compte, nous agissons, nous parlons, nous nous habillons d'une certaine manière et pas d'une autre car nous pressentons le regard d'autres personnes.

---

1. Voir à ce sujet Colliot-Thélène, 1990, p. 22-23.

Puisque l'objet de la sociologie est l'ensemble des actions qui ont une signification, le travail sociologique consiste d'abord à tenter de saisir le sens de ces actions sociales, ce que Weber appelle la compréhension[1]. « Comprendre » peut sembler relativement simple, car dans notre vie quotidienne, nous passons notre temps à comprendre des messages et des personnes. Cependant, le travail de compréhension proprement sociologique ne peut se réduire à une approche intuitive consistant à « sentir l'autre » grâce à une attitude dite empathique[2], même s'il peut s'en inspirer. Il situe les actions sociales dans leur contexte relationnel et culturel, ce que Weber appelle des « ensembles significatifs ». Observer un piéton qui traverse au feu rouge ne nous apprend rien si nous ne sommes pas capables de comprendre la signification de cet acte : veut-il par là marquer sa désapprobation du code de la route et se rebeller face à l'autorité publique ? N'a-t-il pas vu le feu rouge ou ne comprend-il pas le sens de ce code ? Est-il poursuivi par un agresseur ? Contrairement aux lois du monde physique, les univers de sens permettent des possibilités quasiment infinies, ce qui rend difficile la compréhension. C'est pourquoi saisir le sens nécessite un travail d'élaboration scientifique dont le type idéal constitue un outil privilégié, en tant qu'il contracte dans un tableau de pensée cohérent un ensemble d'informations autrement disparates. Il permet d'identifier les motivations typiques, les raisonnements typiques et les actions typiques, tout en gardant à l'esprit que la réalité n'est jamais aussi limpide qu'un modèle théorique.

La matière première de la sociologie wébérienne, c'est donc le sens. *L'Éthique protestante et l'esprit du capitalisme* illustre parfaitement cette posture. Chaque calviniste, dont la mentalité et les comportements obéissent peu ou prou au portrait dessiné par Weber, partage avec ses coreligionnaires un ensemble de croyances, de valeurs et de représentations de la vie. Ces *significations culturelles* constituent un univers symbolique qui donne à l'existence son sens (dans la mesure où l'on sait où l'on va) et sa cohérence (dans la mesure où toute la vie y concourt). En fonction de sa propre situation professionnelle et familiale, des liens concrets et singuliers qui le lient à ses proches, à ses coreligionnaires ou à ses interlocuteurs en affaires, chaque calviniste donne un sens particulier à chacune de ses expériences et poursuit des projets personnels. Ce sens *visé subjectivement* n'est pas sans rapport avec les significations culturelles partagées avec les autres, mais il n'y coïncide jamais parfaitement car il est marqué par chaque expérience individuelle. L'ensemble des comportements associés à ces significations culturelles et subjectives trouve enfin un *sens fonctionnel* dans la mesure où leur transposition pratique participe à la naissance et à l'essor du capitalisme moderne.[3] Pour Weber, le sens n'est donc ni affaire purement subjective

---

1. Weber, 1995, p. 35. Weber donne au mot « compréhension » un sens plus restreint que celui donné par Ladrière (voir conclusion de la première partie).
2. Empathie : capacité de se mettre à la place d'une autre personne pour ressentir les choses comme elle les ressent.
3. Kaesler, 1996, p. 204-205.

qui échapperait à toute logique sociale objective, ni, à l'inverse, affaire de pure logique sociale objective indépendante de la conscience des individus. Il réside dans l'articulation des trois dimensions distinguées ci-dessus : la subjectivité de chaque individu, la culture qu'il partage avec d'autres et les fonctions sociales de leurs conduites. Aux yeux de Weber, la principale tâche du sociologue consiste à comprendre le sens des actions sociales. En cela, il est le pionnier de ce qu'on appelle la sociologie compréhensive.

Si on ne comprend pas les univers de sens dans lesquels sont plongés calvinistes et capitalistes, on est incapable d'expliquer les affinités électives qui lient ces deux phénomènes sociaux. Certains commentateurs actuels de Weber (Raymond Boudon, par exemple) ont été plus loin encore, en tirant des enseignements du maître un paradigme, celui de l'individualisme méthodologique*. Cette conception, qui n'a rien à voir avec un individualisme « moral », consiste à faire d'un phénomène social (par exemple l'essor du capitalisme) le résultat de l'agrégation d'un ensemble d'actions individuelles, en refusant de considérer qu'il existe des entités supra-individuelles (comme l'« État », ou la « Société ») qui ne seraient pas, dans l'analyse, réductibles aux actions des individus.

L'opposition entre le holisme méthodologique inspiré par Durkheim et l'individualisme méthodologique tiré de Weber a longtemps structuré une bonne partie du débat théorique en sociologie. Cependant, la lecture des chefs-d'œuvre de Durkheim et Weber montre que, bien qu'ils aient adopté des options épistémologiques différentes, leur façon d'analyser la réalité ne se réduit pas à la caricature que l'on en fait parfois. Weber estime d'ailleurs que, pour être valides, les hypothèses produites par le travail de compréhension doivent être confrontées et correspondre à ce que révèlent les méthodes plus objectivantes comme des analyses statistiques[1], ce qui le rapproche de Durkheim. D'ailleurs, les auteurs présentés dans la troisième partie de l'ouvrage (Mauss, Elias, Bourdieu), tantôt inspirés par Weber ou par Durkheim, tantôt inspiré par les deux, ont en commun ce génie de considérer que l'individu et la société doivent êtres analysés ensemble, comme les deux faces indissociables d'une même pièce.

1.9   Les déterminations de l'action sociale et la modernité

Weber propose une distinction entre quatre modalités idéal-typiques de l'action sociale qui servent de repères pour en saisir le sens[2].

La première modalité est *l'action rationnelle en finalité*. Dans ce type d'action, l'individu confronte diverses fins possibles (par exemple, l'entrepreneur dont les ressources sont limitées doit choisir entre l'achat de nouveaux équipements et le recrutement de

---

1. Weber a d'ailleurs pris part à de vastes enquêtes comportant un volet quantitatif, notamment sur le travail industriel en Allemagne : Weber, 2012.
2. Weber, 1995, p. 55-57.

techniciens plus spécialisés), il confronte les fins et les moyens (s'il choisit de recruter du personnel supplémentaire, il devra déterminer des critères et des procédures de recrutement), et il envisage les conséquences subsidiaires de ses choix (par exemple des conflits de compétences entre personnel en place et nouveau personnel). Il orientera ses actions de telle sorte que les moyens soient le mieux utilisés en fonction des fins retenues. Cette rationalité s'est d'abord développée dans la vie économique, scientifique et technique, soit dans des domaines où sont conçus, produits et gérés des objets résultant de l'activité humaine. Elle a ensuite gagné le domaine politique, où elle s'est traduite dans la domination légale-rationnelle et la bureaucratie. Weber note que, du point de vue du sociologue, il s'agit du type d'action le plus facile à comprendre, car il suppose que chaque être humain, dans la même position, en possession des mêmes informations et des mêmes capacités de raisonnement, aurait agi de la même manière. Elle est donc « logique ».

La deuxième modalité est *l'action rationnelle en valeur*. Dans ce type d'action, le résultat n'a guère d'importance ; seul compte la valeur intrinsèque du comportement d'un point de vue éthique, esthétique ou religieux. Le chef d'entreprise qui décide de maintenir en fonction un employé surnuméraire par respect pour la dignité de cet homme, celui qui consacre une partie de son argent au soutien d'une œuvre caritative par conviction religieuse, ou qui achète une œuvre d'art parce qu'il la trouve belle, se comporte selon cette modalité d'action. Contrairement à l'action rationnelle en finalité, la compréhension de l'action rationnelle en valeur suppose que le sociologue puisse connaître les valeurs qui animent les individus. Ces deux premières modalités d'action ont en commun d'être rationnelles car chacune « élabore consciemment les points de direction ultimes de l'activité et s'oriente d'après ceux-ci d'une manière conséquente. »[1] Ce n'est pas le cas des deux suivantes.

La troisième modalité est *l'action traditionnelle*. Elle obéit à une coutume ou à une habitude acquise dans le passé. Se placer en bout de la queue au distributeur de billets et attendre son tour, s'obstiner dans des méthodes de travail par automatisme, se marier religieusement parce que c'est la règle dans la famille ou prendre chaque jour son apéritif à la même terrasse constituent des exemples d'action traditionnelle. La danse de la pluie des Indiens Hopis, étudiée par Merton, relève également de cette catégorie car, en dansant, les Hopis réitèrent une tradition ancestrale. La plupart des actions de la vie courante sont de ce type car elles ne font que poursuivre dans des voies acquises précédemment. Enfin, *l'action affectuelle* est dictée par les émotions, les passions, les sentiments.

Ces différentes modalités d'action ne se retrouvent généralement pas telles quelles dans les comportements courants. Elles s'y combinent le plus souvent aux autres, de sorte que les distinctions doivent être considérées comme des repères pour l'interprétation des actions. Par exemple, on peut se placer au bout d'une file également parce qu'on estime cette façon de faire plus juste ou parce que c'est le meilleur moyen pour éviter des

---

1. Weber, 1995, p. 56.

problèmes avec les autres personnes arrivées auparavant. Elles permettent aussi de mieux saisir la nature et les ambivalences de la modernité. Celle-ci représente en effet un double mouvement, à la fois de rupture avec la tradition au bénéfice de la rationalité et, dans la sphère des comportements rationnels, de prévalence de la rationalité en finalité, tirée par la sphère économique. La rationalisation est aux yeux de Weber « le destin de notre temps », « le dénominateur commun à toutes sortes de processus partiels »[1], comme la domination légale-rationnelle, la bureaucratisation et le désenchantement du monde. Toutefois, Weber ne croit pas que nous passons notre temps à agir selon les critères de l'action rationnelle en finalité. Ce n'est pas parce qu'elle est la plus facile à comprendre pour le sociologue qu'il doit la voir partout[2]. La rationalité a surtout pris une importance phénoménale en tant que valeur ou critère pour évaluer les bons et les mauvais comportements : l'action rationnelle en finalité, efficace, calculée devient légitime dans des domaines de plus en plus nombreux (y compris dans la sphère privée). L'emprise dominante de la rationalité en finalité a certes diminué globalement le poids des autres déterminants de l'action sociale, mais ceux-ci n'ont pas disparu pour autant. Plus l'homme moderne se sent enfermé dans cette « cage d'acier » de la rationalité et du désenchantement, plus il peut être tenté de s'échapper dans la sphère intime et affective, et de rechercher des réponses à ses angoisses existentielles dans des ressources irrationnelles. Il suffit d'ailleurs d'observer que les pratiques jugées irrationnelles (la religion, l'astrologie, les « superstitions », etc.) n'ont jamais disparu de nos sociétés.

Plus les différentes sphères d'activité se sont rationalisées, plus elles ont développé leurs propres règles de fonctionnement et plus elles se sont autonomisées les unes par rapport aux autres. L'économie s'est désencastrée des systèmes sociaux et symboliques dont elle était jadis indissociable[3]. Désormais, l'art ne doit répondre à aucune finalité économique, sociale ou religieuse, mais seulement à ses propres normes. Il est « l'art pour l'art ». Avec Machiavel (1469-1527) déjà, l'activité politique ne doit obéir qu'à la seule poursuite du pouvoir. Seuls l'efficacité et le résultat importent, indépendamment de toute considération morale. La religion ne doit plus interférer dans les affaires de l'État. Corollaires de la rationalisation, la différenciation et l'autonomisation des sphères d'activité rompent l'harmonie de l'ensemble du système social.

En effet, s'il peut exister des convergences entre les rationalités propres aux différentes sphères d'activité, des tensions entre elles surgissent aussi, de plus en plus aiguës, en raison de leurs valeurs et de leurs finalités différentes. Tandis que les religions prêchent généralement la fraternité, l'économie prône la concurrence et la politique est une lutte sans merci pour le pouvoir. Ce qui est bon dans une sphère ne l'est plus dans les autres.

---

1. Kaesler, 1996, p. 198.
2. Cette question a été abordée dans le complément du chapitre 2 consacré à Evans-Pritchard.
3. Le septième chapitre sera consacré à ce point précis à partir d'un célèbre *Essai sur le don* de Marcel Mauss.

D'une sphère à l'autre, les actions demandent à être justifiées différemment. La polysémie[1] et l'antagonisme des valeurs sont insurmontables, pensait déjà Weber, qui parlait de « Guerre des dieux » pour illustrer le fait que les groupes humains ne pourront plus jamais se mettre d'accord sur ce qui est important. La rationalisation, cette tendance dominante et structurante de la modernité occidentale, consacre paradoxalement et rend plus sensible encore la division fondamentale de l'homme moderne, tiraillé entre plusieurs rationalités et entre plusieurs registres de valeurs et d'action. Quel est alors le rôle de la science dans ce monde définitivement multiple ? Doit-on espérer qu'elle mette tout le monde d'accord sur les valeurs fondamentales à suivre pour vivre en société ?

1.10   La non-imposition des valeurs dans la science

Weber n'a pas été qu'un brillant scientifique et un intellectuel engagé. Il a également consacré une partie de son œuvre à réfléchir sur la science, sa place dans la société moderne, et sur le rapport qu'elle entretient aux valeurs. Certains commentateurs de Weber en France (Raymond Aron, Julien Freund) et aux États-Unis (Talcott Parsons) en ont fait le chantre de ce que l'on a appelé la « neutralité axiologique » de la science, c'est-à-dire d'une séparation radicale entre d'une part, les faits analysés par le scientifique et d'autre part, ses propres valeurs qui ne peuvent à aucun moment interférer dans son travail. La neutralité axiologique signifie que la science et le scientifique devraient être neutres sur le plan des valeurs.

Bien sûr, la séparation entre les faits et les valeurs est importante, car c'est celle qui donne justement de la valeur au travail scientifique. Mais si elle est érigée en dogme, la neutralité axiologique omet une évidence que nous avons déjà observée dans la première partie : tout travail scientifique résulte d'options morales. Étudier les conditions de vie ouvrière ou analyser la rentabilité d'un nouvel équipement industriel constituent des choix qui ne sont pas seulement scientifiques. Il en est de même dans les sciences dites exactes. La décision de concevoir une nouvelle arme atomique ou celle de mettre au point une nouvelle technique pour soigner les grands brûlés résultent d'orientations différentes en matière de valeurs, même si un physicien nucléaire qui travaille pour l'industrie militaire peut être un homme charmant et si un chercheur qui œuvre pour soulager les souffrances humaines peut être un individu au caractère exécrable. C'est à partir de choix non exclusivement scientifiques que se déterminent les politiques de recherche et que le chercheur construit son propre projet et son propre objet de recherche.

---

1. Polysémie : fait de posséder plusieurs sens.

Weber en est parfaitement conscient. Dans une conférence donnée à des étudiants et éditée dans le livre *La science, profession & vocation*[1], il insiste sur le fait qu'une science « sans présupposés » n'existe pas. En premier lieu, toute science et tout scientifique présuppose que son travail vaut la peine d'être fait. Le médecin présuppose que la vie des patients vaut la peine d'être sauvée, l'astronome présuppose qu'il est important de découvrir des planètes et des pulsars, le politologue présuppose que la connaissance des régimes politiques est utile. Chaque science procure des techniques et des outils pour sauver la vie, découvrir les planètes ou analyser la différence entre la démocratie et le totalitarisme, mais aucune d'entre elles ne peut prouver scientifiquement son intérêt ou son utilité. La science peut éventuellement dire qu'une chose est vraie (« si vous voulez avoir la vie sauve, il faut prendre tel médicament », « si vous voulez la liberté de la presse, il vaut mieux avoir un système politique démocratique »), elle ne peut pas dire si elle est juste ou bonne (« cela vaut la peine de prolonger votre vie », « avoir une liberté de la presse est quelque chose de fondamentalement bon »). Mais les scientifiques ne pourraient pas faire leur travail s'ils ne présupposaient pas l'intérêt de ce qu'ils font. Croire qu'un scientifique n'est pas habité par des valeurs est une erreur, voire un mensonge quand c'est le scientifique lui-même qui tente de le prouver à autrui pour asseoir son crédit.

Le fait qu'une science sans présupposés normatifs soit une chimère n'autorise pourtant pas les scientifiques à faire n'importe quoi et à mélanger allègrement leur vécu et leurs convictions personnelles aux démonstrations scientifiques utilisant des méthodologies rigoureusement appliquées. En particulier, il y a un lieu dans lequel le scientifique doit être particulièrement attentif à ne pas faire passer des préférences personnelles comme des résultats scientifiques évidents : l'amphithéâtre, l'auditoire, la salle de cours. En prenant l'exemple d'un cours de sciences politiques[2], Weber affirme qu'il n'y a rien de pire qu'un enseignant-chercheur qui mélange le registre des faits avec celui des valeurs. Pourquoi est-ce problématique ? Car un cours est un rapport de pouvoir entre les étudiants et le professeur, et c'est ce dernier qui tient la position avantageuse : il est souvent le seul à pouvoir parler, il possède un savoir que les étudiants n'ont pas et, surtout, il a le pouvoir de les évaluer à travers des examens. Dans un cours de sciences politiques, les paroles que le professeur prononce doivent être des outils d'analyse qui permettent aux étudiants de comprendre un système politique, et non pas des outils politiques qui les pousseraient malgré eux à préférer un type de gouvernement ou un parti politique plutôt qu'un autre. Il en va de la probité intellectuelle du scientifique. Weber ne mâche pas ses mots : « Je tiens pour irresponsable de profiter de cette situation pour frapper les auditeurs du sceau de nos convictions politiques personnelles au lieu de les faire profiter de nos connaissances et de

---

1. Weber, 2005. Nous reprenons ici la traduction d'Isabelle Kalinowski, qui complète le texte de Weber par d'éclairants articles permettant de comprendre la subtilité de la posture wébérienne. C'est cette auteure qui a proposé l'expression de « non imposition des valeurs ». Voir Kalinowski, 2005.
2. Il aurait évidemment pu choisir tout aussi bien un cours d'histoire, d'économie, de psychologie ou de sociologie par exemple.

nos expériences scientifiques, comme nous en avons le devoir »[1]. Dans l'amphithéâtre, la responsabilité du scientifique est de ne pas succomber à des jugements de valeurs, et de chercher à être utile à tous ses auditeurs en exposant ses connaissances et ses méthodes. Il ne doit reculer devant aucun moyen pour atteindre cet objectif, même (et surtout) si cela suppose de déranger voire de bousculer les convictions acquises de ses étudiants.

Rien n'empêche le scientifique de défendre des valeurs, mais c'est hors de l'amphithéâtre, c'est alors sur le « marché de la vie », qu'il doit se rendre. Dans la sphère publique, la critique et le débat sont possibles car les interlocuteurs sont à égalité, au contraire de ce qui se passe dans l'amphithéâtre. Dans les sociétés modernes, le sens de la vie et les valeurs sont des aspects devenus largement privés, et nous ne devons pas accepter que quelqu'un, fût-il scientifique, nous dicte que faire et que penser sans avoir la possibilité de discuter d'égal à égal à propos de nos convictions.

La responsabilité du professeur de ne pas imposer ses valeurs dans le cadre de l'enseignement s'accompagne également d'une responsabilité de l'étudiant de ne pas attendre des jugements de valeur de la part de la science et de celui qui l'enseigne. L'étudiant qui ne reconnaît pas la posture du professeur telle que décrite par Weber n'a rien à faire dans un amphithéâtre. Quelles que soient ses convictions, l'étudiant doit accepter d'être potentiellement dérangé dans celles-ci. Plus encore, l'étudiant ne doit certainement pas chercher dans le professeur un « chef », un « coach » ou un « maître de vie ». Il ne devra jamais attendre de ses cours une réponse à la question « que dois-je penser de ceci ou cela ? ». En d'autres mots, il ne lui faut pas demander au professeur de choisir les valeurs qu'il chérira. Weber considère qu'il s'agit d'une « faiblesse que de ne pouvoir regarder en face le sévère destin de notre temps »[2] qui nous oblige à ne compter que sur nous-mêmes pour choisir nos valeurs et construire le sens de notre vie.

Quelle est alors la « vocation » de la science ? Bien sûr, elle apporte des connaissances techniques qui nous permettent de comprendre et de maîtriser le monde matériel et humain. Si elle ne peut répondre à la question « que penser ? », elle nous aide par contre à savoir « comment penser ? ». Autrement dit, la science peut nous aider à clarifier nos positions : elle ne choisit pas des valeurs à notre place, mais nous aide à comprendre les implications des valeurs que nous choisissons. La science, dit Weber, peut aider l'individu « à regarder en face le sens ultime de sa propre action »[3]. Elle ne décide pas pour nous mais nous aide à rassembler l'information nécessaire à la décision. Elle ne permet pas de gouverner une société mais peut aider à débattre des conséquences des choix politiques. Elle ne nous dit pas qui nous devons être, mais nous permet de comprendre qui nous sommes.

---

1. Weber, 2005, p. 41-42.
2. Weber, 2005, p. 46.
3. Weber, 2005, p. 50.

Weber appelle cette attitude la *Wertfreiheit* (de l'allemand *Wert* (valeur) et *Freiheit* (liberté). Plutôt que d'en tirer une doctrine de la « neutralité axiologique », il faut y voir une « non imposition des valeurs » que doivent respecter tant le scientifique que l'étudiant. On aurait pu s'attendre à ce que Weber tire une conclusion qui en vienne au relativisme intégral, où toutes les valeurs se valent, et où la discussion est inutile. Au contraire : il n'y a pour lui rien de pire, d'un point de vue moral, que « l'attitude qui consiste à se soustraire aux devoirs élémentaires de la probité intellectuelle, faute d'avoir le courage de tirer au clair ses prises de positions ultimes, et à s'épargner cette obligation en s'autorisant les faiblesses de la relativisation »[1]. Ainsi, Weber refuse toute solution de facilité qui mélangerait les deux registres : la science ne peut pas prouver qu'un positionnement (par exemple politique) est bon ou juste, mais il serait tout aussi erroné de croire que la science permet de s'abstraire de tout positionnement. Un enseignement éthique que Weber s'est d'abord appliqué à lui-même, lui qui était très concerné par la politique de son temps.

2. Complément : Comment l'esprit du capitalisme a-t-il évolué jusqu'aujourd'hui ? (*L. Boltanski, E. Chiapello*)

2.1 La critique sociale et la critique artiste

Depuis l'époque de Weber, le capitalisme a parcouru un long chemin. Progressivement débarrassé de ses justifications religieuses et conjugué à l'économie de marché, il a poursuivi son essor au cours du XXe siècle. Il a aussi connu d'importantes crises, non seulement économiques, mais également de légitimité. D'une part, la « critique sociale », incarnée dans le mouvement ouvrier, le syndicalisme et le socialisme, a dénoncé la misère, l'exploitation et les inégalités sociales liées au modèle de développement industriel et capitaliste. Progressivement, l'État social a réglementé les conditions de travail et offert un ensemble de protections telles que les allocations de chômage, le remboursement partiel des soins de santé et un système de pensions. À cette « critique sociale » du capitalisme, s'est ajoutée d'autre part ce que les sociologues français Luc Boltanski et Eve Chiapello appellent la « critique artiste », qui a pris une place de plus en plus importante au XXe siècle. Elle porte sur un aspect du capitalisme dont la critique sociale ne s'était pas préoccupée. Les avancées sociales ne changeaient pas grand-chose au caractère répétitif et aliénant[2] du travail industriel et bureaucratique. Le travailleur restait réduit à un moyen de production au service du Capital. Le citoyen était de plus en plus traité en consommateur. Beaucoup

---

1. Weber, 2005, p. 58.
2. Ce terme sera développé dans le chapitre consacré à Marx.

se sentaient confinés dans une existence appauvrie, inauthentique et dépourvue de sens. Les mouvements étudiants, comme Mai 68 en France, représentent les moments forts et symboliques d'une lame de fond culturelle. Les thèmes de l'autonomie, de la réalisation de soi et de l'authenticité, dans le travail et en dehors du travail, se sont incrustés durablement et ont acquis le statut de revendications légitimes.

Dépourvu de ses légitimations anciennes et contesté à partir de nouvelles références culturelles, sur base de quelles croyances le capitalisme parvient-il encore à être justifié dans sa configuration actuelle ? Quelle nouvelle idéologie est susceptible de soutenir les inégalités sociales qu'il produit (et qui se recreusent aujourd'hui), les institutions dans lesquelles il s'inscrit (comme les nouveaux modèles d'organisation du travail) et les actions qui le rendent effectif (comme les nouvelles pratiques managériales) ? Comme l'indique bien le titre même de leur ouvrage *Le nouvel esprit du capitalisme*[1], la question posée par Boltanski et Chiapello ainsi que leur manière d'y répondre s'inscrivent dans le droit fil de Max Weber. Au vieux maître, ils reprennent l'idée qu'à chaque époque de son développement, le capitalisme a besoin d'une idéologie qui justifie les actions de ceux qui s'y engagent. Formellement, le capitalisme ne force pas ses salariés à travailler durement ; c'est par des moyens pacifiques qu'il vise l'accumulation illimitée de richesses. Nouveau ou ancien, l'esprit du capitalisme renvoie donc à l'ensemble des motivations éthiques et des croyances qui contribuent à le rendre acceptable voire souhaitable. À leur tour, les deux auteurs vont tenter de faire ressortir la spécificité de la situation de leur propre époque en retenant un élément clé de la méthode wébérienne : l'idée qu'il faut comprendre la signification que le monde a pour les individus qui y vivent.

2.2   La sociologie pragmatique

Le courant sociologique auquel ces auteurs se rattachent est celui de la *sociologie pragmatique**. Inspirée du pragmatisme américain, elle a connu un succès important dans le monde francophone durant ces trois dernières décennies[2]. Cette perspective prend justement au sérieux les justifications que donnent les individus pour expliquer pourquoi ils font ce qu'ils font et pensent comme ils pensent. En particulier, les chercheurs qui la mobilisent se sont intéressés aux disputes, aux conflits et aux débats dont notre vie quotidienne est parsemée, parce qu'ils obligent les individus à *s'expliquer*, c'est-à-dire à montrer à quels principes ils se réfèrent pour justifier leur façon de faire ou de penser. Il ne faut évidemment pas croire que, dans la vie quotidienne, nous mettons en place tout un système théorique ; c'est ce que nous avons appris avec Evans-Pritchard. Mais il reste que, lorsque nous nous disputons ou lorsque nous cherchons à nous mettre d'accord,

---

1. Boltanski et Chiapello, 1999.
2. Depuis le travail fondateur de Boltanski et Thévenot précisément intitulé *De la justification* (1991), les objets de recherche de la sociologie pragmatique se sont largement diversifiés.

nous ne pouvons pas le faire n'importe comment : il y a des règles pratiques à respecter pour que nos arguments soient considérés comme légitimes par autrui, même s'il n'est pas d'accord avec ceux-ci.

La sociologie pragmatique cherche à comprendre les multiples façons dont nous mettons de l'ordre dans nos arguments et dont nous légitimons ce qui se passe. Il arrive souvent que les disputes éclatent et se prolongent car les individus ne se réfèrent pas aux mêmes registres de justification pour se départager. Dans la sociologie pragmatique, ces registres sont appelés des cités*[1]. Une cité ne consiste pas ici en un espace concret, comme un quartier urbain ou un ensemble d'habitations, mais bien en un espace symbolique, dans lequel les individus se placent pour justifier leurs actions et évaluer celles des autres, pour défendre leurs points de vue et leurs décisions, et pour discuter de questions qui les divisent. Chaque registre de justification, chaque cité se réfère à une image du bien qui est différente, et toutes les actions sont évaluées à l'aune de ce critère. Les sociologues pragmatistes pensent que ces registres de justification et l'image du bien qu'ils défendent sont pluriels mais pas infinis. Les travaux fondateurs de Boltanski et Thévenot en distinguaient six que nous mobilisons abondamment dans la vie quotidienne. Lorsque l'on se place dans la cité industrielle, on justifie les décisions, on évalue les actions et on tranchera les différends à partir des critères de l'efficacité et la compétence. Dans la cité domestique, la justification est basée sur des critères de qualité des relations de confiance personnalisées, comme entre les parents et leurs enfants, mais aussi sur le respect des aînés et de l'expérience. La cité marchande met en avant le profit dans un contexte de concurrence comme principe supérieur. Dans la cité civique, le bien est constitué par la représentativité, c'est-à-dire le fait de pouvoir parler au nom de la collectivité. La cité de l'opinion célèbre quant à elle la renommée, le fait d'être connu et reconnu. Enfin, la cité inspirée offre la possibilité de justifier ses actions ou ses arguments par le fait d'être fidèle à son inspiration, à son imagination ou à sa créativité. En proposant une vision particulière du bien commun, la cité comme registre de justification permet d'évaluer ce que Boltanski et Thévenot appellent la « grandeur » des individus. Le « génie » dans la cité inspirée, le « vieux » ou le « chef » dans la cité domestique, la célébrité (aujourd'hui on dirait le « people ») dans la cité de l'opinion, l'« élu du peuple » dans la cité civique, etc. sont les « grands » de ces cités. Par contre, le « jeunot » dans la cité domestique, l'« inefficace » ou l'« incompétent » dans la cité industrielle ou encore l'« anonyme » dans la cité de l'opinion seront dits « petits » car leurs postures les éloignent du « bien » valorisé dans chaque cité.

Dans la réalité quotidienne de nos disputes, les cités s'entrecroisent, ce qui fait qu'une personne peut être la fois qualifiée de « grande » dans une cité, et de « petite » dans une autre. Par exemple, le patriarche d'une famille peut sans conteste se présenter comme le grand s'il utilise le registre de justification de la cité domestique, mais il pourra être délé-

---

1. Le concept de cité, comme celui d'épreuve qu'on verra plus bas, a été élaboré par Boltanski et Thévenot, 1991.

gitimé comme petit, dans le registre de la cité industrielle par sa femme qui lui reproche de mal gérer le budget de la famille, ou dans le registre de la cité inspirée par son fils qui lui reproche d'être engoncé dans de vieilles traditions sans s'ouvrir aux nouveautés du monde. De même, les relations professionnelles ne sont pas seulement régies par les cités industrielle et marchande. Entre collègues devenus amis, certaines disputes peuvent être arbitrées selon des critères relevant partiellement de la cité domestique.

Les moments ou les dispositifs qui permettent de qualifier les individus sont appelés des « épreuves » par Boltanski et Thévenot. Les élections constituent une épreuve modèle dans la cité civique, comme l'est le succès d'une affaire dans la cité marchande ou encore la création d'une œuvre dans la cité inspirée. Les épreuves visent à offrir de la stabilité sans que le statut de chacun soit perpétuellement remis en cause.

2.3 La cité par projet

Armé de ce cadrage théorique, Boltanski et Chiapello vont tenter de comprendre les épreuves propres au capitalisme contemporain et la définition du bien qu'il propose. Aujourd'hui, ce n'est plus dans des textes religieux ou des exhortations explicitement morales que se révèle le nouvel esprit du capitalisme, mais bien dans l'abondante littérature destinée aux cadres et aux ingénieurs. C'est pourquoi, Boltanski et Chiapello analyseront deux séries d'une soixantaine de textes datant l'une des années 1960, l'autre des années 1990 rédigés par quelques-uns des penseurs les plus éminents et les plus reconnus du management. À l'instar de Weber, le choix a porté sur des textes destinés à influencer les pratiques concrètes, soit des textes à visée « performative ». La comparaison entre les deux périodes vise à suivre l'évolution du nouvel esprit du capitalisme.[1]

L'analyse des textes managériaux les plus récents pousse Boltanski et Chiapello à conclure que les six cités ne suffisent pas à rendre compte du nouvel esprit du capitalisme. Même la cité marchande ou la cité industrielle ne correspondent pas au registre de justification fourni aujourd'hui par le capitalisme. Pourquoi celui-ci ne mobilise-t-il plus le profit ou l'organisation efficace comme principe suprême ? La réponse se trouve dans l'histoire de ses transformations. Comme on l'a vu, le capitalisme a été l'objet d'une critique sociale puis d'une critique dite « artiste », qui s'en prenait non pas tant aux injustices sociales qu'à l'appauvrissement de nos vies que le capitalisme viderait de son sens[2] : le capitalisme du travail à la chaîne (dont les principes ont été mis en place entre autres par Taylor et Ford au début du XXᵉ siècle) détruirait la créativité des ouvriers, empêcherait leur épanouissement personnel, annulerait leur autonomie, etc. L'analyse des auteurs montre que le capitalisme, loin de combattre la critique artiste, se l'est au contraire réappropriée avec opportunisme. Ce

---

1. Pour éviter de les traiter trop superficiellement, nous ne tiendrons pas compte ici des différences entre ces deux périodes du nouvel esprit du capitalisme.
2. En sciences sociales, cette critique artiste a notamment été portée par le mouvement « freudo-marxiste ».

qui était une critique extérieure au capitalisme est aujourd'hui devenu le registre principal dans lequel il est justifié. Les demandes d'autonomie, de décentralisation et de réalisation de soi, le rejet d'une hiérarchie rigide, du « métro-boulot-dodo », vont être intégrés pour donner naissance à une nouvelle cité : la cité par projet.

> Dans une cité par projets, l'équivalent général, ce à quoi se mesure la grandeur des personnes et des choses, est *l'activité*. Mais, à la différence de ce que l'on constate dans la cité industrielle, où l'activité se confond avec le travail et où les actifs sont par excellence ceux qui disposent d'un travail salarié stable et productif, l'activité, dans la cité par projets, surmonte les oppositions du travail et du non-travail, du stable et de l'instable, du salariat et du non-salariat, de l'intéressement et du bénévolat, de ce qui est évaluable en termes de productivité et de ce qui, n'étant pas mesurable, échappe à toute évaluation comptable.[1]

Dans cet extrait, les auteurs expliquent quel principe supérieur ou quelle vision du bien se retrouve dans cette nouvelle cité : il s'agit d'être « actif », d'être « dans le coup » d'une façon bien différente de ce qui prévalait dans l'esprit capitaliste ascétique et acharné au travail analysé par Weber. L'autonomie, la mobilité, la flexibilité, l'adaptabilité, la capacité à ne compter que sur soi-même sont les qualités qui font d'un individu un « grand » dans la cité par projet. Au contraire, le « petit » est attaché à un lieu et à une routine, peu capable d'autonomie et peu investi personnellement dans son travail. Désormais, le travailleur gagne son employabilité en se rendant perpétuellement disponible pour de nouvelles opportunités, que l'on appelle des projets.

Aujourd'hui en effet, la vie en entreprise est vue principalement comme une succession de projets, chacun de ses membres étant impliqué dans un ou plusieurs projets. Le projet est tout le contraire d'un contrat à durée indéterminée qui place l'employé sur les rails d'une carrière qui le mènera à sa pension. Il peut se créer n'importe quand et se défaire assez rapidement, ce qui suppose d'être à l'affût d'autres possibilités. Le projet ne réclame pas une attitude de travailleur docile ou même efficace, mais bien des qualités de « manager ». Le manager (ou le *project leader*) est sans conteste le grand de cette cité, car il réussit l'épreuve du projet qu'il gère moins comme un chef que comme un activateur qui s'y implique corps et âme pour que son équipe fasse de même – tout en gardant bien sûr un œil sur les autres possibilités qui pourraient se présenter. Il faut savoir s'y engager, mais aussi s'en désengager rapidement.

---

1. Boltanski et Chiapello, 1999, p. 165.

2.4 La société en réseau et les nouvelles inégalités dans l'esprit du capitalisme

À la cité par projets, avec sa définition du bien et ses épreuves, correspond une image du monde et de la société qui est celle du réseau, c'est-à-dire d'un système fluide de communications horizontales entre un ensemble de pôles interconnectés. L'accent est mis sur les flux plutôt que sur l'activité des différents éléments du système. Entreprises et individus ne cessent d'échanger des informations dont dépend le succès de leurs projets. Dans le schéma connexionniste, c'est-à-dire en réseau, toutes les connexions sont en principe possibles, à l'image d'Internet. Un projet correspond à un bout de réseau fortement activé pendant un temps limité. Une fois le projet terminé, cette connexion peut disparaître et le manager s'investira dans d'autres relations, elles aussi temporaires et intéressées. L'organisation du monde n'obéit pas à une structure de base durable dont les éléments seraient séparés par des frontières stables ; l'ennemi du réseau est la hiérarchie. Le pouvoir ne repose donc plus sur une position supérieure dans une structure hiérarchique verticale mais bien sur la capacité d'instrumentaliser ses relations et de mobiliser stratégiquement de multiples réseaux par-delà les barrières culturelles et géographiques et sur la capacité à réussir grâce à eux des projets importants.

Cependant, même si le réseau présente une certaine plasticité, toutes les connexions n'ont pas la même probabilité de survenir, et tous les individus n'ont pas accès aux mêmes informations et aux mêmes ressources. Dans un monde connexionniste, la capacité de communiquer, de faire profiter l'entreprise de son réseau et de passer soi-même sans difficulté d'un réseau à un autre – soit d'être adaptable et flexible – constituent des atouts appréciés. Ne plus être dans les réseaux, ne plus être dans le coup, c'est forcément devenir un petit dans la cité par projet.

> Celui qui, n'ayant pas de projet, n'explore plus les réseaux, est menacé d'*exclusion*, c'est-à-dire en effet de mort dans un univers réticulaire. Il risque de ne plus trouver à s'insérer dans des projets et de ne plus exister. Le *développement de soi-même* et de son *employabilité* [...], qui est le projet personnel à long-terme qui sous-tend tous les autres, ne sera plus mené à bien.[1]

La vision d'un monde en réseau est extrêmement puissante et répandue[2]. Mais elle est impitoyable pour ceux qui n'y sont plus adaptés. En particulier, les personnes qui pouvaient, dans l'ancien système, se targuer de qualités qui les rendaient employables (par exemple, la stabilité, l'assiduité à la tâche, l'obéissance, la maîtrise parfaite d'une petite partie d'un processus de production, etc.) se trouvent aujourd'hui particulièrement démunis parce que la cité par projet, sa vision du monde en réseau et ses épreuves valorisant la flexibilité ont transformé ces qualités en défauts.

---

1. Boltanski et Chiapello, 1999, p. 168.
2. Boltanski et Chiapello, 1999, p. 94.

Sous des dehors engageants, en phase avec la critique artiste, le discours connexionniste procure une légitimité au vaste mouvement de flexibilité de l'emploi et de déstabilisation des collectifs de travailleurs qui s'observe, depuis la fin des années 1970, dans la plupart des pays occidentaux, avec pour conséquence un accroissement de l'insécurité économique et psychologique du personnel. En adoptant le discours de la critique artiste, le langage du respect de l'être humain et de son autonomie, l'esprit du capitalisme a paradoxalement accru sa domination sur les individus, en les invitant à considérer toute leur existence, en ce compris leur personne et leur vie privée, comme des ressources potentielles à activer pour se rendre employables.

> Dans un monde connexionniste, la distinction de la vie privée et de la vie profession-nelle tend à s'effacer sous l'effet d'une double confusion : d'une part entre les qualités de la personne et les propriétés de sa force de travail (indissociablement mêlées dans la notion de *compétence*) ; d'autre part entre la possession personnelle, et, au premier chef la possession de soi, et la propriété sociale, déposée dans l'organisation. Il devient dès lors difficile de faire la distinction entre le temps de la vie privée et le temps de la vie professionnelle, entre les dîners avec des copains et les repas d'affaires, entre les liens affectifs et les relations utiles, etc. [...] Faire quelque chose, se bouger, changer, se trouve valorisé par rapport à la stabilité souvent considérée comme synonyme d'inaction.[1]

Sous certains angles, les changements dans les modalités concrètes de travail induites par le nouvel esprit du capitalisme relèvent seulement du vocabulaire. Loin de régresser, le travail à la chaîne s'est étendu dans de nombreux secteurs, notamment les services, où la production se fait « à flux tendus », et avec un minimum de stocks, coûteux et encombrants[2]. Les discours sur l'autocontrôle basé sur la confiance n'ont pas empêché la multiplication massive des dispositifs techniques de surveillance (cameras vidéo, clés électroniques à mémoire, suivi informatique de toutes les opérations, etc.). Par ailleurs, lorsqu'elle est réelle, l'autonomie des managers et des opérateurs est toute relative car les projets ne présentent un intérêt et ne sont retenus que s'ils concourent à la rentabilité de l'entreprise et à accroître les dividendes des actionnaires.

Cela permet d'insister sur un point important : la présentation du monde comme un vaste réseau que l'on retrouve dans l'esprit du capitalisme, tel qu'exprimé dans les ouvrages à destination des managers, ne correspond pas à une description ou à une analyse de la réalité sociale dans une perspective scientifique[3]. C'est une perspective normative qui cherche, en profitant éventuellement d'un vernis de scientificité, à imposer une vision du monde pour justifier d'une certaine façon les inégalités.

---

1. Boltanski et Chiapello, 1999, p. 237.
2. Ce qu'on appelle le toyotisme se caractérise par la réduction maximale des stocks. De nos jours, les entreprises de ventes massives en ligne fournissent un exemple typique de cette logique.
3. Il ne faut donc pas la confondre avec l'analyse des réseaux d'acteurs sociaux que l'on verra dans le complément du chapitre 9.

2.5 L'affaiblissement de l'État et du monde du travail

Dans certaines de ses composantes, la critique artiste des années 1960-1970 avait dénoncé les rigidités des interventions étatiques dans la vie sociale. Avec des finalités toutes différentes, le nouvel esprit du capitalisme prend encore appui sur elle pour prôner un antiétatisme souvent virulent, caractéristique du néolibéralisme actuel.[1] Poussée à l'extrême, mal comprise, ou utilisée à mauvais escient, la vision connexionniste efface celle d'une société inégalitaire, divisée en classes sociales, puisqu'il n'existerait plus que des connexions éphémères et accessibles à tous[2]. La précarité des emplois, la fragilité des groupes de travailleurs en fonction des projets et le recul du mouvement syndical, découlant de la déstructuration des grands sites industriels, accélèrent l'affaiblissement politique et social du monde du travail.

Tel est le nouvel esprit du capitalisme, qui « s'incorpore [...] une partie des valeurs au nom desquelles il était critiqué »[3] et trouve dans la critique même les appuis moraux qui lui manquaient. Puisant à pleines mains dans les valeurs de la critique artiste les principes d'un aguichant programme de travail par projets et en réseau, le nouvel esprit du capitalisme, tel qu'il se révèle dans les pensées managériales les plus reconnues, légitime des méthodes de travail et un mode d'accumulation économique qui fragilisent matériellement, socialement et psychologiquement ceux qui produisent la richesse des autres.

La critique artiste est alors désarmée. Certes, elle sert encore à dénoncer l'écart entre les formes concrètes du travail (comme la précarité des travailleurs) et les conceptions normatives censées les guider (comme leur responsabilisation et leur autonomie), mais elle est embourbée dans ce mouvement de récupération qui se l'approprie au fur et à mesure où elle tente de s'en dégager. Les ex-soixante-huitards recyclés comme patrons dans la communication branchée ne sont pas les derniers à récupérer, adroitement mais en le travestissant, l'esprit bravache de leur jeunesse, où ils puisent les leçons d'optimisme qu'ils assènent à leur jeune personnel précaire, qui se doit d'avoir l'air heureux et libéré.

Comment critiquer le capitalisme ? À la fin du XXᵉ siècle se juxtaposent, sans s'articuler, d'une part, une critique artiste piégée et d'autre part, une critique sociale affaiblie qui reste, selon Boltanski et Chiapello, une dénonciation trop générale du capitalisme pour le toucher au vif de ses nouvelles pratiques et justifications, et pour mobiliser ceux qui ne se reconnaissent pas dans les catégories traditionnelles de l'action collective. Le capitalisme n'est pas en crise et se porte plutôt bien ; c'est sa critique qui est en crise, pensent Boltanski et Chiapello, qui prônent de mener les deux critiques de front.

---

1. Boltanski et Chiapello, 1999, p. 288-289.
2. Boltanski et Chiapello, 1999, p. 381.
3. Boltanski et Chiapello, 1999, p. 71.

Comme l'a montré un siècle et demi de critique du capitalisme, les deux critiques, sociale et artiste, sont à la fois contradictoires sur bien des points et inséparables au sens où, mettant l'accent sur des aspects différents de la condition humaine, elles s'équilibrent et se limitent l'une l'autre. C'est en les maintenant toutes deux vivantes que l'on peut espérer faire front aux destructions provoquées par le capitalisme tout en échappant aux excès auxquels risque de conduire chacune d'entre elles quand elle se manifeste de façon exclusive et n'est pas tempérée par la présence de l'autre[1].

---

1. Boltanski et Chiapello, 1999, p. 640.

DÉVOILER
LA CONFLICTUALITÉ
DES RAPPORTS SOCIAUX

Sommaire

1. Recherche de référence :
   Karl Marx, *Le Dix-huit Brumaire de Louis Bonaparte* 175
2. Complément : Comment se forme une classe sociale ? (E. P. Thompson,
   A. Touraine, D. McAdam, J. D. McCarthy, M. N. Zald) 199

1.   Recherche de référence :
Karl Marx, *Le Dix-huit Brumaire de Louis Bonaparte*

Le social est un niveau de réalité qui ne se donne pas toujours facilement à voir, mais qui possède sa logique propre. La recherche de Durkheim sur le suicide met clairement en exergue ce principe. Le travail de Weber sur les affinités électives entre l'éthique protestante et l'esprit du capitalisme a permis de montrer également que certains phénomènes – par exemple le renforcement mutuel du capitalisme et de l'éthique protestante – pouvaient se produire au-delà de la conscience des individus et malgré le fait que personne ne l'ait souhaité.

Cependant, la vie en société et sa logique propre ne peuvent pas être comprises si on ne prête pas attention aux significations et aux symboles qui traversent notre existence et nous permettent de donner du sens à ce qui arrive, à ce que nous faisons et à ce que nous pensons. C'est ce qu'illustre parfaitement l'étude de Weber. Si cette dimension est loin d'être évidente dans *Le Suicide*, Durkheim l'a cependant prise en compte dans ses travaux ultérieurs, influencés par son neveu Marcel Mauss, auquel le chapitre 7 sera consacré.

Découvrir les logiques objectives du social et comprendre le sens des actions sociales sont deux des grands principes qui ont permis à la sociologie de naître au crépuscule du XIXᵉ siècle. Un troisième principe d'analyse important est celui qui consiste à étudier la société comme une totalité dynamique et en perpétuel mouvement, traversée par des tensions, des luttes, des rapports de force entre êtres humains et groupes d'êtres humains. L'auteur qui a appliqué ce principe avec le plus de clarté est sans conteste Karl Marx (1818-1883), au point qu'aujourd'hui, il soit difficile d'analyser les tensions et conflits en société sans faire référence, consciemment ou non, au cadre d'analyse qu'il a construit au cours de sa longue carrière intellectuelle.

Marx est à la fois philosophe, juriste et économiste. Bien que son œuvre ait fortement influencé une bonne partie de la sociologie jusqu'à nos jours, on rechigne souvent à en faire un « père fondateur » de cette discipline au même titre que Durkheim ou Weber notamment. L'une des raisons de cette hésitation se trouve dans les multiples casquettes de Marx. À la fois philosophe critique de l'idéalisme, analyste brillant de l'économie capitaliste, rédacteur de programme politique, fondateur de l'Internationale communiste et parfois prophète d'une nouvelle société à venir, Marx ne se laisse pas facilement ranger dans la seule case du « scientifique ».

Dans ce chapitre, nous présenterons la plus fameuse étude concrète de Marx *Le Dix-huit Brumaire de Louis Bonaparte*[1], qui permet de saisir particulièrement bien la pertinence du principe d'analyse qu'il a développé tout au long de sa carrière. Dans cette étude, Marx

---

1. Marx, 2007.

ne déploie pas systématiquement son appareil théorique et conceptuel. Elle est cependant une excellente porte d'entrée pour mieux comprendre son analyse du système capitaliste, la critique très dure qu'il en fait, et enfin l'espoir qui l'anime d'une révolution sociale vers une société communiste.

Cette étude comporte de nombreux développements historiques dont il est nécessaire de faire état dans ce chapitre pour suivre l'analyse de Marx et en saisir les enseignements sociologiques. Dès que ces derniers seront bien compris, il ne sera pas indispensable de retenir le détail des événements historiques mais seulement les grandes lignes.

1.1   Chercher une logique dans une succession d'événements

Au XIXᵉ siècle, la France peine à trouver sa stabilité sur le plan politique. À la Révolution Française de 1789, qui avait relégué l'Ancien Régime dans l'histoire et permis l'éclosion d'une nouvelle société, la Première République, succède la période de la Terreur (Directoire) jusqu'en 1799, puis le Consulat et l'Empire de Napoléon Iᵉʳ jusqu'en 1815, puis encore la Restauration de la monarchie jusqu'en 1830, période durant laquelle règneront Louis XVIII, puis Charles X de la maison des Bourbons. Fin juillet 1830, Charles X sera renversé par la Révolution des Trois Glorieuses. Installée juste après ces événements, la monarchie de Juillet, avec à sa tête le Roi Louis-Philippe tentera de trouver un compromis entre les aspirations à la liberté et l'Ancien Régime, en instaurant un régime parlementaire qui le condamna à l'immobilisme. Suite à une crise économique plongeant une grande partie des Français dans la pauvreté et grâce aux rassemblements organisés par le parti républicain, la monarchie de Juillet est à son tour renversée en 1848. L'abdication de Louis-Philippe, le 24 février, donne naissance à la Seconde République. Fait notable dans l'histoire européenne : cette République ne durera que quatre ans (1848-1852), avant que Louis-Napoléon Bonaparte ne fomente un coup d'état, en décembre 1851, pour se faire proclamer empereur sous le nom de Napoléon III un an plus tard, le 2 décembre 1852, restaurant ainsi l'empire de son illustre prédécesseur.

Ce contexte extrêmement instable pose question aux penseurs et intellectuels qui écriront les premiers travaux de la sociologie : le Comte Alexis de Tocqueville, un député conservateur, compare le chaos de la Révolution Française à la Révolution d'indépendance des États-Unis afin de comprendre pourquoi la France est empêtrée dans de telles luttes interminables. Auguste Comte[1], qui forgea le mot sociologie, prônera le positivisme* comme moyen enfin scientifique de régler les problèmes sociaux et politiques, notamment français, grâce à un gouvernement rationnel de la société.

L'instabilité politique française intéresse également le jeune Karl Marx. La période de la Seconde République attire son attention car, avec le coup d'État de Louis-Napoléon Bonaparte, elle connait un dénouement improbable : comment une République dotée

---

1. Voir le chapitre consacré à Durkheim, et en particulier le point sur la causalité sociale.

d'un Parlement constitué à travers des élections générales et d'un président élu au suffrage universel masculin a-t-elle pu s'auto-détruire au point que Bonaparte soit parvenu à s'arroger seul le pouvoir, avec l'assentiment d'une grande partie du peuple ? Comment est-il possible que 36 millions de Français se soient jetés dans les bras de ce personnage de peu de vertu (« Crapulinsky », comme le surnommait Marx dans sa correspondance privée) qui ne représentait ni les notables, ni les bourgeois, ni les ouvriers ? Comment expliquer cet incroyable jeu d'alliances et de trahisons entre différents groupes puissants qui a permis à cet individu apparemment sorti de nulle part de tirer son épingle du jeu ?

Deux façons de penser opposées sont souvent mobilisées par le sens commun lorsqu'il s'agit d'expliquer le cours improbable d'événements, notamment politiques. D'un côté, le discours qui dit que « tout était écrit », que cela « devait se passer un jour ou l'autre », qu'il n'aurait pas pu « en être autrement ». Selon ce point de vue, les acteurs sont pris dans des jeux qui les dépassent et se dérouleront quoi qu'ils fassent ; le cours des choses est *déterminé* à l'avance. De l'autre côté, la tendance à dire que « tout est dû au hasard », qu'il n'y a « aucune structure », « aucune logique » dans ces événements, car ceux-ci prennent place *aléatoirement*, en fonction des désirs et des actions concurrents des acteurs. Afin de contrer ces deux travers, Marx se lance, dès le coup d'état de Louis-Napoléon Bonaparte en 1852, dans la rédaction d'un ensemble de textes qui formeront *Le Dix-Huit Brumaire de Louis Bonaparte*. Pour rendre ces événements compréhensibles, il se dote d'un principe explicatif, c'est-à-dire un principe qui permet de structurer une réalité. Ce principe, c'est celui de la conflictualité des rapports sociaux, autrement dit celui de la *lutte des classes*.

1.2   La lutte des classes

Marx veut donc « montrer comment la lutte des classes en France créa des circonstances et une situation telles qu'elle permit à un personnage médiocre et grotesque de faire figure de héros »[1]. Ce principe explicatif permet d'abord à Marx de voir de la structure là ou d'autres ne verraient que du fouillis et de la logique là où d'autres ne verraient que de la contingence, mais aussi de montrer que les rapports de pouvoir dépendent également des actions des acteurs individuels et collectifs en présence.

Lorsqu'il écrit le *18 Brumaire*, le jeune Marx n'a que 34 ans, mais il n'en est pas à son coup d'essai. Tour à tour philosophe, journaliste politique et économiste, il a déjà à son actif la rédaction (avec son ami Friedrich Engels) de son texte le plus célèbre, *Le Manifeste du parti communiste*[2] (1848), dans lequel il explicite le principe de la lutte des classes. Dans la réédition du *Dix-huit Brumaire* après la mort de Marx, Engels explique :

> Ce fut précisément Marx qui découvrit le premier la loi d'après laquelle toutes les luttes historiques, qu'elles soient menées sur le terrain politique, religieux, philoso-

1. Marx, 2007, p. 110.
2. Marx et Engels, 1999.

phique ou dans tout autre domaine idéologique, ne sont, en fait, que l'expression plus ou moins nette des luttes des classes sociales, loi en vertu de laquelle l'existence de ces classes, et par conséquent aussi leurs collisions sont, à leur tour, conditionnées par le degré de développement de leur situation économique, par leur mode de production et leur mode d'échange, qui dérive lui-même du précédent.[1]

Marx est certainement l'un des premiers penseurs à donner une place aussi importante aux rapports de pouvoir dans l'analyse du monde social. Il présente la société comme un vaste champ de sempiternelles luttes, de rapports de force (même si ceux-ci ne passent pas toujours par de la violence physique), de jeux d'influence entre des groupes d'individus qui cherchent à installer leur domination sur l'ensemble du corps social en créant une situation (politique, économique, juridique et idéologique) favorable à la poursuite de leurs seuls intérêts propres, qu'ils tenteront d'ailleurs bien souvent de faire passer pour l'intérêt général. Les groupes d'individus qui se livrent cette lutte à mort, dans laquelle il n'y aura jamais que des dominants et des dominés, sont appelés par Marx des classes sociales*.

Les classes sociales regroupent des individus qui partagent le même statut et les mêmes caractéristiques socio-économiques. Cependant, une classe ne se définit pas de manière substantialiste par des caractéristiques intrinsèques et communes à ceux qui sont supposés en faire partie, comme par exemple la nature du travail effectué, le statut professionnel, les revenus ou la culture. Comme on le développera plus loin, une classe se définit structurellement par sa position dans un système économique et par la relation de celle-ci aux positions des autres classes sociales[2].

Marx voit dans les événements en France une excellente opportunité de démontrer la pertinence heuristique de ce principe d'analyse, en montrant que seule la lutte des classes permet de saisir cette suite d'événements rocambolesques. Ce principe va permette d'expliquer pourquoi les gens agissent comme ils agissent, même si, le plus souvent, ils n'ont pas conscience des causes profondes et des intérêts qui déterminent leurs façons d'agir, de penser et de faire des alliances. Nous allons voir comment la lutte des classes permet à Marx d'expliquer une situation apparemment inédite et incompréhensible comme la résultante de logiques agonistiques[3] multiples.

1.3 Les acteurs de la lutte des classes

Marx repère huit classes sociales qui sont parties prenantes de cette série d'événements.

L'*aristocratie financière* était la classe dominante avant la Révolution française. Son grand pouvoir repose essentiellement sur son capital financier et sur ses titres de noblesse.

---

1. Engels, in Marx, 2007, p. 114-115.
2. Comme on l'a vu dans le chapitre 1, cette idée a été reprise par Hoggart pour expliquer *structurellement* la culture de la classe ouvrière.
3. Agonistique : se déroulant au moyen du combat.

La *bourgeoisie* est la classe sociale dont la puissance a été consacrée par la Révolution française, ce qui lui a permis de sortir du Tiers-État[1]. Le bourgeois n'a pas le sang noble de l'aristocratie mais ses nouvelles capacités à produire de la richesse lui donnent désormais du pouvoir. La classe bourgeoise est subdivisée en plusieurs sous-classes qui se différencient par les moyens de production* dont chacune dispose pour créer de la richesse. Fille de la révolution industrielle, la *bourgeoisie industrielle* se caractérise par sa capacité à générer de l'argent via la production de marchandises. Elle a accédé au pouvoir sous la Monarchie de Juillet de Louis-Philippe d'Orléans, dont elle espère secrètement le retour (d'où leur nom d'Orléanistes). Une seconde sous-classe de la bourgeoisie est constituée par les *grands propriétaires fonciers*. Sous la Restauration de la dynastie des Bourbons, ils avaient occupé le pouvoir avec l'aristocratie financière (d'où leur nom de Légitimistes). Restent deux sous-classes de la bourgeoisie : les *petits commerçants*, généralement conservateurs, et enfin ceux que Marx appelle les *petits bourgeois républicains*, représentant la frange modérée voire progressiste de la classe bourgeoise.

Tout comme la bourgeoisie industrielle, le *prolétariat* est une nouvelle classe sociale née de la révolution industrielle. Elle comprend l'ensemble des travailleurs employés par les bourgeois qui possèdent les moyens de production. Contre un salaire, les prolétaires vendent aux précédents leur force de travail. Le prolétariat est, selon Marx, la seule classe vraiment productive, et toute la société dépend de son travail.

Dans les termes de Marx, le *sous-prolétariat* (ou *lumpenproletariat*) qualifie la classe constituée par les marginaux de toutes sortes qui vivent, eux aussi, « aux dépens de la nation laborieuse ». Voleurs, escrocs, criminels, oisifs, violents, Marx n'a pas de mots assez durs pour qualifier « ce rebut, ce déchet, cette écume de toutes les classes »[2]. Elle est aussi, en quelque sorte, une conséquence de la société industrielle et urbanisée, qui génère promiscuité et vie malsaine. Le moment venu, Bonaparte saura s'appuyer sur elle.

Enfin, la grande masse de la société française est constituée par la classe des *paysans parcellaires*. Suite à la Révolution Française, de serfs les paysans français sont devenus propriétaires de leur parcelle de terre. Mais leur sort ne s'est pas vraiment amélioré pour autant. En effet, isolées les unes des autres et vivant de façon autarcique, incapables de parler d'une seule et même voix pour réclamer des changements sociaux, craignant de perdre le peu qu'elles possèdent, les familles de paysans peinent à rembourser les dettes qu'elles doivent contracter pour survivre.

C'est entre ces acteurs collectifs que la partie va se jouer, et l'improbable se produire.

---

1. Composante de la population qui, sous l'Ancien Régime, n'appartenait ni à la noblesse ni au clergé et n'arrivait qu'en troisième rang dans la hiérarchie sociale.
2. Marx, 2007, p. 194.

1.4 La lutte des classes dans la Seconde République

Pour les besoins de son analyse, Marx divise la période de la Seconde République en trois phases : la « République sociale » (de février à mai 1848), la « République bourgeoise » (jusqu'en mai 1849) et enfin la « République parlementaire » (jusqu'au coup d'État du 2 décembre 1851).

La « Campagne des Banquets » qui avait accouché de la Révolution de Février avait catalysé une opposition bigarrée au conservatisme de droite, tant politique qu'économique, du roi Louis-Philippe et de son gouvernement. On y retrouvait des prolétaires membres de l'extrême-gauche, des socialistes, des sociaux-démocrates, des bourgeois, des libéraux, des intellectuels réformistes (dont le poète Alphonse de Lamartine) ainsi que des opposants à la dynastie de Louis-Philippe. Tous s'étaient rassemblés en une opposition « républicaine » qui n'avait en commun que l'ennemi auquel elle s'opposait. La « République sociale » qualifie la période durant laquelle toutes les composantes de cette opposition, même les prolétaires et les socialistes, furent représentées dans le Gouvernement Provisoire de Février 1848. Des mesures réclamées par les ouvriers, comme la lutte contre le chômage à travers la création d'Ateliers Nationaux pour financer de grands travaux publics, sont adoptées. Les grands principes « Liberté, Egalité, Fraternité » reprennent droit de cité : le suffrage universel masculin, supprimé juste après la Terreur, est rétabli, et l'esclavage définitivement aboli dans les colonies.

Ce « front républicain », ou plutôt cette « comédie de fraternisation générale » comme l'appelle Marx, prend fin après deux mois à peine, lors des élections d'avril 1848 qui devaient permettre la mise en place d'une Assemblée constituante de 900 membres. Si les républicains modérés et progressistes (en particulier la petite bourgeoisie républicaine) y sont largement majoritaires, les conservateurs, partisans d'un retour à la monarchie, parmi lesquels les Légitimistes (bourgeoisie foncière et aristocratie financière) et les Orléanistes (bourgeoisie industrielle) vont unir leurs forces et former le Parti de l'Ordre, qui deviendra la deuxième force politique. Les socialistes, quant à eux, incapables de s'entendre, ne récoltent qu'un quart des sièges lors des élections d'avril.

La République est officiellement proclamée le 4 mai. Les socialistes et les représentants du prolétariat sont rapidement exclus de toute position de pouvoir par les bourgeois de tous bords, effrayés par leurs propositions révolutionnaires. Le 21 juin, des manifestations d'ouvriers éclatent pour protester contre un impôt sur la boisson et surtout contre la fermeture des Ateliers Nationaux, considérés par les républicains et les conservateurs comme un ferment propice aux idées socialistes qu'ils craignaient comme la peste. La répression des cinq Journées de Juin donna lieu à un véritable bain de sang : 3 000 insurgés seront massacrés et 15 000 déportés sans jugement. Cette défaite du prolétariat, décapité de ses chefs, le rejeta à l'arrière-plan de la scène révolutionnaire. De plus elle catalysa toutes les autres classes sociales contre lui qui, républicains modérés et Parti de l'Ordre en tête, se firent une joie de faire du prolétariat et des idées socialistes leurs ennemis communs.

Avec cette sanglante répression et l'éviction des responsables socialistes, s'ouvre la deuxième période, celle de la « République bourgeoise ». Celle-ci met en œuvre un programme conservateur afin d'en finir avec les revendications du prolétariat parisien, ce « parti de l'anarchie » comme l'appellent les bourgeois, jugées utopiques et irréalistes. Les différentes factions du parti de l'Ordre n'ont en commun que leur préférence pour le statu quo, qui leur assure tout pouvoir. Dès lors, tout ce qui constitue un « attentat à la société » et à sa tranquillité est criminalisé et durement réprimé. Les grandes libertés (de parole, d'association, d'enseignement, etc.) sont sauvegardées, mais ce n'est plus que de la poudre jetée aux yeux des Français. En effet, une liberté peut être retirée à n'importe quel moment à quelqu'un qui en ferait un usage jugé contraire à la « sûreté publique » et à l'ordre social.

La « sûreté publique », l'harmonie, la tranquillité qu'il faut protéger contre toute menace sont présentées par les puissants comme étant dans l'intérêt général de la société. En réalité, le statu quo et la conservation de la société dans son état actuel ne correspondent qu'aux intérêts particuliers de la bourgeoisie et des autres classes conservatrices, pour qui les valeurs suprêmes sont la propriété, la famille, la religion et l'ordre. Leurs intérêts particuliers sont habilement déguisés en intérêts généraux pour justifier la répression exercée sur ce qui menace leur mainmise.

Le 10 décembre 1848, Louis-Napoléon Bonaparte est élu président de la République au suffrage universel masculin. Ce n'était pas le candidat des petits bourgeois républicains, pourtant toujours majoritaires à l'Assemblée, mais celui du Parti de l'Ordre, qui voyait en lui, malgré son impérial ancêtre, malgré ses précédentes tentatives de coups d'État et malgré sa proximité avec le monde interlope du sous-prolétariat, un homme non seulement très conservateur, mais également facile à manipuler. C'est « un crétin que l'on mènera » selon nos propres intérêts, dira l'un des chefs du Parti de l'Ordre. Bonaparte fut élu grâce aux votes de tous ceux qui, du prolétariat qui se sentait trahi à l'armée qui se sentait méprisée, en passant par les paysans parcellaires qui se considéraient comme oubliés, avaient des raisons très diverses d'en vouloir à la petite bourgeoisie républicaine. Cependant, sans le savoir, le Parti de l'Ordre, pourtant de plus en plus puissant au niveau législatif, avait ainsi fait rentrer le ver dans le fruit en accordant la maîtrise du pouvoir exécutif à un homme qui allait très vite se retourner contre eux.

Cette élection d'un candidat conservateur poussé par le Parti de l'Ordre et ce désaveu des petits bourgeois républicains par le peuple signaient le début de la fin de la « dictature des républicains bourgeois purs » au profit de la domination du Parti de l'Ordre. Depuis le début de la Seconde République, chaque parti se voit trahi par plus conservateur que lui. Ainsi, après l'exclusion des prolétaires et des éléments socialistes des pouvoirs législatif et exécutif par les républicains bourgeois dans un premier temps, ce sont les républicains bourgeois eux-mêmes qui se retrouvent brutalement exclus des positions de pouvoir par les bourgeois conservateurs et les aristocrates du Parti de l'Ordre. Grâce à la pression de l'armée, ces derniers réussissent même à obtenir la dissolution de l'Assemblée parlementaire encore dominée par les républicains le 29 janvier 1849 et la tenue de nouvelles élections en mai de la même année. Ainsi, note Marx, la bourgeoisie, divisée entre petits bourgeois républicains et bourgeois membres du Parti de l'Ordre, affaiblit le Parlement qui aurait justement dû être l'instrument de sa domination, si seulement elle avait été capable de parler d'une seule voix.

Le Parti de l'Ordre sort largement gagnant des élections de mai 1849. Les sociaux-démocrates récoltent tout de même près de 200 voix sur 750. Les républicains bourgeois sont, quant à eux, complètement ridiculisés et laminés. La victoire du Parti de l'Ordre semble totale. Paradoxalement, c'est pourtant l'accélération de son auto-destruction qui se met en place. En effet, pour conserver une situation favorable à ses intérêts économiques, le Parti de l'Ordre cherche la stabilité, le statu quo, la conservation, et qualifie d'anarchistes tous ceux qui s'y opposent (en ce compris, désormais, les bourgeois républicains). Il se condamnait ainsi à l'inaction alors qu'il est impossible de faire de la politique en se contentant d'éviter tout changement. En effet, en prenant dans ces conditions le contrôle du Parlement, le Parti de l'Ordre s'installe dans une position paradoxale et intenable : une grande partie de la société française attend du Parlement qu'il soit l'instrument politique d'un changement social mais la crainte de la bourgeoisie conservatrice qu'intervienne un changement social à partir du Parlement est telle qu'elle discrédite sa propre domination aux yeux de la société entière.

Avec ces élections de mai 1849, s'ouvre la troisième période du découpage analytique que propose Marx : la « République Constitutionnelle ou Parlementaire ». Dans un premier temps, le Parti de l'Ordre semble avoir les coudées franches pour appliquer sa politique catholique et conservatrice tout en se débarrassant des derniers chefs républicains. Ragaillardis par les élections, les sociaux-démocrates ne veulent pas s'en laisser conter et forment une association (la « Nouvelle Montagne »), mariage de raison entre socialistes et petite bourgeoisie démocrate qui, une nouvelle fois, ne partageaient rien d'autre qu'un ennemi commun : les bourgeois conservateurs. En réalité il ne s'agissait là que d'une union purement intéressée : les petits bourgeois républicains voulaient seulement profiter de l'effroi que le prolétariat et son potentiel révolutionnaire causaient au Parti de l'Ordre, mais le « prétendu socialisme » qu'ils défendent est un leurre que les prolétaires auraient dû démasquer. Les petits bourgeois croyaient qu'il suffirait de bomber le torse et de prononcer quelques beaux discours pour que le prolétariat descende dans la rue pour manifester. Cependant, les manifestations du 13 juin instiguées par les petits bourgeois virent au fiasco, la Nouvelle Montagne est ridiculisée par le Parti de l'Ordre, 34 députés sont destitués de leurs mandats sous l'accusation d'attentat à la société, de nouvelles mesures encore plus conservatrices sont prononcées pour préserver la tranquillité de la société contre les éléments séditieux[1], et l'Eglise catholique fait son retour en force dans la gestion de la société. Avec cette répression, la grande bourgeoisie membre du Parti de l'Ordre fait ainsi marche arrière sur tous les acquis de la Révolution Française qui l'avait

---

1. Séditieux : rebelle à l'égard de l'autorité publique.

pourtant portée au pouvoir. À ses yeux, les libertés accordées aux citoyens constituent une menace qui pèse sur sa domination. Elle flétrit aujourd'hui comme « socialiste » ce qu'elle avait autrefois célébré comme « libéral » : la presse, le théâtre, la laïcité, et finalement le régime parlementaire et le suffrage universel, qui sera aboli le 31 mai 1850 par les bourgeois, effrayés et mécontents de voir qu'ils ne pouvaient stopper autrement le succès électoral de La Montagne. Marx montre bien les contradictions dans lesquelles socialistes, petits bourgeois et grands bourgeois membres du Parti de l'Ordre sont tous enferrés :

> La bourgeoisie se rendait très bien compte que toutes les armes qu'elle avait forgées contre le féodalisme se retournaient maintenant contre elle-même, que tous les moyens d'instruction qu'elle avait institués se retournaient contre sa propre culture, que tous les dieux qu'elle avait créés l'abandonnaient. Elle se rendait compte que toutes les prétendues libertés civiques et institutions de progrès attaquaient et menaçaient sa domination de classe, à la fois dans sa base sociale et à son sommet politique, et étaient, par conséquent, devenues « socialistes ». Elle voyait avec raison dans cette menace et dans cette attaque le secret du socialisme, dont elle comprend mieux le sens et la tendance que le prétendu socialisme, ce socialisme qui ne peut pas arriver à comprendre pourquoi la bourgeoisie se ferme obstinément à lui, qu'il gémisse sentimentalement sur les souffrances de l'humanité ou qu'il annonce chrétiennement la venue du royaume millénaire et l'ère de la fraternité universelle, qu'il radote à la manière des humanistes sur l'esprit, la culture, la liberté ou invente un système de réconciliation et de prospérité de toutes les classes de la société. Mais ce que la bourgeoisie ne comprenait pas, c'était que son propre régime parlementaire, sa domination politique, en général, devaient fatalement, à leur tour, être condamnés comme socialistes. Tant que la domination de la classe bourgeoise ne s'était pas complètement organisée, n'avait pas trouvé son expression politique pure, l'antagonisme des autres classes ne pouvait pas, non plus, se manifester nettement, et là où il se manifestait, prendre cette tournure dangereuse qui transforme toute lutte contre le pouvoir d'État en une lutte contre le capital. Si, dans tout mouvement de la société, la bourgeoisie voyait l'« ordre » en danger, comment pouvait-elle vouloir défendre, à la tête de la société, le régime du désordre, son propre régime, le régime parlementaire, ce régime qui, suivant l'expression d'un de ses orateurs, ne vit que dans la lutte et par la lutte ? Le régime parlementaire vit de la discussion, comment l'interdirait-il ? [...]
>
> Ainsi donc, en taxant d'hérésie « socialiste » ce qu'elle avait célébré autrefois comme « libéral », la bourgeoisie reconnaît que son propre intérêt lui commande de se soustraire aux dangers du self-government ; que, pour rétablir le calme dans le pays, il faut avant tout ramener au calme son Parlement bourgeois ; que, pour conserver intacte sa puissance sociale, il lui faut briser sa puissance politique ; que les bourgeois ne peuvent continuer à exploiter les autres classes et à jouir tranquillement de la propriété, de la famille, de la religion et de l'ordre qu'à la condition que leur classe soit condamnée au même néant politique que les autres classes, que, pour sauver sa bourse, la bourgeoisie doit nécessairement perdre sa couronne et que le glaive qui doit la protéger est fatalement aussi une épée de Damoclès suspendue au-dessus de sa tête.[1]

---

1. Marx, 2007, p. 182-184.

Après la répression des Journées de Juin, le Parti de l'Ordre est désormais seul au pouvoir parlementaire, mais un pouvoir dont il ne peut et ne veut rien faire. N'ayant plus d'ennemi commun à l'extérieur de lui-même, et croyant que le président Bonaparte constitue un jouet inoffensif, le Parti de l'Ordre va se consacrer pleinement à des luttes intestines et se déchirer entre deux factions : les Orléanistes et les Légitimistes. En apparence, la pomme de discorde est l'attachement à deux dynasties royales différentes : les Orléans et les Bourbons. Mais pour Marx, il ne s'agit que d'un prétexte pour masquer les véritables raisons de ce déchirement : « [...] si l'on examine de plus près la situation et les partis, cette apparence superficielle qui dissimule la *lutte des classes* et la physionomie particulière de cette période disparaît »[1]. Car ce qui oppose véritablement ces deux fractions de la bourgeoisie, ce sont leurs intérêts économiques : la protection du capital pour la bourgeoisie industrielle (Orléanistes) et, au contraire, le retour à un système qui valorisait la propriété foncière pour la bourgeoisie légitimiste.

La ridiculisation de l'instrument parlementaire par un Parti de l'Ordre qui s'était condamné à l'inaction ainsi que les querelles intestines qui le déchirent profitent au pouvoir exécutif en général et à Bonaparte en particulier. Loin d'être la marionnette du Parti de l'Ordre, celui-ci se révèle un véritable stratège avec une idée très précise : passer outre l'interdiction bétonnée dans la Constitution par le Parti de l'Ordre de se représenter pour un second mandat lors des élections futures de 1852. En effet, le Parti de l'Ordre nourrissait l'espoir secret, une fois le mandat du pantin Bonaparte terminé, de pouvoir remettre à la tête de l'État, sous le titre de président, un membre d'une dynastie royale : un Bourbon pour les uns, un Orléans pour les autres. Ainsi, sous les oripeaux de la République, le système monarchique privilégiant les classes conservatrices aurait perduré. Or, non seulement Bonaparte est avide de pouvoir, se pensant le légitime descendant de Napoléon Ier, mais l'immunité que lui confère le statut de président de la République l'intéresse au plus haut point, car elle empêche ses nombreux créanciers de lui réclamer qu'il s'acquitte des multiples dettes qu'il avait contractées à travers des activités peu reluisantes si pas illégales.

Le triste spectacle d'un pouvoir parlementaire inactif et en dispute constante suscite la méfiance de la population. Même les grands bourgeois ne comprennent pas pourquoi leurs représentants à l'Assemblée Nationale passent leurs temps dans d'aussi misérables querelles au lieu de voter des lois pour favoriser leurs intérêts de classe. Sans parler des prolétaires, des petits bourgeois ou des paysans qui ont perdu toute confiance dans le pouvoir politique. Cette défiance du peuple à l'égard de ses représentants est l'occasion dont le président Bonaparte rêvait. Pendant que l'Assemblée Nationale continue de se déchirer, il se rend partout en France, à Paris comme en province, pour rencontrer le « peuple ». Lors de grands meetings, il fait passer ses *Idées napoléoniennes*, selon le titre d'un programme politique qu'il a écrit peu de temps auparavant. Ces idées à coloration

---

1. Marx, 2007, p. 158.

fortement populiste, sont faussement simples mais redoutablement efficaces sur le plan de la communication. Marx écrit de Bonaparte sur un ton sarcastique : « En tant que fataliste, il était convaincu qu'il existe certaines puissances suprêmes auxquelles l'homme et surtout le soldat ne peuvent résister. Parmi ces puissances, il comptait en première ligne les cigares et le champagne, la volaille froide et le saucisson à l'ail. »[1]

Bonaparte est en effet un fin stratège et un orateur talentueux. Il sait adapter son discours en fonction de son auditoire. Face aux prolétaires, il critique les lois liberticides votées par le Parti de l'Ordre. Mais face aux bourgeois conservateurs, il se montre plus conservateur que le Parti de l'Ordre, dont il moque les chamailleries internes, et se présente comme le seul garant de la « tranquillité » dont ont cruellement besoin les bourgeois pour vaquer à leurs affaires (même le journal anglais *The Economist* écrira plusieurs articles à la gloire de Bonaparte comme seul garant de la stabilité économique de la France). Ironie de l'histoire, le Parti de l'Ordre se voit ainsi à son tour sous le coup des mêmes chefs d'accusation qu'il avait utilisés pour discréditer ses ennemis : il est devenu aux yeux des Français un fauteur de troubles qui empêche le Président de faire correctement son travail. Face aux démocrates, Bonaparte critique l'expédition armée lancée par le Parti de l'Ordre pour rétablir la monarchie à Rome. Mais il caresse également l'armée dans le sens du poil en stigmatisant le mépris que les petits bourgeois républicains portent à son encontre. Enfin, face aux paysans parcellaires, masse invisible de la société française, Bonaparte n'hésite pas à critiquer toutes les autres classes, à flatter leur conservatisme et à se présenter comme le seul homme de France attentif à leurs soucis. Au total, il s'amuse à discréditer ostensiblement l'instrument parlementaire et ses 700 députés incapables de s'entendre, ce qui lui permet de se présenter comme l'homme providentiel, le seul vrai représentant du peuple. Méprisant la démocratie parlementaire, il plaide pour une forme de démocratie directe, d'une part, et pour un « gouvernement fort » du point de vue politique et pratiquant le « laissez-faire » du point de vue économique, d'autre part. La première proposition rencontra un succès important auprès des paysans, tandis que la seconde réjouira la bourgeoisie et l'aristocratie financière, qui avaient tout intérêt à ce que le pays connaisse une stabilité qui leur permette d'encaisser le maximum d'argent. La citation suivante de Marx, qui possède d'ailleurs d'étranges résonances avec ce que l'on appelle, depuis les années 2010, la « crise de la dette » en Europe, montre comment le Parti de l'Ordre finit lui-même par devenir le bouc émissaire de ceux qu'il était censé représenter : l'aristocratie financière, la bourgeoisie industrielle et la bourgeoisie commerçante.

> Dans son numéro du 29 novembre 1851, l'*Economist* déclare en son propre nom : « Dans toutes les Bourses d'Europe, le président [Bonaparte] est actuellement reconnu comme la sentinelle de l'ordre. »

---

1. Marx, 2007, p. 198.

L'aristocratie financière maudissait par conséquent la lutte parlementaire menée par le parti de l'ordre contre le pouvoir exécutif comme un *trouble apporté à l'ordre*, et célébrait chaque victoire du président sur ses prétendus représentants comme une *victoire de l'ordre*. Il ne faut pas entendre ici par aristocratie financière uniquement les grands entrepreneurs d'emprunts et spéculateurs sur les valeurs d'État, dont on comprend immédiatement que leur intérêt coïncide avec les intérêts du pouvoir. Tout le monde financier moderne, tout le monde des banques, est très étroitement intéressé au maintien du crédit public. Une partie de leur capital commercial est nécessairement placée dans des valeurs d'État rapidement convertibles. Les dépôts, le capital mis à leur disposition et qu'ils répartissent entre les commerçants et les industriels proviennent en partie des intérêts perçus par les rentiers de l'État. Si, en tout temps, la stabilité du pouvoir a signifié Moïse et les prophètes, pour le marché de l'argent et les prêtres de ce marché, n'est-ce pas le cas surtout maintenant, où chaque déluge menace d'emporter, avec les vieux États, les vieilles dettes de l'État ?

Ainsi, la *bourgeoisie industrielle*, dans son fanatisme de l'ordre, était-elle [aussi] mécontente des querelles continuelles entre le parti de l'ordre parlementaire et le pouvoir exécutif. […]

Quand les affaires allaient bien, comme c'était encore le cas au début de 1851, la bourgeoisie commerçante s'élevait contre toute lutte parlementaire susceptible de nuire à son commerce. Quand les affaires allaient mal, comme il en fut toujours ainsi à partir de la fin du mois de février 1851, elle se plaignait des luttes parlementaires, comme étant la cause de l'arrêt des affaires, et demandait à grands cris qu'on y mît fin pour que le commerce pût reprendre.[1]

Sa popularité croissante permet à Bonaparte de provoquer puis d'affronter ouvertement le Parti de l'Ordre : il fait voter par deux fois des lois qui augmentent son propre salaire, il révoque les ministres acquis à la cause du Parti de l'Ordre, il appelle à des manifestations et à des pétitions pour soutenir une révision constitutionnelle qui lui permettrait d'être réélu. En même temps, le Parlement perd définitivement toute crédibilité. Après que l'Assemblée nationale ait finalement refusé de réviser la Constitution, le Président Bonaparte fixe son coup d'État au 2 décembre 1851 (date anniversaire du sacre de Napoléon Ier) ; il mobilise l'armée et dissout l'Assemblée Nationale. Les réactions sont très faibles. Plus divisé que jamais, le Parti de l'Ordre est paralysé par sa crainte de favoriser une révolution prolétaire. Les prolétaires sont échaudés par l'écrasement de leurs soulèvements précédents. Les républicains sont complètement désemparés. Par contre, les paysans parcellaires jubilent. Un plébiscite légitimant le coup d'État prend place le 20 décembre 1851. Un an jour pour jour après le coup d'État, l'Empire est rétabli et Bonaparte est proclamé Empereur sous le nom de Napoléon III.

---

1. Marx, 2007, p. 231-233.

1.5 Le système capitaliste : propriété, salaire et plus-value

Marx parvient à rendre compréhensible le cours rocambolesque des événements parce que le principe analytique de la lutte des classes met en lumière les rapports sociaux entre les différentes classes sociales. Ce qui les oppose et les met en concurrence n'est pas tant leur positionnement politique ou idéologique que leur position et leurs intérêts économiques, c'est-à-dire leur place dans la production et la consommation des moyens de subsistance. Pour Marx, la sphère économique est déterminante en dernière instance, c'est-à-dire au bout du compte, tout bien considéré ; elle forme l'infrastructure* de la société. Elle donne aux rapports sociaux entre les classes la forme de rapports de production* qui diffèrent selon la répartition des moyens qui permettent de produire la richesse (terre agricole, capital financier, machines industrielles...) et qu'il appelle les moyens de production*. Le mode de production* est une configuration particulière des rapports de production et de la répartition des moyens de production.

Si la situation française intéresse Marx au point de lui consacrer plusieurs ouvrages, c'est parce que les effets conjoints de la Révolution Industrielle et de la Révolution Française ont occasionné le passage d'un mode de production féodal à un mode de production capitaliste ou bourgeois. Dans le mode de production féodal, les moyens de production (la terre et les outils qui permettent de la cultiver) appartiennent à la classe sociale de la noblesse (les seigneurs, l'aristocratie agraire), et le rapport de production en vigueur est le *servage* : le serf est lié à sa terre qui appartient à son seigneur, et ce qu'il produit appartient donc au seigneur. Dans le mode de production capitaliste, ce sont les machines développées grâce à la Révolution industrielle qui permettent de produire de la richesse à un rythme encore inégalé. Ces moyens de production appartiennent aux riches bourgeois qui peuvent compter sur leur capital financier. Les bourgeois investissent leur argent dans des moyens de production, qui deviennent leur propriété privée, en escomptant que cet investissement leur rapporte plus que leur mise de départ. Autrement dit, chaque investissement doit permettre de réaliser une plus-value*, concept central dans l'analyse marxiste du capitalisme. Dans le mode de production féodal, l'argent était seulement un moyen d'échanger des marchandises, un intermédiaire entre elles permettant de ne pas devoir les fournir simultanément, comme dans le troc, de se ménager un délai entre les transferts de marchandises échangées. Dans le mode de production capitaliste, l'argent est une fin en soi. Ce sont les marchandises et les machines qui, comme objets d'investissements, deviennent un intermédiaire entre deux sommes d'argent : celle de l'investissement et celle, que le bourgeois espère évidemment supérieure, du « retour sur investissement ». Là où, dans les modes de production précédents, les marchandises étaient évaluées à l'aune de leur valeur d'usage (c'est-à-dire ce à quoi elles peuvent servir), dans le système capitaliste, elles sont caractérisées par leur valeur d'échange (c'est-à-dire ce qu'elles valent sur un marché[1]).

Le prolétariat est la classe, principalement urbaine, qui naît de ce nouveau mode de production. Elle est constituée par les individus qui doivent vendre leur force de travail aux bourgeois et travailler sur les machines possédées par ces derniers pour produire de la richesse. Cependant, les marchandises produites par les prolétaires ne leur appartiennent nullement, elles sont totalement accaparées par les bourgeois. Par contre, ceux-ci rémunèrent les prolétaires pour leur force de travail avec un salaire. Le *salariat* est le rapport de production propre au capitalisme. Ce salaire est toujours inférieur à la valeur de la richesse produite par l'ouvrier. En effet, comme leur travail est organisé collectivement de manière rationnelle par les bourgeois (travail à la chaîne…), l'ensemble des travailleurs produit bien plus que la somme de ce que chacun aurait produit s'il travaillait isolément. C'est ce qu'on appelle le travail collectif. Cette différence entre la valeur du travail réellement fourni par l'ouvrier et le salaire payé par le bourgeois permet à celui-ci de s'arroger une plus-value, et de rentabiliser ainsi ses investissements. Marx appelle *travail nécessaire** la quantité de travail nécessaire pour produire la valeur des salaires des travailleurs et il appelle *sur-travail** la quantité de travail fournie par les travailleurs au-delà du travail nécessaire et qui produit donc la plus-value.[2]

Si les ouvriers prolétaires ne sont officiellement plus les esclaves de l'antiquité ou les serfs de l'époque féodale, leur situation n'est pas plus enviable. Ils dépendent des bourgeois et du salaire pour subsister, ils sont dépossédés du produit de leur travail et soumis à des rythmes et des processus de travail parcellisants et harassants (comme dans le cas du travail à la chaîne). Selon Marx, ces conditions entraînent une importante conséquence tant humaine qu'économique : leur aliénation*. Dans un premier sens (nous en verrons un second plus loin), l'aliénation signifie le fait de se sentir dépossédé de son œuvre et donc de soi-même dans le travail industriel, étranger à soi-même en somme. Pour Marx en effet, la capacité de produire des objets et des symboles, en d'autres termes le travail, est une caractéristique essentielle de l'être humain, qui fait partie de sa définition même et par laquelle il se réalise et s'épanouit. Lui ôter le plaisir de travailler et le produit de son travail conduit inévitablement à une destruction de sa dimension humaine.

Au moment où écrit Marx, le mode de production capitaliste est loin de s'être répandu dans les moindres recoins du pays. En effet, les paysans, anciens serfs devenus propriétaires

---

1. Voir le complément du premier chapitre, consacré à Marshall Sahlins.
2. Contemporain de Marx, Proudhon (1809-1865) explique le principe du travail collectif par l'exemple de l'érection de l'obélisque de la place de la Concorde à Paris, en 1836, sous le règne de Louis-Philippe. L'obélisque a été érigé en une journée par deux cents soldats sous la direction d'un ingénieur de la Marine. Ce que le travail collectif de deux cents soldats rationnellement organisé a permis de faire en un jour n'aurait jamais été possible par un seul soldat travaillant durant deux cents jours, ce qui aurait pourtant représenté le même coût en main-d'œuvre. Le travail collectif est donc source de plus-value.

de leurs parcelles restent encore les plus nombreux. On pourrait penser que cette classe disparate et non organisée, qui a finalement beaucoup contribué au succès de Bonaparte, se trouve dans une situation économique similaire à celle des bourgeois puisqu'elle est propriétaire de la terre – ce qui expliquerait son conservatisme acharné. Selon Marx toutefois, les paysans parcellaires sont objectivement dans une situation bien plus proche du prolétariat des villes, envers lequel ils nourrissent à tort une grande méfiance. En effet, pour la classe des paysans, la propriété de la parcelle est davantage un fardeau qu'un instrument de libération, car elle est devenue « la cause principale de son esclavage et de son appauvrissement ».

> Le développement économique de la propriété parcellaire a renversé de fond en comble les rapports de la paysannerie avec les autres classes de la société. [...] La classe paysanne constituait une protestation partout présente contre l'aristocratie financière qu'on venait de renverser. [...]. Les racines que la propriété parcellaire jeta dans le sol français enlevaient tout aliment au féodalisme. Ses barrières constituèrent le rempart naturel de la bourgeoisie contre tout retour offensif des anciens seigneurs. Mais, au cours du XIXe siècle, l'usurier des villes remplaça les féodaux, l'hypothèque les servitudes féodales du sol, le capital bourgeois la propriété foncière aristocratique. La parcelle du paysan n'est plus que le prétexte qui permet au capitaliste de tirer de la terre profit, intérêt et rente et de laisser au paysan lui-même le soin de voir comment il réussira à se procurer son salaire. La dette hypothécaire pesant sur le sol impose à la paysannerie française une redevance aussi considérable que l'intérêt annuel de toute la dette publique d'Angleterre. La propriété parcellaire, à laquelle son développement impose inévitablement cet état d'esclavage à l'égard du capital, a transformé la masse de la nation française en troglodytes. Seize millions de paysans (femmes et enfants compris) habitent dans des cavernes, dont un grand nombre ne possède qu'une seule ouverture, une petite partie n'en a que deux et la partie la plus favorisée en a seulement trois. Or, les fenêtres sont à une maison ce que les cinq sens sont à la tête. L'ordre bourgeois qui, au début du siècle, fit de l'État une sentinelle chargée de veiller à la défense de la parcelle est actuellement devenu un vampire qui suce son sang et sa cervelle et les jette dans la marmite d'alchimiste du capital. [...]
>
> À côté de l'hypothèque que lui impose le capital, l'impôt vient également peser sur la parcelle. L'impôt est la source de vie, de la bureaucratie, de l'armée, de l'Eglise et de la cour, bref de tout l'appareil du pouvoir exécutif. Gouvernement fort et lourds impôts sont deux termes synonymes. La propriété parcellaire, par sa nature même, sert de base à une bureaucratie toute-puissante et innombrable.[1]

Les paysans parcellaires ne se sont donc affranchis du servage entretenu par la noblesse de l'Ancien Régime que pour tomber dans les affres du salariat et du remboursement des traites hypothécaires organisé par la bourgeoisie capitaliste.

---

1. Marx, 2007, p. 262-264.

1.6 Réforme ou révolution ?

Quels sont les intérêts spécifiques de ces trois classes que sont la bourgeoisie, le prolétariat et la paysannerie, en fonction de leurs positions respectives dans le système économique capitaliste ? De toute évidence, quelles que soient leurs querelles internes, les bourgeois ont tout intérêt à la conservation d'une situation qui leur permette de maintenir la propriété privée des moyens de production (machines, terres, etc.) tout en continuant à exploiter les prolétaires et les paysans. Ils ont également tout intérêt à ce que cette situation qui les place en position de dominants soit librement acceptée et vécue comme normale par les dominés. Dès lors, au lieu d'utiliser la force, ce qui ne manquerait pas de créer des troubles peu propices à leurs affaires, les bourgeois ont intérêt à mettre en place un système qui légitime leur domination en donnant à ceux qui la subissent l'illusion qu'elle est juste. Le régime parlementaire est selon Marx l'instrument parfait pour masquer l'injustice de cette domination : il donne aux électeurs l'impression de participer à la conduite de la société et permet de proposer des réformes, mais seulement pour autant qu'elles ne mettent pas en péril le cadre « démocratique » dans lequel elles prennent place. Autrement dit, on peut y discuter de tout, sauf des conditions dans lesquelles on discute (par exemple, il est impensable, en démocratie, de revenir sur l'idée de la propriété privée). Or, ce sont justement ces conditions indiscutables qui favorisent les bourgeois. Parce que les bourgeois ont finalement intérêt au statu quo, ils constituent la classe *conservatrice* du système capitaliste.

L'intérêt des prolétaires est exactement opposé à celui des bourgeois, puisqu'il n'est nullement de favoriser la conservation de la situation actuelle en l'aménageant éventuellement à travers quelques réformes qui ne touchent jamais au cadre. Il est au contraire de faire bouger les lignes à travers la mise en place d'une révolution qui supprimera définitivement la propriété privée des moyens de production. C'est la raison pour laquelle le prolétariat est, pour Marx, la classe *révolutionnaire* dans le mode de production capitaliste. L'intérêt des paysans parcellaires est de suivre la voie ouverte par le prolétariat, de ne pas s'enfermer dans un système qui leur est largement défavorable et dont Bonaparte s'efforce de leur faire croire qu'il est bon pour eux.

Pour les prolétaires et les paysans, changer les rapports de classe suppose d'engager une lutte qui ne se limite pas à contester quelques points spécifiques en utilisant le système parlementaire, mais à renverser ce système pour en installer un autre. Plus précisément, Marx pense que la véritable révolution qui profiterait au prolétariat doit porter directement sur l'infrastructure économique et sur le mode de production capitaliste qui la caractérise en ce moment, car elle représente le fondement de toute l'organisation de la société. Toutes les autres sphères, qu'il s'agisse de la politique, de la religion, de la culture, de la justice, etc. ne sont que des conséquences directes du mode de production. Elles forment ce que Marx appelle la superstructure*. Dès lors, il n'y a selon Marx aucun intérêt pour les prolétaires et les paysans à mener la lutte au niveau politique, par exemple par le truchement d'élections ; ce ne serait que s'attaquer aux symptômes du problème fondamental de leur domination sans atteindre la racine de cette domination : la propriété privée des moyens de production. La social-démocratie est, pour Marx, une erreur historique, un piège tendu plus ou moins consciemment par les petits bourgeois dans lequel le prolétariat ne devrait pas tomber.

> Le caractère propre de la social-démocratie se résumait en ce qu'elle réclamait des institutions républicaines démocratiques comme moyen, non pas de supprimer les deux extrêmes, le capital et le salariat, mais d'atténuer leur antagonisme et de le transformer en harmonie. Quelle que soit la diversité des mesures qu'on puisse proposer pour atteindre ce but, quel que soit le caractère plus ou moins révolutionnaire des conceptions dont il puisse être revêtu, le contenu reste le même. C'est la transformation de la société par voie démocratique, mais c'est une transformation dans le cadre petit-bourgeois. Il ne faudrait pas partager cette conception bornée que la petite bourgeoisie a pour principe de vouloir faire triompher un intérêt égoïste de classe. Elle croit au contraire que les conditions *particulières* de sa libération sont les conditions *générales* en dehors desquelles la société moderne ne peut être sauvée et la lutte des classes évitée. Il ne faut pas s'imaginer non plus que les représentants démocrates sont tous des *shopkeepers* (boutiquiers) ou qu'ils s'enthousiasment pour ces derniers. Ils peuvent, par leur culture et leur situation personnelle, être séparés d'eux par un abîme. Ce qui en fait les représentants de la petite bourgeoisie, c'est que leur cerveau ne peut dépasser les limites que le petit bourgeois ne dépasse pas lui-même dans sa vie, et que, par conséquent, ils sont théoriquement poussés aux mêmes problèmes et aux mêmes solutions auxquelles leur intérêt matériel et leur situation sociale poussent pratiquement les petits bourgeois. [...]. Aucun parti ne s'exagère davantage les moyens dont il dispose que le parti démocrate. Aucun ne s'illusionne plus légèrement sur la situation.[1]

Dans l'esprit de Marx, lutter pour la transformation démocratique de la société par des voies politiques, c'est comme prendre un anti-douleur pour soigner une maladie. Les prolétaires ne doivent pas lutter politiquement pour un salaire plus juste ou pour une meilleure répartition des moyens de production mais, à travers la révolution, ils doivent chercher à supprimer l'idée même de salaire et à en finir avec la propriété privée des moyens de production.

Comment expliquer que cette révolution voulue par Marx n'ait pas eu lieu en France ? Pourquoi le prolétariat ne s'est-il pas révolté ? Pourquoi, la bourgeoisie, qui possédait les moyens de production, n'a-t-elle pas elle non plus réussi à dominer les autres classes sociales ? Pourquoi Bonaparte a-t-il pu finalement triompher dans cet imbroglio tragi-comique ? Pourquoi n'assiste-t-on pas à la lutte des classes entre d'une part, les prolétaires rejoints par les paysans et d'autre part, les bourgeois ? Marx explique le caractère inédit du coup d'état de Bonaparte et l'incapacité parallèle du prolétariat et de la bourgeoisie à prendre leurs responsabilités historiques par deux phénomènes : d'abord, le manque de maturité et de développement de ces deux classes ; ensuite, le poids énorme de la

---

1. Marx, 2007, pp. 163- 167.

superstructure sur les consciences des prolétaires qui les détourne de la lutte véritable et les empêche de se réaliser comme classe révolutionnaire.

1.7   La conscience de classe : classe en soi et classe pour soi

Si une classe sociale rassemble des personnes qui sont objectivement dans une même position socio-économique – autrement dit qui tiennent une place similaire dans les rapports de production – il n'est absolument pas évident que les individus qui la composent aient conscience d'appartenir à un groupe, d'occuper une position commune et de partager les mêmes intérêts. Marx appelle *classe en soi** l'ensemble des individus qui composent une classe sans pourtant avoir conscience de partager un même destin. La classe ne se cristallise vraiment qu'à partir du moment où elle devient une *classe pour soi**, et se dote d'une conscience de classe* qui permet à ses membres de parler d'une seule voix et ainsi de défendre comme un seul homme ses intérêts communs dans sa lutte contre les autres classes. Dans le cas de la Seconde République, aucune des classes – paysans, prolétaires, bourgeois – n'est encore parvenue à atteindre ce stade d'intégration. La bourgeoisie est engagée dans d'interminables querelles internes entre ses différentes factions qui l'empêchent de monopoliser le pouvoir et permet à Bonaparte de profiter des fractures créées par ces querelles. Marx se moque de « ce plat égoïsme du bourgeois ordinaire toujours prêt à sacrifier l'intérêt général de sa classe à tel ou tel intérêt particulier »[1]. Au lieu d'asseoir sa domination dans la superstructure politique pour faciliter et rendre invisible sa maîtrise des rapports de production, la bourgeoisie, incapable de fondre les intérêts de chacune de ses factions en intérêt général de classe, et tout aussi incapable de transmuer son intérêt de classe en intérêt général pour la société, détruit stupidement l'instrument de cette domination.

À l'immaturité de la classe bourgeoise répond celle de la classe ouvrière. Les prolétaires sont en effet encore fascinés par le socialisme réformiste qui prétendait que le changement était possible à l'intérieur du cadre de la démocratie bourgeoise. Marx se lamente du fait que le prolétariat continue à investir beaucoup trop d'énergie dans des transformations inutiles de la superstructure. « En se laissant diriger [...] par les démocrates et en allant jusqu'à oublier l'intérêt révolutionnaire de leur classe pour un bien-être passager, les ouvriers renonçaient à l'honneur d'être une classe conquérante, ils s'abandonnaient à leur sort »[2]. Durant toute sa carrière de penseur politique, Marx n'eut de cesse de lutter contre cet abandon de la véritable lutte au profit de l'action politique. Démocratie (malade du « crétinisme parlementaire »), humanisme, droits de l'homme, suffrage universel ne sont, selon lui, que des cache-misères servant à justifier la domination bourgeoise. Utiliser ces

---

1. Marx, 2007, p. 213.
2. Marx, 2007, p. 130 et 189.

instruments revient donc forcément à jouer le jeu de la bourgeoisie et lui permettre de jouir tranquillement de la propriété, de la famille, de la religion et de l'ordre.

Les paysans, quant à eux, du fait de leurs conditions d'existence qui les isole les uns des autres, sont, en l'état actuel, incapables de se rendre compte qu'ils partagent un destin commun et ont tout intérêt à s'unir :

> Les paysans parcellaires constituent une masse énorme dont les membres vivent tous dans la même situation, mais sans être unis les uns aux autres par des rapports variés. Leur mode de production les isole les uns des autres au lieu de les amener à des relations réciproques. Cet isolement est encore aggravé par le mauvais état des moyens de communication en France et par la pauvreté des paysans. L'exploitation de la parcelle ne permet aucune division du travail, aucune utilisation des méthodes scientifiques, par conséquent, aucune diversité de développement, aucune variété de talents, aucune richesse de rapports sociaux. Chacune des familles paysannes se suffit presque complètement à elle-même [...]. Dans la mesure où il n'existe entre les paysans parcellaires qu'un lien local et où la similitude de leurs intérêts ne crée entre eux aucune communauté, aucune liaison nationale ni aucune organisation politique. C'est pourquoi ils sont incapables de défendre leurs intérêts de classe en leur propre nom, soit par l'intermédiaire d'un Parlement, soit par l'intermédiaire d'une Assemblée. Ils ne peuvent se représenter eux-mêmes, ils doivent être représentés. Leurs représentants doivent en même temps leur apparaître comme leurs maîtres, comme une autorité supérieure, comme une puissance gouvernementale absolue, qui les protège contre les autres classes et leur envoie d'en haut la pluie et le beau temps. L'influence politique des paysans parcellaires trouve, par conséquent, son ultime expression dans la subordination de la société au pouvoir exécutif.[1]

1.8   L'idéologie dominante et l'aliénation

La deuxième raison invoquée par Marx pour expliquer que la lutte des classes ne connaisse pas encore sa pleine expression est liée au poids de la superstructure, qui rend prolétaires et paysans incapables de percevoir d'abord, ce qui les oppose aux bourgeois et ensuite, les moyens dont ils disposent pour lutter contre leur domination. La raison en est que la classe dominante contrôle et utilise la superstructure – c'est-à-dire l'ensemble des institutions où s'élaborent et se diffusent les idées, notamment la religion, l'enseignement et le droit – pour justifier sa domination. Pour Marx, la superstructure est étroitement liée à l'infrastructure économique :

> Sur les différentes formes de propriété, sur les conditions d'existence sociale s'élève toute une superstructure d'impressions, d'illusions, de façons de penser et de conceptions

---

1. Marx, 2007, p. 257-258.

philosophiques particulières. La classe tout entière les crée et les forme sur la base de ces conditions matérielles et des rapports sociaux correspondants.[1]

En effet, la bourgeoisie en général et le Parti de l'Ordre en particulier se sont empressés de voter des lois leur permettant de contrôler toutes les institutions (notamment l'enseignement) qui auraient pu conduire les prolétaires et paysans à penser par eux-mêmes et à développer une conscience de classe, en y injectant des principes moraux visant à rendre les masses inoffensives. Le retour en force de la religion, cet « opium du peuple » comme l'appelle Marx, et de l'appareil clérical dans la conduite de l'État et dans l'encadrement de la population sont à ses yeux le symptôme des efforts pour amener les ouvriers à accepter avec résignation leur triste sort de classes dominées. Bonaparte s'est aussi prêté à ce jeu de légitimation lorsque, dans ses nombreuses harangues, il invoquait ses idées populistes (libre propriété de la parcelle, pouvoir fort et centralisé, respect du clergé, prépondérance de l'armée) comme seule voie de lutte contre la pauvreté (*Des idées napoléoniennes*). Ainsi, face aux paysans qui tombèrent dans le piège de ses propos simplistes, il entretint leur « illusion que ce n'est pas dans la propriété parcellaire elle-même, mais en dehors d'elle, dans l'effet de circonstances d'ordre secondaire, qu'il faut chercher la cause de sa ruine, toutes les expériences qu'il tentera se briseront comme des bulles de savon au contact des rapports de production »[2]. Cette vaste entreprise de conditionnement des esprits de tous par les idées des dominants constitue ce que Marx appelle l'idéologie dominante*. Elle permet de comprendre le second sens de l'aliénation dont sont victimes les classes dominées, et en particulier le prolétariat : la non-conscience de l'exploitation dont les dominés sont victimes et leur participation inconsciente à la domination qui les écrase – en somme, tout le contraire de la conscience de classe.

Mais les classes dominantes n'appuient pas uniquement leur domination économique sur des idées qui ont pour but d'abrutir les dominés. Cette domination se traduit également dans la façon dont l'État organise concrètement la société. S'il ne se trouve plus grand monde aujourd'hui pour remettre en question l'existence de l'État, celui-ci est pourtant considéré par Marx comme une monstruosité, comme l'instrument suprême de la domination des bourgeois qui, grâce à lui, peuvent contrôler et maintenir les classes inférieures dans une situation de dépendance. C'est pourquoi Marx souligne l'erreur politique majeure de la bourgeoisie qui, trop occupée à se déchirer, a abandonné l'appareil d'État au Président Bonaparte.

> On se rend compte immédiatement que, dans un pays comme la France, où le pouvoir exécutif dispose d'une armée de fonctionnaires de plus d'un demi-million de personnes et tient, par conséquent, constamment sous sa dépendance la plus absolue une quantité énorme d'intérêts et d'existences, où l'État enserre, contrôle, réglemente, surveille et tient en tutelle la société civile, depuis ses manifestations d'existence les plus vastes jusqu'à ses

---

1. Marx, 2007, p. 159.
2. Marx, 2007, p. 261-262.

mouvements les plus infimes, de ses modes d'existence les plus généraux jusqu'à la vie privée des individus, où ce corps parasite, grâce à la centralisation la plus extraordinaire, acquiert une omniprésence, une omniscience, une capacité de mouvement et un ressort accru, qui n'a d'analogue que l'état de dépendance absolue, la difformité incohérente du corps social, on comprend donc que, dans un tel pays, l'Assemblée Nationale, en perdant le droit de disposer des postes ministériels, perdait également toute influence réelle [...]. Mais l'*intérêt matériel* de la bourgeoisie française est précisément lié de façon très intime au maintien de cette machine gouvernementale vaste et compliquée. C'est là qu'elle case sa population superflue et complète sous forme d'appointements ce qu'elle ne peut encaisser sous forme de profits, d'intérêts, de rentes et d'honoraires. D'autre part, son *intérêt politique* l'obligeait à aggraver de jour en jour la répression, et, par conséquent, à augmenter les moyens et le personnel du pouvoir gouvernemental, tandis qu'en même temps il lui fallait mener une guerre ininterrompue contre l'opinion publique, mutiler et paralyser jalousement les organes moteurs indépendants de la société, là où elle ne réussissait pas à les amputer complètement. C'est ainsi que la bourgeoisie française était obligée, par sa situation de classe, d'une part, d'anéantir les conditions d'existence de tout pouvoir parlementaire et, par conséquent aussi, du sien même, et, d'autre part, de donner une force irrésistible au pouvoir exécutif qui lui était hostile.[1]

Bien loin d'être au service de l'ensemble de la société, l'État sert les intérêts de celui qui le contrôle, ce qui explique la lutte entre le Parti de l'Ordre et Bonaparte pour la maîtrise des instruments de gouvernement. Selon Marx, l'État moderne et son organisation compliquée sont les corollaires inévitables de l'économie capitaliste, car la gestion de la propriété privée (notamment des moyens de production), oblige à développer un système administratif puissant : la bureaucratie, que Marx qualifie d'« effroyable corps parasite, qui recouvre comme d'une membrane le corps de la société française et en bouche tous les pores »[2]. Non seulement le contrôle de l'État permet le contrôle des masses, notamment par l'endettement de celles-ci, mais il justifie aussi le monopole des décisions importantes pour la société, bien trop importantes d'ailleurs pour être laissées aux masses écervelées et incompétentes. Enfin, l'État permet aux bourgeois de justifier l'argent qu'ils gagnent aux dépens du prolétariat. L'État est ainsi l'un des dispositifs les plus contre-révolutionnaires que l'être humain ait jamais imaginé.

1.9   Le matérialisme historique et dialectique

Ainsi s'explique, selon Marx, la suite d'événements improbables de la courte vie de la Seconde République. Si les bourgeois n'ont pas réussi à installer la domination qui aurait dû être la leur dans le système capitaliste et si, par conséquent, les prolétaires ne s'y sont pas opposés, c'est parce que les conditions de la lutte des classes n'étaient pas encore réunies. La contradiction* entre le capital et le travail, entre les intérêts des bourgeois et

---

1. Marx, 2007, pp. 177-178.
2. Marx, 2007, p. 255.

ceux des prolétaires ne se donne pas encore à voir dans toute sa clarté, car trop d'éléments perturbent ce tableau pour que les acteurs de cette lutte puissent comprendre le rôle qu'ils ont à y jouer.

Mais Marx veut voir plus loin. Il pense que les événements dont il est le contemporain et qui ont mené Bonaparte au pouvoir *contre* la bourgeoisie annoncent cette lutte des classes qu'il perçoit comme une nécessité, et dont il affirme qu'elle débouchera sur une victoire du prolétariat sur la bourgeoisie.

> Mais si le renversement de la République parlementaire contient en germe le triomphe de la révolution prolétarienne, son premier résultat tangible n'en fut pas moins *la victoire de Bonaparte sur le Parlement, du pouvoir exécutif sur le pouvoir législatif, de la violence sans phrase sur la violence de la phrase.* [...] Ainsi, la France ne sembla avoir échappé au despotisme d'une classe que pour retomber sous le despotisme d'un individu, et encore sous l'autorité d'un individu sans autorité. [...] Mais la révolution va jusqu'au fond des choses. Elle ne traverse encore que le purgatoire. Elle mène son affaire avec méthode. [...] Elle perfectionne d'abord le pouvoir parlementaire, pour le renverser ensuite. Ce but une fois atteint, elle perfectionne *le pouvoir exécutif,* le réduit à la plus simple expression, l'isole, dirige contre lui tous les reproches pour pouvoir concentrer sur lui toutes ses forces de destructions, et, quand elle aura accompli la seconde moitié de son travail de préparation, l'Europe sautera de sa place et jubilera : « Bien creusé, vieille taupe ! ».[1]

Une coloration particulière apparaît dans ces dernières citations : l'analyse historique de Marx qui étudie les relations sociales et le système dynamique qu'elles constituent dans leur contexte historique concret, se double d'un discours philosophique et politique, que l'on appelle le matérialisme historique et dialectique. Il s'agit d'une vision du monde. « Matérialisme » signifie, comme on l'a vu tout au long de ce chapitre, une conception qui accorde une importance particulière aux conditions matérielles dans lesquelles vivent les êtres humains, et en particulier à l'infrastructure économique, « déterminante en dernière instance ». Contre son premier maître à penser, le philosophe allemand Georg W.F. Hegel, fer de lance du courant idéaliste en philosophie, Marx pense que ce ne sont pas les idées qui font avancer le monde (puisqu'elles appartiennent à la superstructure), mais bien les conditions concrètes d'existence. Par contre, Marx a gardé de l'auteur de la *Phénoménologie de l'Esprit* la conviction selon laquelle le monde évolue selon une histoire qui n'a rien d'aléatoire, mais est le résultat de développements nécessaires, c'est-à-dire qui ne peuvent pas ne pas intervenir. L'histoire a donc un sens. C'est pourquoi le matérialisme de Marx est « historique », et c'est également pourquoi certains ont parlé du marxisme comme d'une religion séculaire. Il est également « dialectique » dans la mesure où Marx pense, toujours à l'instar d'Hegel, que ce sont les contradictions* entre des éléments à la fois étroitement liés et incompatibles (par exemple l'enrichissement des bourgeois *et* la misère des prolétaires ou encore l'organisation traditionnelle des métiers *et* l'organisation

---

1. Marx, 2007, pp. 254-255.

industrielle de la production) qui peuvent, par le dépassement de leur opposition, donner naissance à une nouvelle situation. Si la classe ouvrière est l'acteur du changement, les contradictions en sont le ressort profond.

Marx pense en effet que les luttes internes qu'il a pu mettre en lumière au sein des classes sociales encore immatures sous la Seconde République vont finalement se résoudre dans une lutte finale entre la bourgeoisie et le prolétariat (ou entre le capital et le travail). Les cahotements actuels sont, eux aussi, considérés comme des étapes nécessaires du dénouement inéluctable. « La société semble être actuellement revenue à son point de départ. En réalité, c'est maintenant seulement qu'elle doit se créer son point de départ révolutionnaire, c'est-à-dire la situation, les rapports, les conditions qui, seuls, permettent une révolution sociale sérieuse. »[1]

Non seulement la lutte des classes est pour Marx une nécessité historique, mais la victoire du prolétariat l'est aussi. Marx y voit deux raisons principales. La première est liée aux contradictions internes du mode de production capitaliste. La concurrence acharnée que se livrent les capitalistes conduit à la baisse tendancielle du taux de profit, ce qui les oblige à rogner sur leur marge bénéficiaire et à payer de moins en moins les ouvriers, alors que le système capitaliste repose justement sur l'accroissement continuel des profits. La seconde est la prise de conscience par le prolétariat de son rôle dans la lutte historique. Ce sont là des développements historiques nécessaires, pense Marx, tout comme la victoire finale des prolétaires et l'instauration d'une « dictature du prolétariat », dernière phase avant le développement du mode de production communiste. La société communiste sera la société de la fin de l'histoire car, contrairement aux modes de production précédents, elle sera débarrassée des contradictions entre classes sociales. Après la révolution des prolétaires, la propriété privée des moyens de production sera abolie pour instaurer la propriété collective des moyens de production, détruisant par là-même la fracture entre les classes. L'État disparaîtra en même temps puisqu'un système de redistribution des richesses ne sera plus nécessaire. Ainsi, Marx écrira, dans une critique du programme réformiste (et non révolutionnaire) du parti socialiste allemand avec lequel il veut marquer sa profonde différence :

> Dans une phase supérieure de la société communiste, quand auront disparu l'asservissante subordination des individus à la division du travail et, avec elle, l'opposition entre le travail intellectuel et le travail manuel ; quand le travail ne sera pas seulement un moyen de vivre, mais deviendra lui-même le premier besoin vital ; quand, avec le développement multiple des individus, les forces productives se seront accrues elles aussi et que toutes les sources de la richesse collective jailliront avec abondance, alors seulement l'horizon borné du droit bourgeois pourra être définitivement dépassé et la société pourra écrire sur ses drapeaux : « De chacun selon ses capacités, à chacun selon ses besoins ! ».[2]

---

1. Marx, 2007, p. 123.
2. Marx, 1966, p. 32.

Quelle est alors la place de l'action humaine dans cette évolution que Marx présente comme nécessaire ? « Les hommes font leur propre histoire, mais ils ne la font pas arbitrairement, dans les conditions choisies par eux, mais dans des conditions directement données et héritées du passé. La tradition de toutes les générations mortes pèse d'un poids très lourd sur le cerveau des vivants. »[1] Les hommes possèdent une force de changement, mais celle-ci n'opère que s'ils se trouvent dans des conditions qui leur permettent de se libérer du passé et d'avoir une vision claire du jeu dans lequel ils jouent.

Cette coloration politico-philosophique est présente de façon plus ou moins marquée dans la quasi-totalité de ses écrits, ce qui ne les empêche nullement d'être des bijoux de descriptions historiques et d'analyses économiques ou politiques. Marx a par exemple été l'un des premiers auteurs à faire preuve d'une telle clairvoyance sur l'organisation concrète du système capitaliste alors que les économistes anglais se contentaient de parler d'une « main invisible » qui organiserait automatiquement les échanges et la société.

Si son système théorique peut sembler aujourd'hui utopique, l'idée d'une pensée émancipatrice qui se concentre sur « ce qui ne va pas » dans le monde, et qui vise à éveiller la conscience critique des acteurs en les aidant à s'affranchir de conditions sociales jugées injustes, a survécu à l'œuvre de Marx, et est aujourd'hui portée, à des degrés divers par de nombreux chercheurs. Il s'agit de ce que l'on appelle aujourd'hui une perspective de sociologie critique*.

Marx a poussé cette logique à son paroxysme. L'alliance qu'il veut instaurer dans son travail entre rigueur scientifique et intervention politique, sa volonté de penser le monde pour le changer, ont à la fois suscité un intérêt sans précédent parmi les chercheurs et les citoyens – sans doute aucune pensée n'a exercé une aussi grande influence sur l'histoire –, mais ont aussi donné lieu à de nombreuses difficultés. L'œuvre de Marx a inspiré et alimenté un grand nombre de commentaires et de controverses, à l'intérieur même du monde de la pensée marxiste. Elle a servi de justification aux régimes communistes qui se sont implantés en Union soviétique et en Chine notamment. Le débat sur la responsabilité historique de Marx dans les atrocités commises en son nom n'est pas prêt de se clore. Nul doute qu'il aurait détesté le stalinisme. Mais la pensée de Marx, par ses aspects prophétiques, comportait sans doute le défaut de pouvoir se prêter à de telles utilisations. Par ailleurs, Marx n'a jamais fourni de programme politique ni d'indications sur la façon dont, concrètement, la société communiste allait se mettre en place : la suppression de la propriété privée des moyens de production suffirait à ce que le reste de l'organisation sociale se reconstruise. La leçon à en tirer est qu'il ne faut jamais sacraliser une œuvre. Pour le chercher en sciences sociales, elle n'est jamais qu'une boîte à outils pour aider à penser. Seuls les meilleurs outils doivent être utilisés, et encore faut-il les utiliser correctement et avec un esprit critique.

---

1. Marx, 2007, p. 118.

2. Complément :
Comment se forme une classe sociale ?
(E. P. Thompson, A. Touraine, D. McAdam,
J. D. McCarthy, M. N. Zald)

2.1 La formation de la classe ouvrière anglaise

Le Dix-huit Brumaire est une œuvre de Marx particulièrement intéressante, notamment parce qu'elle illustre tout à la fois les principales idées générales du matérialisme historique et la complexité singulière de toute réalité historique concrète qui ne se laisse pas aisément enfermer dans des idées trop carrées. Le combat proprement politique et parlementaire est vain selon Marx parce que l'infrastructure économique est déterminante en dernière instance et qu'elle configure donc la superstructure, notamment l'État et la démocratie parlementaire, en fonction des intérêts des dominants (les bourgeois). En même temps, l'examen détaillé de l'expérience française sous Louis-Bonaparte montre bien une relative autonomie de l'État dont on ne peut pas dire que le sommet soit réduit à un instrument servile des bourgeois. La classe ouvrière est la classe révolutionnaire, explique Marx, mais il montre en même temps que, durant cet épisode de l'histoire de France, elle fut très loin d'être un moteur de changement. Même s'il ne les aborde pas tous explicitement, *Le Dix-huit Brumaire* permet d'illustrer et de bien saisir les concepts clés du matérialisme historique (mode de production et rapports de production, infrastructure et superstructure, sur-travail et travail nécessaire, plus-value, classe sociale, classe en soi et classe pour soi, conscience de classe et aliénation, contradiction...) et, en même temps, de comprendre que ces concepts ne doivent pas se substituer à la réalité mais plutôt aider à la comprendre finement. Bref, *Le Dix-huit Brumaire* permet au lecteur d'acquérir une compréhension non dogmatique et critique de ce puissant outil de pensée et d'analyse qu'est le matérialisme historique.

Comme chacun le sait, les discussions sur l'œuvre de Marx sont innombrables et passionnées, à la mesure de son importance historique qui semble ne pas fléchir aujourd'hui, bien au contraire. À une critique purement théorique et idéologique de son œuvre, le sociologue préférera une critique basée sur la confrontation avec des études empiriques consistantes qui permettent d'approfondir et de mieux appréhender les outils théoriques.

Concernant le concept de classe sociale, central dans la théorie marxiste, nulle recherche ne vaut celle, monumentale, effectuée par l'historien britannique Edward P. Thompson (1924-1993) sur *La Formation de la classe ouvrière anglaise*[1] aux XVIIIe et XIXe siècles en Angleterre. Son livre a constitué un événement intellectuel et continue d'exercer une influence jusqu'ici inégalée sur l'histoire de la classe ouvrière anglaise. Ses enseignements

---

1. 1. Thompson, 1988, titre original en anglais : *The Making of the English Working Class* (1963).

sont nombreux et variés et vont bien au-delà de cette situation historique particulière. Nous nous concentrerons ici sur ceux, majeurs dans son œuvre, qui concernent la nature de la classe ouvrière et qui permettent de discuter et de nuancer la conception marxiste de la classe sociale et de la lutte des classes. Ensuite, nous en dégagerons, d'une part, la conception sociologique de l'action collective qui est sous-jacente à l'analyse historique de Thompson et, d'autre part, sa conception de la responsabilité critique de l'intellectuel.

Méfiant à l'égard de certaines exploitations tendancieuses des statistiques par l'histoire économique, Thompson privilégie une approche qualitative visant à reconstituer les actions et les modes de vie concrets ainsi que la manière dont les acteurs sociaux percevaient leurs propres expériences. Comment rendre compte finement d'une situation ou d'un mode de vie lorsque tous les témoins ont disparu de longue date ? Parmi les diverses sources qu'il utilise, il accorde une place particulière aux documents écrits les plus anodins en apparence mais qui peuvent constituer des témoignages de cette perception vécue des problèmes quotidiens, comme des lettres, des comptes-rendus de réunions, des documents administratifs locaux, des articles de journaux proches des ouvriers ou des discours de leaders populaires.

On verra aussi que Thompson s'inspire de Marx, mais de façon non dogmatique, et en cherchant à confronter les théories du matérialisme historique à la réalité des situations concrètes qu'il reconstitue.

2.2 Une classe ouvrière disparate

Thompson montre tout d'abord que la classe ouvrière était très loin de constituer un ensemble homogène dont les ouvriers des grandes manufactures industrielles, en particulier textiles, auraient constitué le cœur et la force vive. Les travailleurs qui se sont engagés les premiers dans les luttes sociales au début de l'ère industrielle, soit à partir de la fin du XVIIIe siècle, représentaient une grande diversité de métiers (tisserands et peigneurs de laine travaillant selon les méthodes traditionnelles, cordonniers, selliers, imprimeurs, libraires, ouvriers agricoles, travailleurs du bâtiment, petits indépendants et boutiquiers notamment) et se sont organisés en de multiples associations qui avaient pour buts principaux de lutter contre la dureté de leurs conditions de travail et de se soutenir mutuellement. « Le vaste territoire que couvrait le Londres radical entre 1815 et 1850 ne tirait sa force d'aucune grande industrie lourde (les constructions navales commençaient à décliner, et ce n'est que plus tard que les ouvriers métallurgistes firent parler d'eux), mais de cette foule de petits métiers. »[1] Étudiée de manière approfondie, la *Société londonienne de correspondance*, par exemple, recrutait ses membres parmi les métiers les plus divers et avait d'ailleurs pour mot d'ordre « Que le nombre de nos adhérents soit illimité ». L'idée d'un rassemblement et d'une solidarité les plus larges possibles des travailleurs autour

---

1. Thompson, 1988, p. 173.

d'une cause commune était ainsi lancée. L'insistance sur ce caractère disparate de la classe ouvrière et sur le rôle tardif joué par les ouvriers de la grande industrie est une première divergence entre Thompson et Marx.

Les modalités d'organisation et d'action de ce qu'on a appelé le mouvement radical (parce qu'il prônait un changement radical du système[1]) étaient également très diversifiées, explique ensuite Thompson. Répandues partout en Angleterre, les sociétés de correspondance étaient particulièrement actives dans le soutien mutuel, la défense de travailleurs poursuivis par la justice ou la diffusion de documents critiques à l'égard du pouvoir économique et politique. Le luddisme constituait une forme d'action très différente. Composés notamment de tondeurs et tricoteurs sur métier, les luddistes étaient des travailleurs inquiets par le machinisme, qui se regroupaient en bandes de plusieurs centaines de membres pour attaquer, de préférence la nuit, les fabriques et pour détruire les machines menaçant leur travail artisanal, leur emploi et, plus largement, le mode de vie de toute leur communauté. Violents dans leurs actions, et très durement réprimés pour cette raison, les luddistes considéraient que la première immoralité était celle des propriétaires qui s'arrogeaient « la "liberté" de détruire les coutumes du métier par l'introduction de nouvelles machines, par le système de la grande industrie, par la concurrence sans limites qui diminuait les salaires, éliminait les rivaux et détériorait la qualité du travail. »[2] Les sociétés de correspondance et le luddisme constituèrent des formes parmi bien d'autres encore de réaction à la misère, comme les associations de secours mutuel ou diverses manifestations et émeutes sur la voie publique. Toutes ces actions étaient fortement décentralisées, sans coordination générale. Durant longtemps, le mouvement radical restera le fait d'une myriade d'initiatives limitées dans leur ampleur et de groupes locaux marqués chacun par des coutumes propres.

Loin de représenter une rupture par rapport aux traditions populaires dissidentes, le mouvement radical de la fin du XVIIIe et du début du XIXe siècle a pris appui sur elles et présentera dès lors une grande diversité. Ce n'est qu'au fil du temps qu'une convergence de perspective entre ces différentes actions se dessinera de plus en plus clairement et que ce que l'on peut considérer comme un mouvement social relativement cohérent et une nouvelle classe sociale se constitueront.

> Une telle diversité d'expériences a conduit certains auteurs à mettre en question [la notion même] de « classe ouvrière ». [...] beaucoup d'auteurs préfèrent parler de *classes* ouvrières pour mettre l'accent sur la grande disparité de statuts, de qualifications et de conditions de travail à laquelle renvoie l'expression. [...]
> Il n'en reste pas moins, toute précaution étant prise, que le fait dominant de la période 1790-1830 est la formation de « la classe ouvrière ». Cela apparaît, tout d'abord, dans le développement de la conscience de classe, la prise de conscience d'intérêts communs,

---

1. Le sens est donc très différent du sens actuellement donné au courant politique radical en France, qui est réformateur plutôt centriste.
2. Thompson, 1988, p. 496.

propres à ces divers groupes de travailleurs et opposés aux intérêts des autres classes, Et, en second lieu, dans le développement des formes correspondantes d'organisation politique et industrielle. En 1882, il existait des institutions ouvrières conscientes solidement enracinées – telles que syndicats, amicales, mouvements religieux et éducatifs, organisations politiques, périodiques –, des traditions intellectuelles ouvrières, des structures collectives ouvrières et une structure de pensée ouvrière.[1]

2.3   La classe sociale : un processus historique et relationnel

La classe sociale est souvent définie avant tout et à tort comme une catégorie en elle-même, dotée d'une substance propre et d'une conscience propre (la conscience de classe) comme s'il s'agissait d'un sujet individuel. Sans aller jusque-là, Marx n'en considère pas moins la classe ouvrière comme une nécessité historique qui, malgré la répression et l'aliénation, doit finir par se constituer comme *la* force révolutionnaire de la société.

Thompson ne se rallie pas à ce point de vue. S'il convient que l'expérience ouvrière est fortement influencée par les rapports de production, il montre bien que la classe ouvrière est avant tout un phénomène historique, un processus dynamique qui se déroule dans un contexte concret avec des hommes et des femmes concrets, et qui aurait donc pu se dérouler d'une tout autre manière. La classe ouvrière *est* cette expérience collective, « quelque chose qui se passe en se faisant » – d'où le mot « *making* » dans le titre du livre –, elle « se créa elle-même autant qu'on la créa » à partir des actions quotidiennes qui lui donnent corps et la constituent progressivement en acteur collectif.

L'analyse de Thompson rejoint ici l'idée d'historicité, centrale dans l'œuvre du sociologue français Alain Touraine, en particulier dans son ouvrage majeur *Production de la société*[2]. Pour cet auteur, l'historicité n'est pas seulement l'inscription des sociétés humaines dans une histoire. Elle suggère que, loin d'obéir à un « devenir nécessaire », d'être en quelque sorte écrite à l'avance comme dans l'*historicisme** de Marx, cette histoire reste en grande partie indéterminée parce qu'elle procède de l'action collective (comme les mouvements sociaux) d'acteurs sociaux (comme les classes sociales) qui sont engagés dans des rapports sociaux (comme les rapports de classes) avec – et surtout contre – d'autres acteurs sociaux. L'avenir dépend de l'issue, toujours provisoire, de ces actions sociales, en particulier des mouvements sociaux. En ce sens, l'historicité doit aussi être comprise comme la capacité des sociétés humaines de faire leur propre histoire par leurs actions collectives. Si Touraine hérite de Marx sa conception de la société comme un système de rapports sociaux, il s'en démarque et se rapproche de la sociologie de l'action* de Weber en la voyant surtout comme un système d'action historique* sans fin (dans les deux sens du terme), qui transforme continûment ces mêmes rapports sociaux. C'est dans cette optique que Touraine consacrera l'essentiel de ses recherches empiriques à étudier les

---

1. Thompson, 1988, p. 173-174.
2. Touraine, 1973.

mouvements sociaux contemporains (comme le mouvement des femmes, le mouvement étudiant, le mouvement écologiste ou le mouvement Solidarnosc[1]) à partir d'un ensemble de ressources théoriques et méthodologiques spécialement conçues à cette fin[2].

Touraine se rapproche encore de Thompson sur un autre point. Dans ce processus historique où la classe ouvrière se produit elle-même, ce dernier insiste sur l'importance d'un élément relativement peu souligné par Marx : le partage d'une culture commune dans un mouvement social. Partager les mêmes expériences et avoir l'impression d'être dans la même situation, faire référence aux mêmes idées, etc. sont des conditions pour que se forme un mouvement social. Touraine quant à lui montre que, pour exister et se développer comme tel, un mouvement social doit avoir une vision claire de ce qu'il représente (principe d'identité), de l'adversaire auquel il est confronté (principe d'opposition) et des enjeux de leurs rapports conflictuels (principe de totalité). Les enjeux des conflits de classe ne se limitent pas, comme pour Marx, aux moyens de production mais aussi à l'orientation ou au sens que la société donne à son développement, et que Touraine appelle le modèle culturel*.

Marx, toutefois, ne se trompait pas en affirmant qu'une classe sociale se constitue dans un antagonisme social. Loin d'être une substance en elle-même, elle est une relation. L'expérience historique que représente la classe ouvrière est celle de la lutte contre la bourgeoisie, de sorte que les destins respectifs de ces classes opposées sont indissociables, interdépendants. Le livre de Thompson le démontre empiriquement à partir du compte-rendu d'une série d'événements historiques qui ont marqué la formation de la classe ouvrière. Le plus décisif fut sans aucun doute le « massacre de Peterloo » à Manchester en 1819. Une troupe de cavaliers composée d'industriels et de commerçants y chargea, sabre au clair, un rassemblement populaire de soixante mille personnes, laissant onze morts et plus de quatre cents blessés sur le terrain. Revendiquée par le pouvoir qui s'en est ouvertement félicité, ce drame accentua l'antagonisme social et politique et renforça la détermination du mouvement radical mais aussi celle d'un certain nombre de bourgeois progressistes, partisans de réformes démocratiques et sociales.

Pour Marx, la lutte des classes doit directement viser le renversement du système économique ; le combat politique dans le cadre de la démocratie est vain et contre-productif car la démocratie est une tromperie. Ici aussi, l'analyse de Thompson est divergente. Elle montre que, très tôt, les associations radicales comme les sociétés de correspondance avaient compris que la transformation des conditions socio-économiques nécessitait celle des conditions politiques et, en particulier, la modification des rapports de force au sein du parlement. Chacun de ceux qui participaient au mouvement radical se définissait comme un « Anglais né libre », auquel le système politique refuse les droits politiques qui auraient dû lui être reconnus. C'est pourquoi le mouvement radical a lutté pour démocratiser

1. Fédération de syndicats polonais fondée par Lech Walesa en 1980.
2. Touraine, 1978.

ce système. Des candidats radicaux se sont présentés aux élections et en ont remporté certaines, comme celle de Westminster en 1807.

Pour toutes ces raisons, Thompson considère que l'expérience de la classe ouvrière est une expérience tout autant politique et culturelle que sociale et économique. Il considère qu'il ne faut pas établir de hiérarchie ni de clivage entre ces différentes dimensions d'une action collective qui ne sont que des facettes indissociables d'une seule et même expérience. Cette vision des choses amène à donner davantage de poids à ce qui se joue au niveau de la superstructure de la société : la politique, les idées, la religion et de droit notamment.

2.4   La conscience de classe : un ensemble complexe de représentations

Thompson s'écarte surtout de Marx par sa conception de la conscience de classe. N'étant pas un sujet, la classe sociale ne saurait avoir une conscience juste ou fausse de sa situation. Si la classe ouvrière est une expérience disparate, la conscience de classe ne saurait constituer que l'ensemble, également très complexe et diversifié, des représentations de cette expérience, de la situation dans laquelle elle se déroule, de ses enjeux, de ses acteurs (l'adversaire bien sûr mais aussi soi-même comme acteur social), des idées, des images, des symboles et des valeurs liés à cette expérience.

Ce qu'on appelle la conscience de classe comporte donc forcément des représentations partiellement divergentes, concurrentes parfois, portées par les groupes et organisations multiples qui y participent. Au sein de la classe populaire et du mouvement radical, les débats font rage et les conflits peuvent être âpres entre courants rivaux. Mais si l'on se divise souvent, on s'accorde aussi souvent sur une même analyse de la réalité et sur un même objectif (surtout lorsque, comme à Peterloo, le pouvoir est violent), de plus en plus souvent même au fur et à mesure que les multiples composantes de la classe ouvrière communiquent entre elles, se concertent et conviennent d'actions communes.

Les choses sont toujours plus complexes et subtiles qu'il n'y paraît. Thompson le montre magistralement à propos de l'influence du méthodisme[1], principal véhicule en Angleterre de ce que Marx a appelé l'opium du peuple. D'un côté, ce courant protestant a puissamment contribué à empêcher la révolution de survenir en inculquant aux travailleurs la discipline, l'obéissance, le fatalisme et surtout le travail comme valeur suprême[2]. Mais d'un autre côté, le méthodisme a contribué à inculquer aux travailleurs les notions de dignité humaine et d'égalité (de tous les êtres humains aux yeux de Dieu), qui sont au fondement de leurs revendications. Grâce aux leçons de catéchisme, ils ont appris à lire et ont pu s'adonner à la lecture de journaux, de livres ou de pamphlets séditieux que les pasteurs

---

1. Courant religieux issu de l'anglicanisme fondé en Angleterre par John Wesley (1703-1791).
2. Thompson, 1988, p. 325.

ne recommandaient pas particulièrement. À force de se retrouver dans des réunions religieuses, ils ont tissé des liens plus forts entre eux, ont acquis l'habitude de prendre la parole en groupe, ont pris confiance en eux et ont appris les rudiments de l'organisation collective, toutes choses qui seront précieuses pour leurs activités militantes. Bref, les efforts des pasteurs pour contenir leurs ardeurs et les soumettre au système industriel et politique établi ont indirectement généré des compétences qui seront bientôt utilisées contre ce système lui-même. Ce phénomène illustre un processus sociologique bien connu selon lequel des initiatives, décisions et actions peuvent avoir des effets importants mais non intentionnels appelés, par Raymond Boudon, des « effets pervers »[1].

Au regard de l'analyse historique fouillée réalisée par Thompson, l'opposition tranchée chez Marx entre l'aliénation et la conscience de classe apparaît trop sommaire. Au sein du mouvement radical, l'activité intellectuelle était constante et très largement répandue. Un important travail éducatif à la base a permis aux travailleurs peu ou pas scolarisés d'accéder aux textes des écrivains et journalistes radicaux[2]. Les idées démocratiques, internationalistes, anti-monarchistes, anti-religieuses et sociales (comme la progressivité de l'impôt, les allocations familiales, un système de pensions, des fonds publics pour l'éducation de tous et des logements sociaux pour les plus démunis) se répandirent parmi les militants et dans des couches de plus en plus larges de la population. Progressivement une presse radicale et indépendante vit le jour. C'est à travers elle que les sociétés locales, dépourvues de coordination nationale, cherchèrent la voie à suivre. Journalistes, écrivains et universitaires progressistes ont procuré à l'action collective ses cadres de pensée, sa rhétorique et la formulation de ses objectifs. Grâce à eux, une partie de la population de plus en plus nombreuse a pu s'instruire et s'intéresser aux débats politiques. Pamphlets et livres à bon marché, imprimés clandestinement et vendus sous le manteau, jouèrent un rôle important dans la diffusion des idées radicales. Chacun put rattacher son histoire individuelle à un destin collectif, de sorte que la conscience de classe s'est développée et aiguisée rapidement, sous les dehors du calme relatif des années 1820 qui suivirent de rudes répressions. Dès lors, Thompson peut dire que le mouvement radical a constitué aussi une culture intellectuelle.

2.5 Les contextes de micro-mobilisation : au cœur de l'action collective

La recherche de Thompson est particulièrement précieuse pour saisir la nature des actions collectives, notamment les mouvements sociaux, non seulement le mouvement ouvrier mais, plus largement, quelque mouvement que ce soit.

---

1. Voir Boudon, 1977.
2. Notamment l'écrivain Thomas Paine et le journaliste William Cobbett.

La situation macro-sociale de l'époque (en particulier le mécontentement populaire dû notamment aux conditions sociales difficiles et aux conséquences humaines et économiques des guerres napoléoniennes) et les succès des idées révolutionnaires et démocratiques en France (la Révolution française) et en Amérique (la Déclaration d'Indépendance), avaient créé une atmosphère favorable et un potentiel pour des actions collectives dans l'ensemble des pays européens, notamment en Angleterre. Toutefois, ce potentiel ne s'est réalisé concrètement qu'à travers de multiples associations, groupes ou institutions, comme les sociétés de correspondance, les compagnies de luddistes ou les réunions politiques régulières dans des bistrots populaires. Ces dynamiques multiples sont appelées par McAdam, McCarthy et Zald des contextes de micro-mobilisation* (*micro-mobilization contexts*). Bien qu'ils se situent au niveau micro-social des relations de face-à-face dans la vie quotidienne, ces contextes constituent des phénomènes proprement collectifs, qu'on ne peut comprendre si on les conçoit comme la simple agrégation de mécontentements individuels.

Rassemblant les individus en petites entités actives, ces contextes leur fournissent un cadre dans lequel chacun peut relier ses épreuves personnelles à une situation sociale, son sort personnel à un destin collectif partagé avec d'autres. Les difficultés que chacun rencontre dans la vie (par exemple la difficulté pour une femme d'accéder à un poste élevé traditionnellement occupé par un homme) ne sont plus imputées à son incapacité ou à ses échecs personnels mais à une situation collective (par exemple les préjugés sexistes). Les espoirs de changement que chacun nourrit peuvent prendre sens dans ce destin collectif. On appelle ce processus l'attribution collective*. Comme Thompson l'a montré, ces groupements multiples procurent les bases d'une organisation collective, notamment des manières de communiquer en minimisant les risques si l'on est exposé à des sanctions ou à une répression. Des leaders se distinguent par leur talent, leur courage ou leur dévouement à la cause commune. Les bénéfices de la solidarité (soutien mutuel, amitiés profondes, enthousiasme de l'action, fierté retrouvée[1]...) apparaissent progressivement supérieurs à ses coûts (temps consacré à militer, sacrifices financiers, répression, inquiétudes pour ses proches...). McAdam, McCarthy et Zald peuvent dès lors définir un contexte de micro-mobilisation comme « toute situation en petit groupe dans laquelle des processus d'attribution collective sont combinés avec des formes rudimentaires d'organisation pour produire une mobilisation pour une action collective »[2].

Comme les blocs dans les jeux de construction constituent les éléments de base des maisons édifiés par les enfants, ces contextes de micro-mobilisation sont, selon ces auteurs, les *basic building blocks* des mouvements sociaux. Ils se relient progressivement les uns aux autres dans des collaborations multiples, principalement informelles (participation à

---

1. Comme l'indique bien, par exemple, l'expression « *Lesbian and Gay Pride Parade* » ou « Marche de la fierté », moment fort annuel du mouvement homosexuel.
2. McAdam *et al.*, 1988, p. 709.

des manifestations communes, soutien à une action ou à une pétition organisée par une autre association, échanges d'adresses et d'informations stratégiques, entraides diverses...) mais aussi formelles (partis politiques, regroupements d'associations qui ont le même objet en fédérations, comme les fédérations syndicales). De cette manière, ces contextes de micro-mobilisation se constituent, au fil du temps, en réseaux de plus en plus étendus qui partagent une vision analogue des problèmes et luttent, sous diverses modalités, pour les mêmes enjeux et contre les mêmes adversaires. C'est pourquoi McAdam, McCarthy et Zald considèrent la notion de contexte de micro-mobilisation comme le pont conceptuel (*conceptual bridge*) grâce auquel les processus micro-sociaux et macro-sociaux peuvent être articulés. Le concept présente dès lors un double avantage analytique pour les recherches concrètes sur l'action collective : il procure des hypothèses opérationnelles pour le recueil et l'analyse des données empiriques (pour la recherche de Thompson, la myriade d'informations contenues dans les sources historiques consultées) tout en articulant de manière cohérente les différents niveaux de réalité (depuis les motivations psychologiques individuelles jusqu'au contexte macro-social en passant notamment par les organisations sociales et politiques de travailleurs).

2.6 Une approche historique et émancipatrice du social

Aux yeux de certains auteurs, le travail de Thompson représente un modèle de la recherche sociologique pour deux raisons principalement. La première réside dans sa démarche méthodologique et dans le mode d'explication des phénomènes sociaux qui la sous-tend. Par sa démarche historique qui prend en considération les actions concrètes d'acteurs historiques, il adopte un mode d'explication que l'on qualifiera d'actantiel parce qu'il consiste à expliquer les phénomènes par l'action d'êtres humains bien concrets inscrits dans des sociétés et des contextes bien concrets. Grâce à cette approche, il recueille un matériau empirique extraordinairement riche et détaillé qui, tout à la fois, rend justice à la diversité et à la dynamique des situations, et procure un point de vue sur la totalité de l'expérience vécue, mais en évitant les généralisations souvent creuses et idéologiques auxquelles conduisent les théories sociologiques trop larges et abstraites pour pouvoir rendre compte avec précision de la réalité humaine et sociale. Admirateur inconditionnel de Thompson, le sociologue politique américain Anthony Orum[1] oppose l'explication actantielle de Thompson à l'explication systémique de Parsons notamment dont il estime les constructions théoriques trop rigides et abstraites pour ne pas être, selon lui, invariablement inutiles.

L'œuvre de Thompson prend ici une dimension morale car son approche fait ressortir le drame existentiel de la classe ouvrière et restaure la dignité des citoyens ordinaires qui sont absents autant des livres d'histoire qui se limitent à l'œuvre des grands hommes que

---

1. Orum, 1989, p. 414-417.

des théories de sciences sociales trop générales et systémiques. Montrer en quoi l'histoire résulte des actions et des relations concrètes des hommes, inconnus autant que célèbres, revient à montrer que les choses auraient pu se passer autrement, qu'il n'y a aucune nécessité historique, contrairement à ce que pensait Marx.

Néanmoins, des éléments d'explication systémique ne sont pas totalement absents de l'analyse de Thompson puisqu'il étudie aussi la structure des organisations et des réseaux[1] à partir desquels les travailleurs se mobilisent. En réalité, toute analyse sociologique combine, dans des proportions variables, explication actantielle et explication systémique. Reconnaître à la fois l'importance des logiques objectives du social et l'importance de l'action des hommes et des femmes qui font concrètement la société n'est nullement contradictoire et est même nécessaire. Certains concepts comme celui de contexte de micro-mobilisation permettent de conjuguer ces deux exigences de l'analyse sociologique et c'est un autre de ses avantages. Un intérêt du *Dix-huit Brumaire* est d'ailleurs qu'il s'agit de l'œuvre dans laquelle Marx parvient à conjuguer lui aussi explication actantielle (l'action conflictuelle des classes sociales) et explication systémique (la structure des rapports sociaux de production).

La seconde raison pour laquelle le travail de Thompson est admiré réside dans sa capacité de conjuguer une analyse historique remarquablement rigoureuse et une posture de sociologie critique qui veut contribuer à l'émancipation des humains par rapport aux systèmes économiques et politiques responsables de leurs conditions de vie difficiles sinon misérables. Il introduit cette dimension critique au cœur même de son analyse en s'y engageant dans des controverses scientifiques et intellectuelles dont l'issue peut être lourde de conséquences politiques. Par exemple, Thompson consacre un important chapitre de *La formation de la classe ouvrière anglaise* à montrer toute l'importance de faire la différence entre le niveau de vie qui, selon des indicateurs quantitatifs, a augmenté durant la période étudiée, et le mode de vie – ou la qualité de vie – qui, selon des indicateurs qualitatifs multiples et convergents, s'est dégradé durant la même période. La seule prise en compte de l'augmentation du niveau de vie par certains économistes libéraux a servi d'argument pour justifier le système économique et ses effets sociaux désastreux.

Aux yeux de Thompson, la façon dont les chercheurs en sciences sociales et les intellectuels conçoivent leur travail et s'engagent ou non dans les débats et controverses de leur temps est essentielle. Dans ce même livre, il montre encore que l'Angleterre du début du XIXe siècle aurait probablement basculé dans la révolution sociale et démocratique si la plupart des intellectuels et des bourgeois progressistes sympathisants de la cause radicale n'avaient pas finalement fait marche arrière, par crainte de la répression mais aussi à cause de la frayeur que leur inspirait le spectacle encore récent de la Terreur en France. Ils n'en ont pas moins apporté leur contribution directe ou indirecte à des réformes sociales profondes et durables, obtenues par étapes successives au cours des XIXe et XXe siècles.

---

1. On reviendra sur la notion de réseau dans le chapitre 9.

Thompson a démontré qu'un universitaire pouvait être engagé politiquement et rester rigoureux sur le plan scientifique, pour autant qu'il distingue les deux registres et maîtrise correctement les articulations entre eux. À ses yeux, l'exigence émancipatrice devrait résider au cœur des sciences sociales. À l'aide de méthodes rigoureuses, comme l'analyse des sources historiques, elles doivent conduire à une évaluation critique du monde en vue de le transformer. À sa juste place dans le processus de connaissance, le jugement n'est pas un défaut mais une obligation. Dans le monde universitaire, les chercheurs doivent s'engager dans les controverses scientifiques, pourvu qu'elles ne soient pas purement formelles et stériles. Au cours d'un entretien à la fin de sa vie[1], Thompson déclarait :

> Les intellectuels doivent être embarrassants. Ils doivent s'arc-bouter dans l'espace qui leur est réservé et repousser la surface lisse de leurs fonctions, entrer en confrontation active avec les contours de la société ; ils doivent sans cesse « discuter ». Ce n'est que dans une attitude d'opposition que je suis capable d'organiser mes pensées.

L'actualité de la recherche menée par Thompson sur une période révolue de l'histoire réside, à ses propres yeux, dans le fait que de nombreux pays, notamment d'Asie, d'Afrique et dans une certaine mesure d'Amérique du Sud, sont encore confrontés à des problèmes typiques de sociétés industrielles récentes, comme l'absence de protection sociale, le travail forcé des enfants, les horaires et les conditions de travail éprouvants et les salaires extrêmement bas. Mais au-delà du contexte précis de la société industrielle naissante, les principes d'analyse de Thompson et les questions qu'il adresse à la responsabilité sociale des sciences sociales restent entièrement pertinents.

---

1. Beynon, 1993, p. 2.

Conclusion de la deuxième partie :
Paradigmes et engagement

## 1.	Le niveau de réalité du social

Les trois chapitres qui précèdent montrent trois caractéristiques fondamentales du monde social que les auteurs ont prises en compte dans l'analyse sociologique des phénomènes sociaux et qui correspondent à trois principes actifs : les phénomènes sociaux obéissent, en partie au moins, à des logiques objectives agissant au cœur de la société (Durkheim), ces phénomènes sont incompréhensibles si on ne prend pas en compte le sens que les acteurs donnent à leurs pratiques et aux institutions qui en fournissent le cadre (Weber), la société est traversée de conflits et de contradictions qui sont des facteurs de changement (Marx). Malgré leurs divergences (par exemple une vision plutôt consensuelle du social chez Durkheim et une vision nettement conflictuelle chez Marx, une conception holiste de la société chez Durkheim et une conception relevant de l'individualisme méthodologique chez Weber), ces trois grands auteurs partagent entre eux et avec tous les autres une conviction commune qui justifie qu'ils soient réunis dans un manuel de sociologie : le social est un niveau de réalité dont la spécificité mérite d'être reconnue comme spécifique (au même titre que le biologique et le psychologique par exemple) et qui doit dès lors être étudié en tant que tel et d'une manière spécifique. On n'étudie pas le social comme on étudie le biologique qui obéit à des processus totalement différents. Les processus qui expliquent les phénomènes biologiques (par exemple la reproduction des espèces) sont d'ordre biologique (comme l'ovulation ou la germination) ; les processus qui expliquent les phénomènes sociaux (par exemple la reproduction des institutions dans la durée) sont d'ordre sociologique (comme la socialisation, le contrôle social ou les rapports de pouvoir).

Évidemment, certains tentent d'expliquer les phénomènes sociaux par des processus biologiques (comme un état hormonal ou l'instinct de reproduction) ou psychologiques (comme la peur) mais ces explications manqueront toujours le cœur de ces phénomènes, à savoir que la vie en société représente une réalité spécifique non réductible à la somme des individus qui la composent. D'autres ont tenté de transposer à la société des lois ou processus biologiques. L'exemple le plus connu est certainement celui du « darwinisme social » de Herbert Spencer (1820-1903) qui a voulu appliquer à la société des lois de l'évolution analogues à celles de l'évolution des espèces découvertes par Charles Darwin (1809-1882). Il est intéressant de noter ici que le plus grand adversaire du darwinisme social était Darwin lui-même qui s'y est énergiquement opposé tant sur le plan scientifique que pour ses possibles conséquences néfastes (notamment la justification de la sélection « naturelle » dans un univers humain social et culturel qui, comme l'a bien montré Durkheim avec la différenciation sociale, a la capacité de résoudre autrement ses problèmes).

Sans doute ne faut-il pas s'enfermer dans une posture monodisciplinaire dogmatique et dénigrer l'intérêt d'intégrer des facteurs biologiques et psychologiques à l'explication des phénomènes sociaux. Mais il est nécessaire que ces facteurs soient eux-mêmes intégrés dans une explication sociologique (comme le fait Goffman par exemple), sans quoi il est quasiment impossible de ne pas verser dans des formes de naturalisme et de substantialisme, avec tous les risques que cela entraîne, comme le racisme. Jadis ont fleuri des thèses géographiques qui prétendaient expliquer la culture et la vie collective par les conditions géographiques comme le climat et le relief, sans prise en compte des conditions sociales et des processus sociaux. Mais ces thèses ont fait long feu. Si elles étaient valables et que l'on pouvait se dispenser d'une explication sociologique, on devrait trouver la même culture et la même vie sociale à Las Vegas dans le Nevada et à Salah dans le sud de l'Algérie.[1]

A contrario, que penseraient les biologistes si les sociologues avaient la prétention d'expliquer sociologiquement des phénomènes biologiques ? Certes, des facteurs sociaux peuvent intervenir en amont dans le contexte (par exemple des conditions de vie défavorables à la santé), mais l'explication finale d'un phénomène biologique ne peut être que biologique. Inversement donc, comme l'ont bien montré Durkheim et Goffman notamment, la sociologie peut contribuer à expliquer des phénomènes psychologiques comme la propension au suicide ou la construction du Moi. Mais ce qui se passe dans le psychisme de chaque individu reste fondamentalement d'ordre psychologique.

Il ne s'agit donc pas de fermer chaque discipline sur elle-même ; au contraire, la sociologie a beaucoup appris de l'histoire[2], de la psychologie[3] et de la philosophie[4] notamment… et inversement, on pourrait aisément le montrer[5]. Plus encore, entre les différentes disciplines – qui sont, pour une large part, des constructions sociales[6] – il n'existe pas de frontières étanches mais plutôt des lisières plus ou moins métissées. Mais chacune de ces disciplines n'est utile que si elle apporte un éclairage spécifique sur la réalité, qui comporte une plus-value

---

1. Courant à ne pas confondre avec la géographie sociologique actuelle qui vise à intégrer de manière rigoureuse la géographie et la sociologie.
2. Comme on vient de le voir avec Thompson et comme on le montrera encore avec la recherche de Norbert Elias dans le chapitre 8 qui est consacré à l'importance d'historiciser les structures sociales.
3. Voir notamment George Herbert Mead, 1965.
4. Voir par exemple l'œuvre de Michel Foucault, présentée dans le complément du chapitre 8.
5. Pour ne citer qu'un exemple, dans son œuvre majeure, *Théorie de l'agir communicationnel* (1987 et 1997), le philosophe et sociologue Jürgen Habermas s'est fortement inspiré d'un examen critique des travaux de Durkheim, Weber, Parsons et Mead notamment.
6. Comme on l'a vu dans le complément du chapitre 3.

par rapport aux autres. Bien comprise, l'interdisciplinarité, si recommandée mais si peu pratiquée aujourd'hui dans les sciences humaines et sociales, n'est pas un amalgame confus d'éléments picorés dans plusieurs disciplines ; elle est une coopération et une confrontation méthodologiquement réglée entre disciplines qui doivent démontrer chacune leur valeur ajoutée avant de prétendre élaborer des concepts et des hypothèses intégrants leurs apports respectifs.

2. Les paradigmes sociologiques

L'objet de la sociologie est donc précisément cette réalité spécifique qui implique d'« expliquer le social par le social ». Comme l'ont montré les recherches présentées dans les chapitres précédents, cela peut se faire de diverses manières qui correspondent à différentes conceptions de la société et d'explication des phénomènes sociaux[1]. Comme on l'a vu, ces différentes conceptions sont généralement appelées des paradigmes*. Avec Boudon et Bourricaud[2], on peut définir un paradigme comme « un ensemble d'énoncés portant, non sur tel ou tel aspect des sociétés, mais sur la manière dont le sociologue doit procéder pour construire une théorie visant à expliquer tels ou tels aspects des sociétés ». Le fonctionnalisme est un paradigme qui recommande d'expliquer tout phénomène social (la réussite ou l'échec scolaire, la déviance ou la danse de la pluie) par sa fonction, de préférence latente si on s'inscrit dans la perspective théorique de Merton. L'interactionnisme est un autre paradigme qui recommande d'étudier les phénomènes sociaux comme le produit des interactions entre acteurs. Le matérialisme historique (Marx) et la sociologie compréhensive de l'action (Weber) sont d'autres exemples de paradigmes. Toutefois, il ne faut pas chercher à assimiler de manière univoque chaque auteur ni même chaque théorie particulière à un paradigme. La plupart des auteurs ont une œuvre diversifiée et ont développé une pensée qui a évolué au fil du temps. Beaucoup se situent à la croisée de plusieurs paradigmes et traditions intellectuelles. La pensée de Mills, par exemple, trouve ses sources d'inspiration autant chez Weber que chez Marx. Celle d'un Touraine chez les mêmes mais aussi chez Parsons. Les paradigmes sont des repères aidant à réfléchir la réalité sociale, à se poser de bonnes questions de recherche, non des boîtes hermétiques dans lesquelles les théories seraient figées et enfermées.

Dans le cadre d'un paradigme ou au croisement de plusieurs d'entre eux, certains auteurs ont tenté d'élaborer une théorie générale de la société portant sur la société dans son ensemble, son fonctionnement et son changement. Les théories de Marx et de Parsons en sont les plus clairs exemples. Cette prétention a été contestée par certains autres auteurs, notamment par Merton qui, comme on l'a vu, suggère de limiter les ambitions et de se

---

1. Voir la conclusion de la première partie.
2. Boudon et Bourricaud, 1982, p. 562.

contenter de construire des « théories de moyenne portée ». Le débat reste ouvert ; d'un côté une théorie générale risque toujours de virer à l'idéologie, comme on l'a reproché tant à Marx qu'à Parsons, mais, d'un autre côté, si l'on n'essaie pas de se doter d'une vision d'ensemble cohérente de la société et des phénomènes sociaux, on risque de sous-estimer les liens multiples entre les différentes composantes et dimensions du social.

3. Quatre actes du travail sociologique

Pour se retrouver dans l'ensemble du paysage théorique de la sociologie, on peut distinguer les théories selon quatre actes, qui correspondent à quatre moments de la recherche. En réalité, chaque auteur, des pères fondateurs aux plus récents, des plus illustres aux plus modestes, doit trouver sa position, ou plutôt sa posture, au regard de ces quatre gestes. Le premier est celui de la *description*. Chaque théorie implique une manière spécifique de décrire. Par exemple, la théorie interactionniste réclame une description détaillée des interactions et donc sera le plus souvent associée à des méthodes qualitatives, notamment l'observation et l'entretien approfondi. En revanche, des méthodes quantitatives, comme la récolte de statistiques ou l'enquête par questionnaire administrée à un grand nombre de personnes conviendront mieux à une théorie holistique comme celle de Durkheim qui veut « étudier les faits sociaux comme des choses ». Une théorie comme celle de Marx qui s'intéresse aux rapports sociaux et aux luttes sociales au long cours décrira plutôt les faits à partir d'une documentation historique, ancienne ou récente. C'est également le cas pour Thompson.

Le deuxième acte est celui de *l'explication* qui est, comme nous l'avons vu, le cœur de la théorie. Par quoi la théorie explique-t-elle les phénomènes sociaux ? Qu'envisage-t-elle comme cause (au sens large du terme, tel qu'il a été défini dans la conclusion de la première partie de ce livre) ? Quels phénomènes ou concepts permet-elle de mettre en relation ? Plusieurs distinctions peuvent être faites ici. Si Durkheim explique les « faits sociaux » par d'autres faits sociaux antérieurs (comme la différenciation sociale par la densité démographique), qui se situent donc logiquement en amont, le fonctionnalisme explique les phénomènes sociaux par leurs conséquences objectives (leurs fonctions) qui se situent logiquement en aval. Ces deux approches se rejoignent toutefois par le fait qu'elles expliquent les phénomènes par des logiques objectives. Ce n'est pas le cas de l'interactionnisme symbolique, de la théorie de Weber ou encore de la sociologie pragmatique française, qui les expliquent par l'action des acteurs, action dont l'orientation est donnée par le sens que les acteurs lui donnent. On peut aussi distinguer les théories dont l'explication est systémique, basée sur les exigences de fonctionnement de la société vue comme un système, ce qu'illustre parfaitement la théorie de Parsons, de celle dont l'explication est historique, basée sur les actions des acteurs mais considérées dans leur succession et leurs transformations dans le temps, ce qu'illustre très bien l'approche de Thompson.

Le troisième acte est celui de la *critique*. Critiquer n'est pas un acte négatif mais un acte indispensable pour améliorer tant les théories elles-mêmes que la société qu'elles ont pour tâche de comprendre. On peut faire ici la distinction entre deux sortes de théories[1]. D'une part, celles qui n'ont aucune ambition critique, dont les auteurs ne visent qu'à comprendre et expliquer les phénomènes sociaux sans intention de changer la société. Il s'agit de théories dont la finalité est la connaissance pour la connaissance elle-même (comme la recherche fondamentale dans les sciences naturelles), partant de l'idée qu'une société a toujours intérêt à se comprendre le mieux possible et que cela servira peut-être un jour. Parmi les théories abordées jusqu'ici, c'est sans doute celle de Parsons qui en fait le plus clairement partie et, dans une bien moindre mesure, celle de Weber. D'autre part, les théories qui ont, explicitement ou non, une finalité critique consistant par exemple à émanciper les classes sociales dominées en leur faisant prendre conscience de leur aliénation (Marx), ou à montrer aux classes moyennes et populaires comment le pouvoir leur est confisqué par une élite (Mills) ou encore à procurer aux mouvements sociaux des outils d'analyse utiles à leur action (Thompson) ou, tout simplement, à susciter le débat critique sur des questions de société (Boltanski et Chiapello). Ces théories ont en commun de concentrer leur attention et leurs efforts de compréhension précisément sur « ce qui ne va pas » ou « ce qui ne tourne pas rond » dans le monde. À la lisière entre la philosophie et la sociologie, s'est développée en Allemagne à partir de 1923 une école de pensée d'inspiration marxiste dont l'intention était de mettre la théorie au service de la critique du capitalisme. Après la guerre et l'exil de quelques années aux États-Unis, ce courant de pensée s'est appelé l'École de Francfort. Ses principales personnalités intellectuelles étaient Max Horkheimer et Theodor Adorno. Plus récemment, Jürgen Habermas et Axel Honneth ont pris davantage de distance avec la pensée marxiste tout en restant des penseurs fondamentalement critiques. Sans procéder à des recherches sociologiques empiriques, les œuvres de ces auteurs et de plusieurs autres ont exercé une grande influence sur la pensée sociologique contemporaine, à l'instar des thèses de Habermas sur l'agir communicationnel et la régulation procédurale[2] ou de celles de Honneth sur les enjeux de reconnaissance[3].

Enfin, le quatrième acte est celui de la proposition de *solutions*. Le positionnement des différentes théories par rapport à cet acte est directement lié à leur positionnement par rapport à l'acte précédent. Dans certains cas, les solutions proposées sont explicites (comme la révolution prolétarienne pour Marx) mais, le plus souvent, elles sont implicites (comme agir sur l'institution et son fonctionnement plutôt que sur les reclus eux-mêmes

---

1. On se base ici sur Orum, 1989.
2. Habermas, 1987.
3. Voir notamment Honneth, 2000.

pour Goffman ou s'interroger sur la production des normes avant de s'interroger sur la déviance elle-même pour Becker). Si Marx est révolutionnaire, Durkheim et Mauss (avec qui nous ouvrirons la troisième partie) sont réformistes et veulent contribuer à améliorer la situation sociale sans violence ni rupture radicale.

Une fois encore, mis à part quelques auteurs dont les options théoriques et normatives sont très claires (comme Parsons et Marx), la plupart ne peuvent pas être classés dans des catégories extrêmes qui ne servent ici que de repères pour mieux comprendre la portée de leurs travaux et les comparer. La particularité de la recherche sociologique bien faite ne se trouve nullement dans le fait de préférer un acte à l'autre. Par contre, ces quatre actes de la recherche doivent bien être pensés comme des moments successifs, ce qui signifie qu'on ne peut accéder aux suivants sans être passé par les précédents. En conclusion du premier chapitre, on a déjà eu l'occasion de souligner que la théorisation et l'explication sociologique devaient se baser sur une description empirique. De la même façon, la critique sociologique se distingue de l'essai par le fait d'avoir été construite sur la base solide d'une théorie, généralement elle-même assurée par une description d'un phénomène social.

Cette séquence n'est toutefois pas rigide ; entre les quatre actes s'observe une circularité. Par exemple, la description (acte 1) s'organise le plus souvent en fonction d'hypothèses explicatives (acte 2) qu'il s'agira de vérifier ; ou encore, une description (acte 1) et une explication rigoureuse (acte 2) peuvent s'inscrire d'emblée dans une perspective critique (acte 3) et/ou dans celle de rechercher des solutions à un problème (acte 4).

Partie

LES DIMENSIONS DU SOCIAL

SAISIR LA CONSTITUTION SYMBOLIQUE DU SOCIAL

Sommaire

1. Recherche de référence : Marcel Mauss, *Essai sur le don*................... 221

2. Complément : Comment construisons-nous la réalité dans la vie de tous les jours ? (G. Simmel, A. Giddens, A. Schütz, P. Berger, T. Luckmann, H. Garfinkel) 240

1. Recherche de référence : Marcel Mauss, *Essai sur le don*

La vie en société est faite d'un ensemble d'actions et de relations concrètes qui se déroulent dans des espaces concrets (un quartier populaire d'une ville anglaise, un village africain, une institution totale, un lieu de culte, un parlement, une maison familiale ou le palais d'un empereur) selon un ensemble de règles de fonctionnement dont on comprend qu'elles sont également bien concrètes lorsque leur transgression est sanctionnée. Mais cette vie en société est également faite d'un ensemble de représentations du monde, de conceptions de l'existence, de croyances religieuses ou autres, de valeurs et d'aspirations, bref d'une conscience des choses, des autres et de soi-même, qui donne un sens à ces actions et à ces relations – aussi bien aux interactions micro-sociales et interpersonnelles qu'aux mouvements sociaux qui visent à transformer la société dans son ensemble –, et qui crée un lien entre les humains ainsi qu'entre eux et le monde. C'est ce qu'on appelle la dimension symbolique du social. Toutes les recherches vues jusqu'ici, notamment celles d'Evans-Pritchard, de Goffman et de Weber, montrent combien, loin d'être secondaire, elle participe intrinsèquement à la constitution de la vie collective. Il nous est impossible de comprendre quoi que ce soit à la vie sociale sans prendre conscience de la nature et de l'importance de cette dimension symbolique de l'expérience humaine et collective. C'est à quoi nous allons nous attacher dans ce chapitre, à partir d'une œuvre fondatrice à cet égard. Cette dimension s'articule à deux autres, tout aussi fondamentales qui seront abordées dans les deux prochains chapitres : la dimension de temporalité et la dimension relationnelle. Le social n'est pas figé ; il se constitue dans le temps qui, ne s'arrêtant jamais, lui confère une dynamique et, comme nous l'avons vu avec Touraine, une historicité. Le social est enfin fondamentalement relationnel. On n'a cessé de le voir dans chacune des recherches précédentes, à partir de points de vue différents, et l'on sera donc bien armé, au terme de cet ouvrage, pour saisir ce que signifie « penser relationnellement ». Symbolique, temporalité et relation constituent trois dimensions centrales et indissociables du social qui doivent être prises en compte dans toute démarche sociologique. Commençons par la première.

Publié pour la première fois en 1925, l'*Essai sur le don* de Marcel Mauss[1] (1872-1950) est l'un des textes les plus importants de l'histoire des sciences sociales. Il s'agit d'une étude pionnière pour la compréhension du symbolique qui est encore largement étudiée et discutée aujourd'hui. Marcel Mauss appartient à l'École Française de Sociologie. Neveu d'Emile Durkheim, il se spécialise dans l'histoire et la sociologie des religions. C'est d'ailleurs lui qui, comme nous l'avons vu, amènera son oncle à consacrer ses dernières grandes œuvres (notamment *Les formes élémentaires de la vie religieuse*) à ce sujet, pour saisir toute

---

1. Mauss, 1997.

l'importance de la dimension symbolique de la vie en société qui avait peu été prise en compte par Durkheim jusqu'alors. Mauss est à la fois le plus fidèle des élèves de Durkheim, mais également celui qui a introduit les plus grandes avancées par rapport à la pensée de son maître, au point qu'on le considère aujourd'hui comme l'« inventeur » du symbolique dans la sociologie française[1].

Comme plusieurs sociologues de son époque, Mauss n'a pas d'expérience directe de la recherche de terrain, mais a accumulé une énorme connaissance des travaux ethnologiques disponibles. « Mauss sait tout », disait de lui le grand anthropologue français Claude Lévi-Strauss. Mauss fascinait ses élèves par la manière dont sa vie et son travail de savant s'entremêlaient. L'un des plus connus d'entre eux, Louis Dumont, se souvient :

> Vous alliez le trouver à la fin d'une leçon et il vous laissait deux heures plus tard à l'autre bout de Paris. Tout le temps il avait parlé en marchant, et c'est comme si les secrets des races lointaines, un morceau des archives de l'humanité vous avaient été révélés par un expert sous la forme d'une simple conversation, car il avait fait le tour du monde sans quitter son fauteuil, s'identifiant avec les hommes à travers les livres. [...] Mauss avait reçu la grâce spéciale d'être un homme de terrain sans quitter son fauteuil.[2]

1.1   D'un phénomène banal à un analyseur sociologique

Dans toutes les sociétés, le don est une activité pratiquée quotidiennement. Cependant, la définition du don et la signification de l'acte de donner peut varier d'une société à l'autre et d'un contexte culturel à l'autre. Même à l'intérieur d'un environnement culturel particulier, les significations d'un don peuvent être très variables. Il suffit d'observer notre langage et le nombre d'expressions où le terme « donner » apparaît. Donner du temps à un ami pour l'aider à déménager ou à repeindre son appartement, donner une réception pour des amis, donner sa parole, donner de soi, donner une fête pour les noces de ses enfants... ne constituent que quelques exemples de la multitude de dons qui tissent notre vie quotidienne. Le don peut même prendre des proportions gigantesques : il suffit de penser au formidable mouvement *opensource* qui se développe sur Internet, où des codes, des algorithmes et des programmes sont « donnés » en accès libre par les informaticiens, professionnels ou amateurs, qui les ont développés.

Au-delà de la multiplicité des actions que nous qualifions de don, une constante apparaît : dans les sociétés modernes le don est perçu en opposition à l'échange marchand, intéressé. Alors que l'échange marchand doit produire des bénéfices pour les deux parties, le don est censé profiter seulement à celui qui le reçoit. Dans la compréhension de sens commun, celui qui donne doit le faire de sa propre volonté et de façon désintéressée, voire sacrificielle. Si un don n'a pas l'apparence de la gratuité authentiquement voulue,

---

1. Tarot, 1999.
2. Dumont, 1985, p. 196-197.

nous refusons de l'appeler par ce terme. Un don que la personne n'a pas souhaité faire s'appelle une extorsion. Un don que fait une entreprise à un politicien pour obtenir des contrats ou un cadeau qu'offrirait un étudiant à un professeur dans l'espoir d'améliorer sa note sont considérés comme de la corruption. Offrir un présent à quelqu'un pour le faire changer d'avis à notre égard est taxé de manipulation. Faire un cadeau à un proche pour espérer en recevoir un plus gros est tout sauf un don véritable, donner de l'argent sale à de bonnes œuvres ne l'est pas plus. Donner supposerait donc d'être généreux, et de ne rien attendre en retour. Mais cette association morale entre le don et la gratuité qui oppose le don à l'échange marchand est-elle la seule façon possible de comprendre ce phénomène ?

Mauss revient aux sources. À l'appui d'une importante documentation ethnographique portant principalement sur des tribus de Polynésie, de Mélanésie et du Nord-Ouest américain, il observe que, dans un grand nombre de sociétés archaïques, les échanges se font principalement sous forme de dons. Nourriture, vêtements, couvertures, bijoux, ustensiles de cuisine, festins, hospitalité s'échangent intensivement. Contrairement à l'image traditionnelle – et fausse – des sociétés archaïques, ce n'est pas le troc mais le don qui y constitue, selon Mauss, la forme principale des échanges. Avec le tabou de l'inceste qui interdit d'épouser ses consanguines, les femmes elles-mêmes sont échangées entre clans.

Mauss a l'intuition d'avoir affaire à un phénomène fondamental pour la compréhension de la société. Il ne cache d'ailleurs pas son impression d'avoir « ici trouvé un des rocs humains sur lesquels sont bâties nos sociétés »[1]. Plus encore, Mauss pense que l'analyse de la façon dont le don est pratiqué dans d'autres contextes culturels que le nôtre va permettre, par un effet de miroir, de mieux comprendre la place qu'il prend dans nos sociétés contemporaines. Comme Sahlins et Evans-Pritchard, Mauss fait le détour par des sociétés organisées autrement pour mettre en lumière de façon éclatante les spécificités des sociétés modernes et occidentales qu'on a trop souvent tendance à effacer en les universalisant. Le voyage qui permet de faire du phénomène social qu'est le don un analyseur sociologique est, comme on va le voir, parsemé d'embûches, car à chaque instant de son analyse, Mauss doit prendre garde de ne pas adopter une posture ethnocentriste. C'est aussi par la patience et la prudence de sa description que l'*Essai sur le don* constitue un chef-d'œuvre.

1.2   La kula et potlatch

Parmi les différentes formes de don observées dans les sociétés traditionnelles, Mauss en privilégiera deux. Il étudie d'abord attentivement les comptes-rendus ethnographiques réalisés par le fondateur de l'anthropologie britannique Bronislaw Malinowski, pionnier du fonctionnalisme[2]. Malinowski a passé plusieurs années parmi les habitants des îles

1. Mauss, p. 148.
2. Voir complément du chapitre 4.

Trobriand, situées à l'Est de la Nouvelle-Guinée. Il y observe un phénomène rituel resté célèbre en anthropologie : la *kula*. La *kula** est le nom d'un système d'échanges de bien prestigieux entre différentes tribus qui traitent ces objets (des colliers et des bracelets de coquillages) avec grand respect. Comme les différentes tribus trobriandaises sont dispersées sur une vingtaine d'îlots séparés par la mer, de grandes cérémonies somptueuses prennent place à intervalles réguliers, durant lesquelles les représentants d'une tribu font le voyage jusqu'à l'île voisine pour offrir les parures qu'ils ont eux-mêmes reçues d'une autre tribu. Plusieurs choses frappent Malinowski. D'abord, le fait que ces objets reçus et donnés en grande pompe dans des cérémonies au protocole strict n'ont aucune valeur ni marchande, ni décorative, ni utilitaire : n'importe qui peut ramasser des coquillages d'apparence identique sur les plages des îles Trobriand. Ensuite, Malinowski observe que les tribus qui reçoivent les objets en cadeau ne les gardent jamais très longtemps pour elles, mais les offrent à une autre tribu. Ainsi se forme un circuit fermé de dons où le donateur n'est jamais celui qui reçoit directement des cadeaux en retour. Dans l'approche fonctionnaliste empruntée par Malinowski, la fonction latente de cette organisation est de maintenir la cohésion de groupe dans une société où les tribus sont séparées par la distance.

Mauss veut aller plus loin dans l'interprétation de ce type de pratiques. Il complète ses observations en s'intéressant à un autre phénomène décrit quelques années plus tôt : le potlatch* pratiqué par les Indiens Kwakiult dans le Nord-Ouest américain. Vivant près du littoral entre le Pacifique et les montagnes Rocheuses ou sur les îles proches de la côte (notamment dans la région de la ville de Vancouver), les Kwakiult forment un ensemble de tribus ou une nation indienne relativement riche. Peuple de pêcheurs ou de chasseurs, ils vivent dans des maisons solides et connaissent la métallurgie du cuivre. Chaque hiver, ils se regroupent par milliers dans des villages qui, pour l'occasion, connaissent l'agitation et l'effervescence de véritables villes. Durant cette période de fête perpétuelle, assemblées solennelles, foires et marchés, mariages, cérémonies initiatiques, séances de chamanisme[1], cultes des dieux ou des totems*, « tout se mêle en un inextricable lacis de rites, de prestations juridiques et économiques, de fixations de rangs politiques »[2]. La consommation est alors sans bornes. Le chef du clan qui invite procède à d'importantes distributions et destructions de biens destinées à lui permettre de tenir son rang. Le potlatch, qui signifie littéralement « nourrir », « consommer », consiste en cet ensemble de cérémonies. Forme monstrueuse et relativement rare du don, le potlatch, par son excès même, manifeste le mieux les caractéristiques typiques du don, en accentue avec le plus de netteté sa véritable nature[3]. C'est pourquoi Mauss en privilégie l'examen. Dans l'extrait suivant, il décrit le potlatch en insistant sur ce qui le frappe par dessus-tout : le fait que l'acte de donner ne constitue qu'une partie d'une structure plus large. Mauss cherche à comprendre d'abord

---

1. Chamanisme : système de croyances et de pratiques basées sur le pouvoir et l'expérience personnelle d'un spécialiste du religieux, appelé le chaman, ou parfois encore le sorcier.
2. Mauss, 1997, p. 152-153.
3. Voir dans le chapitre 7 la notion de type-idéal.

pourquoi un chef, et à travers lui son clan, doit savoir non seulement donner, mais aussi recevoir et rendre, ensuite en quoi ces trois obligations sont indissociables, et enfin combien ce qui est échangé est bien plus que des objets matériels.

L'obligation de donner est l'essence du potlatch. Un chef doit donner des *potlatch*, pour lui-même, pour son fils, son gendre ou sa fille, pour ses morts. Il ne conserve son autorité sur sa tribu et son village, voire sur sa famille, il ne maintient son rang entre chefs – nationalement et internationalement – que s'il prouve qu'il est hanté et favorisé des esprits et de la fortune, qu'il est possédé par elle et qu'il la possède ; et il ne peut prouver cette fortune qu'en la dépensant, en la distribuant, en humiliant les autres, en les mettant « à l'ombre de son nom ». Le noble kwakiult [...] a exactement la même notion de la « face » que le lettré ou l'officier chinois. On dit de l'un des grands chefs mythiques qui ne donnait pas de potlatch qu'il avait la « face pourrie ». Même l'expression est ici plus exacte qu'en Chine. Car, au nord-ouest américain, perdre le prestige, c'est bien perdre son âme : c'est vraiment la « face », c'est le masque de danse, le droit d'incarner un esprit, de porter un blason, un totem, c'est vraiment la *persona*, qui sont ainsi mis en jeu, qu'on perd au potlatch, au jeu des dons comme on peut les perdre à la guerre ou par une faute rituelle. Dans toutes ces sociétés, on se presse à donner. Il n'est pas un instant dépassant l'ordinaire, même hors des solennités et rassemblements d'hiver où on ne soit obligé d'inviter ses amis, de leur partager les aubaines de chasse ou de cueillette qui viennent des dieux et des totems ; où on ne soit obligé de leur redistribuer tout ce qui vous vient d'un potlatch dont on a été bénéficiaire ; où on ne soit obligé de reconnaître par des dons n'importe quel service, ceux des chefs, ceux des vassaux, ceux des parents ; le tout sous peine, au moins pour les nobles, de violer l'étiquette et de perdre leur rang.

L'obligation d'inviter est tout à fait évidente quand elle s'exerce de clans à clans ou de tribus à tribus. Elle n'a même de sens que si elle s'offre à d'autres qu'aux gens de la famille, du clan, ou de la phratrie. Il faut convier qui peut et veut bien ou vient assister à la fête, au potlatch. L'oubli a des conséquences funestes. [...]

L'obligation de recevoir ne contraint pas moins. On n'a pas le droit de refuser un don, de refuser le potlatch. Agir ainsi c'est manifester qu'on craint d'avoir à rendre, c'est craindre d'être « aplati » tant qu'on n'a pas rendu. En réalité, c'est être « aplati » déjà. C'est perdre le poids de son nom. [...]

L'obligation de rendre est tout le potlatch, dans la mesure où il ne consiste pas en pure destruction. [...] Normalement le potlatch doit toujours être rendu de façon usuraire[1] et même tout don doit être rendu de façon usuraire. Les taux sont en général de 30 à 100 pour 100 par an. Même si pour un service rendu un sujet reçoit une couverture de son chef, il lui en rendra deux à l'occasion du mariage de la famille du chef, de l'intronisation du fils du chef, etc. Il est vrai que celui-ci à son tour lui redistribuera tous les biens qu'il obtiendra dans les prochains potlatch où les clans opposés lui rendront ses bienfaits.

---

1. Usuraire : qui vise un intérêt.

L'obligation de rendre dignement est impérative. On perd la « face » à jamais si on ne rend pas, ou si on ne détruit pas les valeurs équivalentes.[1]

La kula ou le potlatch sont les points culminants de la vie sociale. Ces phénomènes révèlent, pour Mauss, quelque chose de fondamental dans l'organisation des sociétés. Par ailleurs, un grand nombre de sociétés traditionnelles ont développé des institutions de ce type, même si elles ne sont pas toutes aussi extrêmes ou visibles. Pour rendre compte de leur signification, Mauss refuse d'en faire des phénomènes aberrants, symptômes d'un développement social et économique primaire. Au contraire, il s'attache à rendre compte de la structure propre du don : celle qui unit l'obligation de recevoir, l'obligation de donner et celle de rendre toujours plus.

1.3   Donner-recevoir-rendre : une structure unique

En tant que phénomène social, le don représente une structure, dans le sens où chacune de ses trois composantes, donner, recevoir et rendre, n'existe et ne se comprend qu'en fonction de ses relations avec les deux autres qu'elle implique et relance dans un processus sans fin. Cette idée, que Mauss appuie avec sa description du potlatch, semble entrer en totale contradiction avec notre compréhension moderne du don comme un acte nécessairement gratuit, par définition désintéressé, et qui n'attend aucun retour.

Pourtant, à y regarder de plus près, même nos différentes pratiques actuelles du don s'intègrent pour la plupart dans cette structure. L'obligation de recevoir est toujours présente, et on ne peut d'ailleurs pas recevoir un don n'importe comment. Si nous offrons à un ami un présent ou que nous l'invitons au restaurant, nous serions autant froissés du fait qu'il n'accepte pas ce cadeau que du fait qu'il veuille nous rembourser ou nous rendre la pareille directement. Dans les deux cas, cet ami ne joue pas le jeu du don : il l'annule en ne l'acceptant pas ou en rendant trop vite. L'obligation de rendre, et peut-être de rendre plus, reste elle aussi d'actualité, même si les lectures morales du don nous empêchent de le voir. « Je t'en dois une », « à charge de revanche », dirons-nous à celui qui nous a rendu un fier service. Lorsque nous recevons quelque chose et que nous l'acceptons, nous nous sentons en dette vis-à-vis de la personne qui nous l'a offert. Souvent, il ne s'agit pas d'un malaise important, mais nous gardons dans un coin de notre tête que nous ne devrons pas oublier de rendre la pareille. D'un autre côté, si nous payons des tournées à plusieurs reprises à des amis qui ne nous rendent jamais la pareille, un véritable malaise se créera, même si nous n'avons jamais offert ces tournées dans le but explicite d'en recevoir en retour.

Dans nos sociétés, le don présente la particularité des phénomènes qui doivent s'ignorer pour pouvoir exister. Il faut qu'il ait l'apparence de la sincérité et du désintéressement

---

1. Mauss, 1997, p. 205-212.

même si, en réalité, le don reste toujours pris dans la structure décrite ici qui unit donner, recevoir et rendre. Là réside, selon Mauss, le trait essentiel et l'ambiguïté du don, qui concerne :

> [...] le caractère volontaire, pour ainsi dire, apparemment libre et gratuit, et cependant contraint et intéressé de ces prestations. Elles ont revêtu presque toujours la forme du présent, du cadeau offert généreusement même quand, dans ce geste qui accompagne la transaction, il n'y a que fiction, formalisme et mensonge social, et quand il y a, au fond, obligation et intérêt économique.[1]

Si le don nous paraît étrange, c'est parce qu'il brouille deux catégories qui sont généralement considérées comme étanches par le sens commun des sociétés modernes : la contrainte d'une part, et la liberté d'autre part[2]. Le don peut-il être à la fois obligé et volontaire ? Pour cerner combien contrainte et liberté sont inextricablement mêlées, il suffit de penser à la situation de l'ami que nous invitons à un repas et qui ne voudra certainement pas arriver sans amener un cadeau. Lorsqu'il nous offrira son présent, il dira probablement que « ce n'est qu'un petit quelque chose », nous lui répondrons sans doute qu'« il ne fallait pas », mais nous l'aurions tout de même trouvé grossier s'il était arrivé « les mains vides ». La raison de ce paradoxe apparent est que le don ne concerne pas que des objets qui passent de main en main. Le don est, dans toutes les sociétés, une relation sociale qui implique des enjeux importants. Pour comprendre cela, Mauss retourne encore une fois aux sources des sociétés traditionnelles, et pose cette double question qui guidera toute son étude :

> « Quelle est la règle de droit et d'intérêt qui, dans les sociétés de type arriéré ou archaïque, fait que le présent reçu est obligatoirement rendu ? Quelle force y a-t-il dans la chose qu'on donne qui fait que le donataire la rend ? »[3]

1.4 Le réel est symbolique

La description du potlatch par Mauss indique que le don implique des enjeux de prestige et de rang qui renvoient à sa dimension symbolique. C'est le développement de ce point qui va permettre de comprendre le don comme une relation sociale d'une grande importance, en particulier dans les sociétés traditionnelles. En quoi consiste cette dimension symbolique ? D'abord, les échanges dans le potlatch ou la kula ne portent pas sur de simples objets inertes car, du point de vue de ceux qui y prennent part, les choses possèdent un esprit. Chez les Maoris de Polynésie, cet esprit des choses, appelé *hau* est aussi

---

1. Mauss, 1997, p. 147.
2. Ce paradoxe apparent, déjà abordé chez Durkheim, sera développé plus profondément dans le prochain chapitre consacré à Elias.
3. Mauss, 1997, p. 148.

celui de la forêt qui les entoure et des animaux qui y vivent. Quiconque a un jour possédé l'objet est à jamais détenteur d'une parcelle de cet esprit. Cette partie de lui-même reste attachée à la chose qu'il donne. Même donné, l'objet conserve, d'une certaine manière, quelque chose de son donateur. Par lui, le donateur a alors prise magique sur le donataire, jusqu'à ce que ce dernier, en payant en retour, en rendant plus encore, inverse le rapport de force, écarte ainsi le danger et sauve la face. C'est pourquoi les coquillages donnés lors de la kula n'ont finalement rien de comparable, si ce n'est leur apparence extérieure, avec ceux qui jonchent les plages des îles Trobriand. Les coquillages échangés tirent leur valeur symbolique de l'histoire de leur possession.

Ensuite, chaque être humain possède une force magique, un pouvoir spirituel qui s'acquiert à travers le don. Originaire de Polynésie et de Mélanésie, le terme *mana** est le nom que les anthropologues ont retenu pour signifier cette force magique qui est synonyme d'honneur, d'autorité, de fortune et surtout de prestige. « Le *mana* est proprement ce qui fait la valeur des choses et des gens, valeur magique, valeur religieuse et même valeur sociale. La position sociale des individus est en raison directe de l'importance de leur *mana* »[1] écrit Mauss. Dans les sociétés organisées par la magie, le pouvoir magique reconnu à un être, à une chose ou à un rite trouve son crédit et son efficacité dans un consentement social. Par la pression d'un besoin social, toute une série de phénomènes de psychologie collective se déclenchent (par exemple des manifestations physiologiques interprétées comme des guérisons) qui n'existent que parce que tous les membres du groupe les reconnaissent collectivement comme effets de ce pouvoir magique.[2]

Pour prouver et conserver son *mana*, le chef doit distribuer à ses vassaux et à ses proches les cadeaux qu'il reçoit. Sa force magique dépend de sa générosité. Esprit des choses échangées et pouvoir magique des personnes qui échangent sont donc indissociables. C'est pourquoi « le lien par les choses est un lien d'âmes, car la chose elle-même a une âme, est une âme. »[3] En montrant le lien étroit entre l'esprit des choses et la force magique des personnes, Mauss supprime la séparation entre les objets échangés et les sujets qui échangent, entre les biens matériels et les biens spirituels, entre le passé et le présent. Il serait faux de croire que cette porosité ne s'observe que dans les sociétés traditionnelles. Bien au contraire, nous continuons à attribuer une valeur symbolique à de nombreux objets, c'est-à-dire que nous voyons en eux plus que ce qu'ils sont réellement. Le doudou de l'enfant, le porte-bonheur de l'étudiant qui passe son examen, l'horloge héritée d'un ancêtre décédé, ou la fripe portée un jour par une star pour laquelle des fans sont prêts à payer cher si pas à se battre, en sont autant d'exemples.

Dans chaque don concret pratiqué dans le potlatch ou la kula, ce n'est pas seulement une relation singulière entre un donateur et un donataire qui est impliquée, c'est

---

1. Mauss, 1997, p. 102.
2. Mauss, 1997, p. 119.
3. Mauss, 1997, p. 160.

l'ensemble de la structure sociale et sa signification globale qui se trouvent concentrées[1]. Le symbole est précisément ce qui, à travers l'objet échangé, renvoie à cette structure globale, réalise ce lien entre les hommes et les choses, et articule les expériences successives dans une unité de sens. « Quelle force y a-t-il dans la chose qu'on donne qui fait que le donataire la rend ? » La réponse réside dans cette « signification sociale globale qui lui confère précisément sa force et impose sa circularité »[2]. Il y a donc dans le don une force plus puissante qu'une règle de droit ou un simple intérêt, même si l'une et l'autre y sont également présents. ·

Le symbole n'est pas le simple reflet d'une réalité sociale qui serait déjà réalisée avant lui. Ce qu'on appelle le symbolique renvoie à cette constante activité par laquelle les humains donnent du sens à ce qui les entoure et ce qui leur arrive, et étendent en permanence leur conscience du monde. La totalité sociale *est* donc symbolique. Pour cette raison, elle n'est pas un état dont le symbole serait une image ; elle est un travail consistant à construire sans relâche un univers toujours précaire de cohérence et de sens.

1.5 Symbolique et pouvoir

L'activité symbolique configure tout particulièrement les relations de pouvoir. Chez les Kwakiult, la consommation et la destruction des biens sans mesure participe d'une lutte de prestige et de pouvoir menée à coups de dons et de contre-dons, de potlatch offerts et de potlatch rendus.

> [...] ce qui est remarquable dans ces tribus, c'est le principe de rivalité et de l'anta-gonisme qui domine toutes ces pratiques. On y va jusqu'à la bataille, jusqu'à la mise à mort des chefs et nobles qui s'affrontent ainsi. On y va d'autre part jusqu'à la destruction purement somptuaire[3] des richesses accumulées pour éclipser le chef rival en même temps qu'associé (d'ordinaire grand-père, beau-père ou gendre). Il y a prestation totale en ce sens que c'est bien tout le clan qui contracte pour tous, pour tout ce qu'il possède et pour tout ce qu'il fait, par l'intermédiaire de son chef. Mais cette prestation revêt de la part du chef une allure agonistique[4] très marquée. Elle est essentiellement usuraire et somptuaire et l'on assiste avant tout à une lutte des nobles pour assurer entre eux une hiérarchie dont ultérieurement profite leur clan.[5]

Plus loin, Mauss développe :

---

1. Karsenti, 1994, p. 85. On s'inspire ici du petit ouvrage de B. Karsenti, *Marcel Mauss. Le fait social total*, qui constitue un commentaire éclairant de l'*Essai sur le don*.
2. Mauss, 1997, p. 85.
3. Somptuaire : relatif aux dépenses.
4. Agonistique : se déroulant au moyen du combat.
5. Mauss, 1997, p. 152-153.

C'est à qui sera le plus riche et aussi le plus follement dépensier. Le principe de l'antagonisme et de la rivalité fonde tout. Le statut politique des individus, dans les confréries et les clans, les rangs de toutes sortes s'obtiennent par la « guerre de propriété » comme par la guerre, ou par la chance, ou par l'héritage, par l'alliance et le mariage. Mais tout est conçu comme si c'était une « lutte de richesse ». Le mariage des enfants, les sièges dans les confréries ne s'obtiennent qu'au cours de potlatch échangés et rendus. On les perd au potlatch comme on les perd à la guerre, au jeu, à la course, à la lutte. Dans un certain nombre de cas, il ne s'agit même pas de donner et de rendre, mais de détruire, afin de ne pas vouloir même avoir l'air de désirer qu'on vous rende. On brûle des boîtes entières d'huile d'olachen [...] ou d'huile de baleine, on brûle les maisons et des milliers de couvertures ; on brise les cuivres les plus chers, on les jette à l'eau, pour écraser, pour « aplatir » son rival. Non seulement on se fait progresser soi-même, mais encore on fait progresser sa famille sur l'échelle sociale. [...]

On le voit, la notion d'honneur qui agit violemment en Polynésie, qui est toujours présente en Mélanésie, exerce ici [chez les Kwakiutl] de véritables ravages.[1]

Donner un objet à quelqu'un revient à mettre cette personne dans une situation de dette. L'objet donné rappelle constamment cette situation à celui qui l'a reçu. En vertu du *hau*, le donateur reste présent auprès du donataire, même s'il en est physiquement éloigné. Donner, c'est donc s'assurer l'ubiquité[2]. Tentative de soumettre celui à qui l'on donne, de le transformer en obligé, d'imprimer sur lui son pouvoir et sa supériorité, le don est donc un combat dont l'enjeu est la hiérarchie entre les chefs et, à travers eux, entre leurs clans. Réglée ailleurs par la guerre, cette question est résolue ici pacifiquement, en épargnant le sang des peuples. C'est bien la force, plus que le droit et le contrat, qui fixe la hiérarchie sociale, organise la distribution des richesses, soude des alliances et, au bout du compte, confère à la société une cohésion durable. Mais cette force est celle de la puissance symbolique du don, de la capacité et de la volonté de donner plus que ne le peuvent les rivaux. *A contrario*, explique Mauss, « refuser de donner, négliger d'inviter, comme refuser de prendre, équivaut à déclarer la guerre ; c'est refuser l'alliance et la communion »[3].

On comprend mieux maintenant comment le don transgresse l'opposition entre le gratuit et l'obligatoire, mais aussi l'opposition entre le gratuit et l'intéressé. Ce que Mauss montre de façon éclatante, c'est que les membres des sociétés étudiées ne sont pas tant intéressés par la richesse que par la position sociale. En tant que telle, la richesse ne signifie rien si on n'en fait pas usage pour obliger d'autres individus, et ainsi acquérir du pouvoir sur ceux-ci. Dans les sociétés traditionnelles, les individus se battent à coups de dons pour des questions de prestige car le groupe social a, pour chacun, une importance capitale.

---

1. Mauss, 1997, p. 201-203.
2. Ubiquité : être présent à plusieurs endroits en même temps.
3. Mauss, 1997, p. 162-163.

Plus qu'un moyen d'exercer le pouvoir sur autrui, le symbolique est en lui-même extrêmement puissant. Transgresser les règles en vigueur dans le groupe revient à risquer la honte, le rejet. On peut même mourir lorsqu'on perd son prestige ou lorsqu'on « perd la face », comme le montrent les travaux de Mauss sur « l'idée de mort suggérée par la collectivité »[1].

1.6   Le fait social total

Brillant et fidèle élève de Durkheim, Mauss reprend la notion de fait social à son compte, tout en colorant d'une façon particulière le concept phare de son maître. Pour Durkheim, au début de sa carrière du moins, les faits sociaux, ces phénomènes dont la société est la cause, se caractérisent surtout par la contrainte qu'ils exercent sur les individus : nous n'avons pas le choix de les respecter, et nous sommes sanctionnés si nous ne le faisons pas. L'attention particulière que Mauss porte au fait que les hommes vivent dans un univers symbolique l'amène à corriger et à complexifier cette vision du social où la contrainte prend une place si importante. Si, pour Durkheim, le social est ce qui nous « contraint », il est, pour Mauss, ce qui nous « oblige ». Le social est à la fois une lutte pour le prestige, une force qui s'inscrit dans les choses, et enfin un système d'obligations.[2]

Pour marquer tant la continuité que la différence avec Durkheim, Mauss qualifie le système du don dans les sociétés traditionnelles, dont le potlatch est la forme extrême, de fait social total*. Ce concept constitue sans aucun doute l'expression la plus remarquable, parce qu'à la fois la plus achevée et la plus féconde, de l'idée de totalité. Par fait social total, Mauss signifie d'abord que toutes les institutions s'y expriment :

> Dans ces phénomènes sociaux « totaux », comme nous proposons de les appeler, s'expriment à la fois et d'un seul coup toutes sortes d'institutions : religieuses, juridiques et morales – et celles-ci politiques et familiales en même temps ; économiques – et celles-ci supposent des formes particulières de la production et de la consommation, ou plutôt de la prestation et de la distribution ; sans compter les phénomènes esthétiques auxquels aboutissent ces faits et les phénomènes morphologiques que manifestent ces institutions.[3]

Les institutions religieuses s'y expriment à travers les cérémonies chamaniques, le culte des dieux et des totems, mais aussi les mythes[4] transmis de générations en générations. Les institutions juridiques résident dans les diverses formes de contrats conclus à l'occasion de

---

1. Mauss, 1997. L'ouvrage *Sociologie et Anthropologie* comprend non seulement l'*Essai sur le don*, mais également d'autres articles particulièrement intéressants tels que *L'idée de mort suggérée par la collectivité* ou *Les techniques du corps*.
2. Karsenti, 2011, p. 354-355.
3. Mauss, 1997, p. 147.
4. Mythe : récit mettant en scène des êtres surnaturels dans des temps immémoriaux.

ces grands rassemblements. Les institutions morales consistent en l'ensemble des valeurs et des normes auxquels les échanges obéissent. Le don est une institution économique car on y échange des biens et des services. Les institutions esthétiques sont engagées dans les tenues vestimentaires, les danses et les chants notamment, qui relèvent les festins et cérémonies. L'aspect morphologique du don réside dans la manière dont il structure les liens entre les composantes de la société. Mais il y a bien plus dans un fait social total, comme l'indique l'extrait suivant :

> Ce sont [...] plus que des thèmes, plus que des éléments d'institutions, plus que des institutions complexes, plus même que des systèmes d'institutions divisés par exemple en religion, droit, économie, etc. Ce sont des « tous », des systèmes sociaux entiers dont nous avons essayé de décrire le fonctionnement. Nous avons vu des sociétés à l'état dynamique ou physiologique. Nous ne les avons pas étudiées comme si elles étaient figées, dans un état statique ou plutôt cadavérique, et encore moins les avons-nous décomposées et disséquées en règles de droit, en mythes, en valeurs et en prix. C'est en considérant le tout ensemble que nous avons pu percevoir l'essentiel, le mouvement du tout, l'aspect vivant, l'instant fugitif où la société prend, où les hommes prennent conscience sentimentale d'eux-mêmes et de leur situation vis-à-vis d'autrui. Il y a, dans cette observation concrète de la vie sociale, le moyen de trouver des faits nouveaux que nous commençons seulement à entrevoir. Rien à notre avis n'est plus urgent ni fructueux que cette étude des faits sociaux.
>
> Elle a un double avantage. D'abord un avantage de généralité, car les faits de fonctionnement général ont des chances d'être plus universels que les diverses institutions ou que les divers thèmes de ces institutions, toujours plus ou moins accidentellement teintés d'une couleur locale. Mais surtout, elle a un avantage de réalité. On arrive ainsi à voir les choses sociales elles-mêmes, dans le concret, comme elles sont. Dans les sociétés, on saisit plus que des idées ou des règles, on saisit des hommes, des groupes et des comportements. On les voit se mouvoir comme en mécanique on voit des masses et des systèmes, ou comme dans la mer nous voyons des pieuvres et des anémones. Nous apercevons des nombres d'hommes, des forces mobiles, et qui flottent dans leur milieu et dans leurs sentiments.
>
> Les historiens sentent et objectent à juste titre que les sociologues font trop d'abstractions et séparent trop les divers éléments des sociétés les uns des autres. Il faut faire comme eux : observer ce qui est donné. Or, le donné, c'est Rome, c'est Athènes, c'est le Français moyen, c'est le Mélanésien de telle ou telle île, et non pas la prière ou le droit en soi. Après avoir forcément un peu trop divisé et abstrait, il faut que les sociologues s'efforcent de recomposer le tout. Ils trouveront ainsi de fécondes données. Ils trouveront aussi le moyen de satisfaire les psychologues. Ceux-ci sentent vivement leur privilège, et surtout les psychopathologistes[1] ont la certitude d'étudier du concret. Tous étudient ou devraient observer le comportement d'êtres totaux et non divisés en facultés. Il faut les imiter. L'étude du concret, qui est du complet, est possible et plus captivante et plus explicative encore en sociologie. Nous, nous observons des réactions complètes et complexes de quantités numériquement définies d'hommes, d'êtres

---

1. Psychopathologiste : spécialiste de l'étude des troubles psychiques.

complets et complexes. Nous aussi, nous décrivons ce qu'ils sont dans leurs organismes et leur *psychai*, en même temps que nous décrivons ce comportement de cette masse et les psychoses qui y correspondent : sentiments, idées, volitions[1] de la foule ou des sociétés organisées et de leurs sous-groupes. Nous aussi, nous voyons des corps et les réactions de ces corps, dont idées et sentiments sont d'ordinaire les interprétations et, plus rarement, les motifs. Le principe et la fin de la sociologie, c'est d'apercevoir le groupe entier et son comportement tout entier.[2]

Dans ce passage, le fait social total n'est pas seulement défini comme une structure, soit comme un mode d'agencement entre éléments (entre les actes de donner, de recevoir et de rendre ; ou entre diverses institutions). Il constitue également un processus dynamique, un flux permanent entre biens et personnes qui se déroule dans le temps, car il doit prendre du temps, avec une alternance d'accélérations soudaines (lors des potlatch) et de périodes plus calmes. Si le cadeau doit être rendu, il ne peut l'être sur-le-champ au risque de supprimer l'idée même de don. L'intervalle de temps entre le don et le contre-don a pour fonction de créer l'impression qu'il n'existe pas de liens entre eux, auquel cas l'échange serait réduit à du troc. Rendre un don immédiatement revient en réalité à le refuser[3]. Le tout est donc une structure dynamique, dont les composantes (donner, recevoir et rendre) se succèdent dans le temps. La liberté de l'individu s'exerce moins dans la possibilité de ne pas rendre le don que dans celle de choisir quand le rendre et dans quelles proportions.

Dans le fait social total, la dimension sociologique des échanges sociaux se transpose, sur le plan psychologique, dans les sentiments et les mobiles individuels, comme la crainte de perdre son *mana* et de perdre la face, et de chuter dans la hiérarchie sociale. L'aspect dynamique, vivant du don se réalise aussi dans cet « instant fugitif où la société prend, où les hommes prennent conscience sentimentale d'eux-mêmes et de leur situation vis-à-vis d'autrui ». Les processus psychologiques ne sont ni la cause ni le simple reflet de la structure sociale du don, mais bien sa traduction au plan du psychisme de chacun. Le social et le mental participent d'une même réalité, ne font qu'un en définitive. Pour être valide, toute explication sociologique doit pouvoir trouver son correspondant dans la subjectivité de l'expérience vécue : « la preuve du social [...] ne peut être que mentale ; autrement dit, nous ne pouvons jamais être sûrs d'avoir atteint le sens et la fonction d'une institution, si nous ne sommes pas en mesure de revivre son incidence sur une conscience individuelle. »[4] Le don dans les sociétés traditionnelles est un exemple idéal-typique de fait social total, mais il n'est pas le seul. Aujourd'hui par exemple, le football-spectacle avec ses compétitions nationales et internationales qui mobilisent tant d'intérêts et de

---

1. Volition : exercice ou acte de la volonté.
2. Mauss, 1997, p. 275-276.
3. L'importance de l'intervalle de temps entre le don et le contre-don a été mise en évidence par Bourdieu (1980, p. 179).
4. Lévi-Strauss, 1997, p. XXVI.

passions, répond parfaitement à cette définition. Il en est de même de l'institution du mariage, de concerts rock qui rassemblent des foules ou de grandes cérémonies religieuses dans les sociétés où la religion conserve une place centrale..

Dans une approche du fait social total, l'être humain est conçu dans sa totalité. À la différence de Durkheim, Mauss pense que le social, le psychologique et le biologique doivent être tenus ensemble sans jamais opérer de réduction à un seul de ces plans (comme par exemple lorsqu'on prétend expliquer la criminalité par la seule génétique, en oubliant les mécanismes psychiques et le contexte social qui favorisent les comportements déviants). Mauss s'est ainsi consacré à des phénomènes sur lesquels on n'attendrait pas un sociologue, comme les « techniques du corps »[1] que sont la marche, la façon de mastiquer, ou encore les relations sexuelles, en montrant que ces techniques, qui semblent pourtant universelles, sont incorporées de façons différentes selon le contexte social dans lequel l'apprentissage a lieu. Le social s'immisce jusque dans nos comportements, où il s'entremêle avec la dimension biologique et la dimension psychologique.

L'idée que tant le social que l'individu doivent être étudiés au niveau de la totalité pourrait laisser penser que Mauss cherche à adopter un point de vue abstrait sur ses objets d'étude. Or c'est tout le contraire. La citation précédente montre combien Mauss insiste pour que les sociologues étudient ce qui est donné, à savoir la vie concrète des individus. « Après avoir forcément un peu trop divisé et abstrait, il faut que les sociologues s'efforcent de recomposer le tout ». Mauss applique parfaitement ce principe à son étude du don. Alors que Durkheim se désintéressait totalement des raisons qui ont poussé tel ou tel individu particulier au suicide pour se concentrer sur les lois du suicide en général, Mauss veut montrer comment ce qui se passe peut prendre sens pour les individus qui participent au potlatch ou à la kula, comment les individus « savent » ce qu'ils doivent faire en pareilles circonstances : rendre un don après avoir attendu un certain temps, mettre en jeu son prestige, etc. Le fait social total n'empêche pas l'étude précise de phénomènes concrets. Au contraire, ce concept la présuppose.

1.7 Comparer pour mieux comprendre

Pourquoi Mauss se pique-t-il d'étudier des sociétés anciennes et lointaines, comme le feront Evans-Pritchard et Sahlins après lui ? Ce n'est certainement pas un désir d'exotisme qui anime ces auteurs. Ils cherchent bien sûr à mieux décrire des contextes ou des phénomènes que nous ne connaissons pas. Mais ce n'est pas là la fin ultime de leur projet. Directement ou indirectement, Mauss et les autres cherchent, par le détour par l'ancien ou le lointain, à mieux éclairer ce que nous vivons quotidiennement dans les sociétés occidentales, ce que nous avons tous les jours sous les yeux mais que nous ne voyons plus tellement cela nous parait évident, indiscutable, naturel.

---

1. Mauss, 1997.

La comparaison entre sociétés constitue sans nul doute un enjeu méthodologique majeur et un outil décisif pour les sciences sociales et les chercheurs. Avec la mise en contexte des phénomènes observés, la comparaison constitue certainement la meilleure arme pour ne pas tomber dans le piège de l'essentialisme qui pousse à attribuer une définition unique et universelle aux phénomènes. Une température de 20 °C ne signifie rien par elle-même. Par contre, apprendre que cette température a été mesurée au Groënland au mois de février ou dans le désert du Sahara au mois d'août nous permet de comprendre les implications de cette observation. Il en va de même pour les phénomènes sociaux. Observer quelqu'un qui pleure ne nous dit rien tant que nous ne connaissons pas le contexte social qui va attribuer la signification à ces pleurs. Comparer les contextes sociaux nous apprendra que les pleurs ne sont pas toujours, comme on pourrait le croire en appliquant unilatéralement nos propres catégories, l'expression spontanée d'une tristesse ou d'une douleur authentiques[1]. Et il en va de même pour toutes les pratiques quelconques, comme consommer du poisson ou du porc, se rendre chez son voisin, raconter des blagues sur les puissants, dresser son chien ou marcher dans la forêt, qui revêtiront des significations très différentes selon que l'on se trouve dans une société de tradition musulmane ou chrétienne, rurale ou urbaine, africaine ou européenne, démocratique ou autoritaire... Mais comment le deviner sans aller effectivement voir ailleurs et sans comparer ?

La comparaison est donc indispensable et pleine d'enseignements, mais cette méthodologie est semée d'embûches et de pièges, que Mauss évite avec brio. Les travaux de Sahlins et Evans-Pritchard avaient montré que le danger était constitué par l'attitude ethnocentriste qui consiste à appliquer ses propres catégories sur des contextes étrangers. La recherche de Mauss permet de préciser différentes facettes de ce danger qui apparaît inévitablement lorsqu'on questionne la différence ou les ressemblances entre « eux » et « nous ». D'abord, Mauss refuse d'adopter un point de vue évolutionniste, où « eux » représentent une forme moins évoluée de « nous ». Dans cette perspective, le potlatch ou la kula seraient immanquablement considérés comme des formes primitives, non évoluées, de « notre » marché qui représenterait l'étape ultime et idéale du système d'échanges économiques. Au contraire, la kula et le potlatch sont tout sauf des systèmes d'échanges économiques au sens où nous l'entendons habituellement. Ensuite, Mauss évite de tomber dans le travers inverse qui consiste à attribuer à « eux » toutes les qualités que « nous » nous plaignons d'avoir perdues : la gentillesse, la générosité, la gratuité, le désintérêt, etc. Le potlatch et la kula sont aussi éloignés de l'échange marchand que du don gratuit. En fait, c'est l'opposition même entre l'échange marchand et le don gratuit qui, si elle fait sens dans nos sociétés, ne permet nullement de décrire et de comprendre le potlatch. Enfin, Mauss cherche à éviter d'appliquer aux sociétés qu'il observe des catégories ou des notions qui n'y ont pas cours (on a par exemple vu ce qu'il en était des oppositions

---

1. Mauss, encore lui, a également écrit en 1921 un article intéressant à ce sujet, intitulé « L'expression obligatoire des sentiments » (Mauss, 1969), dans lequel il analyse les pleurs rituels qui prennent place lors des enterrements.

libre-contraint ou gratuit-intéressé). Cependant, pour analyser le don dans les sociétés archaïques, Mauss fait état d'institutions religieuses, juridiques, économiques ou politiques mais il n'ignore pas que ces catégories de pensée n'ont aucun sens pour ces sociétés. Ce que nous distinguons comme des institutions spécifiques ne fait partie que d'un seul et même système d'échange dans la société traditionnelle. L'échange de biens, que nous considérons comme relevant spécifiquement de l'économie, témoigne ici d'un ensemble d'échanges sociaux plus large où des objectifs extra-économiques tels que le prestige occupent une place centrale. Le concept de fait social total vise précisément à montrer que ces distinctions ne sont pas pertinentes. Le fait que certains mots de notre langue n'existent pas ou soient intraduisibles dans d'autres langues, manifeste l'étrangeté réciproque des univers de pensée et de sensibilité. Le problème qui se pose alors est celui de rendre compte des cultures différentes dans le langage de l'observateur et, en particulier, des sciences sociales comme l'anthropologie, avec leurs propres catégories intellectuelles.

L'analyse par Mauss du don dans les sociétés traditionnelles est percutante car il cherche à comprendre ce phénomène à partir de ce qui fait sens pour ces sociétés. Dumont décode comme suit cette démarche de Mauss : « En fin de compte, pour vraiment *comprendre*, il faut, négligeant au besoin les cloisonnements, rechercher dans le champ tout entier ce qui correspond *chez eux* à ce que nous connaissons, et *chez nous* à ce qu'ils connaissent, autrement dit il faut s'efforcer de construire ici et là des faits comparables. »[1] Commentant Mauss, l'anthropologue Claude Lévi-Strauss peut écrire : « Que le fait social soit total ne signifie pas seulement que *tout ce qui est observé fait partie de l'observation* ; mais aussi, et surtout, que dans une science où l'observateur est de même nature que son objet, *l'observateur est lui-même une partie de son observation* »[2]. Voilà une leçon que Hoggart, étudiant *La Culture du pauvre*, avait bien retenue.

1.8   L'actualité du don

Comment ce travail de description et d'analyse de phénomènes lointains éclaire-t-il la vie dans les sociétés modernes ? « Il est possible d'étendre ces observations à nos propres sociétés »[3], estime Mauss. Mais, à l'instar de la comparaison, cette extension doit être faite avec précautions.

Le premier enseignement à tirer de la recherche de Mauss est d'une part, que toutes les sociétés ne sont pas organisées par un marché, et d'autre part, que les êtres humains n'ont pas toujours été les *homo oeconomicus* qu'ils sont une bonne partie de leur temps dans les sociétés modernes. L'étude de Mauss relativise le marché et constitue une critique de l'utilitarisme* qui le sous-tend. La doctrine de l'utilitarisme repose sur les idées suivantes :

---

1. Dumont, 1985, p. 13.
2. Lévi-Strauss, 1997, p XXVII.
3. Mauss, 1997, p. 258.

l'individu a pour principal ressort son intérêt individuel, la société est conçue comme l'agrégation d'individus égoïstes, l'utile est la valeur suprême car la meilleure manière d'assurer le bonheur du plus grand nombre est de rechercher la plus grande utilité pour chacun. Les principaux auteurs de référence de l'utilitarisme sont Jeremy Bentham (1748-1832) et John Stuart Mill (1806-1879). La critique de Mauss n'est pas seulement une proposition éthique, mais une remarque analytique : les individus dans le potlatch ou la kula ne sont pas principalement motivés par des enjeux économiques ou l'augmentation de leur capital de richesse personnel mais bien par des enjeux de position sociale et de prestige pour lesquels on peut se battre avec autant d'âpreté. Cela ne veut pas dire que les individus étaient incapables de réfléchir en termes d'intérêt personnel, mais bien que l'intérêt personnel était pour ainsi dire contenu ou encastré dans une recherche de prestige social. Par ailleurs, l'accumulation de richesses personnelles et le refus de donner y sont des comportements socialement sanctionnés, non pas parce qu'ils sont amoraux – le prétendre serait succomber à l'ethnocentrisme – mais bien parce qu'ils représentent une menace pour le groupe tout entier.

Même aujourd'hui, ne pas donner risque d'infliger un sentiment de honte à celui qui s'en rend coupable. Mauss s'en réjouit :

> Une partie considérable de notre morale et de notre vie elle-même stationne toujours dans cette même atmosphère du don, de l'obligation et de la liberté mêlés. Heureusement, tout n'est pas encore classé exclusivement en termes d'achat et de vente. Les choses ont encore une valeur de sentiment en plus de leur valeur vénale, si tant est qu'il y ait des valeurs qui soient seulement de ce genre. Nous n'avons pas qu'une morale de marchands. Il nous reste des gens et des classes qui ont encore les moeurs d'autrefois et nous nous y plions presque tous, au moins à certaines époques de l'année ou à certaines occasions.

> Le don non rendu rend encore inférieur celui qui l'a accepté, surtout quand il est reçu sans esprit de retour. [...] La charité est encore blessante pour celui qui l'accepte, et tout l'effort de notre morale tend à supprimer le patronage inconscient et injurieux du riche « aumônier ».[1][2]

Cependant, insiste Mauss, il ne faut pas négliger les différences importantes entre la place du don dans les sociétés traditionnelles et sa place dans les sociétés modernes. Si le don ne semble pas avoir changé de forme – quoiqu'en dise l'association entre don et gratuité, nous sommes toujours pris dans la structure qui unit donner, recevoir et rendre –, le don a totalement changé de statut. Dans les sociétés traditionnelles (que l'on appelle aussi holistes, archaïques, segmentaires ou hiérarchiques), le don est un don réciproque cérémoniel. Il est fait en public et implique toute la société. Ne pas donner jette l'opprobre de toute la société sur l'individu et sur son groupe. Il est un fait social total parce qu'il

---

1. Aumônier : ici, personne qui donne aux pauvres, fait l'aumône.
2. Mauss, 1997, p. 258-259.

organise la société : c'est à travers lui que se répartissent et se rejouent les places dans la société et c'est par lui qu'on lutte pour obtenir du prestige. En un mot, le don réciproque cérémoniel est le moyen pour les participants de savoir qui ils sont et où ils sont dans l'organisation sociale. Ne pas jouer ou mal jouer, c'est courir le risque de perdre tout statut et de disparaître socialement. C'est ce qu'explique Marcel Hénaff dans le commentaire éclairant qu'il fait de Mauss :

> Le don cérémoniel n'est pas un rapport entre les hommes par l'intermédiaire des choses (cela définit l'économie), il est un rapport entre les hommes par l'intermédiaire de symboles qui peuvent être des biens matériels (parce que considérés comme précieux), mais aussi bien des personnes (comme dans l'alliance matrimoniale), des gestes, des paroles, des danses, des musiques, des fêtes, des chants, des festins. Dans cette relation, le bien offert n'est pas considéré en vue de sa consommation, mais présenté comme marque de respect, comme expression du désir d'honorer autrui dans son existence, dans son statut, finalement comme témoignage d'alliance. C'est en ce sens que la chose donnée n'a pas de prix sur le marché des biens utiles. Et c'est en cela qu'elle contraste nécessairement avec ces biens et apparaît comme leur opposé. Mais elle n'est pas une alternative au marché et à l'échange marchand. Ainsi, aux Trobriand, l'échange *kula* assure la reconnaissance des partenaires dans le défi, la grandeur, la gloire [...]. La sphère de la reconnaissance publique – assurée par l'échange cérémoniel des dons – relativise et domine la sphère de la subsistance, assurée par la production et l'échange de biens de consommation. Les deux ordres sont différents et doivent l'être ; leur fonction est radicalement autre.
>
> Le don réciproque cérémoniel est la forme dominante de la reconnaissance publique entre groupes et individus - et cela en vertu de leur statut - dans des sociétés segmentaires. Il est un fait social total parce qu'il concerne toute la société et le tout de la société (même s'il n'est pas tout dans la société) : il n'est un phénomène ni marginal ni privé. Il est proprement institutionnel.[1]

Dans les sociétés modernes, le don n'est plus le don réciproque cérémoniel des sociétés traditionnelles, il est devenu une affaire privée. Il n'est plus obligatoire et son non-respect ne conduit plus à l'exclusion ou à la disparition sociale. Il est devenu facultatif, affaire de choix et de préférences personnelles. Le don privé ne définit plus le statut social d'un individu au point où le don réciproque cérémoniel le faisait pour les participants au potlatch ou à la kula. En un mot, il n'est plus un fait social total. Hénaff poursuit :

> On ne peut s'étonner qu'il n'ait plus cette fonction globale dans les sociétés politiques, où le statut public de chacun est défini par la loi devant laquelle tous en droit sont égaux en tant que citoyens. Tel est pour nous le cadre de la reconnaissance formelle et du respect publiquement accordé. C'est une reconnaissance d'ordre contractuel qui ne suppose pas d'attachement des uns envers les autres, sinon par le sentiment de l'appartenance à la même cité ou patrie. Ce qui laisse le champ libre à l'attachement réciproque à travers le don interpersonnel transféré sur les domaines privés : ceux des

---

1. Hénaff, 2002, p. 204-205.

liens familiaux (la « famille » s'impose à mesure que s'efface la « parenté »), des liens amicaux ou de toute forme locale de communauté ou d'association ; attachement que souvent prennent en charge les croyances religieuses ou les figures charismatiques.[1]

Si le don n'est plus un fait social total, c'est donc parce que d'autres institutions lui ont repris la fonction de désigner un statut public aux individus. C'est notamment le rôle du droit. Ainsi, il est aujourd'hui possible d'amasser des richesses colossales sans jamais en faire un usage public, tout en restant un citoyen parfaitement égal à tous les autres, chose impensable sous l'égide du don réciproque cérémoniel. Bien sûr, la pratique du mécénat reste courante, et ceux qui le font cherchent à accroître leur prestige. Mais ces dons sont devenus une question de choix personnel et moral qui n'a pas de conséquence sur le fait que nous restions ou non des citoyens de plein droit. Ne pas donner peut certes être méprisable, mais ce n'est pas puni par la loi.

Mauss se félicite que nous n'ayons pas qu'une « morale de marchands » et insiste sur le fait que la révolution que constitue l'avènement tout récent de l'État social[2] est « bonne, saine et forte » car elle rend justice au travailleur qui, par delà sa contribution concrète à un moment donné, cède quelque chose de lui-même, de son temps et de sa vie, et a dès lors droit à une protection durable qui va au-delà d'un salaire ponctuel. Il n'en appelle pas pour autant au retour du don comme fait social total : cela est proprement impossible car c'est aujourd'hui le droit qui définit le statut des citoyens. Cependant, la vie collective ne peut reposer seulement sur les règles formelles et explicites du droit et du contrat. Sans négliger le poids des cadres formels de la vie collective, les sciences sociales mettent au jour ses structures informelles et montrent leur importance. Le droit ne peut faire ce que faisait le don : générer de la reconnaissance sociale, du sentiment d'appartenance, des valeurs collectives, en bref du symbole. Cette inquiétude de Mauss face à la fiction juridique qui consiste à croire que le droit et les contrats suffisent pour faire société est également exprimée par Hénaff :

> En fait, les rapports de don restent essentiels dans le domaine des civilités - formules et gestes de politesse ou rapports d'amitié, d'amour, de solidarité – et dans toutes les formes de célébration traditionnelles (fêtes religieuses, mariages, anniversaires, invitations, remises de récompenses). Ces rapports de don peuvent conserver une certaine solennité ou revêtir des formes rituelles (ce qui veut dire : des formes codifiées dont le symbolisme est connu et dont l'effet est prévisible), il n'en demeure pas moins qu'il ne s'agit plus d'un phénomène social total, parce qu'il ne s'agit plus de définir la société dans son ensemble. Il s'agit seulement, en apparence, de créer ou de maintenir des liens entre des groupes locaux ou entre des personnes. À la limite, la société politique pourrait s'en passer, et ne compter que sur les seuls liens civiques définis par la loi, ou les liens d'intérêt générés par l'échange marchand ; mais cela se paie d'un déficit symbolique

---

1. Hénaff, 2002, p. 205.
2. Système de protections sociales organisées et garanties par l'État : assurance chômage, allocations familiales, pensions de retraite et remboursement des soins de santé notamment.

qui constitue le problème majeur des démocraties modernes. Et, parce que les sociétés politiques sont aussi des sociétés de la division des tâches, il est aussi nécessaire que l'échange utile des biens soit réglé par le marché et soumis à un principe de justice. En somme, les sociétés modernes demandent à la loi d'assurer la reconnaissance publique de chacun, au marché d'organiser la subsistance et aux rapports de don privés de générer du lien social. Mais sans ce lien social, sans cette relation fondatrice, sans cette reconnaissance mutuelle et personnelle où chacun risque quelque chose de soi dans l'espace de l'autre, il n'y a tout simplement pas de communauté possible.[1]

Loin de se contenter de constater les faits, le savant doit en déduire les implications pour nos manières de vivre, des principes de morale ainsi qu'une pratique concrète. C'est en tout cas l'avis de Mauss.

2. Complément : Comment construisons-nous la réalité dans la vie de tous les jours ? (*G. Simmel, A. Giddens, A. Schütz, P. Berger, T. Luckmann, H. Garfinkel*)

2.1 La réalité est socialement construite

Mauss a introduit le symbolique dans la réflexion que Durkheim, le fondateur de l'Ecole française de sociologie, avait initiée. Grâce à ses recherches, il montre avec brio qu'on réfléchit mieux sur la causalité sociale si on prend en compte les univers de sens dans lesquels les êtres humains sont plongés, depuis avant leur naissance jusqu'après leur mort. L'intérêt du fait social total est de saisir la façon dont les individus mettent en sens le monde dans lequel ils vivent, et le rôle que joue le contexte social dans ce processus.

Nous avons vu que la réalité symbolique n'est pas une couche qui vient se déposer sur une réalité physique préexistante : notre réalité est toujours déjà symbolique. La meilleure preuve en est qu'il ne nous est pas possible d'appréhender verbalement la réalité autrement qu'en passant par les catégories du langage. Quand nous nommons une chose, un acte ou un sentiment, et a fortiori quand nous voulons expliquer le déroulement d'une situation, nous mettons inévitablement en forme ce que nous observons, car nous utilisons des mots ou des expressions langagières qui ont cours dans le contexte social, économique et culturel dans lequel nous évoluons.

La réalité dans laquelle nous vivons peut nous paraître solide et indépendante de nous-mêmes. Elle constitue cependant une institution sociale. En ce sens, une institution est une construction humaine qui acquiert une force d'évidente réalité. William Thomas,

---

1. Hénaff, 2002, p. 205-206.

sociologue américain du début du XXᵉ siècle a formulé cette idée de façon éclatante : « Si les hommes considèrent des situations comme réelles, alors elles le deviennent dans leurs conséquences ». L'argent ou la monnaie en sont d'excellents exemples. En temps normal, il ne nous viendrait pas à l'esprit de contester le fait qu'un billet vaille effectivement la somme d'argent qui y est inscrite car nous avons la certitude que personne d'autre ne contesterait la valeur de ce billet. On ne se méfie pas quand le garagiste nous rend un billet de vingt euros car nous savons bien que nous pourrons transmettre à nouveau ce billet sans encombre pour obtenir quelque chose d'une valeur de vingt euros. Mais cette réalité qui semble si solide est en fait extrêmement fragile : pour peu que la convention sociale de l'argent disparaisse ou que la valeur du billet s'effondre (comme de nombreux pays en ont fait l'expérience au cours de leur histoire), le bout de papier qui était auparavant un billet, symbole d'une certaine valeur, n'est maintenant plus rien d'autre que ce bout de papier.

Hoggart a montré comment les différentes classes sociales construisaient des représentations des autres classes et les considéraient comme tout à fait réelles. Goffman a insisté sur la façon dont la folie était en partie construite dans l'interaction entre le reclus et le personnel de l'asile psychiatrique. Becker analyse à la perfection le processus de construction sociale de la déviance. Evans-Pritchard et Douglas montrent à leur façon que chaque société ou chaque groupe social construit la réalité. Le mot qui revient à chaque reprise est celui de « construction ». La réalité, notamment sociale, est construite par les êtres humains, que ce soit dans leurs interactions quotidiennes ou dans la façon dont le groupe social auquel ils appartiennent exerce une pression sur eux. Cette idée est aujourd'hui communément partagée dans les sciences sociales. On pourrait même dire qu'elle est intimement liée à celle de la causalité sociale, et donc à l'intérêt de la sociologie. À quoi servirait une étude sociologique de la folie ou de la criminalité si on n'imagine pas que ces deux phénomènes résultent au moins en partie de constructions sociales ? Ceci ne signifie évidemment pas que la réalité n'existe pas et n'est qu'illusion ; nous y reviendrons.

Si l'idée d'une construction sociale de la réalité fait donc aujourd'hui partie des fondamentaux de la discipline sociologique, il existe un courant ou un paradigme à l'intérieur de la sociologie qui se donne explicitement pour mission d'étudier la façon dont, concrètement, nous construisons au quotidien la réalité dans laquelle nous vivons. Ce paradigme est appelé le constructivisme. Au-delà de l'interrogation générale « comment construisons-nous la réalité ? », il prend à bras-le-corps une série de questions qui portent sur des phénomènes courants, le plus souvent banals, et pourtant extrêmement complexes : comment arrivons-nous à nous mettre d'accord sur la définition d'une situation (par exemple comment deux partenaires s'accordent-ils pour dire qu'ils forment un couple) ? Comment se fait-il que nous soyons capables de faire confiance à des personnes que nous connaissons à peine ou qui nous sont inconnues (comme celles qui gèrent nos achats en ligne) ? Comment se fait-il que nous sachions que faire ou comment nous comporter dans des situations que nous n'avons pourtant jamais rencontrées ? etc.

Comme nous le verrons, la vie quotidienne et l'attitude que nous y adoptons sont parmi les objets de recherche favoris des sociologues constructivistes, qui cherchent à montrer qu'au-delà de son caractère apparemment fluide et évident, la réalité de la vie de tous les jours est le résultat d'un jeu social extrêmement complexe.

2.2 Action réciproque, typification et confiance

L'un des premiers sociologues à avoir exploré ce champ est un allemand, contemporain de Durkheim et Weber. Georg Simmel (1858-1918) est parfois également considéré comme un père fondateur de la sociologie, mais sa moindre visibilité résulte du fait qu'il n'a pas légué de système théorique élaboré aussi explicitement que Durkheim ou Weber car cela ne correspondait pas à son mode de pensée qui se rapproche davantage de l'essai. Il partage cependant avec ses deux contemporains un questionnement sur la nature du vivre-ensemble dans les sociétés modernes. Que signifie vivre en société ? Comment les individus parviennent-ils à coexister, sans avoir perpétuellement peur les uns des autres ? Ses réponses sont sans doute les plus fines qui soient. Pour les saisir, il est nécessaire d'avoir préalablement une idée de sa conception de la société et de la sociologie.

À l'instar de Durkheim, Simmel a le souci de fonder la sociologie comme science spécifique qui a un objet et une méthode propres. Son approche est principalement exposée dans son livre *Sociologie. Etudes sur les formes de la socialisation*[1] dont la version originale date de 1908. Il partage avec ses illustres contemporains l'idée que la société n'est ni une substance propre ni la simple somme des individus. Elle est composée d'une multitude d'interactions microsociales – ou actions réciproques* (*Wechselswirtung*) – par lesquelles les individus agissent les uns sur les autres et s'associent tout en étant conscients de constituer une unité (par exemple un couple, une famille, une organisation, un groupe d'amis, une secte, une bande de malfrats…). La socialisation est conçue par Simmel comme cette influence réciproque. La société est, en somme, un vaste processus d'associations reliées les unes aux autres, qui se créent et se recréent sans interruption, lui donnant ainsi sa dynamique vitale. Cette conception est donc indissociablement interactionniste et vitaliste[2].

Dans les associations construites par les actions réciproques, Simmel distingue le contenu et la forme. Le contenu est constitué des buts que les individus se fixent lorsqu'ils sont en interaction, des intérêts et des pulsions qui les poussent à s'y impliquer de telle ou telle manière, et d'un ensemble de « matériaux vivants » qui remplissent les formes. Les formes constituent les modes d'association qui confèrent aux contenus leur dimension sociale. Par exemple, la mode est une forme d'association ou de socialisation qui peut s'appliquer à de nombreux objets et donc contenus différents (vêtements, voitures, œuvres littéraires…) mais qui, quel que soit ce contenu, combine toujours une tendance à imiter le groupe et une tendance à se distinguer des autres personnes ; le conflit et la compétition

---

1. Simmel, 1999. On trouvera une bonne introduction à la pensée de Simmel dans Vandenberghe, 2009, qui a le mérite de situer la sociologie de Simmel dans le cadre de sa philosophie générale.
2. Vandenberghe, 2009, p. 33.

sont d'autres formes qui peuvent également s'appliquer à divers contenus (une rivalité entre bandes, une concurrence entre entreprises, une lutte entre équipes sportives…) et qui conjuguent l'opposition à d'autres groupes et la cohésion au sein de son propre groupe. Toutes les formes sont intrinsèquement duales en ce sens qu'elles sont déterminées par un couple de termes en tension ou en contradiction sans que celle-ci ne soit jamais résolue dans une synthèse[1]. Dans la réalité, forme et contenu sont indissociables mais le travail de la sociologie consiste spécifiquement à identifier la forme associée au contenu et à rendre dès lors ce dernier proprement social. Voici pourquoi :

> Dans tout phénomène social existant, le contenu et la forme sociale constituent une réalité concrète unitaire ; une forme sociale ne peut pas plus acquérir une existence détachée de tout contenu qu'une forme spatiale ne peut exister sans une matière dont elle est la forme. Au contraire, voici des éléments de tout être et de tout fait social, inséparables dans la réalité : d'une part un intérêt, un but, ou un motif, d'autre part une forme, un mode d'action réciproque entre les individus, par lequel ou sous la forme duquel ce contenu accède à la réalité sociale.
>
> Et l'on voit bien ici que ce qui fait la « société », selon tous les sens de ce mot en usage jusqu'ici, justement une société, ce sont les modes d'action réciproque que je viens de mentionner. Un nombre quelconque d'êtres humains ne devient pas une société par le fait que chacun d'entre eux renferme un contenu vital déterminé concrètement ou qui le fait agir individuellement ; mais il faut d'abord que la force vivante de ces contenus prenne la forme de l'influence réciproque, que l'un exerce un effet sur l'autre – immédiatement ou par l'intermédiaire d'un tiers – pour que la simple coexistence spatiale des hommes, ou encore leur succession chronologique, devienne une société. Si l'on veut donc qu'il y ait une science dont l'objet soit la société et rien d'autre, elle ne voudra pas étudier autre chose que ces actions réciproques, les modes et les formes de la socialisation. Car tout ce qui peut encore se trouver d'autre à l'intérieur de la « société », réalisé par elle et dans son cadre, n'est pas la société en soi, mais seulement un contenu qui se constitue ou qui est constitué par cette forme de coexistence, et qui ne produit évidemment qu'avec elle cette structure concrète que l'on nomme « société » au sens habituel, plus large. L'abstraction scientifique sépare ces deux éléments, indissociablement liés dans la réalité : les *formes* de l'action réciproque ou de la socialisation ne peuvent être réunies et soumises à un point de vue scientifique unitaire que si la pensée les détache des *contenus*, qui ne deviennent des contenus sociaux que par elles – voilà, me semble-t-il, le seul fondement qui rende pleinement possible une science spécifique de la société en tant que telle. Ce n'est qu'avec celle-ci que les faits que nous désignons comme la réalité socio-historique seraient véritablement projetés sur le plan du pur social.[2]

De natures variées, s'entrecroisant en un réseau complexe, les interactions ne se laissent pas saisir de manière univoque. Comme un phare dans la nuit[3], chaque chercheur les

---

1. Au contraire de la conception de la dialectique chez Hegel (Vandenberghe, 2009, p 39).
2. Simmel, 1999, p. 44-45.
3. Métaphore de Karl Popper reprise par Vandenberghe, 2009, p. 24.

appréhende sous un angle particulier. « La vérité n'est pas adéquation mais construction, voire reconstruction du réel à partir d'un point de vue particulier qui réorganise et synthétise les fragments du réel dans une forme unitaire déterminée. »[1] Ceci n'implique pas qu'il puisse avancer n'importe quoi. D'abord parce que ce qu'il avance ne tiendra que si c'est en adéquation vivante avec ce que révèle l'expérience concrète de la vie sociale, que s'il s'en dégage une impression de justesse ; ensuite et surtout parce que les multiples analyses devront être croisées, de sorte qu'une vérité plus sûre et plus riche en résulte, comme un objet qui serait éclairé par plusieurs phares en même temps. L'approche constructiviste de Simmel, que Vandenberghe qualifie pertinemment d'« interactionnisme méthodologique[2]* » n'est donc pas relativiste.

À partir de ce bref résumé de son approche sociologique, on peut mieux comprendre les réponses de Simmel aux questions du vivre-ensemble et de la confiance qu'il inscrit notamment dans le contexte de l'urbanité croissante de son époque. La vie en contexte urbain est pour lui un bon révélateur des bouleversements induits par la modernité. Alors qu'auparavant, dans les sociétés traditionnelles, les individus avaient des contacts très étroits avec un nombre restreint de personnes, dans le contexte urbain de la modernité, nous croisons des centaines ou des milliers d'inconnus par jour, avec lesquels nous n'avons que très peu d'échanges. Or, nous sommes capables d'interagir de manière parfaitement fluide avec eux, même si nous ne connaissons rien d'eux-mêmes ou de leur passé. Accordant une importance particulière à l'action réciproque, Simmel montre que c'est au cours de nos multiples interactions que nous définissons ce qui est en train de se passer, sans pour autant que cela soit concrètement verbalisé. Par exemple, lorsque nous achetons un pain dans une boulangerie, nous n'avons pas besoin d'expliciter le fait que nous entretenons avec le vendeur une relation commerciale, nous n'avons pas besoin de définir le rôle de chacun car chaque protagoniste sait ce qu'il doit faire dans cette interaction, il en connaît la *forme*, même si, dans son *contenu*, cette interaction est totalement nouvelle pour lui (par exemple, nous pourrions rentrer dans cette boulangerie particulière pour la première fois).

Si la plupart des interactions se passent sans heurts, c'est parce que les individus procèdent à ce que Simmel appelle des typifications. La typification* est un processus qui consiste à mettre les situations rencontrées dans des cases, autrement dit à rapporter des situations encore inconnues (par exemple rentrer dans un magasin de porcelaine pour y acheter un service de vaisselle, ou faire la queue à un distributeur de billets) à des situations déjà connues (par exemple la relation commerciale entretenue quotidiennement avec le libraire, ou faire la queue au guichet de l'administration communale). Cela nous permet de savoir comment agir et réagir, parce que nous savons à quoi nous attendre.

---

1. Vandenberghe, 2009, p. 17.
2. Vandenberghe, 2009, p. 47.

Les sociétés modernes sont de plus en plus complexes et de plus en plus anonymes. Simmel parle notamment d'« allongement des chaînes de causation », ce qui signifie notamment qu'il est de plus en plus difficile pour un individu de relier les causes et les conséquences de ses propres actions. Il insiste fortement sur le fait que cette façon de faire société présuppose un arrière-plan de confiance de plus en plus important. Nous devons notamment nous fier au fait qu'autrui est vraiment qui il prétend être (par exemple, que le vendeur de la boulangerie n'est pas un agent secret ou un empoisonneur), alors que la plupart du temps, nous n'avons ni les moyens, ni le temps de le vérifier. Nous devons aussi nous fier à une série de personnes absentes (par exemple l'architecte qui a dirigé la construction du toit de l'amphithéâtre dans lequel se donnent les cours), ainsi qu'à des systèmes que nous ne maîtrisons pas (par exemple, le fait que le distributeur de billets donne exactement la somme d'argent requise). Comme l'écrit un commentateur de Simmel, « (c)ette confiance est une forme de foi et de croyance, elle tient pour acquis un déroulement convenable des événements, autorise des anticipations sur les actions des autres acteurs. »[1]

2.3 La confiance dans les systèmes-experts

L'œuvre de Simmel a eu une influence considérable sur la sociologie américaine en général, et sur le courant interactionniste en particulier. Par ailleurs, l'idée selon laquelle la complexité de la société et la dose de confiance nécessaire pour y vivre augmentent en même temps a été approfondie par des auteurs plus récents. Parmi ceux-ci, Anthony Giddens est un sociologue britannique né en 1938, devenu célèbre grâce à sa théorie de la structuration de la société. Prolongeant les thèses de Simmel dans son ouvrage intitulé *Les Conséquences de la modernité* [2], Giddens insiste sur la récente radicalisation de la modernité. L'hypermodernité dans laquelle nous vivons se caractérise par une intégration croissante des systèmes (par exemple les économies nationales fusionnent dans le marché mondial, les États dans des organisations supranationales, tandis qu'un ordre militaire planétaire voit le jour), ce dont la mondialisation est le phénomène le plus visible. Elle se distingue également des époques précédentes par la généralisation de ce que Giddens appelle les gages symboliques, c'est-à-dire des marqueurs virtuels qui ont tendance à remplacer notre identité physique dans des situations toujours plus nombreuses (par exemple les mots de passe ou les codes d'accès en informatique).

L'hypermodernité se caractérise aussi par le développement de systèmes-experts*, c'est-à-dire de « domaines techniques ou de savoir-faire professionnels concernant de vastes secteurs de notre environnement matériel et social »[3]. L'informatique, la

---

1. Watier, 2002, p. 217.
2. Giddens, 1994.
3. Giddens, 1994, p. 35.

finance, l'industrie alimentaire ou la médecine en sont de bons exemples. Si nous voulons utiliser un ordinateur, placer notre épargne ou gérer le financement de notre maison, nous nourrir et nous soigner, nous sommes obligés de faire confiance non seulement à un nombre croissant de personnes, notamment d'experts ou de spécialistes, mais, plus encore, à l'ensemble des systèmes-experts de production et de gestion, qui sont de plus en plus difficiles à comprendre dans leur totalité et quasi impossibles à maîtriser en cas de problème. Par exemple, nous savons très bien que la conduite automobile comporte des risques de pannes ou même d'accidents graves liés à des causes mécaniques, ou que l'exposition aux ondes des téléphones portables est potentiellement nocive pour la santé, mais nous comptons sur des spécialistes que nous n'avons pourtant jamais vus et sur la fiabilité des systèmes de fabrication qui nous sont étrangers pour minimiser les risques que nous encourons en prenant le volant ou en nous exposant à ces ondes.

Si le développement des institutions sociales modernes au cours des derniers siècles a donné aux humains la possibilité de mener une existence plus sûre et sans doute plus riche, le revers de la médaille est l'énorme potentiel destructeur qu'il contient en germe ou qu'il exerce déjà. À travers son activité industrielle, ses découvertes en génétique ou encore le développement d'armes de destruction massive, l'humanité est aujourd'hui capable de détruire son environnement, voire de se détruire elle-même. Les risques liés à notre mode de vie ont donc augmenté de façon exponentielle[1]. Pourtant, selon Giddens, une autre caractéristique des sociétés hypermodernes est leur réflexivité*, c'est-à-dire leur capacité à produire du savoir sur elles-mêmes et à en tirer les conséquences. Jamais auparavant dans l'histoire, les sociétés ne s'étaient autant questionnées sur elles-mêmes. Les sociétés hypermodernes consacrent un temps et une énergie énormes à se demander comment le savoir qu'elles développent, constamment réinjecté dans les mondes sociaux, peut influencer la vie que l'on y mène. Giddens pense cependant que la thèse selon laquelle une meilleure connaissance du monde actuel et de la vie collective conduirait à un meilleur contrôle de notre destinée est fausse. Le sociologue britannique préfère comparer la société(hyper)moderne à un « camion furieux », machine surpuissante lancée à pleine vitesse, que les humains, même collectivement, ne contrôlent que très partiellement.

2.4 La réciprocité des perspectives et l'attitude de sens pratique

L'œuvre d'Alfred Schütz (1899-1959) constitue également une source d'inspiration du paradigme constructiviste en sociologie. Schütz est fortement influencé par le courant

---

1. Le sociologue allemand Ulrich Beck (1992) parlera de « société du risque » pour qualifier cette cette modernité réflexive où la science et ses applications constituent, en elles-mêmes, une source de risque et une ressource pour y faire face.

de la phénoménologie, développé au tournant du XXᵉ siècle par le philosophe Edmund Husserl. La phénoménologie est un courant philosophique qui cherche à comprendre notre expérience du monde, notamment en s'interrogeant sur la façon dont nous arrivons à avoir une conscience du monde qui nous entoure. Schütz est persuadé que ce questionnement qui prend son origine dans la philosophie peut s'avérer pertinent pour construire une perspective sociologique.

Plusieurs de ses intuitions sont similaires à celles de Simmel. À la suite de ce dernier, Schütz parlera de confiance et de typification, mais en ajoutant plusieurs idées intéressantes comme la thèse de la « réciprocité des perspectives ». Cette thèse permet de répondre à la question : « Comment pouvons-nous être sûrs de nous comprendre dans nos interactions quotidiennes ? » Pratiquement, nous ne pouvons jamais être sûrs de nous comprendre parfaitement, de parler de la même chose. Notre vie est remplie de quiproquos et de malentendus. Cependant, dans notre vie quotidienne, nous supposons sans arrêt que si nous nous mettions à la place de notre interlocuteur, nous y verrions la même chose que ce que nous voyons actuellement, et vice-versa.

Nous supposons donc que nos points de vue sont interchangeables, sans pour autant jamais en avoir la preuve ; c'est pourquoi Schütz parle d'idéalisation : nous faisons *comme si* nous étions sûrs d'être d'accord. Par exemple, chaque étudiant vit différemment l'expérience de l'université, et le professeur la vivra d'une manière encore différente. Cependant, pour constituer une réalité ou un monde commun dans lequel ils peuvent travailler ensemble, les étudiants et le professeur font *comme si* leurs expériences étaient identiques. Pour y parvenir, ils supposent tout d'abord qu'ils sont tous là pour les mêmes raisons (faire et suivre un cours, former et se former pour obtenir tel diplôme nécessaire à l'exercice d'une profession). Or, concrètement, les raisons effectives que les étudiants peuvent avoir de venir au cours sont déjà probablement très diverses : volonté inébranlable d'exercer plus tard tel métier bien précis, passion pour une discipline scientifique particulière, imitation d'une personne admirée, choix de dernière minute suite à de multiples hésitations, obligation sociale et familiale de faire des études universitaires, souhait de rester avec les mêmes amis en choisissant la même orientation qu'eux, proximité entre l'institution universitaire et le domicile... De son côté, le professeur pourrait également avoir des raisons qui lui sont propres de donner cours, qui ne sont pas les mêmes que celles d'un autre professeur et qui ne correspondent pas forcément à l'idée que s'en font les étudiants.

Pour que le cours se déroule correctement, étudiants et professeurs supposent pourtant que chacun pourrait aisément se mettre à la place de l'autre et adopter son point de vue, de sorte que les positions des uns et des autres sont, en quelque sorte, interchangeables. Ainsi, les expériences singulières respectives perdent de leur singularité. Pour Schütz, le processus de construction de la réalité est donc permanent et intersubjectif. L'intersubjectivité est constitutive du social. Sans elle nous serions chacun enfermés dans une expérience non communicable, nous resterions incapables d'œuvrer ensemble, de construire et faire fonctionner collectivement des institutions.

L'objet d'étude de Schütz consiste dès lors en procédures d'interprétation que les individus mettent collectivement en œuvre dans leur vie de tous les jours. Schütz cherche à comprendre ce que le monde social signifie pour l'acteur et ce que ce dernier a voulu signifier par son agir. À la suite de Weber, il désire promouvoir une sociologie compréhensive, capable de retourner vers « l'homme oublié », selon son expression[1].

Pourquoi faudrait-il retourner vers « l'homme oublié » ? Pour Schütz, une partie des sciences sociales en général, et de la sociologie en particulier, a négligé un élément pourtant évident : le fait que les femmes et les hommes que les sociologues étudient ne sont pas des scientifiques et ne se comportent pas comme tels dans leur vie quotidienne[2]. Ils ne cherchent pas à faire des expériences pour prouver la réalité d'un phénomène. Dans la vie quotidienne, nous ne nous comportons pas non plus comme les acteurs purement rationnels que l'économie classique a besoin d'imaginer pour que ses modèles théoriques fonctionnent.

Cette erreur est malheureusement encouragée par le fait que certains chercheurs pensent qu'il est possible de se passer d'une étude empirique de terrain et qu'il suffit de s'imaginer comment fonctionnent les individus pour pouvoir en parler. Cela revient cependant, pour le chercheur, à remplacer l'individu réel par une marionnette irréelle (que Schütz appelle l'*homunculus*) qui n'a d'existence que dans la tête du chercheur et qu'il peut manipuler comme bon lui semble pour confirmer ses hypothèses.

Dans la vie quotidienne, nous évoluons dans ce que Schütz appelle le sens pratique. Notre principale préoccupation n'est pas la connaissance de la réalité ou la vérification d'hypothèses (ce qui est la préoccupation du scientifique), elle est au contraire que la vie puisse continuer. Pas plus ou pas moins que les Azandé étudiés par Evans-Pritchard, nous ne passons pas notre temps à remettre en question le monde dans lequel nous vivons si ce n'est pas absolument nécessaire. Pour Schütz, nous vivons le monde sur un mode qu'il nomme « *taken for granted* », c'est-à-dire « pris pour acquis ». Nos préoccupations sont principalement d'ordre pragmatique. Par exemple, nous sommes très peu nombreux à comprendre comment fonctionne un téléphone portable mais, à vrai dire, cela ne nous intéresse pas tant qu'il nous met en communication avec les personnes que nous cherchons à atteindre. C'est seulement lorsque le cours de la vie quotidienne s'interrompt (par exemple, si le téléphone portable se met systématiquement à appeler une autre personne que la personne désirée) que nous nous questionnons sur ce que nous prenons d'habitude pour acquis.

La plupart de nos activités quotidiennes, du lever au coucher, sont de ce type. Elles sont accomplies en suivant des recettes de cuisine, des habitudes automatiques, ou

1. Schütz, 1987.
2. Schütz vise une attitude très proche de l'ethnocentrisme scientifique que nous avons analysé avec Evans-Pritchard dans le complément du chapitre 2.

des platitudes non questionnées. Ce type de connaissance est seulement concerné par la régularité des événements dans le monde externe, sans tenir compte de son origine. Du fait de cette régularité, on peut raisonnablement s'attendre à ce que le soleil se lève demain matin. Il est également habituel, et on peut donc, avec autant de bonnes raisons, s'attendre à ce que le bus me conduise demain à mon bureau, si je choisis le bon bus, et si je paie mon billet.[1]

De façon générale, nous cherchons à éviter la réflexivité tant qu'elle n'est pas absolument nécessaire. Nous possédons pour cela ce que Schütz appelle un « stock de connaissances culturelles » qui suffit généralement pour savoir comment typifier et comment se comporter dans la plupart des situations. Si nous passions notre temps à tout questionner et à n'être sûr de rien, notre vie serait tout simplement invivable. Cette situation peut néanmoins se produire lorsque toutes les choses qui nous paraissaient acquises perdent leur évidence, comme dans le cas de l'étranger qui intègre un environnement culturel différent du sien. Son stock de connaissances culturelles et tout ce qu'il prenait pour acquis se voient brutalement frappés d'inutilité. Schütz a lui-même fait cette expérience lors de son émigration aux États-Unis à la veille de la Seconde guerre mondiale[2].

2.5 La réalité de la vie quotidienne

Le constructivisme est devenu un courant sociologique à part entière avec la parution en 1966 de *La Construction sociale de la réalité*, ouvrage classique de deux sociologues américains, Peter Berger et Thomas Luckmann[3], publié en 1966, et qui prolonge les travaux de Schütz. Berger et Luckmann vont y systématiser les caractéristiques de l'approche constructiviste, en insistant plus particulièrement sur la genèse de la façon dont nous construisons socialement la réalité. Les deux auteurs défendent l'idée que cette construction dépend de l'environnement culturel dans lequel nous évoluons.

Ils définissent la réalité comme « une qualité appartenant à des phénomènes que nous reconnaissons comme ayant une existence indépendante de notre propre volonté »[4]. Nous admettons volontiers que certaines choses dont nous ne pouvons faire nous-mêmes l'expérience sont réelles, par exemple une planète lointaine ou un événement politique survenu dans un pays étranger. Le monde nous apparaît comme un ensemble relativement cohérent de réalités multiples. « Parmi ces réalités multiples, on en trouve une qui se présente elle-même comme la réalité par excellence. C'est la réalité de la vie quotidienne »[5], expliquent Berger et Luckmann. Chaque matin en nous réveillant, nous

---

1. Schütz, 2007, p. 46.
2. Voir son ouvrage justement intitulé *L'étranger* (2003).
3. Berger et Luckmann, 1996.
4. Berger et Luckmann, 1996, p. 7.
5. Berger et Luckmann, 1996, p. 34.

reprenons contact avec cette réalité qui semble ordonnée comme elle l'était la veille. Nous retrouvons nos proches avec leurs qualités et leurs défauts. En écoutant la radio ou en parcourant le journal, nous prenons connaissance d'événements, comme une décision politique ou une révolte dans une prison, dont nous mettons rarement en doute la réalité. Nous traversons la ville en métro ou en voiture pour rejoindre notre école, notre université ou notre entreprise sans douter une seconde que cette ville, ces moyens de transport et ces institutions sont bel et bien réels. Ils sont là et s'imposent à nous, que cela nous plaise ou non. Le soir nous nous retrouvons en famille autour de la télévision ou avec quelques amis autour d'un verre et nous sommes bien convaincus que cette réunion n'est pas non plus une illusion. Cette réalité de la vie quotidienne constitue notre « réalité souveraine » car elle est le point de départ de toute notre exploration du monde et englobe toutes les autres réalités qui, avant de s'imposer à nous, transitent en quelque sorte par elle. Elle nous apparaît relativement ordonnée, indépendante de la perception que nous pouvons en avoir. D'ailleurs, nous la partageons avec nos proches et pouvons en discuter avec eux. Elle est intersubjective.

Posons qu'il n'y ait pas erreur d'observation ou de transmission d'information, d'hallucinations ni de mensonges. Les réalités en question correspondent bien à une matérialité difficilement contestable. Nos proches sont bien présents et les murs de l'endroit où nous travaillons ne sont pas des mirages. Que celui qui, par snobisme intellectuel ou pour toute autre raison, en conteste la réalité aille s'y cogner ; il éprouvera vite la dureté des faits. Que celui qui conteste la réalité d'un acte de violence comme l'agression d'un passant sur lequel un couteau a été pointé prenne la place du passant ; il révisera vite son point de vue.

Cependant, ces objets et ces actes subissent tout un traitement social qui les constitue en réalités d'un certain type. « Vérité d'un côté des Pyrénées, erreur de l'autre côté » disait Pascal. Le propos n'est pas seulement vrai pour les opinions. « Ce qui est "réel" pour un moine tibétain peut ne pas être "réel" pour un homme d'affaires américain » renchérissent Berger et Luckmann, pour qui toute connaissance est marquée par une localisation particulière. Les exemples foisonnent. Ceux qui vivent sous un climat continental et tempéré ne disposent que d'un seul mot pour parler de cette eau congelée de couleur blanche qu'en français on nomme la neige. Une catégorie aussi large et générale ne saurait faire partie de l'univers des Eskimos. Ils disposent de quelques dizaines de mots différents pour parler de ce que nous appelons grossièrement de la neige, selon l'état, l'aspect ou l'usage de cette matière blanche. Dire cela n'est pas vraiment exact, car ils ne parlent pas de la même chose. Ils ont affaire à une autre réalité ou plutôt à plusieurs autres réalités que cette neige qui ne tombe qu'exceptionnellement sous des cieux plus cléments. La neige des habitants des contrées tempérées n'en est pas moins une réalité à laquelle ils reconnaissent unanimement une existence indépendante des perceptions et des volontés individuelles. Dans la plupart des pays, imposer par la force une relation sexuelle constitue aujourd'hui un crime. Un tribunal pourra établir la réalité du viol d'autant plus indiscutablement que le coupable passe aux aveux. Dans d'autres temps et, aujourd'hui encore dans certains pays, le même comportement serait appréhendé autrement et n'aurait le même sens. Quelle que soit la répulsion qu'il peut susciter, l'acte physique en lui-même ne peut seul qualifier définitivement le comportement. C'est uniquement la relation dans laquelle il s'insère, avec ses références culturelles et sociales, qui lui donne sa réalité spécifique. Le même acte est donc susceptible de participer de plusieurs réalités différentes et peut être vécu différemment par les « partenaires », même si, dans aucun cas, il ne sera vécu par la femme comme une expérience agréable et à la manière d'une relation où elle est consentante. Dans les pays les plus sévères en matière de violence sexuelle eux-mêmes, le viol entre conjoints n'a été que récemment considéré comme un crime pour constituer une réalité pénale. Le sacrilège et le blasphème ne peuvent constituer une réalité qu'aux yeux de ceux qui croient que Dieu lui-même existe réellement et donc en la possibilité de l'insulter. Ceci explique que ce qui est passible de la peine de mort dans certains pays est désormais impuni dans ceux où on a le droit de penser que l'outrage ne peut avoir aucun objet réel. Par contre, certains pays qui ne légifèrent pas sur le blasphème peuvent pénalement punir l'outrage à des symboles publics, comme le drapeau, comme c'est le cas en France depuis 2010.

2.6 Le processus de construction de la réalité

Les significations subjectives (comme l'image des relations entre l'homme et la femme ou une croyance religieuse) se concrétisent dans des artefacts[1] objectifs (comme le viol ou le sacrilège). La matérialité d'un objet, d'un événement ou d'un comportement n'est pas ici remise en cause. La brutalité de certaines expériences interdit de se rallier à l'adage selon lequel tout n'est qu'affaire de perception. Et la souffrance d'une victime est bien réelle, elle aussi. Mais la matérialité est indissociable d'un ensemble de significations à partir desquelles les objets, les faits et les comportements deviennent ces « objets-là », ces « faits-là » et ces « comportements-là », dans la réalité qui leur est reconnue. C'est en ce sens qu'on peut parler de construction sociale de la réalité.

Outsiders de Becker illustre bien le processus qui, selon Berger et Luckmann, y conduit. Au cours de leurs relations de face à face dans la vie quotidienne, les individus produisent des schèmes de classement des autres et d'eux-mêmes, et s'ajustent réciproquement à ces schèmes. Ainsi sont produits le déviant, le fumeur de marijuana et le toxicomane avec toutes les caractéristiques qui leur sont accolées et auxquelles ils s'adaptent au fur et à mesure des interactions à l'intérieur du groupe même de déviants. Ce processus de typification est particulièrement clair en ce qui concerne les identités sexuelles. L'homme et

---

1. Artefacts : phénomènes d'origine humaine.

la femme se distinguent par des traits physiologiques caractéristiques et universels. Mais ces traits font l'objet d'une lecture culturelle dont ils deviennent indissociables et à partir de laquelle se forme l'identité sexuelle. À l'homme sont traditionnellement associés la force physique, le goût du pouvoir et de la conquête ainsi qu'une plus grande capacité de contrôler ses émotions, bref ce qu'on appelle la virilité. L'homme qui n'est pas viril n'est pas vraiment un homme ; il ne se conforme pas à la « réalité » ou à la « nature » de l'homme telle qu'elle a été socialement produite et instituée. En revanche, la fragilité, la soumission et le souci d'être courtisée, le désir d'enfants ainsi qu'une propension à extérioriser ses émotions sont traditionnellement associés à la femme. On attend d'elle qu'elle manifeste les traits de sa féminité, sans quoi elle sera taxée de « garçon manqué ». Toute l'éducation des enfants les prépare à endosser leur identité sexuelle prescrite. Les jouets qu'ils reçoivent, la manière dont on leur parle, les exemples qu'on leur donne... les conduisent à se comporter selon leur « nature » qui se verra ainsi confortée par la manière quasi unanime dont les hommes se comportent en hommes et les femmes se comportent en femmes. Ces traits culturels s'inscrivent dans le corps lui-même, dans les manières de se mouvoir, les gestes, les mimiques, la coiffure et la façon de travailler son anatomie et son aspect. Ce rapport culturel au corps ou cette inscription de l'identité culturelle dans le corps est appelé l'hexis corporelle*[1]. Les réalités spécifiques et complémentaires de l'homme et de la femme ne s'en imposent qu'avec plus de poids comme des évidences « naturelles »[2].

Reconduites jour après jour dans une multitude d'interactions quotidiennes (entre déviants et conformes, hommes et femmes, jeunes et adultes...), les typifications et les ajustements réciproques se routinisent dans des schèmes de comportements indéfiniment reproduits (le rituel de la consommation de marijuana et les contrôles policiers, la conduite de la voiture par l'homme et les soins aux enfants par la femme...). Les typifications se cristallisent alors progressivement dans des institutions (le traitement judiciaire de l'usage de drogue, les lois en matière de vie conjugale...) qui se consolident avec le temps. Les typifications effectuées acquièrent ainsi une « dignité normative ».

« Les institutions tendent à coller ensemble » observent Berger et Luckmann. Modèles d'éducation des filles et des garçons, rôles parentaux, conception de la vie conjugale, histoires d'amour stéréotypées dans les séries télévisées, règles et coutumes en matière de garde des enfants en cas de séparation et de pension alimentaire, études scientifiques qui objectivent les différences entre le cerveau des femmes et celui des hommes... s'élaborent de manière complémentaire de sorte que les réalités de différents ordres se confortent réciproquement en tant que réalités admises. Enfin, les institutions seront légitimées par un ensemble de processus symboliques qui confèrent une cohérence générale à l'univers

---

1. La notion d'hexis corporelle a été particulièrement étudiée par Pierre Bourdieu. Voir le concept d'habitus dans le chapitre 9.
2. Dans la conclusion, nous reviendrons sur cette question des différences entre l'homme et la femme, à propos des « *genders studies* ».

de la réalité de la vie quotidienne. La question de la construction de la réalité a donc une double dimension anthropologique et politique.

Au cours de son existence, chaque individu intériorise progressivement ce monde social qu'il accueille mentalement comme une réalité, *sa* réalité. Il transforme ainsi un ensemble de contingences en nécessités. Il s'installe lui-même à l'intérieur de ce monde objectif de sorte que « ce qui est réel "dehors" correspond à ce qui est réel "à l'intérieur" »[1]. On comprend mieux alors la force d'inertie de ces réalités lorsque des courants modernisateurs, comme les mouvements antiprohibitionnistes (pour certaines drogues) ou les mouvements féministes, tentent de les transformer. Ce processus d'intériorisation du monde social, de ses catégories de pensées et de ses valeurs, est appelé par les sociologues la socialisation*[2]. « Par "socialisation réussie" nous entendons l'établissement d'un haut degré de symétrie entre la réalité objective et subjective, par exemple lorsqu'une femme (ou un homme) se sent correspondre étroitement à l'image sociale de la femme (ou de l'homme). Inversement, la "socialisation ratée" implique [...] une asymétrie complète entre ces deux réalités »[3], expliquent Berger et Luckmann. Deux socialisations sont distinguées : la socialisation primaire, qui prend place durant la prime enfance, est la plus importante, car l'enfant va recevoir la façon dont ses parents lui présentent et lui expliquent le monde qui l'entoure non pas comme une définition possible parmi d'autres, mais bien comme la seule définition possible à l'exclusion de toute autre. Il apprendra par exemple qu'il est un petit garçon, et que les garçons se comportent d'une certaine façon, il intériorisera les sentiments de pudeur et de honte au point de finir par trouver cela tout à fait normal. La construction sociale de la réalité s'oublie et se masque elle-même. Au cours de son existence, chaque être humain sera confronté à ce que Berger et Luckmann appellent des socialisations secondaires, multiples et moins engageantes que la socialisation primaire. Elles correspondent à l'intégration dans différents milieux (par exemple le monde estudiantin, le monde professionnel, le monde d'un parti politique, le monde d'un mouvement de jeunesse, etc.) dont on apprend les codes. À la différence de la socialisation primaire, l'individu est en mesure de jouer partiellement entre ses différentes socialisations secondaires, et de se comporter différemment en fonction de son environnement.

2.7 L'ethnométhodologie

L'ethnométhodologie est un des courants sociologiques qui ont poussé le plus loin l'idée de construction sociale de la réalité, en s'inspirant tant de Schütz que du constructivisme ou de l'interactionnisme symbolique. Harold Garfinkel (1918-2011), la figure de proue

---

1. Berger et Luckmann, 1996, p. 183.
2. Le processus de socialisation a déjà été abordé à plusieurs reprises, notamment avec Hoggart, Goffman et Simmel (dans un sens assez différent), et le sera encore plus loin, notamment avec Elias et Bourdieu, ce qui montre bien tout à la fois son importance en sociologie et sa complexité.
3. Berger et Luckmann, 1996, p. 222-223.

de ce courant, s'inscrit par contre violemment en faux avec les présupposés du structuro-fonctionnalisme de Talcott Parsons, qui fut pourtant son directeur de thèse. Pour Parsons, la grande majorité des individus ne cesse de suivre les normes et de respecter les valeurs qui ont cours dans la société. Cela en fait des acteurs transparents, « agis » par ces normes. « L'acteur social n'est pas un idiot culturel » proclame par contre Garfinkel dans une veine proche de la critique adressé par Schütz à l'image de l'homunculus, cette marionnette construite par certains chercheurs qui ne se donnent pas la peine d'aller voir sur le terrain.

Loin de subir passivement un ordre social qui s'imposerait à lui de l'extérieur, l'acteur s'interprète lui-même, analyse ses propres expériences et leur attribue une signification. Il reconstruit constamment le système social dont il participe. Il se rebricole en permanence un monde dans lequel il lui est possible de vivre de manière sensée. Il trouve les mots adéquats au regard des situations auxquelles il doit faire face. Il cherche à se mettre d'accord avec autrui sur la définition de la situation. C'est dans l'expérience même de leurs interactions que les membres du groupe élaborent les codes et le langage auxquels, ensemble, ils se conforment et qui donneront sens à leur univers. Par exemple, pour l'ethnométhodologie, la vie quotidienne d'une famille concrète n'est pas, comme le pensait Parsons, le résultat stable de déterminations culturelles comme le modèle de la famille typique, tel que la société l'imposerait à toutes les familles. À travers les interactions quotidiennes entre conjoints comme entre parents en enfants, chaque famille singulière réinterprète à sa façon la situation familiale. Le moteur d'une situation ne doit donc pas être recherché dans des contraintes extérieures qui la détermineraient mais dans la situation elle-même qui n'est rien d'autre qu'un accomplissement pratique.

Dans *Studies of Ethnomethodology*[1], ouvrage fondateur de ce courant, Harold Garfinkel analyse les procédés (d'où le terme « méthodologie ») que des individus et des groupes locaux particuliers (d'où le terme « ethno ») mettent en œuvre pour définir et reconstruire à leur façon les situations et les expériences où ils sont impliqués. Parmi ses études, il analyse comment les membres d'un jury d'Assises, qui ne maîtrisent pas les arcanes du droit et se retrouvent pour la première fois laissés à eux-mêmes dans une telle situation, se dotent de procédures de fonctionnement interne du groupe (organisation de la prise de parole et des votes, règles de discussion...) et de critères d'évaluation des arguments avancés par les différentes parties durant le procès pour parvenir à élaborer en fin de compte une position unanime et justifiable[2].

Pour les ethnométhodologues, « notre familiarité avec la société est un miracle sans cesse renouvelé »[3] qui résulte de cette aptitude des groupes humains à élaborer des méthodes pour se réapproprier le sens de leur propre expérience et pour maîtriser leur propre univers.

---

1. Garfinkel, 1967. On trouvera une bonne introduction à l'ethnométhodologie dans Coulon, 1996.
2. On en trouve une magnifique illustration dans le film *Douze hommes en colère* de Sydney Lumet.
3. La formule est du philosophe Maurice Merleau-Ponty.

L'ethnométhodologie accorde donc une place importante aux compétences des acteurs, car sans ces compétences, la réalité sociale ne pourrait tout simplement pas exister.

Parmi ces compétences ou ces ethnométhodes, la sélection des traits pertinents tient une place importante. De prime abord, nombre de situations que nous rencontrons pourraient faire l'objet de multiples interprétations, c'est-à-dire, dans les termes de Garfinkel, qu'elles sont indexicales. C'est par exemple le cas de nombreuses affaires judiciaires ; certes quelqu'un est mort, mais était-ce un accident, un suicide ou un meurtre ? Pour faire face à cette difficulté, les individus vont sélectionner dans la situation une série d'éléments qu'ils vont considérer comme pertinents pour arriver à la qualifier et à en rendre compte. C'est la sélection des traits pertinents qui permettra de typifier la situation pour dire « ceci est un accident », « ceci est un suicide » ou « ceci est un meurtre ».

Dans la vie quotidienne, nous laissons volontairement de côté de nombreux éléments dans notre sélection des traits pertinents. Par exemple, en rentrant dans l'amphithéâtre, l'étudiant tentera de typifier la situation qu'il rencontre : il s'attend à suivre un cours, à tenir son rôle d'étudiant et à prendre note. Il sélectionnera les éléments qui lui permettront de confirmer que cette typification est correcte, par exemple, la présence d'un professeur. D'autres éléments seront laissés de côté, par exemple le fait que l'éclairage de l'amphithéâtre ne fonctionne pas aussi bien que la dernière fois. Par contre, des éléments sélectionnés comme pertinents pourraient intervenir et amener l'étudiant à réviser la qualification de la situation, par exemple si, au lieu de donner sa matière, le professeur se met à danser et à chanter dans une langue inconnue.

« Je suis en couple avec quelqu'un », « cette personne est vraiment intelligente », « cet homme est sans aucun doute coupable » sont des exemples parmi d'autres de qualifications de situations qui supposent qu'on ait sélectionné des traits jugés pertinents (par exemple certains gestes physiques dans le cas de la relation amoureuse, les résultats d'un test de quotient intellectuel pour déclarer qu'une personne est intelligente, etc). Cependant, cette sélection des traits pertinents n'est pas donnée à l'avance ni indiscutable. C'est pourquoi la réalité doit être comprise, selon Garfinkel, comme un ordre continuellement négocié.

Le philosophe phénoménologue Merleau-Ponty disait du réel qu'il était un tissu solide. On a vu qu'il était cependant possible que ce tissu se déchire, et que tout ce que nous tenions pour normal et évident s'évanouisse en l'espace d'un instant. Schütz en avait fait l'expérience en émigrant. Garfinkel avait pour habitude de proposer à ses étudiants de réaliser des « *breaching experiments* », c'est-à-dire des expériences qui créent volontairement une brèche dans le tissu solide du réel. Il leur demandait par exemple de faire preuve d'une mauvaise foi patente face à leurs proches (par exemple en trichant de manière ostentatoire lors d'un jeu de société puis en niant farouchement avoir triché), ou de sélectionner des traits non pertinents pour qualifier une situation (par exemple refuser de qualifier une situation de repas de famille sous le prétexte qu'il est 19 h 02 et que l'on mange d'habitude à 19 h 00 pile).

Ces expériences avaient pour vertu heuristique de permettre l'étude des réactions des individus lorsque l'indexicalité d'une situation prend le dessus, autrement dit lorsque quelque chose d'apparemment inexplicable et inattendu se produit brutalement et remet en cause la définition, toujours provisoire, de la situation. Il est intéressant de voir que les brèches dans le réel ne durent jamais longtemps. Très rapidement, nous cherchons à donner du sens à ces situations en les typifiant (« il est fou », « il a bu », « il veut m'embêter », etc.) grâce aux ethnométhodes que nous pouvons mobiliser. Il est aussi intéressant d'observer le désarroi des individus lorsqu'ils se rendent compte que, tout à coup, l'intercompréhension qui est habituellement assurée grâce à la réciprocité des perspectives, ne semble plus possible. Nous supportons très difficilement que l'on joue avec les codes sociaux car, à ce moment, le réel qui nous tient et auquel nous tenons perd subitement son caractère d'évidence et nous réalisons que nous ne pouvons nous appuyer sur rien d'autre.

HISTORICISER
LES STRUCTURES SOCIALES

Sommaire

1. Recherche de référence :
Norbert Elias, *Le processus de civilisation* 259
2. Complément : Qu'est-ce qui est pensable
dans une société ? (M. Foucault) 274

1. Recherche de référence :
Norbert Elias, *Le processus de civilisation*

Pour mieux comprendre comment une réalité est construite tout en s'affranchissant des catégories de pensée instituées, les bonnes intentions ne suffisent pas. Il faut s'en donner les moyens. L'un d'entre eux consiste à analyser les processus de construction de la réalité, à l'instar de Simmel, Schütz ou Berger et Luckmann notamment. Un autre moyen, complémentaire et tout aussi précieux, consiste à analyser la genèse et le développement historiques des structures sociales, en ce compris les modes de pensée institués. Seule la mise en perspective historique permet en effet de voir en quoi ce qu'on appelle une « réalité sociale » comme une institution (l'asile psychiatrique, la loi, le mariage, l'État, le marché…) ou un problème (la folie, la déviance, le divorce, les crises politiques, la pauvreté…) « ne tombe pas du ciel », n'a pas toujours constitué une « réalité » et n'a pris sa forme actuelle qu'au terme d'un long processus qui aurait pu tourner autrement.

Pour employer un néologisme[1] aujourd'hui courant dans des sciences sociales, il faut « historiciser » ces structures. Comment une société a-t-elle été amenée à enfermer ses malades mentaux ? Comment en est-on venu à considérer les usagers de drogues comme des déviants ? Par quels processus le régime de la démocratie parlementaire s'est-il imposé ? Comment une économie de marché a-t-elle pu voir le jour ? Lorsqu'elle n'est pas utilisée de manière partiale pour conforter des mythes collectifs, lorsqu'elle ne se réduit pas à l'épopée romantique de quelques grands personnages, lorsqu'elle s'écrit en minuscule, comme la reconstitution de l'activité humaine dans sa diversité et sa complexité, à partir de laquelle peuvent ressortir les liens entre les multiples événements, l'histoire constitue une arme redoutable de l'affranchissement intellectuel à l'égard des catégories de pensée « clés sur porte » et est une grande alliée de la sociologie.

Etudier l'histoire de phénomènes sociaux aussi différents que l'apparition de l'État-Nation ou le dégoût manifesté à l'égard des sécrétions corporelles est une autre façon de dénaturaliser, de rendre contingent ce qui est généralement considéré comme normal, de montrer que cette forme d'organisation sociale ou cette émotion est le résultat d'un processus particulier, et non pas d'une nécessité ou d'une évidence absolue. Cela n'implique pas que le sociologue, l'anthropologue, le politologue ou l'économiste doivent être en plus des historiens patentés, mais bien qu'ils doivent au moins nourrir leurs propres travaux des enseignements des recherches historiques sur les sujets qu'ils traitent. Certains auteurs comme Weber et Thompson sont toutefois parvenus à faire œuvre d'historien et de

1. Néologisme : nouveau mot créé à partir d'un mot existant (« histoire » pour « historiciser »).

sociologue en même temps. Le travail publié par Norbert Elias dans ses livres *La dynamique de l'Occident*[1] et *La civilisation des mœurs*[2] notamment est également exemplaire à cet égard.

Né en Allemagne en 1897, Elias étudie successivement la médecine, la philosophie et la sociologie dans son pays natal. Comme tous les sociologues allemands de cette période, il est fortement influencé par l'œuvre de Weber. De famille juive, Elias quitte l'Allemagne en 1933 et travaillera successivement en Suisse, en France et en Angleterre. Il s'installera finalement à Amsterdam où il mourra en 1990. Son œuvre est très diversifiée et excède les frontières disciplinaires ; elle touche à la fois à l'histoire et à la sociologie, mais aussi à l'anthropologie, à la science politique et à la psychologie. Une de ses contributions majeures aux sciences sociales porte sur les liens étroits qu'il établit entre deux phénomènes au premier abord indépendants : la construction des États modernes et la transformation des mœurs. *La civilisation des mœurs* et *La dynamique de l'Occident* sont les deux faces de l'œuvre majeure d'Elias, qui a pour titre *Le processus de civilisation*, éditée pour la première fois en 1939. Pratiquement ignorée durant les années qui suivirent l'entrée de l'Europe dans la seconde guerre mondiale, elle sera rééditée en 1969 et connaîtra un succès international jusqu'à présent ininterrompu.

1.1 La formation des États modernes : monopolisation et interdépendance

L'analyse d'Elias débute au XIIᵉ siècle. L'ancien royaume franc d'Occident s'est désagrégé en une série d'unités indépendantes et concurrentes, de tailles variables. Les batailles entre elles pour le territoire et ses ressources sont continuelles, chacune tentant d'annexer le territoire voisin ou d'éviter d'être elle-même annexée. Au fil des batailles militaires et économiques mais aussi d'unions matrimoniales, se constituent des unités de plus en plus vastes dont les pouvoirs s'étendent. Siècles après siècles, n'émergent plus que quelques seigneuries comme le duché de Bourgogne ou la Maison de France jusqu'à ce que cette dernière finisse par l'emporter. Ainsi s'est formée la France actuelle. Elias formule comme suit la « loi du monopole » à laquelle obéit ce processus :

> Quand, dans une unité sociale d'une certaine étendue, un grand nombre d'unités sociales plus petites, qui par leur interdépendance forment la grande unité, disposent d'une force sociale à peu près égale et peuvent de ce fait librement – sans être gênées par des monopoles déjà existants – rivaliser pour la conquête des chances de puissance sociale, en premier lieu des moyens de subsistance et de production, la probabilité est forte que les uns sortent vainqueurs, les autres vaincus de ce combat et que les chances

---

1. Elias, 1975.
2. Elias, 1973.

finissent par tomber entre les mains d'un petit nombre, tandis que les autres sont éliminés ou tombent sous la coupe de quelques-uns.[1]

Les États qui se construisent peu à peu reposent sur un double monopole. D'abord le monopole militaire et policier, encore appelé par Max Weber le monopole de la violence légitime[2], c'est-à-dire l'exclusivité du droit d'entretenir une armée et des forces de police, nécessaires à la pacification et au contrôle du territoire . Exercée par les particuliers ou par des organisations privées, la violence est en effet illégitime et réprimée par l'État. Ensuite le monopole fiscal qui est indissociable du premier :

> La société que nous appelons la société moderne est caractérisée, surtout en Europe occidentale, par un niveau bien déterminé de la monopolisation. La libre disposition des moyens militaires est retirée au particulier et réservée au pouvoir central, quelle que soit la forme qu'il revêt ; la levée des impôts sur les revenus et les avoirs est également du domaine exclusif du pouvoir social central. Les moyens financiers qui se déversent ainsi dans les caisses de ce pouvoir central permettent de maintenir le monopole militaire et policier qui, de son côté, est le garant du monopole fiscal. Les deux monopoles se tiennent la balance, l'un étant inconcevable sans l'autre. À la vérité, il s'agit tout simplement de deux aspects différents de la même position monopoliste. Si l'un disparaît l'autre disparaît du même coup, même s'il est vrai que le monopole du pouvoir peut être menacé parfois d'un côté plus que de l'autre.[3]

Plus le domaine s'agrandit, plus son contrôle par le seigneur central devient difficile. Les plus menaçants seront souvent ses proches, frères et sœurs cadets écartés du pouvoir concentré dans les mains de l'aîné. En contrepartie de leur exclusion de la couronne, et pour éviter qu'ils ne se révoltent ou fassent alliance avec des adversaires, le roi sera contraint de céder à ses cadets des portions de son domaine appelés apanages. Pour maintenir sous son autorité son immense domaine, le seigneur central devra en outre se faire aider par une importante administration dont les membres seront de plus en plus spécialisés et, par suite, de plus en plus interdépendants[4]. Le seigneur ou le roi se trouve ainsi au centre d'un système de plus en plus complexe dont les différentes composantes ont, à certains égards, besoin les unes des autres mais sont aussi en concurrence pour l'accès aux fonctions les plus avantageuses.

Le règne de Louis XIV illustre bien ce phénomène. Ralliée au roi, la noblesse fait dorénavant partie de sa cour. Les descendants des guerriers concurrents comme le furent les chevaliers sont devenus des courtisans dont le destin dépend, pour une large part, de la bonne disposition du roi à leur égard. Parallèlement, une nouvelle bourgeoisie formée de commerçants et de fonctionnaires monte en puissance. Les liens entre la noblesse et la

---

1. Elias, 1975, p. 27.
2. Notion déjà abordé au chapitre 5.
3. Elias, 1975, p. 25.
4. Phénomène qui correspond à la solidarité organique chez Durkheim.

bourgeoisie sont ambivalents. Les bourgeois sont tentés par l'anoblissement tandis que les nobles ont intérêt à sauvegarder leur richesse en unissant leurs enfants à des bourgeois prospères. Les alliances commerciales et matrimoniales sont donc nombreuses. En même temps, les deux classes sociales sont rivales car les bourgeois restent écartés du pouvoir formel auquel ils aspirent et menacent les privilèges de l'aristocratie. Le pouvoir absolu du Roi-Soleil reposait sur le maintien d'un équilibre précaire et délicat entre ces deux classes sociales intéressées à être « dans ses bonnes grâces ». Si l'une d'entre elles s'affaiblissait trop au profit de l'autre, le roi la renforçait ; si elle prenait trop de poids, le roi savait mettre un frein à son essor. Le pouvoir absolu consistait en cette grande marge d'action et en ce pouvoir de décision considérable laissé au roi par la neutralisation réciproque des deux principales forces sociales susceptibles de menacer son autorité*. Lorsque la bourgeoisie aura pris une place et une importance impossibles à contenir, l'équilibre précaire sera rompu et la couronne, portée alors par Louis XVI, roulera au pied de l'échafaud.

L'interdépendance* est donc la caractéristique d'un système social dont les composantes dépendent l'une de l'autre tout en étant en tension. Une situation spatio-temporelle concrète d'interdépendance, comme celle existant sous Louis XIV entre le roi, la noblesse et la bourgeoisie, est appelée par Elias une configuration*. Les notions d'interdépendance et de configuration sont centrales chez cet auteur. Pour saisir une configuration, il faut penser non en termes d'individus, de groupes ou d'institutions considérés en eux-mêmes, mais bien en termes de relations et de positions définies dans un système social donné. Il faut également considérer ce système de relations dans sa dynamique propre en tenant compte des caractéristiques du contexte historique concret. Les transformations sociales, explique Elias, « n'ont pas leur origine dans l'une ou l'autre couche [la bourgeoisie ou la noblesse], mais elles se produisent en relation avec les tensions entre les différents groupes fonctionnels d'un champ social et entre les hommes dont les rivalités s'affrontent » [1].

Ce processus d'interdépendance a pour conséquence une « socialisation » du monopole : le pouvoir reste centralisé mais il est de plus en plus dépersonnalisé, exercé collectivement par un ensemble d'institutions telles que le parlement, le gouvernement et les échelons supérieurs de l'administration. Cette socialisation conduira à la consolidation des États modernes et à une modification de la nature des conflits.

C'est précisément la mise en place d'un appareil de domination différencié qui garantit la pleine efficacité du monopole militaire et financier, qui en fait une institution durable. Dorénavant, les luttes sociales n'ont plus pour objectif l'abolition du monopole de la domination, mais l'accès à la disposition de l'appareil administratif du monopole et la répartition de ses charges et profits. C'est à la suite de la formation progressive de ce monopole permanent du pouvoir central et d'un appareil de domination spécialisé que les unités de domination prennent le caractère d'États.[2]

---

1. Elias, 1975, p. 259.
2. Elias, 1975, p. 26.

Plus près de nous, ce processus d'intégration et de complexification des interdépendances ne cesse de se poursuivre, notamment avec l'Union européenne[1] et la mondialisation. Dans l'un de ces derniers textes écrit en 1987, Elias montre bien que plus les systèmes sont compliqués, plus il devient difficile pour un individu d'agir directement sur ceux-ci :

> Nous sommes encore dans une des premières phases de cette poussée d'intégration. Mais il apparaît déjà que les citoyens des États parlementaires qui avaient péniblement conquis le droit d'exercer, par l'intermédiaire d'élections dans le cadre de leur État, un contrôle relatif sur les maîtres de leur destin, n'ont pratiquement plus aucune chance d'exercer la moindre influence sur le processus au niveau d'intégration planétaire [...]. On peut se féliciter ou non de l'intégration croissante de l'humanité. Mais une chose est certaine, c'est qu'elle commence par renforcer l'impuissance de l'individu face à ce qui se déroule au niveau supérieur de l'humanité.[2]

1.2   La démocratie et le marché

C'est dans cette nouvelle donne, caractérisée par des conflits de répartition à l'intérieur de monopoles socialisés, que prennent place le régime politique de la démocratie et le régime économique du marché. La démocratie et le marché ont en commun qu'ils constituent des formes de concurrence et de conflit, la première pour la répartition des postes politiques, la seconde pour la répartition des ressources économiques, qui nécessitent la pacification préalable du territoire où elles s'exercent et donc le monopole étatique de la violence légitime. Toutes deux relèvent d'un phénomène social plus large : celui de la concurrence pacifiquement ordonnée grâce à la suppression de la concurrence à un autre niveau. « Le régime démocratique n'est nullement incompatible avec le monopole comme tel, il ne présuppose nullement l'existence d'un vaste champ livré à l'exercice de la libre concurrence. En réalité le régime démocratique présuppose une organisation monopolistique très élaborée » écrit Elias[3].

De la même manière, le régime économique du marché, fondé sur la concurrence des prix, serait vite supplanté par la rapine et le pillage sans le monopole militaire et policier. Pour sa part, le monopole fiscal de l'État procure non seulement les moyens de ce premier monopole, il assure aussi une régulation centrale indispensable aux échanges marchands grâce notamment à une monnaie nationale. Bref, ces deux monopoles permettent aux acteurs économiques privés « de mener la lutte pour la conquête de chances économiques déterminées par le seul moyen de la force économique »[4]. Dans le contexte actuel d'une mondialisation de l'économie de marché, on ne sera pas étonné par l'intensité

---

1. Pour une application du concept d'interdépendance à la construction européenne, initiée par Elias lui-même, voir Delmotte, 2002.
2. Elias, 1990, p. 219-220.
3. Elias, 1975, p. 39.
4. Elias, 1975, p. 38.

des efforts, tant au niveau européen que mondial, pour imposer un ordre politique et militaire (l'Union Européenne, les multiples accords internationaux, mais aussi la lutte contre le terrorisme ou la répression de mouvements sociaux demandant un partage plus équitable des bénéfices liés à l'exploitation des ressources naturelles à l'intérieur de certains pays) visant à assurer la pacification nécessaire au déploiement international de ce régime économique.

Cette analyse historique d'Elias met à mal la séparation tranchée, voire l'opposition qui sont habituellement faites entre l'économique et le politique. En particulier, elle remet en perspective les discussions à propos des vertus respectives de la concurrence économique et de la régulation étatique qui reprennent de plus belle durant et après chaque crise économique ou sociale. Elle montre, en outre que, loin d'être le propre de la vie économique, la concurrence est un phénomène bien plus étendu.

> Nous sommes accoutumés à distinguer entre l' « économique » et le « politique », entre deux fonctions sociales, la fonction « économique » et la fonction « politique ». Nous entendons par « économie » un réseau d'activités et d'institutions servant à la production ou à l'acquisition de produits de consommation ou de moyens de production. En parlant d' « économie » nous considérons comme une chose allant de soi que la production et surtout l'acquisition de moyens de production et de biens de consommation se fasse normalement sans menaces et sans recours à la force physique ou militaire. Or, rien n'est moins évident ! Dans toutes les sociétés de guerriers fondées sur l'économie de troc – et aussi dans quelques autres ! – l'épée semble le meilleur recours quand il s'agit de se procurer des moyens de production et la menace un auxiliaire indispensable de la production. Pour voir apparaître ce que nous appelons l'« économie » au sens strict du terme, ainsi que ce mode de compétition que nous appelons la « concurrence », il faut attendre que la division des fonctions soit parvenue à un stade avancé, qu'à la suite de longs combats une administration spécialisée gère les fonctions de domination comme sa propriété sociale, qu'un monopole centralisé et public de l'emploi de la force physique s'étende sur de vastes territoires : car c'est alors seulement que peut s'instaurer une compétition pour les biens de consommation et les moyens de production sans recours à la violence physique.
>
> Les interrelations concurrentielles sont un phénomène social infiniment plus général et englobant que l'idée qu'on s'en fait quand on limite la notion de « concurrence » aux structures économiques et – comme c'est le plus souvent le cas – aux structures économiques des XIXe et XXe siècles. Une situation concurrentielle surgit partout et toujours, quand plusieurs personnes s'efforcent de s'emparer des mêmes chances, quand le nombre des postulants est plus élevé que le nombre des chances disponibles, que la disposition de ces chances soit entre les mains d'un monopoliste ou non. Le genre particulier de concurrence dont nous avons parlé plus haut, la concurrence dite « libre », est caractérisée par le fait que la demande de plusieurs personnes vise des chances dont la disposition n'est pas réservée à un individu ou à un groupe situés hors de l'arène où

s'affrontent les concurrents. Nous observons dans l'histoire de beaucoup de sociétés – pour ne pas dire toutes – une phase de « concurrence libre ».[1]

Historiciser les structures collectives comme la monarchie absolue, l'État, la division du travail, la démocratie ou le marché permet de s'affranchir des idées préconçues et trop rapidement admises à leur sujet, et de leur restituer leur densité historique et sociale, c'est-à-dire les relations dynamiques qui les constituent dans le temps.

1.3 L'autocontrôle des pulsions

Plus se développe l'interdépendance entre les groupes et les individus, plus ceux-ci sont amenés à devoir contrôler leurs pulsions. Pour qu'une vie collective plus complexe et une collaboration plus élaborée soient possibles, chacun doit apprendre à contenir ses émotions, à réfréner ses inclinaisons violentes et à se comporter d'une manière qu'on appelle « civilisée ». La notion de « civilisation » est inventée en France au XVIIIe siècle, par les bourgeois de mieux en mieux intégrés à la société de cour. Ils cherchent à adopter les normes de comportement que les aristocrates utilisent depuis plusieurs siècles pour marquer leur supériorité sur les autres classes sociales. C'est en effet d'abord chez les aristocrates qu'Elias observe de telles modifications car les anciens guerriers, jadis éparpillés sur l'ensemble du territoire, ont eu à se transformer en une cour du roi et à faire preuve de bonnes manières, à Versailles notamment[2]. Le sang-froid en toutes circonstances, l'élégance du geste, la maîtrise de l'art oratoire deviennent des vertus cardinales. Sévèrement réprimés, les duels à l'épée ou au pistolet font place aux joutes verbales dans les salons ou les prétoires.

Pour Elias, le processus de civilisation des mœurs édifie un « mur invisible de réactions affectives se dressant entre les corps, les repoussant et les isolant »[3]. L'un des éléments les plus marquants de cette période est la montée en puissance de la pudeur, en tant que représentation sociale de ce qui est naturel ou non, sain ou non, respectable ou méprisable. Les manières de tables, les façons de s'exprimer, les relations amicales ou sexuelles sont investies par les nouvelles formes de pudeur. Mais c'est surtout la gestion de son propre corps qui devient l'objet d'une attention soutenue. Rappelons cette célèbre scolie de l'écrivain humaniste Érasme (1466-1536) tirée de *De civilitate morum puerilium* (1530), manuel à l'usage des jeunes gens :

> Il est malpoli de saluer qui urine ou défèque… Un homme bien élevé ne se laissera jamais aller à découvrir sans nécessité les membres que la nature a associés au sentiment de pudeur. Quand la nécessité l'y contraint, il doit le faire avec décence et retenue,

---

1. Elias, 1975, p. 84-85.
2. Elias parlera de « curialisation » des guerriers, phénomène auquel il consacrera un autre ouvrage : *La société de cour* (1974).
3. Elias, 1973, p. 100

même s'il n'y a pas de témoin. Car les anges sont toujours présents. Rien ne leur est plus agréable chez un garçon que la pudeur, compagne et gardienne d'un comportement décent.

L'idée qu'il faille apprendre la pudeur à des adultes peut aujourd'hui nous sembler aberrante, tellement nous avons été dressés à intérioriser de tels comportements depuis notre enfance. Les expressions et les arguments d'Erasme montrent parfaitement qu'il cherche à associer certains sentiments (la honte, le dégoût) à certains comportements en les qualifiant de non-naturels, d'indécents ou de mal élevés. La gestion de son corps devient ainsi un élément de distinction sociale. De même, alors que l'assistance aux exécutions et châtiments publics de condamnés étaient monnaie courante, prendre du plaisir à assister à la souffrance d'autrui (ou même simplement ne pas être dégoûté et effrayé à la vue d'un tel spectacle) devient progressivement le signe de la barbarie, voire de la perversion.

Les bourgeois suivront le mouvement initié par les aristocrates, non sans marquer de leur empreinte les nouvelles attitudes : le goût du risque transposé dans le monde des affaires, la gestion rationnelle du temps et des comportements, l'économie de moyens dans les gestes et les paroles par exemple. Au terme d'un processus de transmission et d'adaptation des nouveaux modèles dans lequel le clergé au contact des « masses » jouera un rôle éducatif très important, toutes les classes sociales seront finalement touchées. Quand viendra la colonisation, les élites des contrées soumises seront elles-mêmes entraînées par le processus : les indigènes qui adopteront, de bon ou de mauvais gré, les modes de vie et les mœurs des colonisateurs, seront qualifiés de « civilisés ».

Structures sociales et psychiques se transforment donc conjointement, indissociablement, comme deux facettes du même phénomène. C'est pourquoi les modifications psychiques sont durables et profondes. Durables, elles constituent un nouvel habitus*[1], c'est-à-dire un ensemble de dispositions, influencées par le milieu social et la culture, qui inclinent à interpréter le monde et s'y comporter d'une manière particulière. Avec « la civilisation des mœurs », c'est d'abord un nouvel habitus général qui s'implante, essentiellement caractérisé par cette inclinaison à brider ses émotions, à ressentir de la honte ou du dégoût dans des situations désormais jugées comme inconvenantes. Mais chaque classe sociale, comme l'aristocratie ou la bourgeoisie, l'assimile à sa manière, avec des nuances plus en moins sensibles, en fonction de ses propres conditions sociales et de ses propres aspirations. Principe d'orientation des conduites, l'habitus aide chacun à se repérer dans l'univers social, à y « trouver ses marques », ce qui ne signifie pas que tous se laissent guider de la même manière par le modèle général. « Ainsi s'accomplit dans chaque individu, en raccourci, un processus qui dans l'évolution historique et sociale a duré des siècles et dont l'aboutissement est la modification des normes de la pudeur et du déplaisir. »[2]

---

1. On reviendra sur cette notion dans le chapitre 9.
2. Elias, 1973, p. 183.

Les modifications du psychisme sont également profondes, car l'individu est amené à ressentir et à pratiquer authentiquement ces normes de la pudeur et du déplaisir. Loin de ne toucher que superficiellement les composantes du psychisme, elles affectent sa structure même. En se référant à l'inventeur de la psychanalyse Sigmund Freud (1856-1939), Elias distingue trois couches fonctionnelles du psychisme[1]. Siège des instincts et des pulsions, le *Ça* est la plus directement liée à la dimension biologique et physique de la vie humaine. Le *Surmoi* est le lieu psychique du contrôle des comportements et des pulsions par l'intériorisation des contraintes et des modèles sociaux. Source de la culpabilité, de la peur de mal faire ou de décevoir les autres, il assure, selon l'expression d'Elias, la « politique étrangère » du psychisme[2]. Il résulte de la socialisation et de l'intériorisation de l'habitus. Le *Moi* est le siège de la raison où l'individu se construit sa propre identité en tant que sujet de sa propre existence ; il en assure la « politique intérieure ». Avec la civilisation des mœurs, les rapports entre ces trois couches du psychisme se recomposent au détriment du Ça et au bénéfice du Surmoi. Le contrôle des pulsions et des émotions est d'abord un autocontrôle, exercé par l'individu sur lui-même[3]. Ce qui détermine l'homme concret à un moment donné de l'histoire, ce ne sont pas son Ça, son Moi et son Surmoi, pense Elias, mais bien « toujours et fondamentalement l'ensemble des rapports qui s'établissent entre les couches fonctionnelles de l'autocontrôle psychique » qui évoluent avec « la transformation spécifique des interrelations humaines, des relations sociales »[4].

La montée en puissance d'une « approche psychologique » de l'homme, observable dans de nombreux secteurs d'activité, résulte de ce processus de civilisation et témoigne de l'attention portée par l'individu moderne à lui-même. Les grands romanciers du XIXe, comme Balzac, Flaubert et Maupassant, se distinguent par leur « lucidité dans l'observation des hommes » et l'accent qu'ils mettent sur l'expression de la sensibilité individuelle[5]. La pudeur devient un comportement social partagé et le législateur commence à s'intéresser aux bonnes mœurs. Les sciences humaines, comme la psychologie, l'anthropologie et la sociologie, révèlent l'extrême malléabilité de l'être humain et s'intéressent à son intimité. La psychologie appliquée vise à aider l'individu à faire face aux difficultés de l'existence et à « se gérer » dans un environnement où il est de plus en plus ardu de répondre à l'injonction à être « performant »[6]. De ce point de vue, il ne faut pas s'y tromper, de telles injonctions fréquemment rencontrées aujourd'hui qui poussent chacun à « cesser d'être poli pour être vraiment soi-même », à « révéler son potentiel d'authenticité », à « se dégager des

---

1. Déjà abordées avec Goffman dans le chapitre 2.
2. Elias, 1975, p. 266.
3. Ce phénomène de contrôle et d'autocontrôle psychiques a été particulièrement étudié par le philosophe Michel Foucault, notamment dans le domaine de la sexualité (Foucault, 1976). Le complément de ce chapitre lui est consacré.
4. Elias, 1975, p. 255.
5. Elias, 1975, p. 242.
6. Voir Ehrenberg, 1991.

contraintes de la société » pour « être libre et créatif », à « ne pas être un suiveur » mais à « trouver son propre style dans une intériorité qui n'appartient qu'à nous », comme on en rencontre dans la littérature de développement personnel[1] ou dans des magazines grand public ne sont nullement en contradiction avec le processus de civilisation décrit par Elias. Au contraire, les libertés actuelles et la fascination contemporaine pour l'individu libre et autonome sont les signes d'une très forte auto-contrainte qu'elles présupposent. De même, le relâchement de certaines conventions sociales, comme par exemple celles qui sont liées à la nudité sur les plages ou dans la publicité, rend l'auto-contrôle des pulsions et des émotions encore plus nécessaire et plus exigeant. Ainsi, personne ne peut justifier une agression sexuelle par la façon dont la victime était vêtue. Elias remet en perspective ces phénomènes souvent pris pour cible par ceux qui se lamentent de la disparition des normes sociales, en montrant que les normes changent de forme et de place bien plus qu'elles ne disparaissent.

L'interdépendance englobe donc également les dimensions psychiques et les rapports entre elles. C'est pourquoi on peut dire qu'une configuration est une situation concrète d'interdépendance, « vue à hauteur d'individu »[2] qui participe socialement à cette situation et la vit de l'intérieur. Avec ce concept, Elias dépasse la distinction courante et fictive entre la société et l'individu : il s'agit de deux dimensions qui n'existent en réalité que l'une par l'autre. Si nous avons tendance à l'oublier, c'est parce que nous évoluons dans ce qu'Elias appelle, dans la droite ligne de Durkheim, une « société des individus »[3], c'est-à-dire une société dans laquelle l'individu autonome constitue le bien suprême. Nous sommes passés de sociétés qui valorisaient le « nous » à des sociétés pour lesquelles le « je » constitue la valeur sacrée, au point que les « je » s'imaginent comme s'ils n'appartenaient pas à un « nous ». Mais cette autonomie est toujours inscrite dans un contexte social, tant du point de vue matériel que du point de vue symbolique. Ainsi, Elias montre de façon éclatante que les formes de la conscience de soi sont variables selon les contextes historiques. La façon contemporaine dont on se représente l'individu comme dépositaire d'une intériorité qui définit qui il est vraiment « s'instaure dans des phases bien déterminées du processus de civilisation »[4], à savoir celles où l'introjection de contraintes prend une ampleur sans précédent.

1.4 Le tout concret

La construction des États modernes, la démocratie, le marché, l'individualisme, le contrôle des pulsions, le roman moderne, le développement de la psychologie scientifique participent donc d'un même processus. Si on ne les considère pas dans leurs relations,

---

1. Marquis, 2014.
2. Heinich, 1997, p. 90.
3. Elias, 1990.
4. Elias, 1990, p. 65.

on ne peut comprendre aucun de ces phénomènes. Les relations à prendre en compte portent aussi bien sur les interdépendances entre les différents groupes sociaux (comme la noblesse et la bourgeoisie), sur les liens entre le social et le psychique, sur la structure reliant les couches fonctionnelles du psychisme que sur la manière dont les différents registres de l'activité sociale (l'économique, le politique, le culturel…) interfèrent les uns avec les autres. Elias s'inscrit ici dans la droite ligne de Marcel Mauss : pour comprendre les parties, il faut analyser le tout dont elles font partie, ne pas les considérer comme des substances isolées, qui tiendraient leur existence d'elles-mêmes, mais bien comme des éléments d'un ensemble constitué par les relations entre ses parties. Bref, pour saisir tant la « société concrète » que l'« homme concret », il faut « passer d'une pensée substantialiste à une pensée relationnelle »[1]. Pour Elias, cette pensée relationnelle s'opérationnalise dans une démarche méthodologique qu'il résume comme suit :

> Pour bien comprendre les structures et processus sociaux, il est totalement insuffisant de limiter ses investigations à une seule couche fonctionnelle d'un champ social. Pour rendre accessibles à notre compréhension ces structures et processus, il faut analyser les *rapports entre les différentes couches fonctionnelles* liées les unes aux autres à l'intérieur d'un champ social, et qui se reproduisent pendant un certain temps à la suite d'un déplacement plus ou moins rapide des rapports de force, déplacement dû à la structure spécifique du champ. De même qu'il est indispensable dans toute recherche psychogénétique[2] d'analyser, en plus de la couche fonctionnelle psychique de l'inconscient ou du conscient, le cycle tout entier des fonctions psychiques, ainsi il importe dans toute recherche sociogénétique[3] d'envisager d'emblée le *tout* d'un champ social plus ou moins différencié, plus ou moins chargé de tensions. Cette opération n'est possible que parce que le tissu social et son évolution morphologique[4] au cours de l'histoire ne s'accomplissent pas dans le chaos, mais obéissent, même dans les phases de la pire agitation et des pires troubles sociaux, à un ordre et à une structure limpides. Examiner le *tout* d'un champ social ne veut pas dire en examiner *tous* les événements. Il s'agit plutôt de découvrir d'abord les structures fondamentales qui impriment à tous les événements d'un champ social donné une orientation et une morphologie spécifiques. Il faut, par exemple, se demander en quoi les axes de tension, les chaînes de fonctions, les institutions du XVe siècle se distinguent de ceux du XVIe et du XVIIe siècle et pour quelle raison les premiers se modifient pour devenir les seconds. Pour cette opération il importe de faire une ample provision de faits. Mais dès que la recherche historique a accumulé un nombre suffisant de connaissances de détail, elle entre dans une phase pendant laquelle il ne s'agit plus de compiler d'autres documents et d'en donner la description, mais de dégager les lois en vertu desquelles les membres d'une société déterminée sont liés les uns aux autres par un ensemble de structures et de chaînes de fonctions spécifiques, par exemple comme chevaliers et serfs, comme rois et fonctionnaires d'État, comme

---

1. Ce sera le thème principal du chapitre 9.
2. Psychogénétique : relatif à l'origine et au développement des phénomènes psychiques.
3. Sociogénétique : relatif à l'origine et au développement des phénomènes sociaux.
4. Morphologique : relatif à la forme, à la configuration.

bourgeois et nobles, et en vertu desquelles ces formes de relation et ces institutions se transforment dans un sens déterminé. En un mot : lorsqu'on a recueilli un nombre suffisant de documents, on peut essayer de découvrir dans le nombre infini des faits historiques isolés une armature plus solide, un contexte structurel. Les données complémentaires que l'on réussit à découvrir servent – abstraction faite de l'enrichissement du panorama historique qu'ils nous proposent – soit à réviser notre connaissance de ces structures soit à les élargir et à les approfondir. En affirmant que toute recherche sociogénétique doit viser, par-delà les différentes couches fonctionnelles, le *tout* d'un champ social, nous ne songions pas à la somme de tous les détails, mais à sa structure comprise comme un tout.[1]

Recueil d'une vaste information en vue d'une comparaison entre situations historiques différentes devant conduire à la formulation de lois générales, telles sont donc les étapes de la démarche d'Elias. La loi du monopole formulée plus haut et celle de la civilisation des mœurs en constituent deux exemples. Elles ne sont pas des déclarations immuables mais des outils intellectuels perfectibles qui permettent la compréhension des phénomènes sociaux. Elles ne sont pas posées a priori mais sont au contraire dégagées du travail empirique, inscrites dans la nature même des interdépendances mises progressivement au jour[2]. Pour cette raison, la direction générale qu'elles indiquent rend le monde partiellement accessible à la prévision[3] sans pour autant se confondre avec un destin inéluctable qui se réaliserait de manière linéaire. Elias distingue d'ailleurs clairement la question de la tendance générale, comme la formation des monopoles et de l'État, de celle, particulière, et qui ne l'intéresse guère, de l'hégémonie conquise par la dynastie des Capétiens[4]. Les Ducs de Bourgogne auraient-ils supplanté le roi de France et conquis eux-mêmes l'hégémonie que le mouvement général n'eût pas été différent pour autant. Cet exemple illustre la nécessité de bien distinguer les changements structurels des simples modifications de leurs composantes. Cette distinction constitue un principe important des sciences sociales sur lequel on reviendra plus loin.

1.5   Lois structurelles et liberté des individus

La mise en évidence de ces lois structurelles pose la question de la liberté des individus. Certains courants des sciences sociales n'ont-ils pas tendance à surestimer le poids des structures et des processus sociaux qui s'imposeraient avec une force irrésistible aux individus ? La question du déterminisme et de la liberté, de la structure et de l'agent,

---

1. Elias, 1975, p. 257-258.
2. Elias, 1975, p. 304.
3. Elias se défend d'être évolutionniste. Pour autant, il refuse de s'empêcher de parler d'évolution sociale lorsque cette notion se rapporte à « des faits simples et vérifiables », et non pas à une « vision idéale dépassée et décevante » (Elias, 1990, p. 231).
4. Elias, 1975, p. 43.

est, depuis toujours, au cœur des débats sociologiques. Une réponse satisfaisante ne peut résulter de spéculations abstraites mais seulement d'un examen de ce que révèlent les recherches empiriques. Sans épuiser ici la question, on peut faire ressortir la contribution de la recherche d'Elias à ce débat.[1]

À ses yeux, les changements sociaux résultent des comportements intentionnels d'individus en relation. C'est bien la volonté de chaque guerrier de défendre son lopin de terre contre ses voisins immédiats qui est à la source du processus de monopolisation. Ce sont bien les intérêts conflictuels des aristocrates et des bourgeois qui rendent possible le pouvoir absolu de Louis XIV et c'est bien la volonté délibérée de celui-ci de maintenir l'équilibre entre ces deux groupes qui stabilise son pouvoir. C'est bien la volonté des aristocrates de marquer leur supériorité qui conduira à de profondes modifications dans nos mœurs. Toutefois, ces actions sont prises dans un système spatio-temporel ou une configuration (comme la concurrence libre entre seigneurs voisins) qui les déterminent ou les canalisent (puisque chacun n'a pas vraiment la possibilité de ne pas se défendre) mais leur procurent aussi une certaine marge de manœuvre (puisque chacun peut apprécier différemment sa situation et décider d'une manière particulière d'y faire face). De la même façon, la structure d'un marché donné limite les possibilités des agents économiques mais leur offre un ensemble de ressources et d'opportunités à partir desquelles chacun ajuste sa propre stratégie. Comme on l'a vu avec Goffman, même une institution totalitaire offre à ceux qui y sont reclus des marges de manœuvre qui ne sont pas négligeables. Pour apprécier précisément cette tension entre détermination et liberté, il faut se garder des généralisations hâtives, mais plutôt étudier au cas par cas comment les configurations « formatent » le jeu des acteurs.

Il y a plus cependant : les actions intentionnelles et locales des acteurs sont constitutives de changements plus larges qui dépassent complètement leur univers de sens et auxquels ils n'ont donc pas conscience de participer. Ce sont ces changements que des recherches comme celles d'Elias tentent de saisir en mettant au jour les interdépendances et les lois auxquelles ils obéissent. Le guerrier qui défend son petit territoire n'a aucunement conscience de participer à un long et vaste processus de monopolisation qui conduira à la création des États modernes. Les princes anglais, français, allemands ou italiens qui guerroyaient ou faisaient alliance ignoraient qu'ils étaient en train de tisser les interdépendances sur base desquelles l'Union européenne actuelle allait s'échafauder. Il faut se rappeler que le livre d'Elias a été écrit dans l'entre-deux-guerres pour saisir la perspicacité et la pertinence de son analyse.

> Mais le développement de la division des fonctions et de l'interdépendance supra-régionale ne rapproche pas seulement – comme ennemis ou comme amis – les unités de domination du territoire franc d'Occident élargi : on commence déjà à se rendre compte – d'une manière moins manifeste mais sensible – de l'apparition d'interdépendances et

---

1. En particulier à partir de son ouvrage *La société des individus* (1990).

de déplacements d'équilibre qui affectent toute l'Europe occidentale. La société territoriale franco-anglaise prend, à mesure que se précise le réseau des interdépendances, de plus en plus l'aspect d'un système partiel dans le cadre plus englobant du système européen. La guerre de Cent Ans nous permet de mieux discerner l'élargissement du réseau des interdépendances à travers des espaces toujours plus vastes, encore que les interdépendances aient toujours existé à un certain degré. On remarque que des princes allemands et italiens interviennent déjà dans la lutte pour la suprématie dans le secteur franco-anglais, en jetant dans la balance le poids de leurs intérêts et de leur puissance sociale, bien que leur rôle soit encore marginal. On distingue déjà les signes précurseurs d'un phénomène qui se précisera peu d'années plus tard, pendant la guerre de Trente ans : le continent européen commence, dans sa totalité, à se transformer en un système de pays interdépendants, doué d'un dynamisme d'équilibre et de répartition du poids, système à l'intérieur duquel tout réajustement de la balance se répercute directement ou indirectement au niveau de chaque unité territoriale, de chaque pays. Attendons encore quelques siècles et nous constaterons que pendant la guerre de 1914-1918 les tensions et déplacements d'équilibre affecteront, du fait de l'accélération de cette transformation et de l'augmentation de l'interdépendance, des unités de domination plus vastes dans toutes les parties du globe. Il est certain que nous n'avons qu'une très vague idée – si tant est qu'elle apparaisse seulement à l'horizon de notre conscience – des modalités et du degré de monopolisation vers laquelle évoluent les tensions inséparables d'un réseau mondial d'interdépendances, de leurs effets, des unités de domination plus englobantes qui naîtront peut-être de ces combats. Cette remarque s'applique tout aussi bien aux dynasties territoriales et aux groupes humains impliqués dans la guerre de Cent Ans ; à cette époque aussi, chaque unité ne sentait que la menace immédiate que présentait pour elle la puissance ou l'accroissement de la puissance des autres ; des unités plus vastes qui se constituaient lentement au creuset de ces combats, la France et l'Angleterre telles que nous les connaissons aujourd'hui, n'étaient pas plus des réalités dans la conscience de ces hommes que pour nous l'unité politique de l'Europe.[1]

Les auteurs les plus intéressants en sociologie, dont Elias fait certainement partie, ont insisté de différentes façons sur le fait que la liberté des individus et la détermination qu'exerce sur eux l'environnement social dans lequel ils évoluent constituent les deux faces d'une même pièce, et qu'il est donc profondément erroné de vouloir faire jouer l'une contre l'autre. Au contraire, l'analyse sociologique se doit de montrer comment en pratique ces deux aspects de notre vie sont toujours intriqués. Il n'y a pas en nous une partie qui constituerait notre « vrai moi », puis une autre partie, étanche de la première, qui constituerait notre « conditionnement social ». « La société n'est pas seulement le facteur de caractérisation et d'uniformisation, elle est aussi le facteur d'individualisation »[2], disait Elias. Par exemple, l'accent placé dans les sociétés contemporaines sur l'autonomie des individus n'est possible que grâce à l'auto-contrôle des pulsions, les deux phénomènes résultant du processus historique décrit et analysé par Elias. Si celui-ci en arrive à un

---

1. Elias, 1975, p. 78-79.
2. Elias, 1990, p. 103.

tel niveau de finesse, c'est d'abord parce qu'il refuse d'en faire une question morale qui consisterait à se demander si une théorie sociologique est « pour » ou « contre » la liberté des individus, et ensuite parce qu'il adopte une posture qui lui permet d'étudier le « tout concret », c'est-à-dire une position holiste.

1.6 Histoire, sociologie et psychologie

La recherche d'Elias montre l'importance de prendre en compte la longue durée pour comprendre les phénomènes sociaux. Il fonde sa sociologie sur l'histoire mais sa manière de faire de l'histoire est sociologique. Son attention ne porte pas sur la vie des grands personnages, élevée au rang d'épopée héroïque ou de drame personnel, mais bien sur leurs fonctions dans la configuration sociale où leur action s'exerce, et sur les transformations sociales auxquelles ils prennent part. L'histoire des institutions et des modes de vie révolus ne se limite pas à étudier le passé pour lui-même, mais vise la compréhension du présent. Réciproquement, la configuration des sociétés actuelles permet de mieux comprendre les dynamiques à l'œuvre dans le passé, tout en évitant de justifier par quelque « sens de l'histoire » ou « nécessité historique » les structures sociales et politiques actuelles, comme un pays ou une région. Les sources historiques sont utilisées pour comparer les configurations qui se succèdent dans le temps ou coexistent dans des sociétés différentes[1], afin de mieux saisir tant la spécificité de chacune d'elles que les transformations structurelles. À ses yeux, les sciences sociales sont des sciences empirico-historiques dont les schémas explicatifs ne peuvent être élaborés à partir d'une seule vision synchronique[2] des événements. Elias brise ainsi le clivage entre le passé et le présent, constitutif du partage des territoires entre histoire et sociologie, effectué au XIXe siècle.

Avec Elias, les sciences sociales englobent dans un même objet des phénomènes aussi larges que les relations entre États et aussi intimes que les émotions du sujet. Il critique d'ailleurs l'interactionnisme pour son incapacité à prendre en compte les dimensions macrosociales des relations humaines, c'est-à-dire le cadre social plus large des interactions qui se déroulent dans les institutions concrètes et les situations de face à face. Elias montre en effet que « Consciente ou inconsciente, l'orientation du comportement en fonction d'une régulation sans cesse plus différenciée de l'appareil psychique est déterminée par les progrès de la différenciation sociale, de la division des fonctions, par l'extension des chaînes d'interdépendance dans lesquelles s'insère, directement ou indirectement, chaque mouvement, chaque manifestation de l'homme isolé »[3]. Il reproche à la psychologie, prise seule, d'étudier l'être humain indépendamment des structures et des processus socio-historiques dans lesquels son expérience prend place, de ne pas historiciser et contextualiser

---

1. Elias compare notamment la construction des États modernes en France et en Allemagne.
2. Synchronique : relatif à une seule époque. S'oppose à diachronique : relatif aux changements d'une époque à l'autre.
3. Elias, 1975, p. 186.

son psychisme. Mais il déplore tout autant le désintérêt de l'histoire et des sciences sociales en général pour la dimension psychologique des processus sociaux. C'est pourquoi il en appelle à une « psychologie sociale de l'histoire ».

Ce point de vue est à mille lieues d'une approche où différents points de vue disciplinaires seraient amalgamés dans une espèce de fourre-tout théorique qui embrouillerait plus les esprits qu'il ne les éclairerait. Pour être interdisciplinaire, l'analyse d'Elias n'en repose pas moins sur une structure théorique forte, relationnelle et processuelle, ainsi que sur une méthodologie précise et rigoureuse.

2. Complément : Qu'est-ce qui est pensable dans une société ? (*M. Foucault*)

Que reste-t-il de vrai ou de naturel lorsque les sciences sociales ont montré le caractère construit et historiquement situé d'un phénomène ? Puisque la différence comportementale entre les filles et les garçons résulte, pour une large part, d'un processus de socialisation, comme l'ont montré Berger et Luckmann, cela signifie-t-il qu'il n'existe pas de *réelles* différences entre les sexes ? Puisque nos émotions, comme le dégoût, ou nos façons d'être et d'agir, comme la pudeur, sont inscrites dans l'histoire du processus d'autocontrôle des pulsions mis en lumière par Elias, cela signifie-t-il qu'elles ne sont pas *naturelles* ? Puisque les fumeurs de marijuana étudiés par Becker sont les sujets d'un processus d'étiquetage, cela signifie-t-il qu'il n'existe pas *vraiment* de déviance ? Puisque les comportements apparemment irrationnels adoptés par les patients de l'hôpital psychiatrique étudié par Goffman dépendent en partie de l'interaction avec le personnel soignant, est-ce à dire qu'ils ne sont pas *réellement* fous ?

De telles questions surgissent souvent face à l'idée que la réalité et les structures sociales sont socialement construites au cours d'une histoire longue. Elles conduisent à se demander « ce qui reste de solide » une fois que l'on a déconstruit un phénomène au cours de la recherche sociologique. En fait, ces questions sont mal posées. Le fait que nos émotions face à la souffrance physique, nos représentations de la folie, nos comportements sexués ou encore nos règles de droit définissant le légal et l'illégal soient socialement et historiquement construites n'empêchent pas que tout cela forme *notre* réalité. Au quotidien, nous vivons comme réels et naturels tous ces éléments, sans prendre le moindre du monde la peine de se demander quelle est leur origine sociale et historique. Pourtant, chaque société et chaque époque organisent d'une certaine façon ce qui est pensable et vivable pour les individus, ce qu'ils trouveront normal ou au contraire déviant, ce qui leur fera plaisir ou ce qui leur procurera du déplaisir.

2.1 La vérité est socio-historiquement située

Michel Foucault est l'un des auteurs qui a le mieux analysé ce paradoxe apparent. Foucault n'est pas sociologue mais bien philosophe. Il n'en est pas moins l'un des auteurs les plus cités et les plus discutés en sciences sociales en général et en sociologie en particulier. Aujourd'hui encore, 30 ans après sa mort en 1984, on publie encore ses cours, ses conférences et les moindres de ses textes. La thèse que Foucault a développée tout au long de son parcours intellectuel est que la vie en société est immanquablement une entreprise de normalisation. La société crée l'être humain, en lui imposant les catégories pour se penser et se vivre. Par exemple, ce qui est défini comme « sain » ou « normal » dépendra en partie d'un contexte à l'autre. Plus encore, ce que nous tenons pour la « vérité » est aussi le résultat d'une construction socio-historique et témoigne d'un exercice du pouvoir :

> L'important, je crois, c'est que la vérité n'est pas hors pouvoir ni sans pouvoir (elle n'est pas, malgré un mythe dont il faudrait reprendre l'histoire et les fonctions, la récompense des esprits libres, l'enfant des longues solitudes, le privilège de ceux qui ont su s'affranchir). La vérité est de ce monde ; elle y est produite grâce à de multiples contraintes. Et elle y détient des effets réglés de pouvoir. Chaque société a son régime de vérité, sa politique générale de la vérité : c'est-à-dire les types de discours qu'elle accueille et fait fonctionner comme vrais ; les mécanismes et les instances qui permettent de distinguer les énoncés vrais ou faux, la manière dont on sanctionne les uns et les autres ; les techniques et les procédures qui sont valorisées pour l'obtention de la vérité ; le statut de ceux qui ont la charge de dire ce qui fonctionne comme vrai.
>
> Dans des sociétés comme les nôtres, l'économie politique de la vérité est caractérisée par cinq traits historiquement importants : la vérité est centrée sur la forme du discours scientifique et sur les institutions qui le produisent ; elle est soumise à une constante incitation économique et politique (besoin de vérité tant pour la production économique que pour le pouvoir politique) ; elle est l'objet, sous des formes diverses, d'une immense diffusion et consommation (elle circule dans des appareils d'éducation ou d'information dont l'étendue est relativement large dans le corps social, malgré certaines limitations strictes) ; elle est produite et transmise sous le contrôle non pas exclusif, mais dominant de quelques grands appareils politiques ou économiques (université, armée, écriture, médias) ; enfin, elle est l'enjeu de tout un débat politique et de tout un affrontement social (luttes idéologiques).[1]

Ce régime de vérité qui caractérise chaque société à chaque époque, Foucault l'appelle *episteme**. L'*episteme* constitue un socle profond qui délimite ce qu'on peut penser ou ce qu'on est incapable de penser à une époque particulière. Ce n'est pas seulement un ensemble de connaissances formelles, c'est plus largement ce qui détermine notre rapport au monde à cette époque. Foucault s'est particulièrement intéressé à l'*episteme* de l'époque moderne occidentale. Quel est, aujourd'hui, notre régime de vérité ? Que peut-on penser

---

1. Foucault, 1994a, p. 112-113.

et comment le pense-t-on ? Si on ne devait retenir qu'une seule caractéristique de l'*episteme* moderne, ce serait l'intérêt jusqu'alors inégalé porté à l'être humain. Depuis l'époque moderne, on veut tout savoir de lui, de préférence en codant ce savoir dans un discours scientifique.

> Une chose en tout cas est certaine : c'est que l'homme n'est pas le plus vieux problème ni le plus constant qui se soit posé au savoir humain. En prenant une chronologie relativement courte et un découpage géographique restreint – la culture européenne depuis le XVI° siècle – on peut être sûr que l'homme y est une invention récente. Ce n'est pas autour de lui et de ses secrets que, longtemps, obscurément, le savoir a rôdé. [...]. L'homme est une invention dont l'archéologie de notre pensée montre aisément la date récente. Et peut-être la fin prochaine.[1]

De la même façon, on attend de l'homme moderne qu'il soit capable de connaître et de dire la vérité sur lui-même. Nous pensons qu'il existe en chacun de nous une « intériorité » qui recèle, parfois secrètement, la vérité sur qui nous sommes vraiment. C'est cette intériorité que chacun est invité à explorer dans les sociétés modernes et contemporaines.

2.2 La vérité comme exercice du pouvoir sur l'être humain

D'où vient le fait que l'être humain soit devenu à la fois un problème, un objet de connaissances et de découvertes, et une préoccupation politique ? À travers l'analyse de textes anciens, Foucault remonte, à l'instar d'Elias, le cours de l'histoire. Il montre que, depuis la fin du Moyen Âge, l'État qui se met progressivement en place accorde une attention de plus en plus soutenue à la population qui habite son territoire, il se préoccupe de sa santé, de son hygiène, de son taux de reproduction, de ses déplacements, de ses pratiques sexuelles, de son comportement alimentaire, etc. Pour mieux cerner et mieux maîtriser sa population, l'autorité publique va notamment mobiliser de nombreux instruments d'enquête comme les statistiques démographiques. Elle va également instaurer un système public de soins de santé, réaliser des campagnes publiques d'information, promulguer des lois pour autoriser certains comportements et en interdire d'autres, etc. Foucault appelle *biopolitique* cette volonté de gouverner les populations, en se préoccupant en particulier de leur état sanitaire.

Les différentes sciences médicales, psychologiques, psychiatriques, sociales et criminologiques en voie de constitution vont jouer un rôle très important dans la production de ce savoir sur l'homme. Non seulement ces sciences vont permettre à l'État d'avoir prise sur ses sujets, mais elles vont également participer à la création des lignes de partage entre d'une part, ce que l'on considérera comme « normal » et « sain » et d'autre part, ce qui sera qualifié d'« anormal », de « malsain », de « pervers » ou de « pathologique ». Au cours de sa carrière, Foucault s'est principalement intéressé à trois domaines de la vie dans lesquels

---

1. Foucault, 1966, p. 398.

les sciences et les techniques ont constitué trois personnages anormaux : la santé mentale et le personnage du « fou », la criminalité et le personnage du « criminel », la sexualité et le personnage du « déviant ». L'homme normal et sain est désormais pensé comme l'envers du fou, du criminel et du déviant. Dans ces trois cas, la définition d'un individu comme anormal va justifier le traitement qui lui sera imposé, par exemple l'enfermement en asile psychiatrique ou en prison.

Foucault note aussi que le fait de dire le vrai sur soi-même, d'avouer ou de se confesser (à un « psy », à un travailleur social ou à un médecin comme à un religieux[1]) occupe une place importante dans la guérison ou le retour vers le statut d'homme normal. La recherche de la vérité sur soi-même est un impératif des sociétés modernes. C'est particulièrement marquant en ce qui concerne le domaine de la sexualité. Contre l'hypothèse selon laquelle le sexe aurait été de plus en plus réprimé au fil des siècles (et donc en relatif désaccord avec Elias sur ce point), Foucault pense que la sexualité, les pratiques sexuelles, les fantasmes et les plaisirs ont fait l'objet d'un intérêt grandissant de la part des sciences, des moralistes, du pouvoir politique, etc. En conséquence, ces questions sont aujourd'hui et plus que jamais extrêmement présentes dans l'espace public comme dans nos vies privées, et on leur confère le pouvoir de révéler la vérité sur chaque individu.

> Nulle civilisation n'a connu de sexualité plus bavarde que la nôtre. Et beaucoup croient encore subvertir quand ils ne font qu'obéir à cette injonction d'avouer, à cette réquisition séculaire qui nous assujettit, nous autres hommes d'Occident, à tout dire de notre désir. Depuis l'Inquisition, à travers la pénitence, l'examen de conscience, la direction spirituelle, l'éducation, la médecine, l'hygiène, la psychanalyse et la psychiatrie, la sexualité a toujours été soupçonnée de détenir sur nous une vérité décisive et profonde. Dis-nous ce qu'est ton plaisir, ne nous cache rien de ce qui se passe entre ton cœur et ton sexe ; nous saurons ce que tu es et nous te dirons ce que tu vaux.[2]

Fidèle à sa méthode, Foucault a tenté de faire la généalogie de cette « science du sexe », de cette volonté de tout savoir sur notre sexualité, qu'il fait remonter jusqu'à la pratique de la confession mise en place par les premiers Chrétiens. Aujourd'hui, notre rapport à nous-mêmes passe inéluctablement par un questionnement sur notre sexualité. Nous ne pouvons pas nous comprendre autrement qu'à travers ce prisme. En tant que révélateur de vérité sur l'individu, le sexe est donc à la fois une question personnelle (c'est une préoccupation constante de chacun) et un objet politique (c'est une manière de définir la normalité). Mais surtout, la sexualité est un formidable objet et vecteur d'exercice du pouvoir dans les sociétés modernes et contemporaines.

---

1. Aujourd'hui on pourrait ajouter à un « coach de vie », ou encore à un « groupe de parole ».
2. Foucault, 1994a, p. 90-91.

2.3 L'exercice du pouvoir dans les sociétés modernes et contemporaines

Comment sommes-nous concrètement conduits à perpétuellement chercher et dire le vrai sur nous-mêmes ? Qui exerce sur nous ce pouvoir ? Pourquoi suivons-nous cette injonction à parler de nous-mêmes à nos amis, médecins, thérapeutes, aux journalistes ou aux représentants de l'ordre public, au point parfois d'y trouver du plaisir ? Pourquoi dévoilons-nous notre intimité et sommes-nous si friands de connaître celle des autres ? Aucune loi, pourtant, ne nous y oblige, aucune menace physique ne nous y contraint. Ce serait en effet une erreur, selon Foucault, de penser que le pouvoir qui nous assujettit est exercé uniquement de façon physique, et à partir d'un centre névralgique, comme l'État, par exemple.

D'abord, Foucault montre que le pouvoir ne prend pas toujours une forme répressive. Il n'interdit pas forcément, comme le laisserait penser une conception essentiellement « négative » du pouvoir que Foucault estime dominante dans une partie de l'anthropologie et de la sociologie française[1]. Foucault prône au contraire une conception « positive »[2] du pouvoir qu'il définit comme la capacité d'agir sur l'action d'autrui, de conduire ses conduites. Autrement dit, avoir du pouvoir sur quelqu'un, c'est être capable de lui faire faire certaines choses qu'il n'aurait pas faites autrement, par exemple, le pousser à chercher et à dévoiler la vérité sur lui-même. Foucault définit le pouvoir de la façon suivante :

> Il est un ensemble d'actions sur des actions possibles : il opère sur le champ de possibilités où vient s'inscrire le comportement de sujets agissants : il incite, il induit, il détourne, il facilite ou rend plus difficile, il élargit ou il limite, il rend plus ou moins probable ; à la limite, il contraint ou empêche absolument ; mais il est toujours une manière d'agir sur un ou des sujets agissants, et ce tant qu'ils agissent ou qu'ils sont susceptibles d'agir. Une action sur des actions.[3]

Ensuite, le pouvoir, loin de se cantonner à la force physique, est aussi lié, comme on l'a vu, au savoir : le pouvoir réside notamment dans la capacité de dire « ce qu'il en est », par exemple, d'un comportement sexuel normal. L'expertise scientifique, de ce point de vue, possède un pouvoir extrêmement important. Enfin, le pouvoir n'est pas toujours exercé de façon visible. Bien plus, pense Foucault, moins le pouvoir est visible, plus il est effectif. C'est particulièrement vrai dans les sociétés libérales-démocratiques, où l'idée d'un gouvernement fort capable d'imposer des normes et des comportements est violemment rejetée par les citoyens.

Comment le pouvoir est-il alors exercé dans ce type de système ? Foucault propose une idée tout à fait novatrice : dans les sociétés libérales-démocratiques, il n'y a pas un

---

1. Notamment chez Durkheim et Lévi-Strauss (le tabou de l'inceste par exemple).
2. Les qualificatifs « négatif » et « positif » n'ont, chez Foucault, aucune connotation morale.
3. Foucault, 1994b, p. 236-237.

unique lieu à partir duquel le pouvoir serait exercé d'en haut. Au contraire, ces sociétés sont traversées par une infinité de « micro-pouvoirs » qui rendent souvent superflu un exercice brutal, centralisé et visible du pouvoir. « La société est un archipel de pouvoirs différents » [1]. Dans nos sociétés, les principaux acteurs du pouvoir en sont aussi les principaux objets : les citoyens eux-mêmes. Foucault nomme ce mode de gouvernement la gouvernementalité*. Par le truchement de ce qu'il appelle des « techniques de soi », les individus agissent et travaillent sur eux-mêmes au nom de valeurs qu'ils chérissent, comme la liberté et l'autonomie. Foucault définit les techniques de soi comme « les procédures, comme il en existe dans toute civilisation, qui sont proposées ou prescrites aux individus pour fixer leur identité, la maintenir ou la transformer en fonction d'un certain nombre de fins, et cela grâce à des rapports de maîtrise de soi sur soi ou de connaissance de soi par soi » [2]. L'originalité de la gouvernementalité est que désormais, ce sont les individus eux-mêmes qui vont fournir les justifications nécessaires à l'exercice du pouvoir. Rien ou personne n'oblige formellement les individus à travailler sur eux-mêmes (par exemple en allant suivre des stages de coaching, ou en faisant du sport trois fois par semaine), rien ne les oblige à chercher la vérité sur eux-mêmes (par exemple à travers une thérapie ou des pratiques d'introspection), rien ne les contraint à exhiber leur intimité (par exemple dans des groupes de parole, dans des jeux de société qui poussent à la confession, sur les réseaux sociaux, ou encore en participant à des émissions de téléréalité). Et pourtant, nous le faisons de bon cœur car nous y voyons là la marque de notre autonomie et de notre liberté personnelle. C'est le paradoxe apparent des sociétés modernes, où le pouvoir est exercé au nom de l'autonomie.

La psychologie, comme discipline scientifique, comme expertise, comme domaine d'activité professionnelle, comme marché, a suscité l'intérêt de Foucault et de ses disciples. Aujourd'hui, la psychologie est partout, elle a contaminé l'ensemble de notre représentation du monde et de nous-mêmes. Elle joue ainsi un rôle très important dans notre *episteme* contemporaine et dans notre façon de considérer ce qui est vrai ou ce qui ne l'est pas. Cela s'observe notamment dans le réflexe qui nous pousse à analyser directement n'importe quel problème que nous rencontrons dans des termes psychologiques. Par exemple, si quelqu'un ne trouve pas de travail, nous aurons facilement tendance à dire que cela est dû à un manque de volonté, de confiance en soi, d'estime de soi, etc. Ce serait pourtant une grossière erreur, selon Foucault et ses disciples, de croire sur parole le discours « psy » lorsque celui-ci prétend nous émanciper des normes sociales. Au contraire, le « psy » fournit aux individus contemporains tous les outils et les raisons pour exercer sur eux-mêmes le pouvoir propre aux sociétés libérales-démocratiques.

Au final, le régime de la vérité – ce qui est pensable dans une société – est immanquablement lié à l'exercice du pouvoir. Ce pouvoir est celui d'imposer les catégories à travers lesquelles nous percevons le monde. Il est à la fois contraignant, mais aussi habilitant. Par

---

1. Foucault, 1994b, p. 187.
2. Foucault, 1994b, p. 213

exemple, la place de la psychologie dans la société contemporaine nous suggère, voire nous impose, certaines compréhensions du monde et de nous-mêmes : nous sommes, que nous le voulions ou non, « mis en forme » par la psychologie. Mais il n'en reste pas moins que nous prenons aujourd'hui ces catégories pour réelles, et que cela nous permet d'agir dans toute une série de situations dans lesquelles elles nous sont bien utiles. Nous nous vivons aujourd'hui comme si nous avions réellement (et comme si nous avions toujours eu) un « inconscient », une « estime de soi », des « traumatismes », un « vrai soi », une « intériorité », etc. C'est cette compréhension du monde et de nous-mêmes qui rend aujourd'hui évidente la nécessité d'envoyer des équipes de soutien psychologique lors des drames ou des catastrophes naturelles, ou le fait de suivre des stages pour améliorer sa « confiance en soi » lorsque l'on rencontre un obstacle dans sa vie. Mais en d'autres temps et dans d'autres sociétés, tout cela n'aurait probablement eu aucun sens.

Michel Foucault et Norbert Elias sont loin d'être d'accord sur tous les points. Ils mettent l'accent de façon différente sur la question de la répression ou encore sur celle du pouvoir notamment[1]. Cependant, leur façon de faire de la recherche et de poser les questions procède d'une même perspective : comprendre le présent, le pensable et le non-pensable ne peut se faire sans historiciser les structures sociales et mentales. En conséquence, ces deux grands auteurs du XXᵉ siècle mettent chacun à leur façon en question l'idée selon laquelle il existerait une « nature humaine » identique en tout temps et en tous lieux. Jusqu'au plus profond de lui-même, chaque individu est écrit par l'environnement social et culturel dans lequel il évolue, même si (et d'autant plus si) il l'ignore.

---

1. Voir par exemple l'article de Smith (1999).

ÉTUDIER LES RELATIONS

1. Recherche de référence :
Pierre Bourdieu, *La Distinction. Critique sociale du jugement* 283

2. Complément :
Quelles formes prennent les relations ? (M. Crozier, M. Granovetter).. 302

1. Recherche de référence : Pierre Bourdieu, *La Distinction. Critique sociale du jugement*

Marx a défini un système économique par ses rapports de production et une société par ses rapports de classes. La modernisation des sociétés occidentales a été analysée par Durkheim comme une transformation des formes de solidarité entre les individus et par Elias comme un accroissement des interdépendances. Mauss a étudié le système d'échange que constitue le don. Hoggart a montré que la culture ouvrière ne pouvait être comprise sans tenir compte de la position des classes populaires dans l'ensemble du système social. Goffman a expliqué les comportements des malades mentaux par la structure sociale de l'institution totalitaire. Becker a étudié la déviance comme un processus d'interaction tant entre déviants et non déviants qu'à l'intérieur des groupes déviants eux-mêmes. Chacun a étudié non pas ce qui se passe dans le chef d'un groupe social ou d'un acteur particulier mais bien ce qui se passe *entre* différents groupes sociaux ou individus, soit les relations entre eux. C'est seulement par ces relations que la vie sociale existe, de sorte que son unité de base est non pas l'individu ni même le groupe en tant que tels, mais bien la relation qui relie entre eux individus et groupes. Les sciences sociales ont pour tâche l'étude des relations sociales, sous leurs multiples formes. Ce dernier chapitre est consacré au développement et à l'approfondissement de cette idée, à partir d'une recherche du sociologue français Pierre Bourdieu, publiée dans un ouvrage intitulé *La Distinction*[1].

Cette œuvre n'est pas seulement une mise à l'épreuve exemplaire du principe relationnel. Elle possède également la particularité d'articuler subtilement la dimension objective des relations sociales (mise en évidence par Marx et Durkheim notamment) et leur dimension symbolique (mise en évidence par Weber et Mauss notamment). On verra que Bourdieu insiste tout particulièrement sur cette dernière. En effet, à partir de nombreuses recherches empiriques, menées en France et en Algérie, il a patiemment élaboré un imposant système théorique consacré, pour une large part, à l'étude des structures de domination symbolique. Parmi ses thèmes de recherche, le système scolaire, l'art et la littérature, ainsi que les pratiques culturelles (par exemple la fréquentation des musées et la photographie) occupent une place de choix. Toute son œuvre vise non seulement à construire une approche relationnelle des phénomènes sociaux, mais également à montrer que les relations sociales ne sont pas seulement des relations objectives (comme des rapports de force fondés sur une distribution inégale de richesses économiques) car elles comportent une dimension symbolique absolument centrale. C'est donc ce qu'illustre particulièrement bien *La Distinction*, qui constitue sa recherche empirique la plus connue.

La Distinction présente les résultats d'une vaste enquête sociologique sur les pratiques culturelles de la population française, conduite dans les années soixante. Le principal

---

1. Bourdieu, 1979.

outil méthodologique était constitué d'un questionnaire comportant un ensemble de questions sur les différents aspects des pratiques et des préférences culturelles comme le choix des meubles et des vêtements, les loisirs, les livres, les films, les émissions, les œuvres musicales, les chanteurs et les peintres préférés, ou encore les sujets photographiques favoris. Les enquêteurs chargés de poser les questions avaient également pour directive de prendre note de leurs principales observations sur le logement, la tenue vestimentaire, la coiffure et la manière de parler des personnes interrogées. Effectuée en deux temps et sur une grande échelle (1 217 personnes interrogées), l'administration du questionnaire avait été précédée d'une série d'entretiens approfondis et d'observations ethnographiques auprès d'un échantillon de près de 700 personnes. Ce travail de terrain a été complété par l'examen de données statistiques disponibles sur les différents aspects étudiés. De plus, au fur et à mesure de la récolte des informations, des investigations complémentaires étaient effectuées sur le terrain chaque fois qu'une difficulté se présentait ou qu'une nouvelle hypothèse de recherche se profilait.

Pas plus que dans les chapitres précédents, on ne résumera ici l'ensemble de cette recherche, de ses développements théoriques et de ses résultats très fouillés. De manière opportuniste mais en essayant de ne pas trahir l'auteur, on mettra en exergue quelques enseignements majeurs au regard de notre principal objectif qui est ici de mieux saisir, à partir d'une recherche concrète, en quoi consiste une approche relationnelle des phéno-mènes sociaux.

1.1   Sociologie et sens commun

Deux enseignements empiriques fondamentaux ressortent de l'enquête. Le premier est une relation étroite entre d'une part, les pratiques et les goûts culturels et d'autre part, le niveau d'instruction et, dans une moindre mesure, l'origine sociale, mesurée à partir de la profession du père. Pour se limiter à quelques exemples caricaturaux, jouer du piano ou au bridge, boire du whisky ou du champagne, pratiquer le golf ou l'équitation, rechercher les grands espaces exclusifs éloignés des foules grouillantes constituent des pratiques et des inclinaisons beaucoup plus présentes parmi les groupes de population instruits et d'origine sociale aisée que parmi ceux qui sont moins dotés en ressources culturelles et économiques. En revanche, ces derniers seront plus enclins à pratiquer le football, la pêche ou la pétanque, à boire de la bière, du pastis ou du vin de table, et à apprécier la chaleur joviale des rassemblements populaires. Un tel enseignement peut sembler remarquable de banalité. Une observation rudimentaire des habitudes des différentes classes sociales, doublée d'un simple bon sens, aurait suffit pour constater qu'en gros, les personnes riches et cultivées ont plus de chance que les autres de boire du champagne, de pratiquer les sports coûteux et de préférer se rencontrer entre personnes bien choisies. On se doute que Bourdieu pousse beaucoup plus loin l'analyse et que les pratiques citées ici ne sont que de simples exemples qui font partie d'un ensemble plus large de dispositions dont il faudra saisir les contours et surtout le principe. En particulier, il faudra montrer en quoi les relations statistiques entre position sociale et inclinaisons culturelles révélées par l'enquête cachent « des relations entre des groupes entretenant des rapports différents, voire antagonistes avec la culture »[1]. Mais, avant d'en arriver là, ne passons pas trop vite sur la « banalité ».

Lorsqu'une enquête sociologique confirme une impression du sens commun, on traite vite ses résultats de banals. Mais lorsqu'elle falsifie une telle impression, comme Durkheim par exemple l'a fait à propos de l'exposition au suicide de différentes catégories sociales, les sarcasmes se font plus discrets. Même et surtout les impressions qui ont pour elles les allures de l'évidence méritent d'être vérifiées, quitte à ce que le chercheur n'en retire qu'une faible gloire. Par ailleurs, ne dit-on pas dans le sens commun que « les goûts et les couleurs, ça ne se discute pas » ?

Le second enseignement empirique fondamental révélé par l'enquête contrevient justement à cette idée reçue. La recherche de Bourdieu montre qu'à niveau d'instruction égal, plus l'origine sociale est élevée, plus on apprécie les formes les moins consacrées et les moins légitimes de la culture, comme la musique ou la peinture d'avant-garde. Inversement, plus l'origine sociale est modeste, moins on aime ces formes peu légitimes. En d'autres termes, les classes sociales privilégiées sont plus réceptives aux innovations culturelles qui remettent en cause les formes esthétiques sacralisées par le système scolaire, tandis que, plus respectueuses des normes établies, les classes moyennes et populaires restent davantage attachées aux « valeurs sûres » de la grande culture reconnue. On verra plus loin pourquoi.

Avant de tenter d'expliquer une relation statistique entre deux ou plusieurs phénomènes, il faut d'abord, tout bonnement, établir que cette relation existe bel et bien et qu'elle n'est pas fortuite. C'est pourquoi le chercheur ne peut se limiter à établir des relations statistiques et prétendre que les chiffres parlent d'eux-mêmes. Comme Hoggart s'y était attaché pour la culture ouvrière, il doit saisir le principe de ces relations, la raison pour laquelle ces faits sont liés. C'est seulement si ce principe est mis au jour que la myriade des pratiques culturelles concrètes des uns et des autres (comme apprécier telle boisson, pratiquer ou regarder tel sport, aimer tel genre de film ou de livre, fréquenter tel type de spectacle, décorer son logement de telle façon, acquérir telle voiture, acheter ses vêtements dans tel magasin…) peut être organisée par le chercheur dans un schéma qui rend ces pratiques compréhensibles.

L'idée centrale de Bourdieu peut être résumée comme suit : exister dans un espace social, c'est être différent, chercher continuellement à marquer un écart entre soi et les autres. Tout au long de son investigation, il étayera l'idée que les positions sociales et les pratiques culturelles qui leur sont liées ne constituent pas des entités substantielles, indépendantes les unes des autres ; elles se définissent et se constituent les unes par rapport aux autres, et forment donc une structure de relations. Par touches successives, en nous limitant à

1. Bourdieu, 1979, p. 10.

quelques exemples seulement, et sans reprendre systématiquement et chronologiquement le développement de Bourdieu, voyons en quoi.

1.2 Structure des capitaux et position de classe

Pour Bourdieu, les différentes classes sociales et fractions de classes se caractérisent d'abord par ce qu'il appelle la structure des capitaux, que procurent principalement l'origine sociale et l'instruction. Il distingue quatre types de capitaux. Le *capital économique** représente l'ensemble des biens et des ressources économiques tels que le revenu professionnel, le patrimoine immobilier et mobilier. Le *capital social** est constitué par le réseau de connaissances dont dispose un individu et qu'il est en mesure de mobiliser lorsqu'il en a besoin, soit ce qu'on appelle précisément « ses relations » dans le langage courant. Le *capital culturel** est constitué par l'ensemble des ressources intellectuelles et culturelles acquises par l'éducation familiale et scolaire, des supports matériels de ces ressources comme les livres, des titres qui en consacrent officiellement la possession comme les diplômes, et des capacités et manières d'être, comme la facilité d'expression verbale ou écrite, qui sont liées à ces ressources. Le *capital symbolique** correspond à l'image sociale et aux rituels associés aux trois capitaux précédents, par exemple le prestige que confère une grande fortune, une notoriété scientifique ou un succès professionnel exceptionnel. Le capital symbolique représente la transposition des inégalités objectives liées à la distribution inégale des trois capitaux précédents dans une domination symbolique des moins dotés par rapport aux mieux dotés.

Trois caractéristiques des capitaux méritent d'être soulignées. Tout d'abord, les capitaux ne constituent pas un trésor improductif ; ils sont constamment investis en vue d'ambitions et de projets. Ils se renforcent mutuellement en se transformant l'un dans l'autre. Par exemple, des parents utilisent une partie de leur argent (capital économique) pour permettre à leurs enfants de faire des études supérieures (capital culturel), éventuellement même à l'étranger. En retour, un diplôme recherché (capital culturel) ouvrira l'accès à un emploi bien rémunéré (capital économique). C'est la raison pour laquelle Bourdieu utilise la notion de capital, sans pour autant la réserver à sa dimension strictement économique. Ensuite, les capitaux sont en eux-mêmes des relations car la valeur des capitaux d'un individu est relative à la valeur des capitaux des autres individus. Enfin, les différentes sortes de capital n'offrent pas les mêmes opportunités, le même pouvoir ni le même prestige. Aujourd'hui, le capital économique est certainement le plus décisif car il ouvre le plus sûrement la porte aux autres capitaux et est assorti d'une valeur symbolique élevée. Les détenteurs des différents types de capitaux se trouvent dès lors engagés dans une lutte objective et symbolique pour faire valoir le capital dont ils sont le mieux fournis. Par exemple, beaucoup d'intellectuels, relativement peu dotés en capital économique, laisseront entendre qu'ils dédaignent la richesse, tandis que les classes économiques dirigeantes auront tendance à regarder de haut ces intellectuels envieux et moralisateurs qui décrient la dictature de l'argent, parce qu'ils en sont peu dotés.

Dans *La Distinction*, Bourdieu distingue les classes sociales en fonction de leur structure de capitaux et montre comment les pratiques et les goûts culturels lui sont liés. Illustrons ce point à partir de la seule classe supérieure. Celle-ci est, par définition, la plus dotée en capitaux, tous types de capitaux confondus. Cependant, elle n'en compte pas moins plusieurs fractions en fonction de la distribution relative des différents types de capitaux. Sa fraction dominante se caractérise par un niveau élevé de capital économique. Elle est dominante parce que les décisions de ceux qui en font partie ont d'importantes conséquences sur la vie collective (par exemple des investissements industriels massifs dans une région). Cette fraction dominante est composée de la vieille bourgeoisie d'affaires et de la nouvelle bourgeoisie dirigeante des grandes entreprises. Les professions libérales nanties, composées notamment d'avocats, de médecins et de notaires fortunés, sont quant à elles généralement fort préoccupées par l'entretien et le développement de leur capital social, qui leur est d'autant plus nécessaire qu'elles ne peuvent habituellement pas faire usage de moyens publicitaires directs comme n'importe quelle entreprise commerciale. Bien que très bien dotés en capital culturel (en particulier intellectuel et scientifique), les professeurs de l'enseignement supérieur et les directeurs d'institutions de recherche et scientifiques de haut niveau composent la fraction dominée de la classe supérieure car leur travail (d'enseignement et de recherche) dépend de ressources produites par l'activité économique dont les rênes sont tenues par la fraction dominante.

Au-delà de leurs différences et luttes internes, ces trois fractions de la classe supérieure partagent le souci de se distinguer des autres classes sociales par des activités qui marquent une distance, symbolique et/ou physique, à l'égard des autres classes. Les plus riches utiliseront leur argent ou leurs avantages de fonction pour marquer une distance radicale avec tous ceux qui « ne peuvent pas suivre » tandis que les moins riches se distingueront par des activités exclusives peu coûteuses. Bourdieu explique :

> [...] les pratiques des différentes fractions [de la classe supérieure] tendent à se distribuer, depuis les fractions dominantes jusqu'aux fractions dominées, selon une série d'oppositions elles-mêmes partiellement réductibles les unes aux autres : opposition entre les sports les plus chers et les plus chics (golf, yachting, équitation, tennis) ou les manières les plus chères et les plus chics de pratiquer ces sports (clubs privés) et les sports les moins chers (marche, randonnée, footing, cyclotourisme, alpinisme, etc.) ou les manières les moins chères de pratiquer les sports chics (par exemple, pour le tennis, dans les clubs municipaux ou de vacances) ; opposition entre les sports « virils », qui peuvent demander un fort investissement énergétique (chasse, pêche au lancer, sports de combat, tir au pigeon, etc.), et les sports « introvertis », tournés vers l'exploration et l'expression de soi (yoga, danse, expression corporelle), ou « cybernétiques »[1], demandant un fort investissement culturel pour un investissement énergétique relativement réduit.
> C'est ainsi que les différences qui séparent les professeurs, les professions libérales et les patrons se trouvent comme condensées dans les trois pratiques qui, quoique

1. Voir les exemples dans l'extrait suivant.

relativement rares – de l'ordre de 10 % – même dans les fractions qu'elles distinguent, apparaissent comme le trait distinctif de chacune d'elles parce qu'elles y sont nettement plus fréquentes, à âge équivalent, que dans les autres [...] : l'ascétisme aristocratique[1] des professeurs trouve une expression exemplaire dans l'alpinisme qui, plus encore que la randonnée et ses sentiers réservés – on pense à Heidegger[2] – ou le cyclotourisme et ses églises romanes, offre un moyen d'obtenir au moindre coût économique le maximum de distinction, de distance, de hauteur, d'élévation spirituelle, à travers le sentiment de maîtriser à la fois son propre corps et une nature inaccessible au commun, tandis que l'hédonisme[3] hygiéniste des médecins et des cadres modernes qui ont les moyens matériels et culturels (liés à la pratique précoce) d'accéder aux pratiques les plus prestigieuses et de fuir les rassemblements communs s'accomplit dans les sorties en bateau, les bains en pleine mer, le ski de randonnée ou la pêche sous-marine, et que les patrons attendent les mêmes profits de distinction de la pratique du golf, de son étiquette aristocratique, de son lexique emprunté à l'anglais et de ses vastes espaces exclusifs, sans parler des profits extrinsèques, tels que l'accumulation de capital social, qu'elle assure par surcroît.[4]

À l'intérieur même de la fraction dominante de la classe dominante, l'enquête de Bourdieu distingue encore la vieille bourgeoisie d'affaires de la nouvelle bourgeoisie très instruite et occupant des fonctions dirigeantes dans les grandes entreprises :

> [...] c'est par opposition à la vieille bourgeoisie d'affaires que se caractérise principalement la nouvelle bourgeoisie. Parvenus plus jeunes à des positions de pouvoir, plus souvent pourvus de titres universitaires, appartenant plus souvent à des entreprises plus importantes et plus modernes, les cadres du secteur privé se distinguent des patrons de l'industrie et du commerce, bourgeoisie de tradition, avec ses vacances dans des villes d'eau, réceptions et ses obligations mondaines, par un style de vie plus « moderniste » et plus « jeune », plus conforme en tout cas à la nouvelle définition dominante du dirigeant (bien que la même opposition se retrouve parmi les patrons) : ainsi, ils sont les plus nombreux à lire le journal financier *Les Échos* [...] et des hebdomadaires consacrés à l'économie et aux finances [...] ; ils semblent moins enclins à investir leur capital dans des biens immobiliers ; ils s'adonnent plus souvent aux sports à la fois chics, actifs et souvent « cybernétiques » comme la voile, le ski, le ski nautique, le tennis et, secondairement, l'équitation et le golf, et à la pratique de jeux de société à la fois « intellectuels » et chics, bridge et surtout les échecs. Et surtout, ils s'identifient plus complètement au rôle du cadre moderne tourné vers l'étranger (ils comptent avec les cadres du secteur public et les ingénieurs le plus fort taux de voyages à l'étranger) et ouvert aux idées modernes (comme en témoigne leur très forte participation à des colloques ou séminaires professionnels). On peut voir un dernier indice, en apparence mineur, mais très significatif de cette opposition dans le fait que les cadres du secteur privé sont nettement plus nombreux (proportionnellement) à posséder chez eux du

---

1. « Ascétisme », c'est-à-dire lié à la restriction des ressources, « aristocratique » car cherchant à se distinguer de la masse du « commun ».
2. Philosophe allemand (1889-1976).
3. Hédonisme : doctrine privilégiant la recherche du plaisir.
4. Bourdieu, 1979, p. 242-243.

whisky tandis que les patrons de l'industrie et du commerce restent les plus attachés au champagne, boisson de tradition par excellence. Cette combinaison de propriétés à la fois luxueuses et intellectuelles qui semblent incompatibles parce qu'elles s'associent ordinairement à des positions diamétralement opposées dans la classe dominante, oppose la nouvelle bourgeoisie d'affaires aussi bien aux professeurs qu'aux patrons traditionnels dont les voitures cossues, les vacances à l'hôtel, les yachts, le golf, évoquent des dispositions éthiques désormais tenues pour un peu « vieux jeu ». Mais elle s'oppose aussi aux professions libérales, et à la combinaison un peu différente du luxe et de la culture qui les caractérise, par une forte insertion à la vie économique [...], par une activité professionnelle qui implique un style de vie moderniste et cosmopolite avec ses voyages d'affaires lointains (en avion) et fréquents, ses repas et cocktails professionnels, ses colloques et séminaires.[1]

La position sociale d'un individu n'est pas figée. Elle se caractérise souvent par une mobilité ascendante ou descendante par rapport à sa position antérieure ou à celle de ses parents. Ainsi, deux personnes qui bénéficient, à un moment donné, de ressources comparables, peuvent se trouver en réalité sur des trajectoires très différentes, l'une ascendante qui correspond à un accroissement relatif des capitaux, l'autre descendante qui correspond à une diminution relative des capitaux – relative car la valeur des capitaux est estimée par rapport aux capitaux des autres catégories sociales. Le phénomène est surtout sensible dans la classe moyenne qui, comme lieu central de l'échelle sociale, rassemble des individus aux trajectoires multiples. Ascendantes ou descendantes, les trajectoires sont liées à un ensemble de dispositions mentales comme l'ambition ou le fatalisme qui déterminent les pratiques et préférences culturelles.

Le trait culturel dominant de la classe moyenne est toutefois sa « bonne volonté culturelle » qui s'exprime notamment dans le respect des œuvres reconnues, le goût des spectacles « éducatifs » ou « instructifs » et l'opposition au vulgaire, mélange des genres qui brouille les catégories consacrées. Pour se conforter dans sa révérence à la culture instituée, le petit-bourgeois recherche de préférence la compagnie d'amis « ayant de l'éducation »[2]. À l'intérieur de cette disposition générale, apparaissent d'importantes variantes selon les trajectoires. Les petits-bourgeois en ascension se distinguent par les restrictions qu'ils s'imposent. Acharnés au travail, économes, se limitant à un ou deux enfants, ils se restreignent pour pouvoir poursuivre leur ascension et permettre à leur progéniture d'accéder plus tard à une situation à laquelle eux-mêmes ne peuvent prétendre. Le petit-bourgeois en ascension « est voué aux stratégies à plusieurs générations [...] », il est l'homme du plaisir et du présent différés, qu'on prendra plus tard, « quand on aura le temps », « quand on aura fini de payer », quand les enfants seront plus grands et auront fini les études ou « quand on sera à la retraite ». C'est-à-dire, bien souvent, quand il sera trop tard, quand, « ayant fait crédit de sa vie », il ne sera plus temps de rentrer dans ses fonds et qu'il faudra, comme on dit,

---

1. Bourdieu, 1979, p. 353.
2. Bourdieu, 1979, p. 370.

« rabattre de ses prétentions » ou mieux « en démordre »[1]. Pour sa part, la petite-bourgeoisie en déclin, principalement formée de petits commerçants plutôt âgés et peu instruits, se cramponne aux valeurs traditionnelles « de travail, d'ordre, de rigueur et de minutie »[2], la méfiance à l'égard de toute innovation culturelle et le repli dans des attitudes répressives. En revanche, on rencontrera nombre de tenants d'une certaine avant-garde culturelle ou d'une contre-culture innovatrice, militant contre tout ce qui incarne une morale répressive, dans une nouvelle petite-bourgeoisie dont l'ascension sociale a été interrompue pour cause d'échec dans les études, d'aléas professionnels et/ou de conjoncture économique défavorable. Éducation et animation socioculturelle, conseils et *coachings* « psy » divers, journalisme, publicité, relations publiques ou décoration sont quelques-uns des secteurs qu'ils tentent de faire davantage reconnaître et de professionnaliser grâce à leur capital culturel. Autodidactes et hédonistes, ils affectionnent le jazz, les bandes dessinées, surtout si l'humour y est corrosif, et tout ce qui touche à la psychologie.

Le concept de capital est le premier d'un triptyque qui en comprend deux autres, tous trois étant étroitement liés dans le modèle théorique de Bourdieu : les concepts d'habitus et de champ.[3]

1.3 L'habitus

Comme on l'a vu dans le chapitre précédent, le concept d'habitus* avait déjà été utilisé par Elias pour rendre compte de l'esprit d'une époque, lorsque s'instaurait un sévère auto-contrôle des pulsions en contexte d'interdépendance croissante. Dans une remarquable étude de sociologie de l'art, Erwin Panofsky avait également utilisé ce concept pour saisir le lien étroit entre l'architecture gothique et la pensée théologique et philosophique durant le Moyen Âge[4]. Bourdieu reprend ce concept déjà ancien[5] pour l'appliquer cette fois aux différentes classes sociales et fractions de classe. Il définit l'habitus comme une « forme incorporée de la condition de classe dans les dispositions culturelles » et donc « un avoir transformé en être ». Dans cette formule abrégée, l'« avoir » correspond à la structure des capitaux caractéristique de la condition de classe et l'« être » correspond à un « système de schèmes de perception, de pensée, d'appréciation et d'action »[6] que cet « avoir » rend plus plausible et que l'individu a intériorisé. Ces dispositions sont « devenues nous-mêmes » à la faveur d'une longue et incessante entreprise d'apprentissage et d'inculcation des goûts et manières de sentir et d'agir de notre classe sociale ou fraction de classe : la socialisation.

---

1. Bourdieu, 1979, p. 407.
2. Bourdieu, 1979, p. 404.
3. Pour une présentation pédagogique de ces concepts et des liens entre eux, voir Mauger, 2004.
4. Panofsky, 1974.
5. Qui date de l'Antiquité grecque.
6. Bourdieu et Passeron, 1970, cité par Mauger, 2004.

L'habitus nous procure donc ce que Bourdieu appelle le sens pratique, c'est-à-dire une capacité d'agir de manière adaptée à la situation sans avoir besoin d'y penser, de manière analogue à un footballeur expérimenté qui « sent » immédiatement où il doit se placer sur le terrain, dans quelle direction il doit courir et quels gestes il doit faire. Cette socialisation débute dès les premières années de l'existence – c'est l'acquisition d'un *habitus primaire* – et se poursuit au cours des phases ultérieures de la socialisation à l'école et au travail notamment – c'est l'acquisition d'un *habitus secondaire*. « Structure durable, l'habitus n'est pas pour autant immuable ; il est affecté par les expériences nouvelles auxquelles il est confronté (bien que les expériences socialement les plus probables tendent à le renforcer) »[1]. L'aisance et le luxe distant du grand-bourgeois, l'hédonisme hygiéniste des professions libérales aisées, l'ascétisme aristocratique du professeur, le modernisme internationaliste de la nouvelle bourgeoisie d'affaires, l'énergie ascétique du petit-bourgeois en ascension ou le conservatisme répressif du petit-bourgeois en déclin constituent quelques exemples d'habitus. À partir de telles formules, de prime abord caricaturales, Bourdieu cherche à saisir le « principe unificateur et générateur »[2] des pratiques et des inclinaisons culturelles des différentes classes sociales, et de la manière dont elles se classent elles-mêmes et classent les autres dans l'espace social. Car l'habitus est aussi un principe de classement et d'auto-classement dans ce jeu social et culturel fondé sur la distinction.

Ancrées durablement en chacun, ces dispositions jouent de façon systématique dans toutes les pratiques. Le jeune cadre ambitieux sera ambitieux dans tout ce qu'il entreprend, en affaires mais aussi dans ses pratiques sportives et ses conquêtes amoureuses par exemple. « L'habitus demande à être compris comme une grammaire génératrice de pratiques conformes aux structures objectives dont il est le produit » écrit Louis Pinto[3]. Ceci signifie qu'il n'agit pas de manière mécanique et identique pour tous les membres d'une même classe sociale ; à l'instar d'un programme informatique, cette « grammaire générative » génère une infinité de pratiques individuelles mais qui sont guidées par cette « véritable boussole interne qui nous permet de nous orienter dans l'espace social » selon les termes de Bourdieu et d'y repérer « spontanément » ceux qui en partagent la même vision. Dès lors, l'habitus définit un style de vie commun à l'ensemble de ceux qui occupent une position sociale semblable. Manières de s'adresser aux autres, de se tenir, de s'habiller, de manger et de se préoccuper de sa forme et de ses formes[4], opinions politiques et croyances philosophiques, préférences esthétiques participent de styles de vie particuliers, facettes visibles de l'habitus.

L'habitus organise donc les relations quotidiennes. Il éloigne de certaines personnes et rapproche « tout naturellement » d'autres personnes avec qui s'instaure vite une conni-

---

1. Mauger, 2004.
2. Bourdieu, 179, p. 112.
3. Pinto, 1998, p. 46.
4. Bourdieu appelle *hexis corporelle** le rapport au corps ou encore l'inscription de la culture et de l'habitus dans le corps, les sensations et les attitudes corporelles.

vence. Sans avoir besoin de se dire grand-chose, on « sent » qu'on est fait pour s'entendre, puisqu'on partage les mêmes goûts, le même humour et la même vision de soi-même et des autres, que l'on se classe et classe les autres de la même manière dans l'espace social. Choix des amis et des relations intimes s'opèrent le plus souvent à l'intérieur d'un système de relations sociales délimité par les habitus respectifs.

Cette double harmonie, à la fois interne entre les multiples pratiques d'une même personne, et externe entre les pratiques de l'ensemble des individus partageant les mêmes conditions sociales, ne résulte pas d'une recherche intentionnelle de cohérence ; les pratiques sont « objectivement orchestrées, en dehors de toute concertation consciente, avec celles de tous les membres de la même classe »[1]. Comme l'écrit Bernard Lahire :

> Pierre Bourdieu a construit en grande partie sa théorie de la pratique[2] et son concept d'habitus contre les théories intellectualistes de la pratique, c'est-à-dire contre l'idée d'une pratique orientée rationnellement, intentionnellement, volontairement vers des fins explicites, contre l'idée d'une réflexivité, d'une conscience consciente, systématique et calculatrice.[3]

1.4 Un système d'écart

« L'identité sociale s'affirme dans la différence »[4] déclare donc Bourdieu, pour qui les goûts sont aussi des dégoûts[5]. Ceux-ci se manifestent par des expressions telles que « c'est vulgaire » ou « c'est horrible » qui parsèment les conversations quotidiennes. Par leur visibilité, les pratiques culturelles et, tout particulièrement, l'utilisation des biens symboliques comme les œuvres d'art, constituent les marqueurs privilégiés de ces écarts sociaux et des stratégies de distinction. Plus l'art est formel, « pur », dépourvu de message explicite et d'apparence inaccessible aux non-initiés, comme la musique d'avant-garde ou la peinture abstraite, plus ceux qui s'adonnent à sa contemplation se distinguent des gens « du commun », qui n'accèdent qu'aux productions culturelles de masse : les œuvres consacrées et rabâchées (comme les classiques du *Bel canto* ou la *Petite musique de nuit*) et celles dont les messages explicites relèvent du premier degré (comme le théâtre de boulevard, la chanson d'amour ou les feuilletons télévisés). On peut dire alors que les goûts et les pratiques correspondant à l'habitus « deviennent des différences symboliques et constituent un véritable langage » composé de signes distinctifs[6] qui consacrent ce

---

1. Bourdieu, 1979, p. 192.
2. On y reviendra un peu plus loin.
3. Lahire, 2005, p. 171.
4. Bourdieu, 1979, p. 191.
5. Bourdieu, 1979, p. 60.
6. Bourdieu, 1994, p 24.

système d'écarts. *La Distinction* est une des œuvres sociologiques qui montrent le mieux la dimension symbolique des relations sociales.

Le principe ultime des écarts repose, selon Bourdieu, dans le rapport inégal des différentes classes sociales à la nécessité économique. La principale caractéristique objective des classes populaires est leur dépendance maximale à l'égard des nécessités matérielles en comparaison avec les autres classes sociales. En revanche, les classes supérieures se distinguent par leur distance vis-à-vis des contraintes matérielles, distance à la fois objective et symbolique.

> Le pouvoir économique est d'abord un pouvoir de mettre la nécessité économique à distance : c'est pourquoi il s'affirme universellement par la destruction de richesses, la dépense ostentatoire, le gaspillage et toutes les formes du luxe gratuit. C'est ainsi que la bourgeoisie, cessant de faire de toute l'existence, à la façon de l'aristocratie de cour, une parade continue, a constitué l'opposition du payant et du gratuit, de l'intéressé et du désintéressé sous la forme de l'opposition, qui la caractérise en propre selon Weber, entre le lieu de travail et le lieu de résidence, les jours ouvrés et les jours fériés, l'extérieur (masculin) et l'intérieur (féminin), les affaires et le sentiment, l'industrie et l'art, le monde de la nécessité économique et le monde de la liberté artistique arraché, par le pouvoir économique, à cette nécessité.
>
> La consommation matérielle [l'acheter] ou symbolique [la contempler dans les lieux consacrés] de l'œuvre d'art constitue une des manifestations suprêmes de l'aisance, au sens à la fois de condition et de disposition que la langue ordinaire donne à ce mot. [...] À mesure que croît la distance objective à la nécessité, le style de vie devient toujours davantage le produit de ce que Weber appelle « la stylisation de la vie », parti systématique qui oriente et organise les pratiques les plus diverses, choix d'un millésime et d'un fromage ou décoration d'une maison de campagne. Affirmation d'un pouvoir sur la nécessité dominée, il enferme toujours la revendication d'une supériorité légitime sur ceux qui, faute de savoir affirmer ce mépris des contingences dans le luxe gratuit et le gaspillage ostentatoire, restent dominés par les intérêts et les urgences ordinaires.[1]

L'aisance n'est donc pas seulement synonyme de fortune ; elle constitue aussi son corollaire comportemental. Elle est le privilège de ceux qui, ayant les moyens d'imposer leurs propres pratiques comme normes générales, jouissent forcément de la correspondance parfaite entre la manière dont il faut se comporter et la manière dont ils se comportent effectivement eux-mêmes. La hâte populaire et l'empressement embarrassé du petit-bourgeois qui se corrige sans cesse, obsédé par la crainte de ne pas être conforme, contrastent avec la tranquille assurance et l'ampleur des gestes du grand-bourgeois, qui s'autorise à prendre son temps et, par la même occasion, celui des autres.[2]

Dans ce système d'écarts, chaque classe remplit sa fonction propre. Hyperactive, suivant de près les créations esthétiques de toutes sortes (vernissages, défilés de mode, nouveaux spectacles, expositions à thème…) et capable de les soutenir par ses dépenses ou le temps

---

1. Bourdieu, 1979, p. 58-59.
2. Bourdieu, 1979, p. 241.

qu'elle peut y consacrer, la classe supérieure joue un rôle clé dans le succès des nouvelles formes de création esthétique et de production des nouvelles normes culturelles. Loin d'être homogène et unanime, elle est traversée de conflits entre ses différentes fractions sur la définition de la culture légitime et des principes esthétiques qui doivent prévaloir, chaque fraction privilégiant les formes esthétiques qui mettent en valeur le capital, économique pour les unes, culturel pour les autres, dont elle est le mieux dotée.

À l'autre bout de l'échelle sociale, les classes populaires « n'ont sans doute pas d'autre fonction dans le système des prises de position esthétiques que celle de repoussoir, de point de référence négatif par rapport auquel se définissent, de négation en négation, toutes les esthétiques. »[1] Hoggart avait déjà montré l'utilisation de la culture populaire par la classe moyenne et les intellectuels pour se valoriser eux-mêmes, « se distinguer » dirait Bourdieu. Hoggart montrait aussi qu'affirmer cette fonction ne revient pas à considérer que la culture populaire soit vide de contenu et d'inventivité. Avec des objets différents, la culture ouvrière pour Hoggart et le système culturel global pour Bourdieu, les deux auteurs montrent que les fonctions sociales et le contenu propre de chaque culture demandent à être considérés dans leurs relations. Entre ces deux extrêmes, les classes moyennes constituent des « lieux de passage en mouvement [...] dans une région relativement indéterminée d'un espace-temps social »[2].

La question du changement des pratiques culturelles doit être abordée en considérant le système dans son ensemble. Celui-ci fonctionne comme une sorte de course-poursuite sans fin. Les fractions de la classe moyenne en mobilité ascendante tentent de rattraper les classes supérieures mais, entre-temps, celles-ci auront déjà modifié leurs propres pratiques en vue de maintenir intact l'écart qui les sépare de leurs poursuivants. Le golf se démocratise-t-il, la cotisation augmentera dans les clubs les plus cossus et les plus exclusifs. Les fractions supérieures de la classe moyenne prennent-elles l'habitude de fréquenter les hôtels trois étoiles, de nouveaux hôtels quatre et cinq étoiles seront construits à la hâte car « il y a une demande ». Les bons restaurants sont-ils envahis par des cadres petits-bourgeois, les grands chefs pousseront plus loin la « nouvelle cuisine » destinée à combler ceux qui doivent fréquenter souvent les restaurants les plus chers, y manger le moins possible et s'y affirmer à la fine pointe du bon goût. Telle marque de vêtements se popularise-t-elle, on aura vite fait de trouver une nouvelle « griffe » plus chère et plus distinctive. Les classes moyennes accéderaient-elles à la dernière mode vestimentaire, les classes supérieures la démoderaient en passant, par exemple, au « *vintage* ». Tailleurs, chausseurs, fabricants de voitures, pâtissiers et épiciers de luxe participent aussi d'un incessant déplacement vers le haut d'un système dont les pratiques concrètes ne cessent de bouger mais dont les écarts restent remarquablement stables. Plus encore, ce sont les changements mêmes des pratiques et des goûts qui, par leur concomitance, maintiennent les écarts en l'état.

---

1. Bourdieu, 1979, p. 61-62.
2. Bourdieu, 1979, p. 385.

Vus ensemble, de haut si cela était possible, ils apparaissent comme la translation d'une échelle dont les échelons restent grosso modo équidistants : « ...la permanence peut être assurée par le changement et la structure perpétuée par le mouvement »[1], conclut Bourdieu.

On entend souvent dire que notre époque serait caractérisée par des changements rapides et profonds qui toucheraient tous les domaines de la vie collective. Pourtant, l'analyse de Bourdieu invite à se méfier des formules générales, telles que « le monde change à une vitesse incroyable », « la culture se démocratise » ou encore « il y a un nivellement culturel par le bas », et à faire preuve de prudence et de discernement avant de rallier trop vite des opinions trop facilement admises, mais parfaitement creuses car elles n'établissent pas empiriquement et avec précision ni ce qui change exactement ni surtout ce qui ne change pas. Elias insistait déjà sur la nécessité de bien différencier le problème général et essentiel de la formation des monopoles et des États modernes de la question particulière et secondaire de la conquête de l'hégémonie par la couronne de France[2]. Dans un autre domaine, Bourdieu invite à distinguer rigoureusement les transformations, en réalité très lentes, du système d'écarts que forment les pratiques culturelles, des simples mais parfois spectaculaires modifications de contenu de ces pratiques. Dans l'extrait suivant, il montre que l'adoption d'une pratique jadis réservée à une classe sociale par une autre n'implique aucunement une transformation du système lui-même. Mais il indique surtout le message central de *La Distinction* : « le réel est relationnel ».

> Le réel est relationnel. [...] la lecture « substantialiste » et naïvement réaliste considère chacune des pratiques (par exemple la pratique du golf) ou des consommations (par exemple la cuisine chinoise) en elle-même et pour elle-même, indépendamment de l'univers des pratiques substituables et [...] elle conçoit la correspondance entre les positions et les goûts ou les pratiques comme une relation mécanique et directe : dans cette logique, on pourrait voir une réfutation du modèle proposé dans le fait que, pour prendre un exemple sans doute un peu facile, les intellectuels japonais ou américains affectent d'aimer la cuisine française tandis que les intellectuels français aiment à fréquenter les restaurants chinois ou japonais, ou encore que les boutiques chics de Tokyo ou de la Cinquième Avenue portent souvent des noms français tandis que les boutiques chics du faubourg Saint-Honoré affichent des noms anglais, comme *hairdresser*. [...]
>
> Le mode de pensée substantialiste qui est celui du sens commun – et du racisme – et qui porte à traiter les activités ou les préférences propres à certains individus ou certains groupes d'une certaine société à un certain moment comme des propriétés substantielles, inscrites une fois pour toutes dans une sorte d'essence biologique ou – ce qui ne vaut pas mieux – culturelle, conduit aux mêmes erreurs dans la comparaison non plus entre sociétés différentes, mais entre périodes successives de la même société. Certains voudront voir ainsi une réfutation du modèle proposé [...] dans le fait que, par exemple, le tennis ou même le golf ne sont plus aujourd'hui aussi exclusivement associés qu'autrefois aux positions dominantes. Objection à peu près aussi sérieuse que

---

1. Bourdieu, 1979, p. 184.
2. Elias, 1975, p. 43.

celle qui consisterait à m'opposer que les sports nobles, comme l'équitation ou l'escrime (ou, au Japon, les arts martiaux), ne sont plus l'apanage des nobles, comme ils le furent à leurs débuts... Une pratique initialement noble peut être abandonnée par les nobles – et c'est ce qui arrive, le plus souvent –, lorsqu'elle est adoptée par une fraction croissante des bourgeois et des petits-bourgeois, voire des classes populaires (il en fut ainsi en France de la boxe, que les aristocrates de la fin du XIXᵉ siècle pratiquaient volontiers) ; à l'inverse, une pratique initialement populaire peut être reprise un moment par les nobles. Bref, il faut se garder de transformer en propriétés nécessaires et intrinsèques d'un groupe quelconque (la noblesse, les samouraïs, aussi bien que les ouvriers ou les employés) les propriétés qui leur incombent à un moment donné du temps du fait de leur position dans un espace social déterminé, et dans un état déterminé de l'offre des biens et des pratiques possibles. On a ainsi affaire, à chaque moment de chaque société, à un ensemble d'activités (la pratique du golf ou du piano) ou de biens (une résidence secondaire ou un tableau de maître), eux-mêmes caractérisés relationnellement.

Cette formule, qui peut paraître abstraite et obscure, énonce la première condition d'une lecture adéquate de l'analyse du rapport entre les positions sociales (concept relationnel), les dispositions (ou les habitus) et les prises de position, les « choix » que les agents sociaux opèrent dans les domaines les plus différents de la pratique, en cuisine ou en sport, en musique ou en politique, etc. Elle rappelle que la comparaison n'est possible que de système à système et que la recherche des équivalences directes entre traits pris à l'état isolé, qu'ils soient à première vue différents mais « fonctionnellement » ou techniquement équivalents (comme le Pernod et le shôchû ou le saké) ou nominalement identiques (la pratique du golf en France et au Japon par exemple), risque de conduire à identifier indûment des propriétés structuralement différentes ou à distinguer à tort des propriétés structuralement identiques. Le titre même de l'ouvrage est là pour rappeler que ce que l'on appelle communément distinction, c'est-à-dire une certaine qualité, le plus souvent considérée comme innée (on parle de « distinction naturelle »), du maintien et des manières, n'est en fait que différence, écart, trait distinctif, bref, propriété relationnelle qui n'existe que dans et par la relation avec d'autres propriétés.[1]

Pourquoi, s'interroge Bourdieu, les individus, et en particulier les plus dominés culturellement, se soumettent-ils à des normes fixées par d'autres et jouent-ils si bien le rôle attendu d'eux dans un jeu social et culturel dont ils restent durablement les perdants ? La réponse réside dans la vaste entreprise d'inculcation ou de socialisation évoquée plus haut. « L'ordre social s'inscrit progressivement dans les cerveaux. [...] Les limites objectives [entre classes sociales] deviennent sens des limites, anticipation pratique des limites objectives acquises par l'expérience des limites objectives, *sense of one's place* [sens de sa propre place] qui porte à s'exclure (biens, personnes, lieux, etc.) de ce dont on est exclu. »[2] « Ce n'est pas pour nous » disent les dominés. Si certains d'entre eux, comme les petits-bourgeois en ascension, s'engagent fermement dans la course-poursuite, c'est avec la conscience que tout n'est pas possible tout de suite et

---

1. Bourdieu, 1994, p. 17-20.
2. Bourdieu, 1979, p. 549.

qu'ils ne peuvent espérer qu'une ascension relative, pour l'essentiel réservée d'ailleurs à leurs enfants. La « vocation » constitue cette « adhésion anticipée au destin objectif » de sa classe d'origine. Au « ce n'est pas pour nous » qui interdit l'accès à certaines positions, correspond le « je suis fait pour cela » qui attire vers les seules positions et pratiques que la structure sociale autorise et laisse espérer.

Si quelques-uns s'aventurent trop loin et trop vite dans les espaces sociaux qui ne leur sont pas « normalement » destinés et tentent d'en adopter les modes de vie et le langage, ce ne sont pas seulement ceux dont ils briguent la position qui sauront « remettre à leur place » ces « parvenus » ou ces « nouveaux riches » ; leurs semblables mêmes sauront rappeler vigoureusement à l'ordre leur reniement présomptueux de leurs origines. Avec *La Distinction*, Bourdieu met au jour la dimension symbolique des relations sociales et, plus précisément, de la domination sociale (on y reviendra à la fin de ce chapitre). Centrale dans son œuvre, cette préoccupation fera l'objet d'autres ouvrages, notamment *Langage et pouvoir symbolique*[1] où il étudie « la force qui agit à travers les mots » et qui réside moins dans les paroles elles-mêmes que dans les rapports entre les groupes qui ont la parole et ceux sur qui s'exerce la parole.

Le monde serait en train de changer en profondeur. Les diagnostics, prophéties et essais en tous genres, effectués par des intellectuels médiatiques ou des éditorialistes réputés se multiplient. Qu'est-ce qui change en profondeur et qu'est-ce qui ne change pas ? Qu'est-ce qui relève de transformations structurelles de fond et qu'est-ce qui relève de variations conjoncturelles ? Comment élaborer une connaissance fiable, qui soit de son temps, sans rien tenir à l'air du temps ? *La Distinction* propose deux clés essentielles. Bourdieu résume comme suit la première :

> Toute mon entreprise scientifique s'inspire en effet de la conviction que l'on ne peut saisir la logique la plus profonde du monde social qu'à condition de s'immerger dans la particularité d'une réalité empirique, historiquement située et datée, mais pour la construire comme « cas particulier du possible », selon le mot de Gaston Bachelard[2], c'est-à-dire comme un cas de figure dans un univers fini de configurations possibles. Concrètement, cela veut dire qu'une analyse de l'espace social telle que celle que je propose en m'appuyant sur le cas de la France des années 1970, c'est de l'histoire comparée qui s'applique au présent ou de l'anthropologie comparative qui s'attache à une aire culturelle particulière en se donnant pour fin de saisir l'invariant, la structure, dans la variante observée.[3]

---

1. Bourdieu, 2001. La préface de John B. Thompson (2001) est un excellent résumé et une excellente discussion de la pensée de Bourdieu exposée dans cet ouvrage.
2. Philosophe des sciences français (1884-1962).
3. Bourdieu, 1994, p. 16-17. Le récent ouvrage collectif *Trente ans après* La Distinction *de Pierre Bourdieu*, dirigé par Philippe Coulangeon et Julien Duval (2013) actualise de façon très pertinente les thèses de Bourdieu et pose également la question de la validité de son modèle théorique dans d'autres contextes culturels.

Bourdieu refuse d'avancer des thèses qui ne soient pas fondées sur un solide examen d'une situation empirique concrète. Mais son projet est d'en dégager les logiques sociales. C'est pourquoi, même si les goûts et les pratiques culturels ont bien changé depuis l'époque où il a effectué son enquête, notamment sous l'influence des nouvelles technologies de l'information et de la communication (télévisions câblées, ordinateurs et téléphones portables, tablettes, « réseaux sociaux » comme Facebook et Twitter...), les enseignements fondamentaux de sa recherche restent d'une grande pertinence aujourd'hui.

La deuxième clé est bien entendu la nature relationnelle de cette structure du social. Comme on le sait maintenant, dans l'approche relationnelle, on raisonne en termes de position relative (d'une classe, d'une fraction de classe, d'un groupe ou d'un individu) par rapport à d'autres, non de situation propre. En l'occurrence, on considère que l'habitus et les jeux stratégiques des agents les uns par rapport aux autres dans ce système de positions inégales expliquent mieux leurs comportements que les règles formelles des organisations où ils s'observent. On sort des vains débats sur la question de savoir si la société détermine les individus ou si les individus déterminent la société puisque, dans l'approche relationnelle, la société n'est rien d'autre que le système de relations lui-même, qui relie et oppose les individus.

1.5 Le champ de la production et de la consommation culturelles

Ce que nous venons de décrire dans les paragraphes précédents correspond très exactement à ce que Bourdieu appelle un champ*, troisième concept majeur de son modèle théorique. Un champ est un espace social relativement autonome défini par un enjeu spécifique. Dans *La Distinction*, Bourdieu explore le champ de la production et de la consommation culturelles[1] dont l'enjeu est la capacité d'imposer les critères de la culture légitime, et notamment de ce qu'on appelle le bon goût (en matière de musique, d'habillement, de décoration, etc.), d'en acquérir le capital (connaissances et éducation artistiques, objets d'art, disques, etc.) et de pouvoir adopter les pratiques de nature à enrichir ou protéger ce capital (lectures, spectacles, musique, restaurants, vêtements, etc.). Un champ est un espace de positions inégales : des dominants capables d'imposer les critères correspondants aux capitaux dont ils sont fortement dotés, et des dominés moins dotés en capitaux et qui subissent la définition par les dominants de ce qui est légitime, avec, entre ces deux classes, une série de positions intermédiaires, en ascension ou en déclin. Le champ est un espace de

---

1. En réalité, plus de la consommation culturelle que de la production, encore qu'il a montré que, par sa consommation, la classe dominante possède le pouvoir de consacrer ou non de nouvelles productions. Bourdieu étudiera plus spécifiquement le champ de la production culturelle dans un autre ouvrage intitulé *Les règles de l'art. Genèse et structure du champ littéraire* (1992).

rapports de force et de luttes d'abord entre classes sociales qui cherchent à occuper les meilleures positions possibles par rapport aux autres classes, et ensuite au sein de la classe dominante elle-même dont les différentes fractions tentent d'imposer les critères de la culture légitime dont ils se perçoivent comme les porte-drapeaux.

Très vaste, le champ de la culture comporte une série de sous-champs (comme celui du cinéma ou celui de la restauration) qui ont chacun leurs enjeux et leurs luttes spécifiques (par exemple entre le cinéma d'avant-garde et le cinéma plus traditionnel ou entre différents courants de la « nouvelle cuisine »). D'autres champs structurent la société : le champ sportif, le champ de la politique, le champ scientifique, etc.

Si, quelle que soit leur position, avantageuse ou désavantageuse, toutes les classes et fractions de classes sociales jouent néanmoins le jeu c'est que ceux qui en font partie trouvent que ce jeu en vaut la peine, du fait de leur socialisation ou de leur intérêt. Dans le champ culturel, on trouvera évidemment que cela vaut la peine d'écouter ce qu'on trouve être de la bonne musique et de dépenser beaucoup d'argent pour rester « à la page », que cela vaut la peine d'être continuellement en alerte pour ne pas rater la sortie du dernier film de ce grand réalisateur ou du dernier Prix Goncourt afin d'être en mesure d'en discuter avec ses connaissances... En bref, cela vaut la peine d'être « cultivé ». Dans le champ sportif, on trouvera normal de consacrer sa vie à la conquête d'un record sportif, quitte à y laisser sa santé. Dans le champ scientifique, rien ne comptera plus que le prestige obtenu grâce à un travail scientifique reconnu comme brillant par les pairs. Dans le champ politique, c'est l'obtention des fonctions les plus hautes possibles, ainsi que du pouvoir et du prestige associés, qui mobilise tous les agents. Un champ n'est un espace de luttes que si les uns et les autres, dominés comme dominants, s'y intéressent, si, à leurs yeux, le jeu en vaut la chandelle. Bourdieu appelle *illusio** cet intéressement aux enjeux du champ et l'implication qui en résulte dans le jeu propre à ce champ. *Illusio* vient de *in-ludio*, ce qui signifie « se mettre en jeu ». Il n'est pas possible d'évoluer dans un champ si on n'en partage pas l'*illusio*. Pourquoi passer des heures à s'entraîner si on ne trouve pas de sens à devenir le meilleur athlète du (sous-)champ sportif ? Pourquoi risquer sa vie de famille et supporter les tensions et ambiances délétères qui accompagnent souvent le jeu politique si on n'a pas, selon l'expression courante, le « feu sacré » de l'engagement politique ? Il n'est en effet pas rare d'observer des individus qui s'investissent au-delà du raisonnable dans une activité qui, de l'extérieur, paraît futile voire nocive. Pour quelqu'un qui n'appartient pas au champ concerné, l'*illusio* apparaît souvent comme une illusion irrationnelle. Mais, au sein de ce champ, l'*illusio* constitue en quelque sorte le coût d'entrée ou, selon la belle expression de Bourdieu, la « condition indiscutée de la discussion ». Le champ est en effet un espace de conflits parfois très durs, mais ces conflits ne portent jamais sur l'enjeu qui les structure. On lutte, tout en s'accordant sur l'intérêt de ce pourquoi on lutte.

1.6 Une théorie de la pratique et de la domination symbolique

Apparaît ici le lien étroit entre les différents concepts du modèle théorique de Bourdieu. On a vu plus haut les liens entre capital et habitus. Le concept de champ leur est étroitement lié. En effet, l'habitus secondaire dépend des champs dans lesquels l'agent opère. Par exemple, dans le champ juridique, tous les juristes partagent plus ou moins un ensemble de perceptions de la société, des relations humaines et de leurs semblables, qui sont façonnées par leur formation juridique ainsi que par leur expérience de la justice. De plus, ce champ valorise une forme spécifique de capital culturel : la connaissance et la maîtrise du droit qui constitue d'ailleurs la condition de la reconnaissance dans le champ. Le champ politique valorise quant à lui une forme spécifique de capital social : le réseau des « amis » politiques avec qui on peut faire alliance, celui des militants du parti sur lesquels on peut compter notamment en période électorale ainsi que les électeurs avec qui s'établissent une multitude d'échanges notamment, aujourd'hui, par internet et les « réseaux sociaux ». Dès lors, les différents types de capitaux ne prennent de la valeur que par rapport aux champs où ils sont pertinents. Jouer le jeu dans un champ donné suppose deux conditions, l'*illusio* et l'acquisition du sens du jeu, qui s'acquièrent avec les habitus primaire (de classe) et secondaire (propre à ce champ particulier).

Reliés les uns aux autres, ces trois concepts forment le socle d'une théorie de la pratique permettant d'expliquer les conduites humaines, théorie dont la formule de base est la suivante : « Habitus/capital + champ = pratique »[1] où le premier terme de l'addition (habitus/capital) correspond à l'ensemble des ressources et dispositions accumulées tout au long de la trajectoire personnelle et où le second terme (champ) correspond au contexte social dans lequel l'agent est intégré. Cette théorie voit la pratique comme résultant d'un processus à la fois temporel et relationnel puisque la pratique de l'individu est déterminée à la fois par sa trajectoire et sa position dans l'espace social global (son habitus lié à sa position de classe) et par le système de relations dans lesquels il est engagé (le champ). Le comportement de l'individu ne résulte ni d'une décision purement rationnelle ou d'un libre-arbitre qui s'exercerait en toute liberté ni d'un déterminisme rigide dépendant mécaniquement de l'habitus et du champ. Si l'un et l'autre définissent un espace d'actions possibles et plausibles, et en fournissent la « grammaire » ou le « programme », il existe encore une infinie variété de façons de se réagir et de se comporter selon cette grammaire et de réaliser ce programme, de sorte que chaque individu développe une stratégie particulière dans l'espace de contraintes et de possibilités qui est le sien. Le comportement n'est pas pour autant aléatoire et incohérent car il est en quelque sorte cadré tant par l'habitus que par les logiques propres au champ.

---

1. Bourdieu, 1979, p. 112.

Il a été reproché à l'analyse proposée dans *La Distinction* une conception unitaire de l'acteur et de sa vision du monde puisque Bourdieu recherchait, selon sa propre expression, « la formule génératrice de ses pratiques ». Or, l'homme serait pluriel, siège de la cohabitation de « plusieurs personnes superposées »[1]. Cette pluralité interne de l'acteur est « corrélative de celle de la pluralité des logiques d'action dans lesquelles l'acteur a été et est amené à s'inscrire » explique Bernard Lahire[2]. Bourdieu insiste d'ailleurs lui-même sur la pluralité des champs et donc des expériences sociales dans lesquels un même individu peut être impliqué. Par exemple, un jeune peut être à la fois étudiant dans le champ scolaire, consommateur dans le champ économique, électeur dans le champ politique et responsable de mouvement de jeunesse dans le champ des organisations de jeunesse (sans toutefois s'affranchir de son habitus primaire qui dépend de sa position dans la structure des classes sociales et donc de la structure de ses capitaux). De même, il peut adorer la musique classique et être en même temps un *geek* amateur de jeux vidéos. Il peut aimer le cinéma d'auteur mais ne pas dédaigner un film d'action hollywoodien. Les travaux de Bernard Lahire attestent empiriquement de cette pluralité interne aux pratiques individuelles.

L'objection serait décisive si l'intention principale de Bourdieu était de rendre compte des pratiques individuelles à partir de paramètres comme la position de classe, la structure des capitaux, l'habitus, la position d'agent dans différents champs, vus comme des caractéristiques individuelles. En réalité, les descriptions extrêmement pointues présentées dans *La Distinction* servent moins à saisir des logiques individuelles que les logiques sociales à la base des comportements individuels. Parmi ces logiques sociales, les plus distinctives, qui permettent de mieux saisir les fondements des écarts et des distinctions, sont mises en exergue, à la manière de types idéaux. Le fonctionnement de ce système d'écarts en translation permanente que constitue l'ensemble des pratiques culturelles d'une population, la tendance constante (mais pas forcément consciente) des dominants à imposer à l'ensemble de la société leurs critères et leurs canons de la culture légitime et à contribuer ainsi à la docilité culturelle de la classe moyenne, les rapports de force permanents au sein des différents champs entre ceux qui y sont déjà reconnus et ceux qui souhaitent prendre leur place… sont quelques-unes de ces logiques sociales que Bourdieu dévoile.

La théorie de la pratique de Bourdieu est fondamentalement une sociologie de la domination sociale, mais elle comporte deux différences majeures par rapport à Marx. La première est que la base des inégalités n'est pas seulement économique, elle est aussi sociale et culturelle. En effet, les classes sociales sont définies par leur triple capital, économique, social et culturel, et il est des situations où les deux derniers ont autant sinon plus d'importance que le premier. La seconde différence est que la domination n'est pas

---

1. Expression de Marcel Proust reprise par Bernard Lahire (2005, p. 45) dans sa discussion critique de la conception unitaire de Bourdieu.
2. Lahire, 2005, p. 54.

seulement objective, c'est-à-dire fondée sur des conditions concrètes comme la propriété des moyens de production (Marx) ou la structure différenciée des capitaux (Bourdieu) ; elle est tout autant symbolique. C'est même sans doute cet élargissement de la domination sociale à la dimension symbolique qui constitue l'apport majeur de Bourdieu à la sociologie. Comme l'écrit Louis Pinto, « La révolution symbolique opérée par Pierre Bourdieu est cette manière nouvelle de voir le monde social qui accorde une fonction majeure aux structures symboliques »[1]. Tout y contribue dans *La Distinction* : le titre déjà qui est explicite, l'importance accordée au capital symbolique qui, en quelque sorte, couronne tous les autres puisqu'il consiste en la reconnaissance sociale attachée à la possession des trois autres capitaux, la *violence symbolique** qui s'exerce sur les dominés lorsqu'ils sont amenés à accepter les principes mêmes et les justifications de leur domination et à reconnaître pour naturel, normal ce qui n'est qu'arbitraire : la légitimité des critères de goût des dominants, les mérites de ceux qui sont en position de pouvoir ou le fatalisme de ceux qui pensent qu'une position meilleure n'est pas faite pour eux. C'est par cette violence symbolique, pense Bourdieu, que le système social se reproduit dans sa structure profonde bien qu'en apparence, il ne cesse de se transformer.

2. Complément : Quelles formes prennent les relations ? (M. Crozier, M. Granovetter)

Le concept de champ n'est pas le seul à permettre une analyse relationnelle des phénomènes sociaux. Comme la plupart des concepts, il s'inscrit dans un contexte historique où il apparaît particulièrement pertinent. Tel que Bourdieu le conçoit, c'est dans le contexte d'une société différenciée qu'il est surtout éclairant. Le concept présuppose en effet une société où les différentes sphères d'activité (l'économie, la justice, la santé, l'enseignement...) comme disait Max Weber, s'autonomisent de plus en plus à partir d'institutions spécialisées qui se donnent des normes propres, font l'objet de politiques spécifiques (une politique économique, une politique judiciaire, une politique de santé, une politique scolaire...) mises en œuvre par des agents ou des professionnels spécialisés (industriels, magistrats, médecins, enseignants...). Ce sont ces univers sociaux relativement fermés les uns par rapport aux autres que Bourdieu appelle des champs. Chaque champ est d'ailleurs jaloux de son autonomie. Par exemple, la justice ne tolère pas les ingérences du politique qui, à son tour, n'accepte pas que le religieux tente de faire la loi dans la sphère publique. Cette tendance à la fermeture se renforcera au cours du XXe siècle et connaîtra

---

1. Pinto, 1998, p. 224.

son apogée dans les années 1970-1980 au cours desquelles Bourdieu élabore sa propre théorie des champs.

2.1 L'analyse stratégique des organisations

Un autre phénomène majeur de cette période, déjà largement développé au XIXe siècle et que les pères fondateurs de la sociologie ont d'emblée tenté de saisir dans ses logiques profondes et ses conséquences, est le développement de grandes organisations industrielles mais aussi administratives, obligées à fonctionner selon un double modèle : celui de la division du travail, dont les fondements ont été mis au jour par Durkheim[1], et celui de la bureaucratie, dont les fondements ont été mis au jour par Weber[2]. Dans ce contexte et dans leurs pas, va naître et prospérer la sociologie des organisations, au départ surtout des États-Unis[3]. Cette discipline va s'intéresser de façon générale à la manière dont les hommes travaillent et collaborent dans les grandes organisations et, plus particulièrement, à un ensemble de problématiques telles que l'innovation, le changement dans les organisations (ainsi que les résistances au changement), le moral au travail ou encore les relations de pouvoir formelles et informelles. Elle va connaître un grand succès non seulement auprès des sociologues mais aussi et surtout auprès des chercheurs, des enseignants et des praticiens de la gestion (notamment des « ressources humaines ») et de la politique.

Dans le monde francophone, c'est notamment le livre de Michel Crozier, *Le phénomène bureaucratique*[4], qui marquera le début de l'essor de cette discipline. Crozier y présente une série d'enquêtes de terrain minutieuses dont les enseignements seront la principale base empirique de l'ouvrage qu'il rédigera quelques années plus tard avec Ehrard Friedberg : *L'acteur et le système*[5], où est développée la théorie connue sous le nom d'« analyse stratégique des organisations ». Plutôt que d'en proposer un exposé scolaire, nous nous limiterons ici à en dégager quelques lignes de force à partir, comme c'est la règle dans le présent ouvrage, de son enquête sans doute la plus connue et qu'il a intitulée « Le monopole industriel »[6].

2.2 La zone d'incertitude : clé du pouvoir

Au moment de la recherche, l'entreprise Seita (« Société d'exploitation industrielle des tabacs et des allumettes) fabriquait des cigarettes dans une trentaine d'usines qui comportaient chacune une dizaine d'ateliers. Dans chacun de ces ateliers travaillaient entre 60 et

---

1. Voir chapitre 4.
2. Voir chapitre 5.
3. Notamment March et Simon, 1964.
4. Crozier, 1963. Voir aussi l'ouvrage classique de Georges Friedmann, *Le travail en miettes*, 1956.
5. Crozier et Friedberg, 1977.
6. Crozier, 1963, p. 67-174.

120 ouvriers de production, pour deux tiers des femmes non qualifiées, qui bénéficiaient d'une sécurité d'emploi totale. Leur travail consistait à faire fonctionner les machines et à assurer la manutention des produits (rangement et emballage notamment). L'entretien, le réglage et la réparation des machines étaient confiés à des ouvriers d'entretien, tous très qualifiés, recrutés par concours et mieux rétribués, mais relevant d'une autre ligne hiérarchique. À chaque équipe d'une dizaine d'ouvriers de production en moyenne était associé un ouvrier d'entretien responsable des machines sur lesquelles les premiers travaillaient. L'ensemble de l'atelier était placé sous la responsabilité d'un chef d'atelier diplômé dont l'essentiel du travail consistait à tenir la comptabilité de la production de l'atelier et de chaque travailleur, de veiller à la bonne utilisation des fournitures et de prendre les mesures nécessaires pour suppléer aux absences éventuelles d'ouvriers de production, pour cause de maladie principalement. Dans ce système bureaucratique, la rationalisation du travail était très poussée[1] et des normes très précises prévoyaient pratiquement toutes les situations et tous les problèmes possibles. En principe, tout devrait donc aller pour le mieux, sans conflits ni tensions.

Pourtant, au cours de leur recherche, basée principalement sur de longs entretiens avec les différentes catégories du personnel, Crozier et ses chercheurs s'aperçurent que les relations étaient tendues voire conflictuelles à plusieurs niveaux. D'une manière générale, les relations entre les ouvriers de production et le chef d'atelier étaient plutôt faciles, caractérisées par une certaine indifférence, sans implication affective marquée. Par contre, les relations entre les ouvriers d'entretien et les ouvriers de production étaient tendues, mais de manière latente, comme on les observe souvent dans des relations de subordination et de dépendance. Les ouvriers d'entretien avaient d'ailleurs tendance à juger les ouvriers de production « comme des subordonnés négligents et peu soigneux » alors que ces deux catégories de personnel n'étaient pas officiellement dans un rapport hiérarchique[2]. Entre les ouvriers d'entretien et le chef d'atelier, les relations étaient par contre ouvertement tendues, les premiers considérant le second comme incompétent et refusant même souvent de répondre à ses questions et requêtes, sans toutefois en subir des conséquences, car ils dépendaient directement de la direction technique de l'entreprise à laquelle ils devaient seule rendre des comptes. L'opinion des chefs d'atelier sur les ouvriers d'entretien n'était pas plus tendre, même si beaucoup préféraient ne pas les exprimer ouvertement. Ces relations en sens divers ne s'expliquaient pas par des questions de personne car les mêmes relations, tantôt plutôt paisibles, tantôt plutôt conflictuelles, s'observaient curieusement dans tous les ateliers où Crozier avait posté ses chercheurs. Il restait donc à ceux-ci à découvrir une raison structurelle des tensions, ce qui était a priori plutôt étonnant puisque tous ceux qui travaillaient dans ces ateliers ne faisaient qu'appliquer un dispositif de production indiscutable, mis au point par des ingénieurs de production, qui pensaient avoir tout prévu.

1. Voir, dans le chapitre 5, la notion de « rationalité par objectif » chez Max Weber.
2. Crozier, 1963, p. 116-117.

Absolument tout ? Une seule chose n'était pas prévue parce que, précisément, elle est imprévisible ; elle peut ne pas survenir durant des semaines et tout à coup se répéter sans que l'on sache bien pourquoi ; elle n'obéit pas à des régularités statistiques. C'est la panne des machines dont dépendent à la fois le travail des ouvriers de production, le travail des ouvriers d'entretien et, par conséquent, les chiffres que doit atteindre le chef d'atelier. Lorsque la panne survient, les ouvriers d'entretien ont la main. Ce sont eux et seulement eux qui peuvent dire s'ils estiment la panne bénigne ou sérieuse, s'ils pourront ou non réparer eux-mêmes la machine ou s'il faudra faire appel aux techniciens spécialisés du fournisseur des machines, ce qui prendra sans doute un voire plusieurs jours.

Les ouvriers d'entretien disposent là d'un pouvoir effectif important au sein de l'atelier mais qui ne repose pourtant sur aucune autorité officielle. Ce pouvoir de fait est bien plus important que celui, formel, du chef d'atelier qui ne fait que contrôler la mise en œuvre des routines prévues selon les normes prévues. C'est pourquoi les ouvriers d'entretien méprisent le chef d'atelier qui n'a guère d'emprise sur eux, qu'ils considèrent comme un pur bureaucrate, qui gère l'atelier assis, derrière son bureau et qui est impuissant en cas de problème. Celui-ci souffre bien entendu de cette impuissance et de ce mépris, il se trouve frustré de voir que son pouvoir n'est que théorique et qu'il n'a guère de prise sur ces ouvriers d'entretien qui font bloc et le lui font bien sentir. Si les relations des ouvriers de production avec les ouvriers d'entretien sont tendues mais de manière latente, c'est parce que les premiers sont irrités par ce pouvoir des seconds qui ne sont pourtant pas leurs supérieurs dans l'échelle hiérarchique. Mais les ouvriers de production ne peuvent pas se permettre un conflit ouvert avec les ouvriers d'entretien dont dépend leur travail car ceux-ci ont en charge les machines sur lesquelles travaillent ceux-là. Quant aux ouvriers d'entretien, leurs relations tendues, de manière latente avec les ouvriers de production, de manière explicite avec le chef d'atelier, s'expliquent par leur frustration de ne pas se voir reconnus formellement un pouvoir qu'ils exercent en réalité du fait de leur compétence technique.

Bien que réelle, cette situation semble caricaturale car peu d'entreprises fonctionnent aujourd'hui selon un schéma bureaucratique à ce point simple et rigide. Cependant, sa simplicité même la rend quasi expérimentale (comme l'était l'asile étudié par Goffman par rapport aux institutions non totalitaires) et permet de mettre en évidence des processus sociaux présents, bien que de manière moins facilement perceptible, dans toutes les organisations humaines, en particulier le processus du pouvoir, considéré par Crozier comme « le problème central de la sociologie des organisations »[1].

Crozier prend comme point de départ la définition du pouvoir* proposée par le politologue Robert Dahl : « Le pouvoir d'une personne A sur une personne B c'est la capacité de A d'obtenir que B fasse quelque chose qu'il n'aurait pas fait sans l'intervention de A »[2].

---

1. Crozier, 1963, p. 176.
2. Crozier, 1963, p. 194.

Capacité effective de faire agir l'autre – ou de l'empêcher d'agir –, le pouvoir ne peut être confondu avec ce qu'on appelle couramment une « position de pouvoir » qui rend cette capacité plus plausible mais ne la garantit pas. En position hiérarchique plus haute, le chef d'atelier ne peut en fait que subir la volonté des ouvriers d'entretien qui détiennent le pouvoir effectif, celui de faire en sorte que les ouvriers de production puissent travailler ou non sur les machines en contrôlant ce qu'il advient après une panne.

L'apport original de cette recherche de Crozier est d'avoir bien mis en évidence ce qui constitue, à ses yeux, la clé même du pouvoir : la maîtrise d'une zone d'incertitude*. Comme on l'a vu, dans ces ateliers, il n'y a guère d'incertitude sauf, précisément, tout ce qui concerne la panne des machines. S'agit-il d'effectuer un simple réglage ou une petite réparation à la portée des ouvriers d'entretien ? Vaut-il la peine qu'ils tentent eux-mêmes une réparation plus sérieuse et, s'ils s'y lancent, parviendront-ils à leur fin ? Eux seuls maîtrisent ces incertitudes. Crozier analyse finement la manière dont les ouvriers d'entretien assurent leur propre pouvoir :

> Leur stratégie est donc simple et rigoureuse. Ils cherchent avant tout à prévenir l'ingérence d'un autre groupe ou d'une autorité quelconque dans le domaine qui est sous leur contrôle. Pour y parvenir, ils font bloc pour rendre absolument impossible aux ouvriers de production et aux chefs d'atelier de s'occuper d'une façon ou de l'autre d'entretien. Nous avons cité le cas de ce chef d'atelier qui, malgré sa compétence et la justesse évidente de son point de vue, s'est vu refuser le droit de porter un jugement défavorable sur un ouvrier d'entretien. La même barrière existe pour les ouvriers de production. La seule offense impardonnable qu'ils pourraient commettre à l'égard des ouvriers d'entretien serait de prétendre effectuer eux-mêmes des réglages sur leur machine. Les problèmes d'entretien et de réparation doivent demeurer secrets. Aucune explication n'est jamais donnée. Il est entendu que ni les ouvriers de production ni les chefs d'atelier ne doivent être en mesure de comprendre et que le travail est assuré par un ensemble de recettes empiriques. Les ouvriers d'entretien ont réussi à faire disparaître des ateliers les plans de machines et les notices d'entretien et à faire accepter que toute la politique de l'entretien repose sur des réglages individuels. Ces réglages individuels, est-il besoin de l'ajouter, seuls les ouvriers d'entretien les connaissent. Ils les apprennent lentement avec les autres tours de leur métier, grâce à l'aide de leurs collègues.[1]

La zone d'incertitude correspond à des aspects cruciaux de la vie de l'organisation affectant les acteurs dans leur capacité de poursuivre leurs objectifs mais qui ne sont pas clairement déterminés, à propos desquels règne une incertitude. « Les systèmes humains comportent des zones de contraintes et des zones d'incertitude que les différents groupes cherchent à contrôler. Plus la zone d'incertitude contrôlée par un acteur est cruciale pour la poursuite des objectifs du système, plus cet acteur détient du pouvoir » écrivent Crozier

---

1. Crozier, 1963, p. 190.

et Friedberg[1]. Ce pouvoir consistera alors à garder son propre comportement aussi peu prévisible que possible et à enfermer l'autre dans un comportement prévisible.[2]

Crozier distingue quatre sources principales de pouvoir dans les organisations, où l'incertitude peut se présenter. La première, illustrée par *Le Monopole industriel*, est *la compétence ou la spécialisation fonctionnelle*. Certaines personnes maîtrisent en effet une zone d'incertitude liée à leur expertise sur des questions techniques, scientifiques ou économiques notamment, que les autres ne comprennent ou ne connaissent pas. Par exemple, l'expert psychiatre est seul en mesure de dire si une personne mise en examen ou inculpée souffre ou non d'un trouble mental qui la rend irresponsable de ses actes ; son pouvoir peut dès lors être considérable dans le processus de décision judiciaire. Ce pouvoir de l'expert est aujourd'hui de plus en plus important dans une série de secteurs, à condition que son statut soit formellement reconnu dans ou par l'organisation (dans ce dernier exemple, le système judiciaire). De même, face à une personne incompétente en mécanique, le garagiste qui doit réparer une voiture maîtrise une zone d'incertitude importante. La seconde source de pouvoir est *la maîtrise des relations avec l'environnement*. Par exemple, un administrateur d'une société qui est également membre des conseils d'administration d'autres entreprises avec lesquelles la première entretient des relations commerciales, dispose d'un avantage considérable sur les autres administrateurs qui ne disposent pas de ces contacts. Non seulement il a accès à des informations cruciales inaccessibles aux autres mais encore il peut peser sur cet environnement par les décisions prises au sein de ces autres sociétés. Crozier appelle marginal-sécant* celui qui a un pied dans plusieurs organisations et peut jouer de cet avantage dans chacune d'elles. Les zones d'incertitude pertinentes pour une organisation dépendent autant du contexte et de l'environnement de l'organisation que de l'organisation elle-même. Par exemple, tout ce qui concerne l'avenir et la stabilité d'emploi du personnel d'une entreprise peut dépendre autant des marchés, notamment financiers, que de la politique interne de cette entreprise. La troisième source de pouvoir est *la maîtrise des communications*. Celui qui est « au courant de tout », « sait tout », a ses « réseaux » dans différents milieux influents peut décider de garder pour lui ou au contraire de diffuser ces informations pour emporter les décisions et conforter son pouvoir. Avec la précédente, c'est une des raisons pour lesquelles les chasseurs de têtes recherchent, pour diriger les grandes entreprises, des patrons (ou CEO comme on dit aujourd'hui) qui ont un important « carnet d'adresses ». La quatrième source de pouvoir est *la maîtrise des règles*. Dans le monde économique et administratif très complexe d'aujourd'hui, le processus de décision doit le plus souvent suivre et respecter un ensemble de procédures compliquées pour le non spécialiste. Celui qui les maîtrise, ou sait s'entourer de spécialistes qui les maîtrisent, possède un avantage considérable sur les autres ; il est notamment en mesure de bloquer leurs propositions voire de les mettre en défaut.

---

1. Crozier et Friedberg, 1977, p. 67.
2. Crozier et Friedberg, 1977, p. 35.

Pour étudier les relations de pouvoir, il faut donc d'abord bien cerner les ressources dont les différents acteurs disposent ainsi que la pertinence de ces ressources dans la situation concrète concernée, dont dépendra sa maîtrise relative de zones d'incertitude.

2.3 La rationalité limitée de l'acteur

Mais il ne suffit pas de disposer de ressources pertinentes pour l'organisation, il faut encore les utiliser de manière efficace. Contrairement à ce que présupposent certains modèles de la science économique classique (largement corrigés depuis), l'acteur n'a que rarement une vision totalement claire des choses, et l'information dont il dispose n'est jamais complète. Il hésite souvent sur la voie à suivre et il lui arrive de réviser son évaluation d'une situation. Ses projets ne sont pas forcément cohérents et il ne fait souvent que réagir à des opportunités. Comme l'avait déjà montré Max Weber, les ressorts de son action sont multiples : l'habitude, les valeurs et l'émotion autant que la raison. Bref, sa rationalité* est limitée par ses propres limites intrinsèques.

Mais elle l'est aussi et sans doute surtout par les caractéristiques et contraintes de l'organisation même qui fixe le rôle de chacun, restreint son accès à certaines ressources (à certains dossiers par exemple) et surtout à certains lieux de pouvoir. La vie dans une organisation comme une entreprise, une administration ou une école crée des solidarités que les individus ne souhaitent pas rompre et qui peuvent les amener à agir à l'encontre de leurs propres intérêts.

Pour différentes raisons donc, si la stratégie d'un acteur dans une organisation présente le plus souvent une « logique » et des régularités liées à sa position, à ses ressources et à ses intérêts, elle peut être quelquefois surprenante voire peu réfléchie. Face à une situation problématique par exemple, elle consiste le plus souvent à accuser sans nuances une autre personne, une autre catégorie du personnel ou l'institution dans son ensemble. Bref, pour comprendre ce qui se passe entre les acteurs dans une organisation, pour saisir les comportements des uns et des autres ou, plus exactement, les comportements des uns par rapport aux autres, pour comprendre surtout les relations de pouvoir entre eux en fonction de leur capacité d'exploiter les zones d'incertitudes, il faut prendre en compte cette rationalité limitée des acteurs qui sont en relation ainsi que leurs stratégies respectives qui sont en partie conscientes et inconscientes, déterminées en fonction du système dont l'acteur est partie prenante.

2.4 Le système d'action concret

On le sait maintenant : le tout n'est pas la somme de ses parties et une organisation n'est pas une juxtaposition d'acteurs qui agiraient indépendamment les uns des autres. Ils interagissent constamment et leurs actions forment ce que Crozier appelle un système d'action concret* dont dépend le fonctionnement et l'évolution de l'organisation. Ce système est en même temps un système de régulation et un système de relations.

Il est un système de régulation qui comporte ses propres règles de fonctionnement à la fois formelles (comme des statuts ou un règlement interne) et informelles (comme des pratiques bien installées dans la durée, des codes de conduite implicites, des manières de communiquer les informations cruciales) et est soumis à des règles externes (comme les lois générales ou des règles de concertation qui régissent un secteur industriel). Constituant seulement la partie visible de l'iceberg, les règles formelles n'en sont pas moins indispensables car elles défendent l'organisation contre la multitude des intérêts individuels et égoïstes, garantissent une certaine prévisibilité des comportements, protègent contre l'arbitraire et stabilisent les jeux de pouvoir sans quoi aucune organisation ne pourrait durablement fonctionner et poursuivre ses objectifs. Mais, aux yeux de Crozier, les règles informelles, produites et stabilisées par les relations au sein de l'organisation, sont plus décisives.

Le système d'action concret est en effet, aussi et surtout, un système de relations, de jeux de pouvoir, de collaborations et de conflits entre les acteurs qui sont censés travailler ensemble à la poursuite des objectifs officiels de l'organisation (par exemple la croissance d'une entreprise et sa conquête de nouvelles parts de marché ou le meilleur service possible aux citoyens pour un « service public », par exemple de transports en commun. Il serait naïf de croire qu'au sein d'une organisation, tous les acteurs poursuivent le même objectif. Comme le montre l'exemple du *Monopole industriel*, les différentes catégories du personnel poursuivent des objectifs différents (par exemple atteindre les chiffres de production prévus pour le chef d'atelier, ce dont ne se préoccupent guère les ouvriers de production et d'entretien). Au sein d'une même catégorie, chaque individu poursuit encore des objectifs personnels (travailler « pépère » jusqu'à sa pension, obtenir une promotion, être déplacé dans une autre équipe où l'ambiance serait moins mauvaise…). Toute organisation, explique Crozier, se caractérise par une pluralité d'objectifs tantôt conciliables tantôt contradictoires. Les stratégies des uns doivent donc prendre en compte celles des autres dans un jeu relationnel complexe où les atouts sont inégalement répartis.

Ce sont ces relations qui génèrent des règles informelles spécifiques à chaque organisation. D'elles dépend aussi le fait que les règles formelles soient appliquées ou non, ignorées ou prises en compte, exploitées de manière opportuniste par les uns et les autres. Dans son ouvrage au titre explicite *On ne change pas la société par décret*[1], Crozier explique qu'il ne suffit pas de voter des lois pour transformer la société. Il se révèle ici être élève de Weber qui écrivait :

> Il est une chose incontestable, et c'est même un fait fondamental de l'histoire [...] ; le résultat final de l'activité politique [dont procèdent les lois] répond rarement à l'intention primitive de l'acteur. On peut même affirmer qu'en règle générale, il n'y répond

---

1. Crozier, 1979.

jamais et que très souvent le rapport entre le résultat final et l'intention originale est tout simplement paradoxal.[1]

Avec Weber, Crozier soutient qu'entre les intentions et les résultats s'insère précisément le « social » que, pour sa part, il étudie comme un système d'action concret. L'organisation est continûment travaillée, produite et reproduite par ses acteurs impliqués dans des relations de pouvoir, de sorte que les lois et les règles auront d'autant moins de chance d'être appliquées qu'elles ne contribuent pas aux intérêts d'acteurs qui ont du pouvoir. Mais, comme on vient de le voir, les lois n'en sont pas moins nécessaires et Weber ajoute d'ailleurs : « Cette constatation ne peut servir de prétexte pour s'abstenir de se mettre au service d'une cause, car l'action perdrait alors toute consistance interne »[2].

Avec cette double composante de régulation et de relations concrètes (qui sont en fait des actions d'acteurs en relations), le système d'action concret conjugue les caractéristiques du système et celles de l'action. Du système il hérite une capacité d'auto-régulation. En effet, il « se régule dans la mesure où il tend à revenir, pendant des périodes relativement longues, à l'équilibre que postule sa structuration. Il a donc des propriétés homéostatiques[3], mais il n'est pas pour autant asservi »[4]. S'il n'est pas asservi c'est précisément parce qu'il est un système d'actions stratégiques d'acteurs qui possèdent toujours une marge de liberté face à des problèmes qui ont toujours plusieurs solutions possibles. C'est en quoi la conception de Crozier et Friedberg s'éloigne explicitement à la fois de la conception fonctionnaliste des systèmes qui constitueraient les réponses « nécessaires » à des besoins et à des exigences « naturelles » de l'organisation et de la conception cybernétique où l'auto-régulation des systèmes obéirait à « un réglage préétabli »[5].

Crozier et Friedberg déduisent de leur théorie les principes d'une stratégie du changement dans les organisations, qui contribueront largement au succès de leurs ouvrages. On se limitera ici à en évoquer quatre points. *Primo*, le changement est systémique. Si les organisations constituent des systèmes d'action complexes, il est illusoire de vouloir changer les autres (ses partenaires ou ses collaborateurs) sans agir sur l'ensemble du système. *Secundo*, si le changement est systémique, il ne peut résulter que d'un processus collectif et donc d'un apprentissage collectif à la fois coopératif et conflictuel. *Tertio* et par conséquent, il est nécessaire d'associer d'une part, l'action sur ou plutôt *avec* les personnes et l'action sur les structures y compris les normes. *Quatro*, si l'on fait face à une situation bloquée, la bonne manière de s'y prendre est de travailler d'abord sur les aspects susceptibles de changer, aussi minimes soient-ils, et avec les personnes disposées à changer.

---

1. Weber, 1959, p. 165.
2. *Idem.*
3. Homéostatique : se dit d'un système qui tend à retrouver son équilibre interne en s'adaptant à son environnement.
4. Crozier et Friedberg, 1977, p. 244.
5. Crozier et Friedberg, 1977, p. 207.

2.5   L'analyse des réseaux d'acteurs sociaux

Pour certains auteurs[1], le concept de champ qui était particulièrement pertinent dans le contexte historique du XXe siècle le serait de moins en moins aujourd'hui, en raison de trois évolutions majeures[2]. La première est la réorganisation structurelle de la société, tant à l'échelle locale qu'à l'échelle planétaire, sous l'effet des technologies de la communication et de l'information selon le modèle du réseau*[3]. La seconde est la remise en cause des politiques dites différenciées évoquées plus haut. L'organisation de l'action publique en différents secteurs séparés les uns des autres (comme la santé et l'éducation ou l'économique et le social) est de plus en plus souvent critiquée. On réclame et on met désormais en œuvre des dispositifs « pluri-disciplinaires » impliquant dans un « travail en réseau » et en « partenariat » des professionnels de champs différents (par exemple des magistrats, des travailleurs sociaux et des « médiateurs de dettes » dans les dispositifs de médiation de dettes pour les personnes surendettées ; ou encore des urbanistes, des agents communaux municipaux, des travailleurs sociaux et des policiers dans les dispositifs de « contrats de ville » ou de « contrats de sécurité » mis en œuvre dans des quartiers urbains). La troisième évolution, soulignée par Bourdieu lui-même, est l'affaiblissement de l'autonomie de certains champs de plus en plus soumis à la loi d'un autre, par exemple le champ journalistique au champ économique ou le champ du travail social au champ pénal[4]. Or cette autonomie, au moins relative, est constitutive de la définition même du champ.

Dans ce contexte, le concept de « réseau », ou de « réseau social » ou encore de « réseau d'acteurs sociaux », déjà présent dans les sciences sociales depuis les années 1950, bien qu'avec une certaine discrétion (dans la sociologie européenne continentale surtout), a retrouvé une nouvelle jeunesse. Plusieurs recherches classiques en avaient démontré l'intérêt.

2.6   La force du lien faible

Sans doute la plus connue et certainement une des plus intéressantes est celle du sociologue américain Mark Granovetter sur le marché du travail aux États-Unis, dans laquelle il a élaboré sa thèse de « la force du lien faible »[5].

Plusieurs travaux antérieurs menés en Amérique du Nord avaient montré que les contacts personnels constituaient le meilleur moyen de trouver un nouvel emploi, tant pour les ouvriers que pour les techniciens et les employés. Statistiquement, davantage de

---

1. Notamment Lemieux, 2011 et Lahire, 2012, p. 154.
2. Van Campenhoudt, 2012, p. 49-50.
3. Voir à ce sujet l'ouvrage de Manuel Castells, *La Société en réseaux. L'ère de l'information*, 1996.
4. Voir à ce sujet Cartuyvels, 1999 ; et Mary, 2003.
5. Granovetter, 1974.

demandeurs d'emploi trouvaient un travail grâce à des contacts personnels plutôt que via les voies officielles du marché du travail : petites annonces, services de placement, etc. La contribution originale de Granovetter a été de démontrer que l'aide la plus efficace ne provenait pas des personnes très bien connues du demandeur d'emploi (par exemple ses parents et ses amis proches) – c'est-à-dire les « liens forts » – mais bien de personnes à peine connues (par exemple un ami dont on avait oublié l'existence, un ancien condisciple d'école, un ancien collègue ou un employeur perdu de vue depuis belle lurette et que l'on recontacte ou que l'on retrouve par hasard, ou encore l'ami d'un ami) – c'est-à-dire les « liens faibles ».

La raison en est la suivante : plus nous sommes proches d'une personne (lien fort), plus est grande, parmi ses connaissances, la proportion de personnes que nous connaissons déjà nous-mêmes ; son réseau de relations et le nôtre se superposent donc en grande partie, de sorte que nous n'avons pas à en attendre beaucoup de contacts que nous n'aurions pas pu déjà exploiter sans elle auparavant. « Un lien fort n'est jamais un pont » explique Granovetter. En revanche, « les individus avec qui on est faiblement lié ont plus de chances d'évoluer dans des cercles différents et ils ont donc accès à des informations différentes de celles que l'on reçoit »[1]. Les personnes que nous connaissons peu sont davantage susceptibles de nous mettre en contact avec de nouvelles relations qui ne font pas encore partie de notre réseau actuel. « C'est là le point essentiel, les ponts sont toujours des liens faibles. »[2]

Grâce à son travail sur les réseaux sociaux, Granovetter a grandement contribué au renouveau de la sociologie économique en montrant comment les relations économiques (entre les employeurs et les demandeurs d'emploi mais aussi entre les commerçants et leurs clients ou entre les partenaires d'un projet industriel) s'encastrent dans des relations sociales plus larges. Il illustre encore l'importance du réseau de relations sociales par la réussite avec laquelle Samuel Insull a pu développer la compagnie Chicago Edison. Proche de Thomas Edison, Insull a réussi à mettre en contacts, grâce à ce que Bourdieu aurait appelé son capital social, des ingénieurs (pour concevoir les technologies), des financiers (pour procurer les fonds nécessaires aux investissements) et des personnalités politiques (pour prendre les décisions d'investissements publics) qui ne se fréquentaient guère auparavant (liens faibles) et faire prospérer son entreprise de téléphonie mieux que n'ont pu le faire ses concurrents et ses collègues dans les autres villes américaines.

Par ses travaux, Granovetter montre que les institutions économiques sont produites socialement, que le fonctionnement effectif du marché n'obéit pas à des lois abstraites mais à des logiques sociales bien concrètes (en particulier la structure des réseaux de relations). Plus encore, en se référant explicitement à Berger et Luckmann, il montre que les institutions économiques (dont le marché) constituent des constructions sociales, au sens où nous l'avons étudié dans le complément du chapitre 7. Les agents économiques

---

1. Granovetter, 1974, p. 62.
2. Granovetter, 2000, p. 51.

sont le produit d'une typification : consommateurs et producteurs, acheteurs et vendeurs, essentiellement définis par la recherche rationnelle de leur intérêt individuel. Système d'échanges entre eux, le marché est substantifié, reconnu par l'ensemble des agents économiques comme une réalité en tant que telle, une institution qui existe indépendamment de leur volonté et qui possède un certain nombre de caractéristiques propres, comme une capacité de s'autoréguler et de déterminer les quantités et les prix des différentes valeurs échangées. La quantité d'emplois occupés dans une société ainsi que les salaires sont supposés obéir, pour l'essentiel, aux lois du marché, qui sont aussi considérées comme des « réalités ».

2.7 Le partage des rôles dans le couple en fonction du réseau social

La recherche réalisée dans les années 1950 par Elisabeth Bott[1] sur le partage des rôles au sein des couples (tâches ménagères, éducation des enfants, entretien de la voiture, jardinage, réparations diverses…) est une autre recherche pionnière qui illustre l'intérêt d'une approche en termes de réseau*. À l'aide d'interviews très approfondies et répétées de couples londoniens (entre 8 et 19 entretiens par couple), Elisabeth Bott veut quasiment tout savoir sur ce qui est susceptible d'expliquer pourquoi, dans certains couples, les rôles de l'homme et la femme sont très différenciés (par exemple, selon le schéma classique, les tâches ménagères et l'éducation des enfants pour la femme ; le bricolage, les petites réparations et la voiture pour l'homme) tandis que, dans d'autres couples, il n'y a pas une telle ségrégation des rôles, chacun des deux conjoints prenant sa part des différentes tâches. Comment s'explique la différence ? Par la classe sociale ? Par l'âge ? Par le degré d'instruction ? Par la religion ? Par le type d'habitat ? Rien de tout cela n'offre des résultats concluants. Bott constate que le degré de ségrégation des rôles entre l'homme et la femme n'est que très peu lié à ces facteurs, notamment à la classe sociale : en effet, des modes de répartition des rôles fort différenciés et très peu différenciés s'observent aussi bien dans les couples ouvriers que dans les couples de classe moyenne ou bourgeoise.

Elle découvre progressivement que l'explication est à rechercher dans la structure du réseau social. Lorsqu'un couple entretient des liens fréquents et étroits avec ses proches (voisins, membres de la famille vivant à proximité, autres parents de l'école…), notamment pour s'entraider dans les différentes tâches de la vie quotidienne, pour discuter et passer un moment ensemble, la ségrégation des rôles est forte ; si, au contraire, ces liens sont lâches et peu fréquents, si, en d'autres termes, le couple est peu intégré dans un réseau social dense, la ségrégation des rôles est faible. La raison en est à la fois simple et subtile. Dans le premier cas, le couple aura tendance à harmoniser son mode de vie avec celui des couples proches, à atteindre un consensus avec eux sur les normes de la vie courante

---

1. Bott, 1937. On en trouvera un bon résumé dans Marshall, 1990.

et notamment le partage des rôles. C'est en réalité le réseau, c'est-à-dire les personnes en interaction, qui élaborera progressivement ces normes que chacun des couples ne pourra que difficilement ne pas adopter (par exemple, si, dans le réseau, c'est toujours la mère qui prépare les affaires des jeunes enfants, il sera difficile de faire autrement). Chaque couple subit une pression informelle du réseau, de sorte qu'il adoptera tout naturellement le mode de partage des rôles stable et différencié en vigueur dans ce réseau, ce qui présentera d'ailleurs un certain nombre d'avantages pratiques et relationnels[1]. Dans le second cas, dépourvu de tels repères et de cette pression informelle, le couple devra trouver lui-même un mode de fonctionnement original qu'il mettra progressivement au point, sans doute après une série d'ajustements, en fonction de ses propres contraintes, inclinaisons et des rapports de force au sein du couple.

2.8 Le concept de réseau d'acteurs sociaux

La recherche de Bott illustre bien ce qu'est un réseau pour la sociologie : un ensemble de personnes interconnectées (en l'occurrence des hommes et des femmes en couple), c'est-à-dire entre lesquelles circulent des messages ou des objets quelconques, ou encore un ensemble de flux ou de communications (de messages ou d'objets) entre personnes interconnectées. Un réseau constitue une structure ou un système de relations horizontales (et non verticales ou hiérarchiques), ouvertes (d'autres couples sont susceptibles d'en faire partie) et informelles.

C'est vers le milieu du XXe siècle que la notion de réseau est apparue dans les sciences sociales. Celles-ci l'ont empruntée aux sciences naturelles et appliquées où l'on parlait depuis déjà longtemps, par exemple, de réseau de transport, de réseau électrique, de réseau hertzien ou même de la structure réticulaire de la peau (c'est-à-dire en réseau, comme des fils entrelacés formant un tissu)[2]. L'analyse des réseaux sociaux s'est développée essentiellement comme une méthodologie consistant à reconstituer le réseau des relations, à en construire une vue d'ensemble (grâce notamment à des outils mathématiques comme les graphes et le calcul matriciel) de manière à mettre en évidence des logiques structurelles du système de relations étudié. Le chercheur qui veut analyser un phénomène à l'aide du concept de réseau se posera essentiellement trois questions : Qu'est-ce qui circule ? Entre qui et qui ? Selon quelles logiques ou règles structurelles implicites (par exemple la différenciation des rôles entre les hommes et les femmes) ?

Dans l'analyse des réseaux d'acteurs sociaux, la théorisation est très souvent volontairement limitée ; il s'agit d'abord de décrire sans s'encombrer de trop de concepts et d'hypothèses théoriques. La démarche est essentiellement inductive : on va de l'observation et de

---

1. Ferrand (2011) propose d'appeler « signature relationnelle d'une opinion » l'indexation, non consciente le plus souvent, de son contenu au contexte relationnel dans lequel elle se forme.
2. Sur l'histoire du concept de réseau, voir Mattelart, 2003.

la description vers la théorie et l'explication. Évidemment, un minimum de théorisation est indispensable pour savoir ce que l'on doit observer et pour organiser l'observation qui, autrement, serait désordonnée et partirait dans tous les sens ou tournerait en rond. La façon dont les sources du pouvoir sont étudiées dans l'analyse des réseaux d'acteurs sociaux fournit un bon exemple de cette théorisation qui se veut légère et efficace. Comme on va le voir, elle complète bien la conception du pouvoir présentée dans l'analyse stratégique.

Le pouvoir dans le réseau est généralement expliqué par deux hypothèses complémentaires. La première est celle des trous structuraux. Elle peut être formulée comme suit : « Plus un individu a de contacts et plus ces contacts sont isolés les uns des autres, plus son pouvoir est grand »[1]. Un acteur A bénéficie d'un de trou structural* s'il est en contact avec B et C mais que ces deux derniers ne sont pas en contact entre eux. Il est alors un passage obligé entre eux. La seconde hypothèse qui recoupe la précédente est celle de la centralité*. La centralité est une position structurelle dans le réseau qui comporte trois dimensions : le nombre de contacts d'un individu, la proximité entre lui et ses contacts et le fait d'être un passage ou un intermédiaire obligé entre d'autres personnes[2]. L'hypothèse est que plus un individu est en position de centralité, plus est grand son pouvoir. Pour ces deux hypothèses, le pouvoir n'est pas celui, direct, de A sur B (comme pour Dahl et Crozier) ; il est conféré par le réseau à A et à B en fonction de leurs positions structurelles respectives. Et cette structure n'est pas verticale (comme c'est plutôt le cas dans le concept de champ construit par Bourdieu), elle est horizontale.

Dans le cadre d'une approche du pouvoir en termes de réseau, on peut faire encore d'autres hypothèses, notamment celle que le pouvoir dépend de la capacité de mobiliser les autres dans le réseau et de ne pas se laisser mobiliser soi-même si ce n'est pas dans son intérêt[3], par exemple en bloquant un dossier, en ne faisant pas circuler une information importante qui nous est parvenue ou, au contraire, en la faisant circuler où il n'est pas prévu qu'elle le soit. On voit ici que le réseau peut être abordé dans une perspective actantielle, ce qui justifie l'usage du concept de réseau d'acteurs sociaux. Les contextes de micro-mobilisation sociale[4] constituent une autre forme de réseau où l'accent est également mis sur la dimension actantielle[5].

1. Mercklé, 2004, p. 67. Dans son petit livre très pédagogique intitulé *Sociologie des réseaux sociaux*, Pierre Mercklé reprend ici une hypothèse du sociologue américain Ronald S. Burt.
2. Cette hypothèse du sociologue américain Linton C. Freeman est également clairement exposée par Mercklé, 2004, p. 66-69.
3. Comme on l'a vu avec Boltanski et Chiapello dans le complément du chapitre 5.
4. Voir la contribution de McAdam, McCarthy et Zald dans le complément du chapitre 6.
5. Pour une théorisation plus détaillée de la question du pouvoir dans le réseau et de celle du pouvoir du réseau, voir Van Campenhoudt, 2010 ; pour un résumé, voir Van Campenhoudt et Quivy, 2011.

2.9   Champ, système d'action concret ou réseau ?

Les différentes approches ne sont pas forcément contradictoires, un même individu (par exemple un haut responsable de parti politique ou de grande entreprise) pouvant être à la fois dans une position hiérarchique élevée, en position dominante dans son champ, maîtriser de ce fait une zone d'incertitude cruciale pour son parti ou pour son entreprise, et être en position de centralité dans son réseau (formé par exemple par les militants du parti ou par le personnel de l'entreprise) tout en bénéficiant de trous structuraux dans ce réseau.

Il est cependant important de ne pas confondre un objet concret (par exemple l'ensemble des militants d'un parti) et un concept destiné à l'étudier. Pour le sociologue, champ, système d'action concret et réseau ne sont pas des réalités concrètes mais bien des concepts destinés à étudier ces réalités et à expliquer les phénomènes qui les concernent. Par exemple, il est possible d'étudier les rapports de pouvoir entre les membres d'un gouvernement avec le concept de champ, avec les concepts de système d'action concret et de zone d'incertitude ou avec le concept de réseau. À chaque concept sera associé un ensemble de questions de recherche spécifiques. Les questions associées au concept de champ seraient notamment les suivantes : En quoi l'ensemble des membres du gouvernement forment-ils un sous-champ dans le champ politique et quel est son degré d'autonomie par rapport à l'ensemble du champ politique (les partis politiques notamment) ? Quels sont les enjeux spécifiques de ce sous-champ politique ? Quels sont les capitaux les plus déterminants et quel est leur poids relatif ? Quelles sont les positions dominantes et les positions dominées au sein de ce sous-champ, en raison notamment de la structure des capitaux des uns et des autres ? « Quelles sont les relations entre positions et prises de position dans le champ (étant entendu que les premières tendent à commander les secondes) ? Quelles sont les stratégies mises en œuvre (étant entendu qu'elles dépendent de l'état du champ, de la position occupée dans le champ et de l'habitus du joueur ? »[1]. En revanche, les questions associées aux concepts de système d'action concret et de zone d'incertitude pourraient être notamment : Quelles sont les règles formelles et informelles en vigueur dans le travail du gouvernement ? Quelles sont les zones d'incertitude les plus cruciales et quels ministres les contrôlent en tout ou en partie ? Par quoi la rationalité de chacun des ministres est-elle limitée ? Quels ministres ont la capacité de laisser leurs comportements imprévisibles et quels ministres n'ont que peu cette capacité, et sur quels dossiers ? Quelles alliances sont-elles les plus plausibles et dans quelle mesure se forment-elles ?[2]. Enfin, les questions associées au concept de réseau seraient entre autres : Quels ministres sont en position de centralité ? Lesquels peuvent tirer profit de trous structuraux ? Qui détient des informations cruciales et peut se permettre de ne pas les transmettre à d'autres ? Quel ministre a la possibilité de mobiliser les autres sans se laisser soi-même

---

1. Questions reprises à ou inspirées par Mauger, 2004.
2. On retrouve ce type d'approche dans Eraly, 2002.

mobiliser ? Existe-t-il des cliques au sein du gouvernement, c'est-à-dire des sous-réseaux dont tous les membres communiquent régulièrement avec tous les autres et peuvent plus facilement faire alliance ?

Chaque concept fonctionne ici comme la matrice de questions de recherche d'un type particulier, comme un mode de questionnement spécifique des phénomènes sociaux. C'est en cela qu'un concept a une fonction heuristique. Mais il s'inscrit toujours dans une théorie sans laquelle il risque fort d'être utilisé sans discernement et de manière superficielle. C'est la pertinence de l'ensemble de la théorie qu'il faut évaluer pour chaque recherche concrète car il n'est pas de théorie ni de concept qui soit intrinsèquement supérieur aux autres et applicable de manière stéréotypée et universelle. Une telle attitude relèverait d'une forme de dogmatisme théorique.

Il ne faut pas davantage confondre un concept avec une norme et penser que certains concepts sont meilleurs que d'autres parce qu'une connotation positive leur serait accolée. Ce n'est pas parce que l'on recommande aujourd'hui de « travailler en réseau » que le concept sociologique de réseau est le plus adéquat, y compris pour étudier des situations sociales où les agents sont censés travailler en réseau. Le concept de réseau peut induire, pour qui l'utiliserait naïvement et sans recul critique parce qu'il est dans l'air du temps, une fausse mais sympathique impression d'égalité entre les acteurs sociaux. Il participerait alors ni plus ni moins d'une forme de violence symbolique incompatible avec le regard sociologique sur la réalité sociale. Le risque est d'autant plus grand que le concept de réseau, comme l'analyse stratégique des organisations d'ailleurs, se désintéresse de la dimension symbolique des relations sociales, qui, comme on l'a vu, est au contraire centrale chez Bourdieu. Dans les deux premières approches, les acteurs n'ont en commun que le besoin qu'ils ont les uns des autres pour atteindre leurs objectifs, ils ne partagent pas d'*illusio* qui font qu'ils se prennent au jeu et les rapports de force entre eux sont strictement objectifs, liés à leurs ressources ou à leur position structurelle dans le réseau. Entre eux, nulle domination symbolique non plus.

Par ailleurs, une des critiques les plus fréquemment adressées tant à l'analyse stratégique des organisations qu'à l'analyse des réseaux est leur difficulté à passer de l'analyse micro-sociologique des relations et échanges entre individus à l'analyse des phénomènes macro-sociaux et institutionnels. Si l'on a reproché au concept de champ ses caractères de verticalité (en contraste avec l'horizontalité des relations dans le réseau), de fermeture et de stabilité relatives des champs sur eux-mêmes (en contraste avec l'ouverture des réseaux et leur mobilité interne), les partisans d'une approche des phénomènes sociaux à partir du concept de réseau doivent prendre ces critiques en considération.

Conclusion générale : du bon usage de la sociologie

Arrivé au terme de ce livre, le lecteur aura découvert les principales clés de l'analyse sociologique. La pensée de la plupart des auteurs majeurs aura également été abordée, en même temps que leurs outils de pensée, c'est-à-dire les concepts et les hypothèses qui forment leurs théories et grâce auxquels ils ont pu comprendre la réalité sociale dans ses multiples aspects. Rien ne leur a échappé, ni les transformations macrosociales qui touchent la société dans son ensemble, ni les interactions microsociales les plus anodines en apparence. Ils sont parvenus à faire les liens entre les différents niveaux et les différents domaines de la réalité sociale, rendant ainsi les uns et les autres significatifs, c'est-à-dire révélateurs de ce qui se passe et se joue dans la vie collective. Armé de ces principes, de ces théories et de ces œuvres, disposant désormais d'une vue d'ensemble, le lecteur doit maintenant en faire le meilleur usage possible.

1.   Du bon usage des principes actifs

Les principes actifs ont été étudiés l'un après l'autre. Chaque principe a été découvert « de l'intérieur », à partir d'une recherche où il est mis en œuvre de manière exemplaire et particulièrement claire. Cependant, toutes ces recherches appliquent, à des degrés divers, l'ensemble des principes passés en revue, associés aux différents auteurs. Dans *La Distinction* par exemple, le concept d'habitus est un outil précieux pour apprendre à se connaître soi-même (Hoggart) ; les pratiques et les goûts culturels des différentes classes sociales apparaissent d'autant plus normales et sensées (Goffman) qu'elles sont situées dans le système d'écarts et de course-poursuite entre les différentes classes sociales et fractions de classe ; l'analyse s'affranchit des catégories de pensée instituées (Becker) comme celles du « bon goût » ou de la « vulgarité » ; des logiques objectives (Durkheim) sont mises en lumière comme les liens entre les inclinaisons culturelles et la position de classe ; l'analyse porte directement sur le sens que les acteurs donnent à leurs pratiques (Weber) ; l'espace des pratiques culturelles est vu comme un espace conflictuel (Marx) où s'exerce une violence symbolique ; les pratiques culturelles sont à la fois concrètes et symboliques (Mauss) ; elles évoluent dans le temps (Elias) en fonction des trajectoires sociales des individus qui se comportent toujours en fonction des autres avec qui ils sont en relation (Bourdieu) dans le champ de la production et de la consommation culturelles. À la place de *La Distinction* de Bourdieu, on aurait pu faire cette démonstration à partir d'*Asiles* de Goffman, qui illustre tout aussi bien les principes actifs, ou encore de *l'Essai sur le don* de Mauss, ou de la plupart des autres recherches étudiées dans les pages précédentes. La leçon à en retirer est la suivante : quel que soit l'objet ou le phénomène étudié, c'est l'ensemble de ces principes actifs qu'il faut mettre conjointement en œuvre. Pour se former à la sociologie, il n'est ni nécessaire ni même possible d'étudier toutes les questions relevant de la vie en société, mais il est indispensable de bien saisir ces principes actifs pour pouvoir les appliquer à quelque question que ce soit, abordée ou non dans ce livre.

Prenons celle des rapports entre genres à laquelle sont consacrées les études que l'on regroupe sous le terme anglais de *gender studies*, courant interdisciplinaire où la sociologie, avec ses principes actifs, occupe une place essentielle. Comment étudier en effet les rapports entre hommes et femmes sans se connaître soi-même comme homme ou comme femme de tel ou tel milieu social, de telle ou telle culture, de telle ou telle époque ; sans s'affranchir des catégories de pensée et des stéréotypes sur les images et les rôles respectifs de l'homme et de la femme qui sont en grande partie cristallisés dans des institutions (comme le mariage), dans des lois et la façon dont elles sont appliquées (comme en matière de congés parentaux, de divorce ou de garde d'enfants) ; sans mettre au jour toute la densité symbolique des images de l'homme et de la femme dans l'éducation scolaire et dans les traditions religieuses, des représentations de la virilité et de la féminité dans l'énorme production cinématographique et romanesque consacrée à l'amour, à la sexualité, à la famille mais aussi à la guerre et à d'autres genres où la dimension de genre est très marquée ; sans prendre en compte les inégalités structurelles et les rapports de domination (notamment économique, politique et religieuse) entre genres ainsi que les tensions conflictuelles et les actions collectives qu'elles génèrent (comme le mouvement féministe) et sans étudier l'évolution de ces rapports dans le temps ?

Les *gender studies* ne se cantonnent pas à l'étude des rapports entre genres dans différents domaines (comme le travail ou la famille) car la dimension de genre de la réalité sociale ne réside pas seulement dans les phénomènes étudiés ; elle existe d'abord, de manière moins perceptible mais fondamentale, dans le processus même de connaissance de ces phénomènes. Quoi qu'on étudie – la vie économique, l'enseignement, la religion, la politique… et donc pas seulement des domaines où la dimension de genre est évidente comme la vie familiale ou la sexualité –, le regard sur l'objet est déjà marqué par le fait qu'il est étudié par une femme ou par un homme, dans une culture plutôt inégalitaire ou plutôt égalitaire, avec une sensibilité de femme ou d'homme telle que culturellement et socialement construite. Les trois premiers principes actifs étudiés dans ce cours sont donc ici primordiaux car la « construction sociale de la réalité »[1] concerne déjà la manière d'appréhender sociologiquement les phénomènes où la dimension de genre est centrale. Ethnologues et anthropologues parlent d'« échange des femmes »[2] et non d'« échange des hommes » alors que lorsqu'on échange des femmes entre clans, on échange aussi forcément des hommes. L'expression est-elle fondée sur une réalité objective dans le fonctionnement de ces sociétés où les décisions seraient prises par les hommes, effectivement ou formellement, ou est-elle due au fait que l'immense majorité des anthropologues clas-

---

1. Analysée dans le complément du chapitre 7.
2. Voir le « don de femmes » chez Mauss dans le chapitre 7.

siques étaient des hommes et non des femmes[1]. En amont de toute recherche, la question des rapports de genres est donc d'abord et avant tout une question épistémologique qui touche au cœur de notre mode de connaissance du monde social. Si le substantialisme ou le positivisme absolus sont ici des impasses, le constructivisme absolu l'est également. Dans *Masculin, Féminin. La pensée de la différence*[2], Françoise Héritier montre bien que la question complexe de la part de l'universel et du culturel dans la différence homme/femme n'est pas définitivement réglée.

2. Du bon usage des théories

Les théories constituent d'abord une manière d'interroger la réalité, de nous poser à son sujet des questions dont les réponses aideront à mieux la comprendre. On appelle souvent ce questionnement la problématique et on appelle problématisation la construction de la problématique. Constituées de concepts et d'hypothèses articulés entre eux, les théories procurent en même temps les outils d'analyse de cette réalité dans la perspective ouverte par la problématique. Face à un phénomène que l'on souhaite étudier, par exemple ce qu'on appelle couramment le hooliganisme, c'est-à-dire les comportements violents de supporters sportifs, de football notamment, le bon usage des théories consiste d'abord à se demander comment, à partir d'elles, problématiser ce phénomène. Cela suppose de comparer les types de problématique que les différentes théories suggèrent, de manière à ne pas s'enfermer trop vite dans une perspective étroite et surtout stéréotypée – comme celle que l'on lit et entend à longueur de médias et qui consiste à affirmer à la légère qu'il s'agit de « violence gratuite ». Pour mener à bien cet exercice, il est préférable de s'armer d'un minimum de références solides sur le sujet. Sur celui du hooliganisme, une brève recherche bibliographique permettra vite de découvrir l'ouvrage de référence majeur sur la question : *The Roots of Football Hooliganism : An Historical and Sociological Study*, que l'on doit à trois auteurs britanniques, Dunning, Murphy et Williams[3].

Si nous suivons Becker, nous commencerions par nous demander si les termes de hooligan et de hooliganisme ne sont pas des catégories instituées et nous nous interrogerions sur la construction sociale de cette étiquette de « hooligan ». Nous analyserions comment les interactions entre ceux qu'on qualifie de cette façon et ceux qui les qualifient ainsi ont produit cette catégorie comme une forme spécifique de déviance. Nous nous intéresserions autant aux scientifiques, aux responsables politiques, aux policiers et aux journalistes qui définissent, décrivent ou traitent le problème par rapport à certaines

---

1. Avant que ne s'imposent de grandes anthropologues comme, notamment, Margaret Mead, Mary Douglas et Ruth Benedict.
2. Héritier, 1996.
3. Dunning *et al.*, 1988.

normes qu'à ceux qui se conduisent de manière violente dans les stades. Nous étudierions ensuite comment un individu devient un « hooligan » au fil des interactions dans le groupe déviant dont il fait partie. Nous prêterions une attention toute particulière aux significations que ses compagnons et lui-même attribuent à leurs expériences. Les concepts d'interaction, d'outsider, d'entrepreneur de morale et de carrière morale nous seraient précieux.

En nous tournant vers Hoggart, nous ferions l'hypothèse d'une continuité entre les comportements qualifiés de hooliganisme et les caractéristiques structurelles de la culture ouvrière. Poussés par la curiosité, nous découvririons vite que la violence dans les stades de football existe depuis la fin du XIXᵉ siècle, époque où ce sport a commencé à être pratiqué sous sa forme actuelle dans toutes les villes industrielles de l'Angleterre. Les bagarres entre supporters d'équipes rivales ont participé d'un mode de vie de la jeunesse ouvrière bien qu'on ne parlait pas encore de hooliganisme, que le football était peu internationalisé et que la télévision n'existait pas. En suivant toujours Hoggart, nous nous demanderions précisément ce que les médias changent (et ne changent pas) dans cette affaire et nous serions à même de faire la part des choses entre la tradition et la nouveauté.

L'exercice pourrait être poursuivi avec d'autres auteurs. Nous apprendrions que Elias est un pionnier de l'histoire longue du sport et a longuement travaillé en Angleterre sur cette question. Il a notamment montré que la violence des spectateurs a augmenté à mesure que celle des joueurs était rigoureusement règlementée et sanctionnée[1], où le football était, comme quasi toutes les activités humaines, profondément touché par le processus de rationalisation mis au jour et analysé par Weber. Avec Thompson, nous situerions la violence dans les stades et la réponse sociale et politique qui lui est apportée dans le contexte actuel de l'expérience populaire, touchée par le chômage et la transformation profonde des repères du monde du travail, mais nous nous demanderions aussi pourquoi aujourd'hui ce phénomène ne touche pas que les classes populaires. Avec Mauss nous pourrions voir la violence dans les stades comme une conséquence voire une composante de la transformation progressive du football devenu sport-spectacle en un fait social total comprenant notamment la médiatisation, la marchandisation et la politisation tant des grandes compétitions internationales que des championnats nationaux. Il ne faut pas forcer l'exercice et vouloir à tout prix utiliser tous les auteurs possibles pour étudier tous les phénomènes possibles. Mais les seuls travaux présentés dans cet ouvrage offrent déjà une belle panoplie de ressources insoupçonnées.

---

1. Elias et Dunning, 1986.

3. Du bon usage des grandes œuvres

Pourquoi les travaux étudiés dans ce cours de sociologie sont-ils devenus des classiques auxquels se réfèrent inévitablement les recherches ultérieures ? Pourquoi leur intérêt n'est-il que faiblement altéré par les critiques qu'on peut bien entendu leur adresser et qui n'ont pas manqué ?

Observons d'abord que leurs auteurs sont des hommes de leur temps. Ils cherchent les clés de la société dans laquelle ils vivent avec l'obstination de penseurs engagés au cœur des débats et des problèmes de leur époque. Certains par le grand bout, comme Marx, Durkheim, Weber, Thompson ou Mills, qui étudièrent la modernisation, l'industrialisation, la division du travail, les mutations culturelles, les actions collectives et la transformation des structures de pouvoir à l'échelle des sociétés dans leur ensemble. D'autres, par le petit bout, comme Simmel, Goffman, Becker ou Garfinkel, qui en apprennent beaucoup sur la société « normale » par ce qui se joue dans les interactions de tous les jours ou par la manière dont sont définis et traités ses « anormaux » (malades mentaux, déviants...) comme l'a bien montré Foucault. Pour éclairer sa propre époque, il faut faire le détour par les autres, celles de jadis, comme l'ont fait Durkheim, Elias et Thompson, celles de contrées lointaines, comme Mauss, Evans-Pritchard et Sahlins, ou les deux à la fois, comme l'a fait Weber à propos des religions. Leur objectif reste tout autant de comprendre, par comparaison, la société de leur temps.

On prendra acte ensuite de l'implication de chacun de ces chercheurs dans un long travail d'investigation. Par l'analyse approfondie d'œuvres antérieures, l'examen d'une impressionnante documentation historique, les grandes enquêtes de terrain, l'insertion en profondeur dans le milieu étudié, ou tout cela à la fois, ces chercheurs ont tous payé de leur personne. Incorrigibles curieux qui fouillent surtout où on ne les attend pas, ils ne laissent rien passer et remettent le travail sur le métier chaque fois qu'un fait nouveau vient perturber le raisonnement. Chaque livre est le récit d'une aventure, avec ses hésitations, ses retours en arrière pour réviser un point à la lumière d'un enseignement nouveau, ses alternances de passages laborieux et de temps forts où la plume s'emballe parce que, soudain, les choses deviennent plus claires, ses pages de plaisir pur où le savant qui maîtrise bien son sujet s'en amuse, et jouit de mettre à mal l'un ou l'autre poncif. On sent, dans ces œuvres vivantes, la passion contenue par l'exigence de rester rigoureux, c'est-à-dire de s'en tenir à ce que le dispositif de recherche autorise et, si l'on s'en écarte pour s'engager dans une discussion plus normative, d'indiquer que l'on change de registre. On peut trouver qu'à certains moments, Marx, Mills ou Becker « y vont un peu fort », mais ils ont payé d'un travail difficile et courageux, le droit d'« y aller un peu fort ».

Hommes de leur temps, ils n'ont jamais été dans l'air du temps. Ils ne se sont jamais laissés séduire par les modes intellectuelles et les concepts en vogue qui deviennent les nouvelles catégories de pensée instituées, utilisées souvent à tort et à travers. La liste est longue des controverses intellectuelles dans lesquelles ils se sont impliqués ou qu'ils ont eux-mêmes suscitées pour faire bouger les choses, comme Thompson le revendiquait ouvertement. Mais ils s'y engageaient armés d'une solide connaissance des œuvres du passé et du présent. Loin d'être des électrons libres qui inventent de toute pièce une pensée, sans considération pour ce qui a déjà été fait ou est en train de se faire, ils débattent directement ou indirectement avec d'autres et prennent place de manière critique dans le long mouvement historique des sciences sociales. Leurs innovations s'inscrivent dans une dialectique de la continuité et de la rupture. Maîtrisant bien l'espace des positions intellectuelles, ils peuvent élaborer une position propre, susceptible de faire bouger cet espace. Celui qui veut mieux comprendre les phénomènes sociaux doit refaire lui-même une partie de ce chemin passionnant.

Les sciences sociales ne constituent pas un immense puzzle dont chaque recherche constituerait une pièce. On se les représenterait plus justement comme formant un océan qui ne cesse de bouger, innervé par les œuvres marquantes qui en constitueraient les courants marins. Ceux-ci se brassent ou se combattent, sont plus chauds quand les autres sont plus froids et plus froids quand les autres sont plus chauds, et dotent ainsi l'océan non d'une substance homogène mais d'une consistance dynamique.

L'œuvre de certains grands finit souvent par faire l'air du temps, mais c'est le plus souvent après, quand elle est honorée tel un monument qu'on ne cesse de visiter pour entretenir une vérité. C'est cet usage, contraire à l'idée même de recherche, qui est nuisible. Les grandes œuvres sont surtout précieuses comme repères, à confronter à d'autres, pour apprendre à penser. La question à nous poser à propos des maîtres n'est pas « Que pensent-ils ? » mais « Comment pensent-ils ? ». Et cette dernière question ne sert qu'à en préparer une autre : « Comment puis-je moi-même penser ? ». Car nous ne pouvons bien penser qu'en dialogue critique avec ceux qui ont brillamment pensé avant nous, en nous juchant « sur les épaules des géants », selon l'expression célèbre de Bernard de Chartres[1]. On est loin de l'attitude orgueilleuse de ceux qui prétendent, sur tout sujet, être plus intelligents que les autres et pouvoir se passer de prendre d'abord connaissance de l'œuvre des plus grands. Leur soi-disant pensée n'est alors qu'un avis dérisoire. Ces grands auteurs sont nos maîtres au sens où, maîtrisant leur affaire, ils nous aident à progresser par nous-mêmes en apprenant à penser en dialogue critique avec eux. Leur œuvre ne doit susciter ni vénération dogmatique ni déconsidération a priori. Ce sont souvent ceux dont la pensée ne suscite pas chez nous une sympathie spontanée qui nous ouvrent des voies inédites qui ne demandent qu'à être explorées. Correctement armé, il reste alors à se lancer dans cette captivante redécouverte de notre vie collective. En quoi consiste finalement, pour les étudiants, l'« autorité » d'un maître ? Non pas ce qui s'impose à eux de manière « autoritaire » et freine leur élan, mais, au contraire, ce par quoi ils se sentent « autorisés ».

---

1. Philosophe platonicien du XIIe siècle.

Bibliographie

ADAM P., HERZLICH C. (1994). *Sociologie de la maladie et de la médecine*, Paris, Nathan.

BECK U. (2001). *La Société du risque*, Paris, Aubier.

BELIN E., VAN CAMPENHOUDT L. (1998). « Radio-télévision, espace public et vie quotidienne », *in* H. DUMONT et A. STROWEL (dir.), *Politique culturelle et droit de la radio-télévision*, Bruxelles, Publications des Facultés universitaires Saint-Louis, pp. 49-73.

BERGER P. (2006). *Invitation à la sociologie*, Paris, La Découverte.

BESNARD PH. (1987). *L'Anomie, ses usages et ses fonctions dans la discipline sociologique depuis Durkheim*, Paris, PUF.

BEYNON H. (1993). « E.P. Thompson et le socialisme humaniste », *Liber* n° 16, décembre, pp. 2-3.

BOLTANSKI L. (1990). *L'Amour et la justice comme compétences*, Paris, Métaillié.

BOLTANSKI L., THÉVENOT L. (1991). *De la justification*, Paris, Gallimard.

BOLTANSKI L., CHIAPELLO E. (1999). *Le Nouvel esprit du capitalisme*, Paris, Gallimard.

BOTT E. (1937). *Family and Social Network*, London, Tavistock.

BOUDON R. (1977). *Effets pervers et ordre social*, Paris, PUF.

BOUDON R., BOURRICAUD F. (1982). *Dictionnaire critique de la sociologie*, Paris, PUF.

BOUDON P. (1979). *La Distinction. Critique sociale du jugement*, Paris, Minuit.

BOURDIEU P. (1980). *Le Sens pratique*, Paris, Minuit.

BOURDIEU P. (1992). *Les Règles de l'art. Genèse et structure du champ littéraire*, Paris, Seuil.

BOURDIEU P. (1994). *Raisons pratiques. Sur la théorie de l'action*, Paris, Seuil.

BOURDIEU P. (2001). *Langage et pouvoir symbolique*, Paris, Seuil.

BOURDIEU P., PASSERON J.-C. (1970). *La Reproduction. Éléments pour une théorie du système d'enseignement*, Paris, Éditions de Minuit.

CARTUYVELS Y. (1999). « Le champ socio-pénal en Belgique : entre idéalisme restaurateur et pragmatisme gestionnaire », *in* Y. CARTUYVELS, Ph. MARY (dir.), *L'État face à l'insécurité. Dérives politiques des années 90*, Bruxelles, Labor, p. 183-203.

CASTEL R. (1968). « Présentation » *in* GOFFMAN E., *Asiles*, Paris, Minuit, p. 7-35.

CASTELLS M. (1996). *La Société en réseaux. L'ère de l'information*, Paris, Fayard.

CHAUMONT J.-M. (2009). *Le Mythe de la traite des blanches. Enquête sur la fabrication d'un fléau*, Paris, La Découverte.

COHEN S. (1972). *Folk Devils and Moral Panics*, London, Mac Gibbon and Kee.

COLLIOT-THÉLÈNE C. (1990). *Max Weber et l'histoire*, Paris, PUF.

COULANGEON Ph., DUVAL J. (dir.) (2013). *Trente ans après* La Distinction *de Pierre Bourdieu*, Paris, La Découverte.

COULON A. (1996). *L'Ethnométhodologie*, Paris, PUF, coll. « Que sais-je ? »

CROZIER M. (1963). *Le Phénomène bureaucratique*, Paris, Seuil.

CROZIER M. et FRIEDBERG E. (1977). *L'Acteur et le système*, Paris, Seuil.

CROZIER M. (1979). *On ne change pas la société par décret*, Paris, Fayard.

DAHL R. (1971). *Qui gouverne ?* (1961), Paris, Armand Colin.

DELMOTTE F. (2002). « Norbert Elias et l'intégration postnationale », *Swiss Political Science Review* vol. 8, n° 1, p. 3-26.

DOUGLAS M. (2004). *Comment pensent les institutions*, Paris, La Découverte.

DUMONT L. (1985). *Essais sur l'individualisme. Une perspective anthropologique sur l'idéologie moderne*, Paris, Seuil.

DUNNING E., MURPHY P., WILLIAMS J. (1988). *The Roots of Football Hooliganism. An Historical and Sociological Study*, Londres, Routledge and Kegan Paul.

DURKHEIM E. (1975). *Textes. 1. Éléments d'une théorie sociale*, Paris, Éditions de Minuit.

DURKHEIM E. (1983a). *Le Suicide* (1897), Paris, PUF.

DURKHEIM E. (1983b). *Les Règles de la méthode sociologique* (1895), Paris, PUF.

DURKHEIM E. (1990). *Les Formes élémentaires de la vie religieuse. Le système totémique en Australie* (1912), Paris, PUF.

DURKHEIM E. (1996). *De la division du travail social* (1893), Paris, PUF.

EHRENBERG A. (1991). *Le Culte de la performance*, Paris, Calmann-Lévy.

ELIAS N. (1973). *La Civilisation des mœurs*, Paris, Calmann-Lévy.

ELIAS N. (1974). *La Société de cour*, Paris, Calmann-Lévy.

ELIAS N. (1975). *La Dynamique de l'Occident*, Paris, Calmann-Lévy.

ELIAS N. (1990). *La Société des individus*, Paris, Calmann-Lévy.

ELIAS N., DUNNING E. (1986). *Quest for Excitement : Sport and Leisure in the Civilizing Process*, Oxford, Basil Blackwell.

ENGELS F. (2007). « Préface » *in* K. MARX, *Le 18 Brumaire de Louis Bonaparte* (1852), Paris, Éditions de Poche.

ERALY A. (2002). *Le Pouvoir enchaîné*, Bruxelles, Labor.

EVANS-PRITCHARD E.E. (1972). *Sorcellerie, oracle et magie chez les Azandé* (1937), Paris, Gallimard.

FAVRET-SAADA J. (1977). *Les Mots, la mort, les sorts*, Paris, Gallimard.

FERRAND A. (2011). *Appartenances multiples. Opinion plurielle*, Lille, Presses universitaires du Septentrion.

FOUCAULT M. (1966). *Les Mots et les choses, une archéologie des sciences humaines,* Paris, Gallimard.

FOUCAULT M. (1976). *Histoire de la sexualité 1. La volonté de savoir,* Paris, Gallimard.

FOUCAULT M. (1994a). *Dits et écrits. Tome III* (Édition établie sous la direction de D. Defert et F. Ewald), Paris, Gallimard.

FOUCAULT M. (1994b). *Dits et écrits. Tome IV* (Édition établie sous la direction de D. Defert et F. Ewald), Paris, Gallimard.

FREUND J. (1968). *Sociologie de Max Weber,* Paris, PUF.

FRIEDMANN G. (1956). *Le Travail en miettes,* Paris, Gallimard.

GARFINKEL, H. (1967). *Studies in Ethnomethodology,* Englewoods Cliffs (N.J.), Prentice-Hall.

GIDDENS A. (1994). *Les Conséquences de la modernité,* Paris, L'Harmattan.

GIDDENS A. (1987). *La Constitution de la société,* Paris, PUF.

GOFFMAN E. (1968). *Asiles. Études sur la condition sociale des malades mentaux,* Paris, Minuit.

GOFFMAN E. (1973a). *La Mise en scène de la vie quotidienne. Tome 1 : La présentation de soi,* Paris, Éditions de Minuit.

GOFFMAN E. (1973b). *La Mise en scène de la vie quotidienne. Tome 2 : Les relations en public,* Paris, Éditions de Minuit.

GOFFMAN E. (1974). *Les Rites d'interaction,* Paris, Minuit.

GOFFMAN E. (1975). *Stigmate, Les usages sociaux des handicaps,* Paris, Minuit.

GRANOVETTER M. (1974). *Getting a Job. A Study of Contacts and Careers,* Cambridge, Harvard University Press.

GRANOVETTER M. (2000). *Le Marché autrement,* Paris, Desclée de Brouwer.

GRIGNON C., PASSERON J.-C. (1989). *Le Savant et le populaire,* Paris, Seuil.

HABERMAS J. (1987). *Théorie de l'agir communicationnel* (2 tomes), Paris, Fayard.

HARRINGTON C.L., BIELBY D.D. (1995). *Soap Fans. Pursuing Pleasure and Making Meaning in Everyday Life,* Philadelphia, Temple University Press.

HEINICH N. (1997). *La Sociologie de Norbert Elias,* Paris, La Découverte.

HENAFF M. (2002). *Le Prix de la vérité. Le don, l'argent, la philosophie,* Paris, Seuil.

HERITIER F. (1996). *Masculin/Féminin. La pensée de la différence,* Paris, Odile Jacob.

HOGGART R. (1970). *La Culture du pauvre.* Paris, Minuit.

HONNETH A. (2000). *La Lutte pour la reconnaissance,* Paris, Cerf.

KAESLER D. (1996). *Max Weber. Sa vie, son œuvre, son influence,* Paris, Fayard.

KALINOWSKI I. (2005). « Leçons wébériennes sur le science et la propagande », *in* M. WEBER, *La science, profession et vocation,* Marseille, Agone, p. 61-273.

KALINOWSKI I. (2000). « Introduction » de M. Weber, *L'Éthique protestante et l'esprit du capitalisme*, Paris, Flammarion.

KARSENTI B (2011). *L'Homme total. Sociologie, anthropologie et philosophie chez Marcel Mauss* (1997), Paris, PUF.

KARSENTI B. (1994). *Marcel Mauss. Le fait social total*, Paris, PUF.

LADRIERE J. (1994). « La causalité dans les sciences de la nature et dans les sciences humaines », *in* R. FRANCK (dir.), *Faut-il chercher aux causes une raison ? L'explication causale dans les sciences humaines*, Paris, Institut interdisciplinaire d'études épistémologiques, pp. 248-274.

LAHIRE B. (2005). *L'Homme pluriel. Les ressorts de l'action*, Paris, Armand Colin.

LAHIRE B. (2012). *Monde pluriel. Penser l'unité des sciences sociales*, Paris, Seuil.

LAPORTE F., (2010). *Le Concept d'habitus dans la sociologie de Pierre Bourdieu*, Louvain-la-Neuve, roneo.

LATOUR B. (1991). *Nous n'avons jamais été modernes*, Paris, La Découverte.

LATOUR B., WOOLGAR S. (1979). *La Vie de laboratoire. La production des faits scientifiques*, Paris, La Découverte.

LEMIEUX C. (2011). « Le crépuscule des champs. Limites d'un concept ou disparition d'une réalité historique », in M. DE FORNEL, A. OGIEN (dir.), *Bourdieu, théoricien de la pratique*, Paris, Éditions de l'EHESS, p. 75-102.

LÉVI-STRAUSS C. (1967). *Les Structures élémentaires de la parenté*, La Haye-Paris, Mouton.

LÉVI-STRAUSS C. (1974). *Anthropologie structurale*, Paris, Plon.

LÉVI-STRAUSS C. (1997). « Introduction à l'œuvre de Marcel Mauss », in M. MAUSS, *Sociologie et anthropologie*, Paris, PUF, pp. IX-LII.

MALINOWSKI B. (1963). *Les Argonautes du Pacifique occidental* (1922), Paris, Gallimard.

MARCH J.G., SIMON H.A. (1964). *Les Organisations : Problèmes Psycho-sociologiques*, Paris, Dunod.

MARQUIS N. (2014). *Du Bien-être au marché du malaise. La société du développement personnel*, Paris, PUF.

MARSHALL G. (1990). in *Praise of Sociology*, London, Routledge.

MARX K ., ENGELS F. (1966). *Critique des programmes de Gotha et d'Erfurt* (1875), Paris, Éditions sociales.

MARX K, ENGELS F. (1999). *Le Manifeste du parti communiste* (1848), Paris, Flammarion.

MARX K. (2007). *Le 18 Brumaire de Louis Bonaparte* (1852), Paris, Éditions de Poche.

MATTELART A. (2003). *Histoire de la société de l'information*, Paris, La Découverte.

MAUGER G. (2004). « Capital, champ et habitus », *in* P. BOURDIEU, *Les champs de la critique*, Paris, BPI/Centre Pompidou, p. 61-74.

MAUSS M. (1969). « L'expression obligatoire des sentiments » (1921), *Essais de sociologie*, Paris, Seuil, p. 81-88.

MAUSS M. (1997). *Sociologie et anthropologie*, Paris, PUF.

MCADAM D., MCCARTHY J.D., ZALD M.N. (1988). « Social Movements », *in* N.J. SMELSER (dir.), *Handbook of Sociology*, Newbury Park, London, New Dehly, Sage, pp. 695-737.

MEAD G.H. (1965). *L'Esprit, le Soi et la société* (1934), Paris, PUF.

MERCKLE P. (2004). *Sociologie des réseaux sociaux*, Paris, La Découverte.

MERTON R.K. (1938). « Social Structure and Anomy », *American Sociological Review* 3, p. 673-682.

MERTON R.K. (1997). *Éléments de théorie et de méthode sociologiques* (1949), Paris, Armand Colin.

MILLS C.W. (1969). *L'Élite au pouvoir*, Paris, Maspero.

NIZET J. RIGAUX, N. (2005). *La Sociologie de Erving Goffman*, Paris, La Découverte.

ORUM A. (1989). « Political Sociology », *in* N.J. SMELSER (ed.), *Handbook of Sociology*, Newsbury Park, Sage, pp. 393-423.

PANOFSKY E. (1974). *Architecture gothique et pensée scolastique*, Paris, Minuit.

PARSONS T. (1937). *The Structure of Social Action*, New York, McGraw-Hill.

PARSONS T. (1951). *The Social System*, Glencoe, Free Press.

PARSONS T. (1957). « Distribution of Power in American Society », *World Politics*, 10, pp. 123-143.

PASSERON J.-C. (1970). « Présentation », *in* R. HOGGART, *La Culture du pauvre*, Paris, Minuit, pp. 7-26.

PINTO L. (1998). *Pierre Bourdieu et la théorie du monde social*, Paris, Albin Michel.

POLANYI K. (1983). *La Grande transformation. Aux origines politiques et économiques de notre temps*, Paris, Gallimard.

REMY J., VOYE L. SERVAIS E. (1978). *Produire ou reproduire ? Une sociologie de la vie quotidienne*, tome 1, Bruxelles, Éditions Vie Ouvrière.

SAHLINS M. (1972). *Âge de pierre, âge d'abondance. L'économie des sociétés primitives*, Paris, Gallimard.

SCHNAPPER D. (1999). *La Compréhension sociologique. Démarche de l'analyse typographique*, Paris, PUF.

SCHÜTZ A. (1987). *Le Chercheur et le quotidien*, Paris, Méridien-Klinskieck.

SCHÜTZ, A. (2003). *L'Étranger*, Paris, Allia.

SCHÜTZ A. (2007). *Essais sur le monde ordinaire*, Paris, Le Félin.

SIMMEL G. (1999). *Sociologie. Études sur les formes de la socialisation* (1908), Paris, PUF.

SMELSER N.J. (1988). « Social Structure », *in* N.J. SMELSER (ed.), *Handbook of Sociology*, Newsbury Park, Sage, pp. 103-129.

SMITH D. (1999). « "The Civilizing Process" and "The History of Sexuality": Comparing Norbert Elias and Michel Foucault », *Theory and Society*, vol. 28, n° 1, pp. 79-100.

TAROT C. (1999). *De Durkheim à Mauss, l'invention du symbolique, sociologie et science des religions*, Paris, La Découverte.

TCHAKHOTINE S. (1939). *Le Viol des foules par la propagande politique*, Paris, Gallimard.

THOMPSON E.P. (1988). *La Formation de la classe ouvrière anglaise* (1963), Paris, Gallimard.

THOMPSON J.B. (2001). « Préface » *in* P. BOURDIEU, *Langage et pouvoir symbolique*, Paris, Seuil, pp. 7-51.

TOURAINE A. (1973). *Production de la société*, Paris, Seuil.

TOURAINE A. (1978). *La Voix et le regard*, Paris, Seuil.

TURNER B. S. (1974). *Weber and Islam. A Critical Approach*, Londres, Routledge and Kegan.

VAN CAMPENHOUDT L., QUIVY R. avec la coll. de MARQUET J. (2011). *Manuel de recherche en sciences sociales*, Paris, Dunod.

VAN CAMPENHOUDT L. (2001). *Introduction à l'analyse des phénomènes sociaux*, Paris, Dunod.

VAN CAMPENHOUDT L. (2010). « Pouvoir et réseau social : une matrice théorique », *Cahiers du CIRTES* n° 2, Presses universitaires de Louvain, pp. 5-41.

VAN CAMPENHOUDT L. (2012). « Réseau ou champ ? Deux concepts à l'épreuve du pouvoir dans le "travail en réseau" », *Cités,* n° 51, p. 47-63.

VANDENBERGHE F. (2009). *La Sociologie de Georg Simmel*, Paris, La Découverte.

WATIER P. (2002). « La place des sentiments psychosociaux dans la sociologie de G. Simmel », *in* L. DEROCHE GURCEL et P. WATIER (dir.), *La sociologie de Georg Simmel* (1908). *Éléments actuels de modélisation sociale*, Paris, PUF.

WEBER M. (1959). *Le Savant et le politique* (1919), Paris, Plon.

WEBER M. (1995). *Économie et société, Tome 1 : Les catégories de la sociologie* (1921), Paris, Agora, Pocket.

WEBER M. (2000). *L'Éthique protestante et l'esprit du capitalisme* (1904-1905), Paris, Flammarion.

WEBER M. (2005). *La Science, profession et vocation* (1917), suivi de *Leçons wébériennes sur la science et la propagande*, par I. KALINOWSKI, Marseille, Agone.

WEBER M. (2012). *Sur le travail industriel* (1908), Bruxelles, Éditions de l'Université de Bruxelles.

Glossaire

Ce glossaire reprend les principaux concepts sociologiques et les principales notions du langage scientifique étudiés dans cet ouvrage. Certains termes difficiles mais qui ne font pas partie du vocabulaire spécifique des sciences sociales ont été brièvement expliqués en notes de bas de page. La définition d'un même concept peut varier selon les théories. On se limite ici au sens donné par les approches abordées dans cet ouvrage. Les auteurs de référence sont indiqués entre parenthèses. Les mots en italiques sont des concepts associés aux concepts définis, qui sont également repris dans ce glossaire.

acteur (social) : figure individuelle mais plus souvent collective (comme un *mouvement social*) porteuse d'un sens mobilisateur et qui est impliqué dans une relation avec d'autres acteurs. L'acteur social n'existe cependant qu'à travers des individus concrets mais il les subsume dans une visée d'*action sociale* ou de transformation sociale. (Weber, Touraine)

action réciproque : action par laquelle des individus agissent les uns sur les autres et en fonction les uns des autres. L'action réciproque est constituée d'*interactions*. La société résulte de la multitude des actions réciproques. (Simmel)

action sociale : action effectuée significativement en fonction d'autrui. (Weber)

adaptation primaire : conduite conforme aux normes et aux attentes de l'*institution* (par exemple l'asile ou l'école), par laquelle l'individu « joue le jeu » et s'intègre dans l'institution. Les adaptations primaires s'opposent aux *adaptations secondaires*. (Goffman)

adaptation secondaire : conduite par laquelle un individu, dans une *institution*, tente « d'obtenir des satisfactions interdites ou bien des satisfactions autorisées par des moyens défendus ». Les adaptations secondaires s'opposent aux *adaptations primaires*. (Goffman)

affinité élective : Relation entre deux ou plusieurs *phénomènes* qui s'attirent et se renforcent mutuellement. Exemple : les affinités électives entre l'éthique protestante et l'esprit du capitalisme. (Weber)

agent : individu défini par sa position dans un système social, par exemple une institution ou un champ. L'agent est à la fois contraint par l'institution ou les logiques du champ, et actif au sein de ces structures. Dans l'analyse sociologique, on distingue souvent *agency* (terme anglais signifiant le fait que les individus « agissent «) et *structure* (le cadre structurel qui conditionne leur action).

aliénation : 1) état d'une personne qui se sent étrangère à elle-même, qui ne se reconnaît plus elle-même dans son existence et dans ses activités et se voit dépossédée de ce qu'elle produit (exemple : le travailleur est aliéné dans le système de production capitaliste) ; 2) la non conscience de l'exploitation à laquelle le travailleur est soumis. (Marx)

anomie : déstructuration du système normatif, perte des repères normatifs, « négation de toute morale ». (Durkheim)

attribution collective : imputation d'une situation problématique ou de difficultés non à une incapacité ou à un échec individuels mais à un destin collectif. (McAdam, McCarthy, Zald)

autorité : reconnaissance d'une personne ou d'*institution* comme étant digne d'être obéie, liée à la position institutionnelle et symbolique ou encore au *statut*.

bureaucratie : mode d'organisation caractéristique des sociétés modernes basées sur une *domination légale-rationnelle*. (Weber)

capital culturel : ensemble des ressources intellectuelles et culturelles acquises principalement par l'éducation familiale et scolaire, des supports matériels de ces ressources (livres par exemple), des titres qui en consacrent officiellement la possession et des manières d'être qui leur sont associées. (Bourdieu)

capital économique : ensemble des biens et des ressources économiques tels le patrimoine immobilier et mobilier, les revenus professionnels et l'emploi même qui fournit le salaire. (Bourdieu)

capital social : ensemble des relations sociales qu'un individu est en mesure de mobiliser. (Bourdieu)

capital symbolique : image sociale et rituels associés aux trois capitaux précédents, par exemple le prestige que confère un succès professionnel exceptionnel. (Bourdieu)

carrière ou carrière morale : succession des « modifications durables, assez importantes pour être considérées comme fondamentales et communes à tous les membres d'une catégorie sociale, même si elles affectent séparément chacun d'entre eux » (exemple : la carrière du malade mental ou de l'étudiant). (Becker, Goffman)

cause : au sens large du terme, la cause d'un *phénomène* est tout qui participe à la constitution de ce phénomène, ce avec quoi le phénomène est mis en rapport afin de l'expliquer. La **causalité** est « le schème précis selon lequel a été formalisée l'*explication* ». (Ladrière)

centralité : position structurelle dans un *réseau* définie par trois caractéristiques : le nombre de contacts, la proximité avec ces contacts et le fait d'être un passage obligé entre différents contacts. (Freeman)

champ : espace social relativement autonome défini par un enjeu spécifique et composé des relations entre un ensemble d'*agents* en positions inégales impliqués dans des luttes pour conserver ou améliorer leur position au regard de cet enjeu (exemples : le champ scolaire, le champ économique, le champ politique). (Bourdieu)

cité : espace symbolique dans lequel les individus se placent pour justifier leurs *actions*, évaluer celles des autres et trancher leurs « disputes », qui fournissent des registres de justification. (Boltanski et Thévenot)

classe sociale : dans le sens courant, principe de différenciation des groupes et individus basé sur leur position dans le système économique. Dans la perspective marxiste, une classe sociale se constitue dans un antagonisme avec une autre classe sociale (comme le prolétariat par rapport à la bourgeoisie) et n'existe réellement en tant que **classe pour soi** (et pas seulement comme **classe en soi**) que s'il existe une *conscience de classe*. Pour Thompson, la classe sociale constitue en outre une expérience culturelle, historique et relationnelle, au départ disparate.

cohérence cognitive : compatibilité entre *théories* scientifiques, sur le plan des *hypothèses* ou sur celui des procédures méthodologiques. Une nouvelle théorie a d'autant plus de chances de réussir qu'elle est en cohérence cognitive avec les théories déjà reconnues et établies. (Douglas)

comprendre/compréhension : 1) reconstruire dans la pensée les processus par lesquels les *phénomènes* adviennent. La compréhension est la finalité de toute connaissance (Ladrière) ; 2) saisir le sens de l'action humaine et sociale, principalement celui que leur donnent les *acteurs* eux-mêmes. Pour Weber, la compréhension des *actions sociales* est la principale tâche de la sociologie.

concept : catégorie intellectuelle permettant de définir et de rendre compréhensible un certain ordre de *phénomènes*. Schéma théorique destiné à rendre les phénomènes intelligibles (exemples : institution totale, fonction, habitus).

configuration : situation spatio-temporelle concrète d'*interdépendance*, associant des *structures* sociales et psychiques. Exemples : l'équilibre des forces entre la noblesse et la bourgeoisie sous Louis XIV, l'Union européenne. (Elias)

conscience collective : « ensemble des croyances et des sentiments communs à la moyenne des membres d'une même société (qui) forme un système qui a sa propre vie ». (Durkheim)

conscience de classe : conscience d'appartenir à une *classe sociale* dont les membres partagent une même situation et un même destin comparables. La conscience de classe est constitutive de la *classe pour soi*. L'*aliénation* fait obstacle à la conscience de classe. (Marx) Pour Thompson, la conscience de classe est l'ensemble des représentations associées à l'expérience historique de la classe sociale.

contexte de micro-mobilisation : « Toute situation en petit groupe dans laquelle des processus *d'attribution collective* sont combinés avec des formes rudimentaires d'organisation pour produire une mobilisation pour une action collective » (McAdam, McCarthy et Zald)

contradiction : opposition dynamique entre deux termes associés mais inconciliables. Tout système social est traversé, à des degrés divers, par des contradictions entre ses composantes. Ces contradictions constituent un puissant ressort de changement. (Hegel, Marx)

contrôle social : ensemble de pratiques mises en œuvre dans un groupe ou une *institution* pour encourager ou contraindre ses membres à en respecter les *normes* et à adopter les comportements conformes. Le contrôle social s'effectue notamment par des sanctions positives (récompenses) ou négatives (punitions).

corrélation : relation de co-occurence, vérifiable statistiquement, entre deux *phénomènes* qui varient conjointement. (Durkheim)

culture : ensemble complexe comprenant les connaissances, les systèmes symboliques, les *valeurs*, les *normes*, les modes de vie et leurs supports matériels acquis et partagés en société. Ensemble des activités et représentations symboliques par lesquelles une collectivité permet de donner sens à la vie individuelle et collective.

déviance : comportement qui s'écarte des *normes* généralement admises dans un groupe ou dans l'ensemble de la société. Dans l'approche *interactionniste*, la déviance n'est pas une qualité de l'acte commis par une personne, mais plutôt une conséquence de l'application, par les autres, de normes et de sanctions à un «transgresseur». (Becker)

différenciation sociale : évolution des sociétés consistant en un passage d'une organisation basée sur la *solidarité mécanique* à une organisation basée sur la *solidarité organique*, dans laquelle les individus se spécialisent et ne maîtrisent plus qu'une petite partie des processus sociaux de production.

distance au rôle : état d'esprit et attitude par lesquels l'individu manifeste (à destination de soi-même et/ou des autres) le fait que sa personne ne se réduit au *rôle* qui lui est attribué par l'*institution*. (Goffman)

domination (légitimité d'une...) : capacité de certaines personnes ou de certains groupes de personnes d'obtenir obéissance de la part d'autres personnes. La légitimité de la domination est ce qui rend la rend valide, la justifie aux yeux de ceux qui s'y soumettent. Weber distingue trois types de légitimité : traditionnelle, légale-rationnelle et charismatique.

dysfonction : contribution d'un élément d'un système social à la mise en péril de la cohésion et de la reproduction de ce système (Merton). (Ne pas confondre avec « dysfonctionnement » qui signifie un défaut de fonctionnement et n'est pas un concept sociologique.)

élite : ensemble des personnes dont la situation leur permet « de prendre des décisions aux conséquences capitales » pour la vie des gens ordinaires. (Mills)

entrepreneurs de morale : personnes qui entreprennent des « croisades pour la réforme des mœurs » (Becker).

episteme : socle cognitif profond qui délimite ce que l'on est capable et ce que l'on est incapable de penser à une époque particulière. (Foucault)

ethnocentrisme : attitude consistant à étudier et/ou juger la *culture* des autres sociétés ou groupes sociaux à partir des catégories de pensée et des *valeurs* de sa propre culture (Sahlins). L'ethnocentrisme de classe a pour cible la culture des autres classes sociales au sein d'une même société. (Hoggart). L'ethnocentrisme scientifique consiste à appliquer les critères de la pensée scientifique au comportement quotidien. (Evans-Pritchard, Schütz)

ethnométhodologie : paradigme selon lequel les *acteurs* élaborent eux-mêmes, dans leurs interactions de la vie de tous les jours, les méthodes pour se construire un univers sensé et résoudre les problèmes auxquels ils sont confrontés. (Garfinkel)

étiquetage : processus selon lequel certains individus ou groupes d'individus sont définis et identifiés par d'autres (notamment les *entrepreneurs de morale*) à partir d'une seule caractéristique qui leur est attribuée et en fonction de laquelle leurs comportements sont systématiquement interprétés (par exemple délinquant, toxicomane, alcoolique).

évolutionnisme : dans les sciences sociales, doctrine inspirée de Darwin (qui ne la cautionne pas), selon laquelle, au fil de l'histoire, les sociétés parcourent obligatoirement une succession d'étapes obéissant à des lois d'évolution universelle, qui les conduisent d'un état simple à un état complexe. (Spencer)

expliquer/explication : 1) mettre les *phénomènes* en rapport avec autre chose appelée *cause* et donc les « sortir de leur immédiateté » en vue de les *comprendre*. L'*explication* est la forme privilégiée par la démarche scientifique pour *comprendre* les phénomènes (Ladrière) ; 2) rechercher les causes des phénomènes, en particulier des comportements, à partir de méthodes objectivantes comme l'analyse de statistiques. (Durkheim, Weber)

fait social : « toute manière de faire, fixée ou non, susceptible d'exercer sur l'individu une contrainte extérieure ». (Durkheim)

fait social total : *fait social* consistant en une totalité dynamique dans laquelle s'expriment conjointement tous les aspects de la vie collective et psychique. Dans les sociétés archaïques, le don est un fait social total. (Mauss)

fonction : contribution d'un élément d'un système social à la cohésion et à la reproduction de ce système. La fonction est la conséquence effective de l'action de cet élément. Une fonction est dite **manifeste** lorsqu'elle est voulue et perçue par ceux qui la mettent en œuvre. Elle est dite **latente** lorsqu'elle n'est ni voulue ni perçue par ceux qui la mettent en œuvre. (Merton)

fonctionnalisme : paradigme selon lequel les sociétés forment des ensembles relativement stables et cohérents dont la reproduction est assurée par les fonctions de leurs différentes composantes. (Parsons, Merton)

gouvernementalité : mode de fonctionnement du pouvoir et de contrôle des populations, non pas concentré dans l'État et s'exerçant verticalement, mais diffus au sein de la société et s'exerçant horizontalement, dans lequel les individus sont en même temps l'objet du pouvoir et le canal par lequel il s'exerce. (Foucault)

habitus : ensemble de dispositions culturelles durables associées à un type de société (Elias Panofsky) ou une position sociale (Bourdieu) et résultant d'un long processus d'inculcation (le processus de *socialisation*). L'habitus **primaire** est inculqué par le milieu familial et la classe sociale d'origine. Se greffant sur l'habitus primaire, l'habitus **secondaire** s'acquiert à travers les activités scolaires et professionnelles notamment.

heuristique : qualifie une ressource intellectuelle, en particulier un *concept* ou une *hypothèse*, qui permet la découverte.

hexis corporelle : inscription ou incarnation de la *culture* (ou de la *sous-culture*) et de l'*habitus* dans le corps : la manière de se tenir et de s'entretenir, de se mouvoir, de se présenter, de s'habiller… (Mauss, Bourdieu)

hiérarchie de crédibilité : phénomène selon lequel « plus une personne occupe une position élevée, plus sont grandes les chances de voir acceptée sa version de la vérité ». (Becker)

historicisme : doctrine selon laquelle l'histoire des sociétés humaines obéit à des lois dont la découverte doit permettre de la prévoir. Exemple : Marx veut montrer le « devenir nécessaire » du capitalisme qui est sa propre fin.

historicité : inscription active des sociétés humaines dans une histoire et capacité de produire leur propre histoire par leurs actions collectives. (Touraine)

holisme méthodologique : conception selon laquelle la société constitue un tout qui surdétermine les éléments qui en font partie et dont les caractéristiques ne peuvent donc être déduites des caractéristiques de ses parties. (Durkheim)

hypothèse : proposition falsifiable visant à *expliquer* un *phénomène*. Une hypothèse s'exprime généralement sous la forme d'une relation entre deux ou plusieurs éléments, phénomènes ou *concepts* censés les représenter (par exemple les pratiques culturelles et la position sociale) et qui doit être vérifiée par l'enquête empirique.

idéologie dominante : ensemble des idées, *valeurs*, *normes* et représentations qui contribuent à favoriser et justifier la *domination* de la société et l'exploitation de la classe populaire par la classe dominante. (Marx)

illusio : intéressement des *agents* d'un *champ* (par exemple le champ économique ou le champ politique) aux enjeux propres à ce champ, grâce à quoi ils jouent le jeu, y accordent une importance et s'y impliquent. (Bourdieu)

individualisme méthodologique : *paradigme* selon lequel un *phénomène social* doit être considéré comme le résultat d'un ensemble d'actions effectuées par des individus, les actions qui intéressent le sociologue étant les *actions sociales*. (Boudon, Weber)

induction analytique : méthode de recherche consistant à formuler une *hypothèse* et à la mettre à l'épreuve au fur et à mesure des investigations empiriques. Si elle est infirmée par un seul cas, elle devra être reformulée, remplacée ou corrigée, jusqu'à ce qu'elle concorde avec l'ensemble des cas analysés. (Becker)

infrastructure (économique) : ensemble formé par les *forces productives* [voir *moyens de production*] et les *rapports de production*. Pour Marx, l'infrastructure est « déterminante en dernière instance ».

institution : toute manière relativement stabilisée par laquelle les humains organisent leur vie collective et qu'ils reconnaissent comme telle. Toute institution suppose un système de *normes* généralisées et standardisée au sein du groupe ou de la société concernée. Une institution peut être formelle (par exemple le code civil) ou informelle (par exemple une coutume), immatérielle (par exemple un ensemble de croyances) ou matérielle (par exemple un asile psychiatrique).

institution totale : « lieu de résidence et de travail où un grand nombre d'individus, placés dans la même situation, coupés du monde extérieur pour une période relativement longue, mènent ensemble une vie recluse dont les modalités sont explicitement et minutieusement réglées » (Goffman).

interaction : au sens large, influence réciproque entre deux ou plusieurs individus. Au sens strict, situations de face-à-face où les individus sont directement en contact les uns avec les autres. (Simmel, Becker, Goffman)

interactionnisme : *paradigme* sociologique pour lequel « une situation donnée est le résultat d'*interactions* entre différents *agents*. Pour comprendre cette situation, il faut donc prendre en compte l'ensemble des parties qui y sont impliquées, de près ou de loin. » (Becker) L'**interactionnisme symbolique** insiste sur le fait que les acteurs attribuent un sens à leurs interactions, ils interprètent la situation dans laquelle ils sont impliqués et la gèrent en fonction de cette interprétation. (Blumer, Becker, Goffman). L'**interactionnisme méthodologique** qualifie l'approche méthodologique de Simmel consistant à étudier les *actions réciproques* et à en extraire les formes. (Vandenberghe)

interdépendance : caractéristique d'un système social dont les composantes dépendent l'une de l'autre tout en étant en tension. (Elias)

kula : système d'échanges de biens prestigieux entre différentes tribus observé par Malinowski chez les Trobriandais. (Mauss)

logique intentionnelle : « Tout ce qui contribue à organiser le sens vécu sur lequel l'acteur se mobilise et à partir de quoi certaines pratiques sont possibles ». (Remy, Voyé et Servais)

logique objective : « Les effets qui découlent d'une pratique indépendamment de la conscience qu'on en a ». (Remy, Voyé et Servais)

marginal-sécant : position de l'individu qui est à la fois intérieur et extérieur à une organisation, ou qui a un pied dans plusieurs organisations, et qui peut en tirer un avantage stratégique. (Crozier)

mana : force magique, synonyme d'honneur, d'autorité et de fortune, qui fait la valeur des choses et des gens. (Mauss)

matérialisme historique : paradigme prônant une conception de l'histoire si les conditions matérielles ou économiques sont déterminantes. (Marx)

mode de production : combinaison spécifique des principaux éléments de l'*infrastructure économique* à laquelle est associé un type de *superstructure* (exemples : le mode de production féodal, le mode de production capitaliste).

modèle culturel : principe d'orientation de la société qui représente, avec l'accumulation des moyens de production, un enjeu des rapports de classes. (Touraine)

Moi : composante la plus consciente du psychisme, correspondant à la représentation que le sujet a de lui-même, de sa propre identité ; siège de la subjectivité. (Goffman, Elias)

mouvement social : action collective visant un changement de certaines orientations majeures de la société. Pour Touraine, un mouvement social est constitué par la convergence de trois principes : un principe d'identité (image de lui-même), un principe d'opposition (image de son adversaire) et un principe de totalité (image de l'enjeu qui les réunit et les divise). Pour McAdam, McCarthy et Zald, les *contextes de micro-mobilisation* constituent les atomes de base des mouvements sociaux.

moyens de production : ensemble des ressources mobilisées pour la production (machines, usines, ressources naturelles, matériaux...). Les **forces productives** comportent les moyens de production mais également les travailleurs qui les utilisent. (Marx)

norme : précepte de conduite correspondant à une situation sociale donnée. « Les normes sociales définissent des situations et les modes de comportement appropriés à celles-ci : certaines actions sont prescrites (ce qui est «bien»), d'autres sont interdites (ce qui est «mal»). » (Becker)

observation participante : méthode de recherche basée sur l'insertion du chercheur dans le groupe ou l'*institution* étudiés, afin de les étudier de l'intérieur et de *comprendre* ceux qui y vivent. Méthode privilégiée par l'anthropologie. (Malinowski, Goffman)

paradigme : « ensemble d'énoncés portant, non sur tel ou tel aspect des sociétés, mais sur la manière dont le sociologue doit procéder pour construire une *théorie* visant à expliquer tels ou tels aspects des sociétés » (Boudon et Bourricaud). Exemples : le *fonctionnalisme*, l'*interactionnisme symbolique*, le *matérialisme historique*, l'*ethnométhodologie*, la *sociologie de l'action*.

phénomène (social) : ce qui se donne à voir, peut faire l'objet d'une appréhension sensible et être saisi par l'enquête, par exemple un comportement, une parole, une idée qui s'exprime d'une manière ou d'une autre, le mode de fonctionnement d'une entreprise ou une action collective.

plus-value : valeur produite par le **surtravail**, c'est-à-dire par la part de travail fournie par les ouvriers au-delà du **travail nécessaire** à la constitution de leur salaire, et qui est accaparée par le propriétaire des moyens de production. (Marx)

positivisme : doctrine philosophique selon laquelle la science doit être pratiquée à partir d'études réalisées uniquement sur des données observables, plus communément appelées des faits. (Comte)

potlatch : cérémonie relevant du don, pratiquée par certaines tribus indiennes de la côte ouest du Pacifique, et caractérisée par la destruction massive de richesses ; *fait social total* de type agonistique réglant notamment les relations entre clans. (Mauss)

pouvoir : « Le pouvoir d'une personne A sur une personne B est la capacité de A d'obtenir que B fasse quelque chose qu'il n'aurait pas fait sans l'intervention de A ». (Dahl)

rapport (sociaux) de production : rapports entre *agents* participant au processus de production. L'esclavage, le servage et le salariat sont des types de rapports sociaux de production. (Les rapports techniques de production sont les rapports entre les travailleurs et outils de production.)

rationalisation : processus conduisant à une approche rationnelle des activités (voir *rationalité*). Pour Weber, la rationalisation caractérise la transformation des sociétés occidentales au cours des derniers siècles.

rationalité : qualité d'une activité rationnelle, c'est-à-dire orientée de manière conséquente en fonction de fins élaborées consciemment. Weber distingue deux formes de rationalité : la rationalité en finalité et la rationalité en *valeurs*.

réflexivité : capacité de prendre du recul par rapport à ses propres modes de pensée, son propre mode de fonctionnement et ses propres actions ; capacité de s'analyser soi-même qui s'applique aussi bien aux personnes individuelles, comme le chercheur (individu réflexif) qu'à la société dans son ensemble (société réflexive). (Giddens)

relativisme : constat de la diversité des cultures pouvant conduire à deux conceptions différentes : le **relativisme intégral** selon lequel il est impossible de produire des connaissances valides et de porter quelque jugement que ce soit sur les sociétés différentes de la sienne, et le **relativisme méthodologique** qui consiste à vouloir produire des connaissances valides en rapportant tout phénomène à son contexte d'origine et en s'empêchant dès lors l'usage de catégories de pensée inadéquates (Evans-Pritchard, Mauss). Le premier est un relativisme idéologique qui ferme chaque société sur elle-même et conduit à accepter quelque comportement que ce soit (y compris violents) ; le second est un relativisme scientifique ouvert sur une compréhension des autres groupes et sociétés.

réseau d'acteurs sociaux : ensemble de personnes interconnectées, c'est-à-dire entre lesquelles circulent messages, ressources ou objets quelconques ; ou encore, système de communications entre un ensemble de personnes interconnectées. **Analyse des réseaux** : *paradigme* méthodologique selon lequel un système de relations et les comportements des *acteurs* doivent être expliqués par les caractéristiques structurelles du réseau dont ces derniers sont parties prenantes.

rite : cérémonie et, plus largement, conduite répétée et codifiée qui remplit une fonction symbolique. (Goffman)

rôle : ensemble de droits et d'obligations associés à un *statut*. Voir *distance au rôle*.

rupture épistémologique : fait de rompre avec le sens commun, avec les prénotions (Durkheim) ou avec les catégories de pensée instituées (Becker). Épistémologique signifie : dans l'ordre de la connaissance.

socialisation : processus par lequel un individu intériorise les valeurs, les normes et les modèles de conduite de sa *culture* ou *sous-culture*. On distingue la socialisation **primaire** (acquise au cours de l'enfance) et la socialisation **secondaire** (acquise plus tard dans divers environnements culturels), la socialisation « **réussie** » et la socialisation « **ratée** ». (Berger et Luckmann)

sociologie compréhensive : *paradigme* insistant sur l'importance de saisir le sens que les *acteurs* donnent à leurs *actions*, c'est-à-dire de *comprendre* celles-ci. (Weber)

sociologie critique : courant de pensée, inspiré par Marx au départ, selon lequel la *théorie* sert à mettre en lumière et à critiquer les problèmes et les insuffisances de la société, en particulier ceux liés au capitalisme. (Horkheimer, Adorno)

sociologie de l'action : *paradigme* qui considère que les *acteurs sociaux*, individuels ou collectifs, sont capables d'agir significativement sur les *structures* qui les contraignent et de les transformer. Plusieurs auteurs majeurs ont développé une sociologie de l'action spécifique, notamment Weber, Parsons et, plus tard, Touraine.

sociologie pragmatique : 1) Dans la perspective de Boltanski et Thévenot, courant théorique visant à mettre au jour les régimes d'action des *acteurs* et, plus particulièrement, les justifications par lesquelles ils justifient leurs *actions* et organisent leurs arguments. 2) Dans la perspective de la sociologie des sciences de Callon et Latour, courant théorique visant à saisir comment les scientifiques font pratiquement la science dans le cadre de réseaux socio-techniques.

solidarité mécanique : solidarité basée sur la similitude entre les individus qui partagent les mêmes *valeurs* et les mêmes compétences. Elle prévaut dans les sociétés pré-industrielles. (Durkheim)

solidarité organique : solidarité basée la différence et la complémentarité entre les individus, sur la division du travail. Elle prévaut dans les sociétés industrielles modernes. (Durkheim)

sous-culture : *culture* d'un groupe distinct à l'intérieur d'une société plus large, par exemple une *classe sociale*, une catégorie professionnelle ou un groupe d'âge.

statut : position reconnue à une personne ou à un groupe de personnes dans un groupe ou une collectivité. À un statut correspond un *rôle* (exemple : statut d'étudiant). (Parsons)

structure : mode d'agencement relativement stable qui relie entre eux les éléments d'un ensemble ; règle implicite de cet agencement (exemple : la structure qui articule le feu vert et le feu rouge est une structure d'opposition).

subjectivisme : réduction de toute connaissance à ce que révèle sa propre perception ; doctrine consistant à réduire toute connaissance à une perception subjective.

suicide altruiste : type de suicide résultant d'une cohésion sociale très forte, plus fréquent dans les sociétés traditionnelles à *solidarité mécanique*. (Durkheim)

suicide anomique : type de suicide résultant d'une déstructuration normative, l'*anomie*. (Durkheim)

Suicide égoïste : type de suicide résultant d'une faible cohésion sociale, plus fréquent dans les sociétés à *solidarité organique*. (Durkheim)

superstructure : ensemble des formes politiques, juridiques et idéologiques liées à un état donné de l'*infrastructure économique*. (Marx)

symbole, symbolique : Le symbole est le lien qui relie les êtres, les choses et les expériences singulières entre elles et à une structure globale significative. Le symbolique renvoie à la constante activité par laquelle les humains réorganisent et étendent en permanence leur conscience du monde. (Mauss)

système d'action concret : système de régulation et de relations tant formelles qu'informelles qui caractérise toute organisation, et dans lequel évolue le jeu stratégique des *acteurs*. (Crozier et Friedberg)

système d'action historique : système d'actions et de rapports sociaux par lequel les sociétés se produisent elles-mêmes et d'où procède leur *historicité*. (Touraine)

systèmes-experts : domaines techniques ou de savoir-faire professionnels concernant de vastes secteurs de notre environnement matériel et social, qui ont tendance à prendre une place de plus en plus importante dans la modernité avancée. (Giddens)

théorie : système de pensée composé de *concepts* et *d'hypothèses* destiné à expliquer un *phénomène* singulier ou un ensemble de phénomènes d'un même ordre, par exemple une théorie de la déviance (Becker), du *pouvoir* (Mills) ou du suicide (Durkheim).

totem : emblème (souvent un animal) symbolisant la tribu ou le clan, sa conscience d'appartenance et sa continuité.

trou structural : dans un *réseau*, il y a trou structural lorsque deux *acteurs* sont en contact avec un troisième sans être en contact entre eux ; le trou structural conférant du pouvoir à ce troisième acteur. (Burt)

type idéal : outil méthodologique abstrait destiné à faire ressortir la spécificité et le sens d'un *phénomène* au regard d'un objectif de recherche. La construction d'un type idéal s'opère en trois temps : sélection de traits pertinents, accentuation de ces traits, articulation de ces traits pour former un tableau de pensée cohérent et homogène. (Weber, Freund)

typification : processus consistant à identifier des situations rencontrées à des types et, par là, à rapporter des situations inconnues à des situations connues. (Simmel, Schütz, Berger et Luckmann)

typologie : ensemble de types construits selon les mêmes critères, destiné à saisir et comparer la spécificité de multiples phénomènes d'un certain ordre. Exemple : typologie des *dominations* en fonction du critère de la *légitimité*. (Weber)

utilitarisme : doctrine reposant sur les idées que l'individu a pour principal ressort son intérêt individuel, que la société est conçu comme l'agrégation d'individus égoïstes, et que l'utile est la *valeur* suprême car la meilleure manière d'assurer le bonheur du plus grand nombre est de rechercher la plus grande utilité pour chacun. (Bentham, Mill)

valeur : Idéal moral, critère en fonction duquel une personne, une action ou une *institution* est digne d'estime et se voit accorder une importance. Les valeurs sont généralement considérées comme un des principes d'orientation de l'action. Exemples : la vie humaine, la justice, la liberté, la responsabilité individuelle, le plaisir, la richesse ou la santé.

violence symbolique : imposition par les dominants de leur vision du monde ou de leur définition d'une situation aux dominés et acceptation de cette vision ou de cette définition par les dominés eux-mêmes (Hoggart, Bourdieu).

zone d'incertitude : aspect de la vie d'une organisation affectant les acteurs dans leur capacité de poursuivre leurs objectifs mais sur lequel règne une incertitude que certains maîtrisent mieux que d'autres, ce qui leur confère du *pouvoir* en leur permettant de rendre leur comportement imprévisible. (Crozier)

Les principales sources de ce glossaire sont les œuvres étudiées. Outre celles-ci, nous avons consulté :

AKOUN A., ANSART P. (dir.) (1999). *Dictionnaire de sociologie*, Paris, Le Robert, Le Seuil.

BOUDON R., BOURRICAUD F. (1982). *Dictionnaire critique de la sociologie*, Paris, PUF.

GÉRAUD M.-O., LESERVOISIER O., POTTIER R. (1998). *Les notions clés de l'ethnologie*, Paris, Armand Colin.

GIDDENS A. (1989). *Sociology*, Cambridge, Polity Press.

JARY D., JARY J. (1991). *Collins Dictionary of Sociology*.Glasgow, Harper Collins.

SEYMOUR-SMITH C. (1990). *Macmillan Dictionary of Anthropology*, London and Basingstoke, MacMillan Press Ltd.

Index des notions

A

acteur 91, 92, 204
action 155, 156, 157, 158
 – collective 200, 202, 205
 – réciproque 242, 244
 – sociale 155, 157
adaptations primaires 39
adaptations secondaires 39, 40, 41, 47, 48, 49, 129
agent 270, 298
 – économique 271
aliénation 45, 188, 193, 205
analyse stratégique des organisations 303, 317
anomie 115, 116, 117, 128
attribution collective 206
autorité 262, 305, 324

B

bureaucratie 152, 195, 303, 304, 305

C

Ça 267
capital 286, 290, 294, 300
 – culturel 286, 287
 – économique 286, 287
 – social 286, 287, 312
 – symbolique 286
capitalisme 137, 138, 139, 140, 142, 145, 148, 155, 163, 164, 166, 167, 168, 169, 170, 171, 190
carrière (morale) 41, 42, 43, 66
causalité 94, 122
cause 93, 103, 142, 214
centralité 315, 316
champ 269, 290, 298, 299, 300, 301, 302, 311, 316, 317
changement 20, 21, 117, 197, 294, 297
cité 165, 166, 167, 168
classe (sociale) 15, 16, 17, 22, 24, 25, 69, 80, 122, 170, 178, 179, 181, 183, 190, 194, 200, 201, 202, 203, 204, 286, 287, 288, 289, 290, 294, 296, 299, 313
classe en soi 192
classe pour soi 192
cohérence cognitive 86
compréhension 93, 156
configuration 268, 271, 273
conscience collective 112, 120, 123, 124
conscience de classe 192, 194, 201, 204, 205
construction sociale (de la réalité) 87, 241, 247, 251, 253, 312, 320
constructivisme 241, 244, 249
contexte de micro-mobilisation 205, 206, 208
contradiction 56, 183, 195, 196, 197, 243
contrôle 71, 72
 – social 43, 67

D

densité démographique 119
désenchantement du monde 145, 146, 159
déviance 62, 63, 64, 65, 66, 67, 68, 70, 73
distance au rôle 40, 51
division du travail 103, 118, 121, 123
domination 151, 153, 169, 183, 190, 191, 192, 194, 262, 272, 286, 301
 – charismatique 152
 – légale-rationnelle 152, 154
 – sociale 297

– symbolique 300
– traditionnelle 151, 152
dysfonction 129

E

élite 78, 79, 81, 82, 83
entrepreneurs de morale 68, 72, 75, 76, 83
episteme 275, 276, 279
(nouvel) esprit du capitalisme 137, 141, 142, 143, 144, 148, 150, 163, 164, 169, 170
éthique protestante 137, 148
ethnocentrisme 25, 27, 29, 74, 83, 223, 235
– culturel 57
– de classe 24, 25, 57
ethnométhodologie 253, 254, 255
étiquetage/étiquette 65, 68, 69
évolutionnisme 122, 123
expliquer/explication 19, 93, 94, 207, 208

F

fait social 106, 108, 109, 112, 115, 117, 123, 124, 125, 231
– total 231, 232, 236, 237
fonction 126, 127, 131
– latente 127, 128, 224
– manifeste 127
fonctionnalisme 127, 128, 129, 213
– absolu 127, 128, 129
– relatif 127
– universel 128
force du lien faible 311
forme 242, 244

G

gouvernementalité 279

H

habitus 266, 267, 290, 291, 292, 296, 300
– primaire 291, 300
– secondaire 300
heuristique 47, 144, 178, 317
hiérarchie de crédibilité 75, 76
historicisme 202
historicité 202, 221
holisme (méthodologique) 110, 112, 127, 157

I

idéal-type 144, 149
idéologie (dominante) 193, 194
illusio 299, 300
individualisme 123, 124, 125, 148, 268
– méthodologique 157
induction analytique 66
infrastructure 187, 193, 196
– économique 190
institution 64, 74, 83, 84, 85, 127, 164, 252
– totale 35, 37, 38, 40, 41, 44, 45, 49, 50, 85
– totalitaire 35, 36, 49
interaction 27, 50, 51, 52, 62, 66, 67, 71, 243, 247, 254, 319
interactionnisme 71, 75, 213, 273
– méthodologique 244
– symbolique 50, 51, 52, 68, 127, 253
interdépendance 121, 260, 261, 262, 263, 265, 268, 269, 270, 271, 272, 273
interprétations 67

J

jeux 309

K

kula 223, 224, 226, 227, 228, 235, 237, 238

L

légitimité 132, 151, 163
– légale-rationnelle 153
liberté 23, 270, 273
logique 175, 176
– objective 88, 102, 103, 104, 110, 117, 126, 157, 301
lutte des classes 177, 178, 180, 184, 187, 191, 193, 195, 196, 197, 200, 203

M

matérialisme historique (et dialectique) 86, 195, 196, 199, 200, 213
médias 21, 27, 81
mode de production 188, 190, 193
modèle culturel 203
modernité 88, 157, 245
Moi 43, 47, 48, 49, 52, 85, 267
mouvement social 201, 202, 203, 205
moyens de production 179, 187, 191, 264

N

non imposition des valeurs 160, 163
norme 63, 64, 65, 67, 68, 70, 72, 114, 131
– sociale 64

O

observation participante 34, 46
organisation 303, 305, 307, 308, 309, 310

P

paradigme 51, 52, 127, 128, 130, 213, 241, 246
phénomène social 45, 54, 61, 91, 93

phénoménologie 247
plus-value 187, 188
positivisme 122, 176
potlatch 223, 224, 225, 226, 228, 229, 230, 235, 237, 238
pouvoir 77, 78, 79, 80, 82, 83, 86, 132, 133, 168, 177, 178, 184, 229, 230, 261, 271, 275, 276, 277, 278, 279, 280, 286, 293, 303, 305, 306, 307, 308, 310, 315
production 187
projet 166, 167, 168, 169, 170

R

rapports de production 192, 194, 202
rationalisation/rationalité 58, 138, 139, 140, 145, 150, 151, 152, 158, 159, 160, 304, 308
réalité 24, 58, 240, 249, 251, 252, 253, 259, 313
– de la vie quotidienne 249
réciprocité des perspectives 246, 247
réflexivité 26, 246
relativisme intégral 57, 163
relativisme méthodologique 57
réseau (social, d'acteurs sociaux) 168, 169, 170, 207, 311, 312, 313, 314, 315, 316, 317
rôle 37, 49, 51, 131, 132, 313, 314
rupture épistémologique 26, 105, 110

S

sens commun 20, 26, 46, 55, 61, 64, 74, 75, 105, 142, 177, 222, 284, 285
sens pratique 248, 291
socialisation 242, 253, 267, 290, 296, 299
– compréhensive 157, 213, 248
– critique 198, 208
– de l'action 202
– pragmatique 164, 165
– primaire 253
– ratée 253

– réussie 253
– secondaire 253
solidarité mécanique 120
solidarité organique 121, 123, 126
statut 37, 43, 48, 72, 131, 132, 184, 230
structure 17, 18, 19, 20, 35, 37, 50, 131,
153, 168, 226, 229, 269, 270, 285, 286,
287, 295, 297, 315
suicide 114, 115
– altruiste 114, 117
– anomique 115, 117
– égoïste 113, 117
superstructure 190, 192, 193
Surmoi 267
symbolique 123, 221, 222, 227, 229, 240,
283, 297
système capitaliste 187
système d'action concret 308, 309, 310,
316
système d'action historique 202
systèmes-experts 245
système social 131

T

théories de moyenne portée 129, 214
trous structuraux 315, 316
type idéal 144, 145, 148, 153, 154, 156,
301
typification 242, 244, 247, 251, 252, 313

V

valeur 16, 21, 114, 131, 160, 161, 162,
163
– d'échange 29
– d'usage 29
violence symbolique 24, 302, 317

Z

zone d'incertitude 303, 306, 307, 308,
316

Index des auteurs

A

Adam P. 131
Adorno T. W. 215
Althusser L. 86
Aron R. 160

B

Bachelard G. 297
Beck B. 246
Becker H. 4, 61-77, 83, 87, 101, 216, 241, 251, 283, 319, 321, 323
Belin E. 82
Benedict R. 321
Bentham J. 237
Berger P. 1, 94, 240-256, 312
Besnard P. 117
Beynon H. 209
Bielby D. D. 22
Blumer H. 68
Boltanski L. 4, 163-171, 215, 315
Bott E. 313
Boudon R. 51, 205, 213
Bourdieu P. 4, 24, 84, 233, 252, 253, 283-302, 319
Bourricaud F. 51, 213
Burt R. S. 315

C

Cartuyvels Y. 311
Castells M. 311
Castel R. 45, 49, 52
Chaumont J. M. 70
Chiapello E. 163-171, 215, 315
Cohen S. 27
Colliot-Thélène C. 155

Comte A. 122, 176
Coulangeon P. 297
Coulon A. 254
Crozier M. 4, 302-317

D

Dahl R. 305, 315
Darwin C. 211
Delmotte F. 263
Douglas M. 78-89, 241, 321
Dumont L. 148, 222, 236
Dunning E. 321, 322
Durkheim E. 4, 101-125, 127, 128, 175, 176, 211, 212, 214, 216, 221, 227, 231, 234, 240, 242, 261, 278, 283, 303, 319, 323
Duval J. 297

E

Ehrenberg A. 267
Elias N. 116, 121, 154, 212, 227, 253, 259-274, 280, 283, 295, 319, 322, 323
Engels F. 177, 178
Eraly A. 316
Evans-Pritchard E. E. 4, 53-58, 62, 83, 88, 128, 159, 164, 221, 223, 234, 235, 241, 248, 323

F

Favret-Saada J. 53
Ferrand A. 314
Foucault M. 4, 267, 274-280
Freeman L. C. 315
Freund J. 144, 160
Friedberg E. 303, 307, 310
Friedmann G. 303

G

Garfinkel H. 240-256, 323
Giddens A. 240-256
Goffman E. 4, 33-53, 57, 72, 74, 77, 83, 85, 87, 91, 101, 212, 216, 221, 253, 267, 283, 319, 323
Granovetter M. 4, 302-317
Grignon C. 21

H

Habermas J. 130, 212, 215
Harrington C. L. 22
Hegel G. W. F. 101, 196
Heinich N. 268
Hénaff M. 238-240
Héritier F. 321
Herzlich C. 131
Hoggart R. 13-27, 53, 57, 61, 74, 82, 83, 87, 92, 101, 102, 178, 241, 253, 283, 285, 294, 319, 322
Honneth A. 215
Horkheimer M. 215
Husserl E. 247

K

Kaesler D. 156, 159
Kalinowski I. 137, 150, 161
Kant E. 101
Karsenti B. 229, 231
Kuhn T. 84, 87

L

Ladrière J. 93, 156
Lahire B. 292, 301, 311
Latour B. 78-89
Lemieux C. 311
Lenoir R. 72
Lévi-Strauss C. 86, 222, 233, 236, 278
Levy-Bruhl L. 54

Luckmann T. 240-256, 312
Luhmann N. 130

M

Malinowski B. 54, 129, 223
Malthus T. R. 119
March J. G. 303
Marquis N. 125, 268
Marshall G. 313
Marx K. 4, 29, 101, 107, 118, 139, 163, 175-199, 201, 202, 203, 205, 211, 213, 215, 216, 283, 301, 323
Mary P. 311
Mattelart A. 87, 314
Mauger G. 290, 291, 316
Mauss M. 4, 123, 159, 175, 216, 221, 240, 283, 319, 320, 323
McAdam D. 199-209, 315
McCarthy J. D. 199-209, 315
Mead G. H. 52
Mead M. 212, 321
Mercklé P. 315
Merleau-Ponty M. 254, 255
Merton R. K. 84, 126-133, 213
Mill J. S. 118, 237
Mills C. W. 4, 71, 78-89, 91, 215, 323
Murphy P. 321

N

Nizet J. 52

O

Orum A. M. 130, 207, 215

P

Panofsky E. 145, 290
Parsons T. 86, 118, 126-133, 160, 213, 214, 215, 216, 254
Passeron J. C. 16, 21, 25, 290

Pinto L. 291, 302
Polanyi K. 84, 119
Proudhon P. J. 188

Q

Quivy R. 93, 112, 315

R

Remy J. 102
Rigaux N. 52

S

Sahlins M. 27-30, 57, 83, 102, 128, 223, 234, 235, 323
Schnapper D. 153
Schütz A. 240-256
Servais E. 102
Simmel G. 101, 240-256, 323
Simon H. A. 303
Smelser N. J. 18, 130
Smith A. 118
Smith D. 280
Spencer H. 126, 211

T

Tarot C. 222

Tchakhotine S. 82
Thévenot L. 164, 165, 166
Thomas W. 240
Thompson E. P. 199-209, 215, 322, 323
Thompson J. B. 297
Tocqueville A. de 101, 176
Touraine A. 199-209, 213
Turner B. S. 138

V

Van Campenhoudt L. 7, 82, 93, 112, 311, 315
Vandenberghe F. 242, 243, 244
Voyé L. 102

W

Watier P. 245
Weber M. 4, 77, 93, 101, 113, 118, 133, 137-163, 175, 211, 213, 214, 215, 221, 242, 248, 260, 261, 283, 293, 302, 303, 304, 309, 310, 319, 322, 323
Williams J. M. 321
Woolgar S. 88

Z

Zald M. N. 199-209, 315

Composition : SoftOffice (38)

 Pour l'éditeur, le principe est
d'utiliser des papiers composés de
fibres naturelles, renouvelables,
recyclables et fabriquées à partir de
bois issus de forêts qui adoptent un
système d'aménagement durable.
En outre, l'éditeur attend de ses fournisseurs
de papier qu'ils s'inscrivent dans une démarche
de certification environnementale reconnue.

71290 - (III) - (1,2) - OSB 80° - SOF - GCO

JOUVE
1, rue du Docteur Sauvé, 53100 MAYENNE
N° 2299225Y
Dépôt légal : mai 2014
Suite du tirage : janvier 2015

Imprimé en France